W9-BMA-305

¡Qué chévere! 2

Author

Alejandro Vargas Bonilla

Contributing Writers

Carlos E. Calvo

Karin Fajardo

ST. PAUL

Carta a los estudiantes

¿Por qué estudias el español? As you know, there are many reasons to continue your study of Spanish and Spanish-speaking cultures—for example, travel plans, career goals, and the ability to speak with people in your community. Working with a partner, add to the list of these reasons. Then write your personal reasons for continuing to study Spanish on an index card. Your teacher will give you the card, and place it on the bulletin board. Your signature is optional.

¿Qué recuerdas del español y de las culturas hispanohablantes? With a classmate, say what connections you have made to the Spanish language and the cultures where Spanish is spoken (**¿programas de televisión? ¿películas? ¿música? ¿viajes? ¿comidas? ¿personas?**): **vi** ("I saw, watched"), **escuché** ("I listened to"), **viajé a** ("I traveled to"), **comí** ("I ate"), **hablé con** ("I talked with").

¡Puedo conversar en español! With your partner, take turns identifying a logical location for where the beginning of each dialogue below could take place. Then converse, taking turns saying and responding to each question. Together, try to extend the conversation for as long as you can!

¿A qué hora termina tu clase de historia? ¿Quieres ir a pie del hotel al museo?

¿Vas a comprar aquí el regalo para tu prima? ¿Tienes que hacer los quehaceres el sábado?

¿Qué dijo el hombre que trabaja en la tienda de artículos electrónicos?

Las culturas en el mundo hispanohablante. With your partner, link the language to culture by reviewing cultural elements of the Spanish-speaking world, then preparing a visual about some of them. First, prepare a graphic organizer in which you make 11 columns for 11 countries. Insert each person, place, or thing from the list below in a column labeled with its corresponding country. Once every item is categorized, go back and add the names of other cultural items you remember about each country. Finally, use an online presentational tool to share labeled illustrations about Spanish-speaking cultures with your classmates.

las hallacas   los gauchos   el Zócalo   Juan Luis Guerra   el juego de palín

el canal que va del Océano Atlántico al Océano Pacífico   las tapas   Rubén Darío

el museo Quinta de Bolívar   las islas Galápagos   Cartagena   el metro del D.F.

las aguas termales de Arenal   San Juan   "La pobre viejecita"   Pedro Martínez   el Salto Ángel

los moáis de Rapa Nui   el Mercado de la Boquería   el tango   el festival "Mil Polleras"

Buenos Aires   la Plaza de las Tres Culturas   Frida Kahlo   el Castillo San Felipe del Morro

San José   La fiesta de "Minguito"   los Andes

After reviewing some Spanish expressions and some cultural items about **los países hispanohablantes**, we hope you are excited to further your exploration of the Spanish-speaking world with ¡Qué chévere! Level 2. Among the many things you will learn this year, you will be able to ask for and give directions and advice, say how you feel, and express future plans. In addition, you will explore more about Spanish culture, such as traditions, media, and daily routines. Regardless of what motivates you to take this class, you will have fun with ¡Qué chévere!

¡Que te diviertas!

—Alejandro Vargas Bonilla
   Author of ¡Qué chévere!

Table of Contents

Contexto cultural: Estados Unidos

Contexto cultural: México

Contexto cultural: El Salvador y Honduras

Contexto cultural: Cuba, República Dominicana y Puerto Rico

Contexto cultural: Venezuela, Colombia, Ecuador, Perú y Bolivia

Contexto cultural: Paraguay y Uruguay

Contexto cultural: España

Contexto cultural: El mundo

Contexto cultural: El mundo

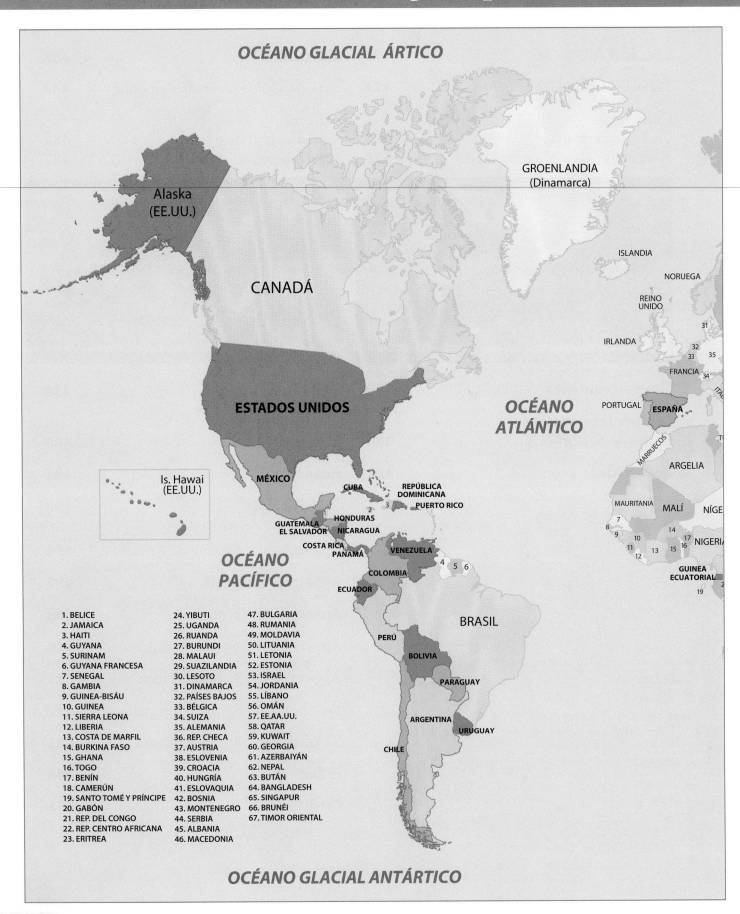

OCÉANO GLACIAL ÁRTICO

GROENLANDIA
(Dinamarca)

Alaska
(EE.UU.)

ISLANDIA

NORUEGA

REINO
UNIDO

CANADÁ

IRLANDA

31

32
33   35

FRANCIA   34

ESTADOS UNIDOS

OCÉANO
ATLÁNTICO

PORTUGAL   ESPAÑA

Is. Hawai
(EE.UU.)

MÉXICO

MARRUECOS

ARGELIA

CUBA   REPÚBLICA
DOMINICANA

MAURITANIA   MALÍ   NÍGE

PUERTO RICO

8   7

GUATEMALA   HONDURAS
EL SALVADOR   NICARAGUA

9   14

COSTA RICA   PANAMÁ

10   17   NIGERIA

11   15   16

OCÉANO
PACÍFICO

VENEZUELA

12   13

COLOMBIA

GUINEA
ECUATORIAL

ECUADOR

4   5   6

19

BRASIL

PERÚ

BOLIVIA

PARAGUAY

ARGENTINA   URUGUAY

CHILE

1. BELICE	24. YIBUTI	47. BULGARIA
2. JAMAICA	25. UGANDA	48. RUMANIA
3. HAITI	26. RUANDA	49. MOLDAVIA
4. GUYANA	27. BURUNDI	50. LITUANIA
5. SURINAM	28. MALAUI	51. LETONIA
6. GUYANA FRANCESA	29. SUAZILANDIA	52. ESTONIA
7. SENEGAL	30. LESOTO	53. ISRAEL
8. GAMBIA	31. DINAMARCA	54. JORDANIA
9. GUINEA-BISÁU	32. PAÍSES BAJOS	55. LÍBANO
10. GUINEA	33. BÉLGICA	56. OMÁN
11. SIERRA LEONA	34. SUIZA	57. EE.AA.UU.
12. LIBERIA	35. ALEMANIA	58. QATAR
13. COSTA DE MARFIL	36. REP. CHECA	59. KUWAIT
14. BURKINA FASO	37. AUSTRIA	60. GEORGIA
15. GHANA	38. ESLOVENIA	61. AZERBAIYÁN
16. TOGO	39. CROACIA	62. NEPAL
17. BENÍN	40. HUNGRÍA	63. BUTÁN
18. CAMERÚN	41. ESLOVAQUIA	64. BANGLADESH
19. SANTO TOMÉ Y PRÍNCIPE	42. BOSNIA	65. SINGAPUR
20. GABÓN	43. MONTENEGRO	66. BRUNÉI
21. REP. DEL CONGO	44. SERBIA	67. TIMOR ORIENTAL
22. REP. CENTRO AFRICANA	45. ALBANIA	
23. ERITREA	46. MACEDONIA	

OCÉANO GLACIAL ANTÁRTICO

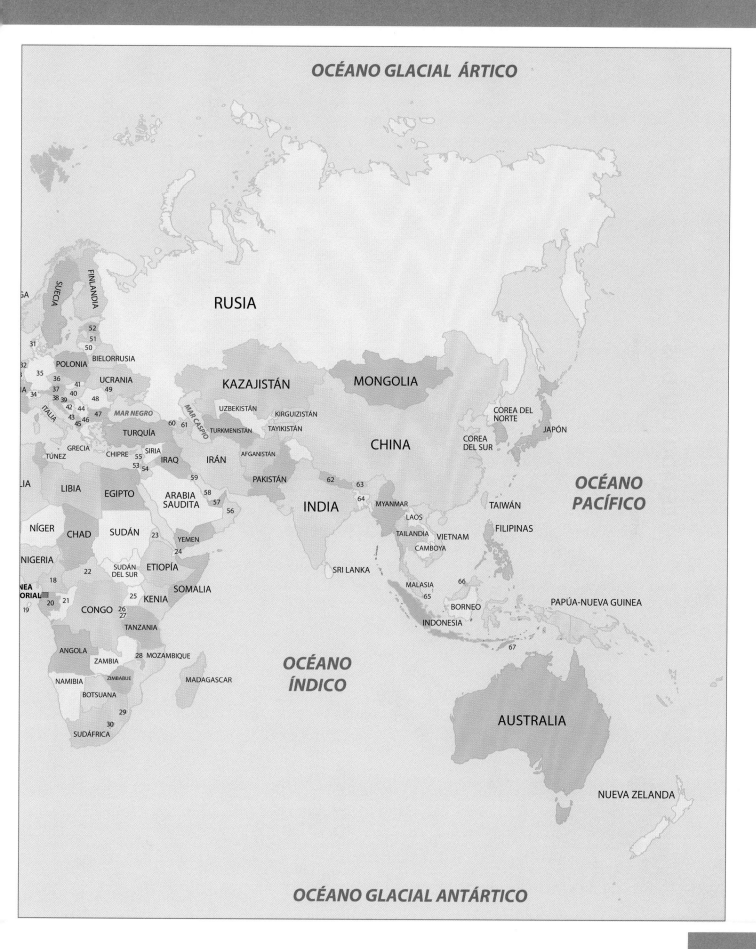

OCÉANO GLACIAL ÁRTICO

RUSIA

SUECIA
FINLANDIA
GA

52
51
31   50
BIELORRUSIA
32   POLONIA
35   36
IA   37 41   UCRANIA
34   38 39 40   49
ITALIA   42 44   48
43 45 46   47   MAR NEGRO
GRECIA   CHIPRE 55   SIRIA
TÚNEZ   53 54   IRAQ

KAZAJISTÁN

UZBEKISTÁN
KIRGUIZISTÁN
60 61   TURKMENISTÁN   TAYIKISTÁN
TURQUÍA

IRÁN   AFGANISTÁN

MONGOLIA

COREA DEL
NORTE   JAPÓN

CHINA   COREA
DEL SUR

MAR CASPIO

LIA   LIBIA   EGIPTO   59
ARABIA   58
SAUDITA   57
56

PAKISTÁN   62   63
64
INDIA   MYANMAR
LAOS

NÍGER   CHAD   SUDÁN   23
YEMEN
24
NIGERIA   SUDÁN   ETIOPÍA
22   DEL SUR

TAIWÁN

OCÉANO
PACÍFICO

TAILANDIA   VIETNAM
CAMBOYA

FILIPINAS

NEA   18
ORIAL   20 21   25   KENIA
19   CONGO 26
27
TANZANIA

ANGOLA   28 MOZAMBIQUE
ZAMBIA
NAMIBIA   ZIMBABUE   MADAGASCAR
BOTSUANA

29
30
SUDÁFRICA

SRI LANKA

MALASIA   66
65
BORNEO

INDONESIA

67

PAPÚA-NUEVA GUINEA

OCÉANO
ÍNDICO

AUSTRALIA

NUEVA ZELANDA

OCÉANO GLACIAL ANTÁRTICO

XV

MÉXICO

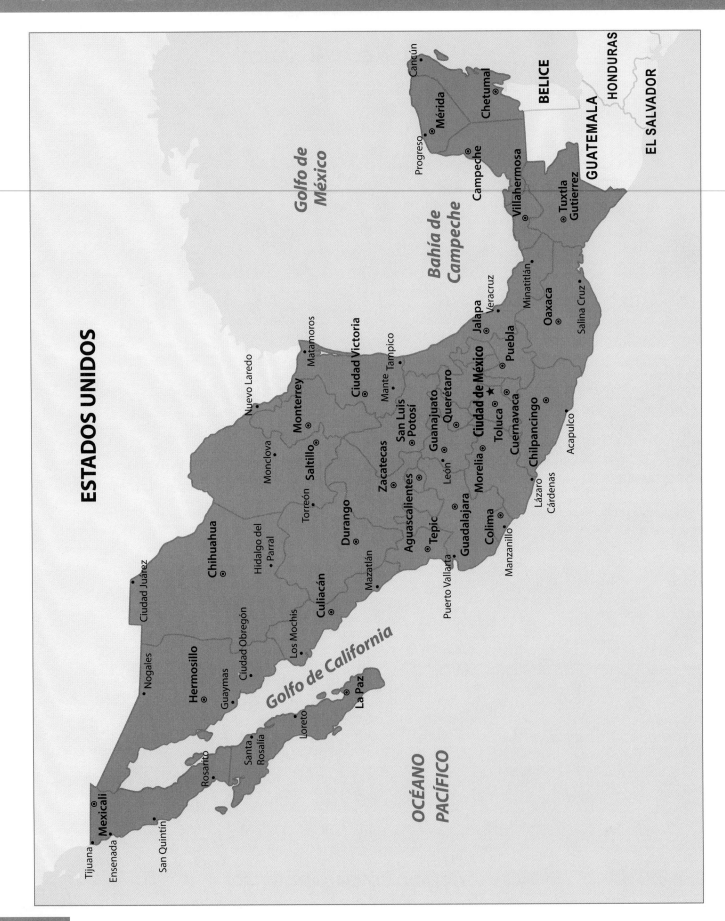

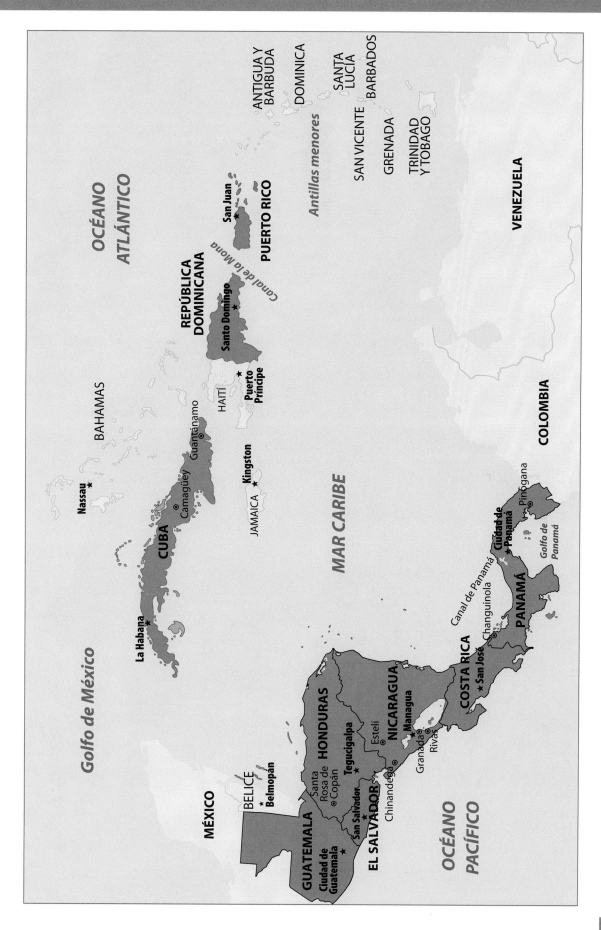

ESPAÑA

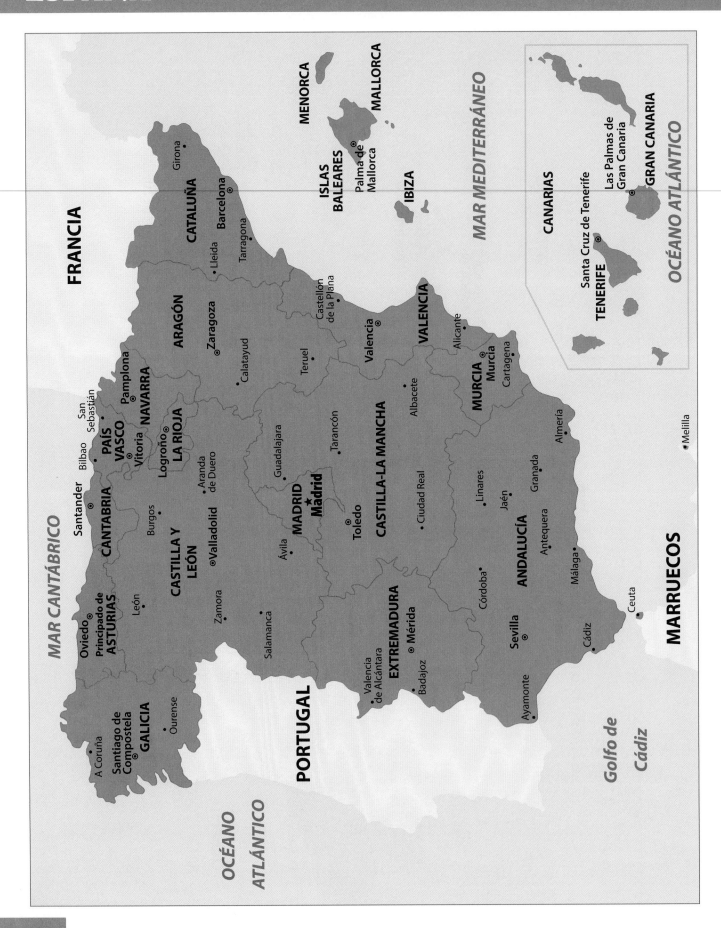

AMÉRICA DEL SUR

NICARAGUA
COSTA RICA
★
San José
Ciudad de
Panamá
PANAMÁ

Valencia
Maracaibo
Cúcuta
Mérida
Medellín Bucaramanga
★ Bogotá, D.C.
Cali
COLOMBIA
Mitú

Puerto España
★ TRINIDAD Y TOBAGO
Caracas Barcelona
VENEZUELA
Georgetown
Linden ★
Puerto Ayacucho
GUYANA
Paramaribo
★
Cayenne
SURINAME GUYANA
FRANCESA

OCÉANO
ATLÁNTICO

Quito ★
ECUADOR

Cuenca
Piura
Chiclayo
Trujillo
Chimbote Pucallpa
Huaraz
PERÚ
Lima ★
Huancayo
Ayacucho
Ica Cusco
Juliaca
Arequipa
Tacna
Arica
Iquique

Iquitos

Manaus

Belém

BRASIL

BOLIVIA
★ La Paz
Santa Cruz
Cochabamba
Sucre

Brasília ★

OCÉANO
PACÍFICO

Antofagasta

Tarija PARAGUAY
Pedro Juan
Caballero
Asunción
★
Salta
Ciudad
del Este

San Miguel de
La Rioja Tucumán Resistencia

Río de Janeiro
São Paulo ●

La Serena

Córdoba
San Juan Santa Fe
Mendoza Rosario

Pôrto Alegre

Tacuarembó
URUGUAY

Valparaíso
Santiago ★
CHILE ARGENTINA
Concepción

Buenos Aires
★ Montevideo

Mar del Plata

Neuquén Bahía Blanca

OCÉANO
ATLÁNTICO

Puerto Montt

Rawson
Comodoro
Rivadavia
Coyhaique

Islas Malvinas
(territorio británico
de ultramar)

Río Gallegos
Río Grande
Punta Arenas

Georgias del sur (R.U.)

¿Sabías que...?

El Plan Ceibal es un proyecto
educativo del gobierno de
Uruguay. Gracias a este plan, cada
estudiante y cada maestro/a de
las escuelas públicas de Uruguay
reciben de forma gratuita (*free*)
una computadora portátil.
El objetivo es simple: mayor acceso
a la información, la educación
y la cultura.

La tecnología en la vida diaria

 Escanea el código QR para ver este episodio de *El cuarto misterioso.*

Mientras José y su madre desayunan, ellos hablan sobre don Pedro. ¿Qué dice la madre sobre Pedro?

A. Es un buen hombre.
B. Debe llamar a la policía.
C. Va a ser huésped en la casa de Sandra.

Pregunta clave

What role does technology play in people's lives?

Mis metas

Lección A I will be able to:

▶ talk about technology and the Internet
▶ talk about ecology and other school subjects
▶ say someone keeps on doing something
▶ identify common chat abbreviations
▶ talk about computers
▶ talk about past actions using regular and stem-changing verbs
▶ discuss how some indigenous groups use the Internet

Lección B I will be able to:

▶ talk about my last vacation
▶ gossip and tell news
▶ react to gossip or news
▶ talk about past actions using irregular verbs
▶ use negative and affirmative expressions
▶ talk about access to free Internet
▶ talk about clothes and shopping
▶ express an immediate wish
▶ describe lack of company
▶ refer to people and things using direct and indirect object pronouns
▶ imagine the environmental impact of artificial bees

¿Cómo se comunican los chicos hispanohablantes por internet?

El mundo hispanohablante

La tecnología 🎧

¿Te gusta **la tecnología**?

la tableta

el celular

el fax

Hola a todos,

Estoy buscando información para mi tarea de ecología. Tengo un vínculo (http://ecomundial.gov) pero necesito conseguir otros para esta asignatura y no encuentro muchos más. Voy a seguir conectada a la red por dos horas más.

Marta

el e-mail

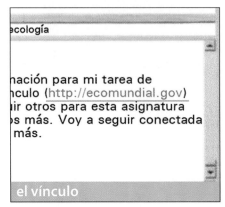

ecología

...nación para mi tarea de ...nculo (http://ecomundial.gov) ...ir otros para esta asignatura ...os más. Voy a seguir conectada ... más.

el vínculo

En otro país (España)

el celular	*el móvil*
el vínculo	*el enlace*

el mundo

la red

Para decir más

la bandeja de entrada	*inbox*
el dispositivo móvil	*mobile device*
la impresora	*printer*
el sitio web	*website*
el Wi-Fi, la conexión inalámbrica	*Wi-Fi*

Para conversar

To talk about the Internet:

Me gusta **navegar en la internet**.
I like to surf the Internet.

Siempre estoy **conectado/a** a la red.
I am always connected to the Web.

Necesito **conseguir** una foto para mi blog.
I need to get a photo for my blog.

¿Me ayudas a **encontrar la información**?
Can you help me find the information?

To talk about school subjects:

¿Cuál es tu **asignatura** favorita?
What is your favorite school subject?

Me gusta mucho la clase de **ecología**.
I really like ecology class.

To say someone keeps on doing something:

Voy a **seguir** buscando información.
I am going to continue looking for information.

On listening final.

---

1 ¿Qué hacen?

Selecciona la foto que corresponde con lo que oyes.

A

B

C

D

Comunidades

Gracias a la internet, estudiantes como tú pueden conectarse al mundo hispanohablante. Se puede leer periódicos, escuchar radio y ver programas de televisión de cualquier país del mundo, todo por internet. Colegios de diferentes países también pueden participar en programas de amigos por correspondencia (*penpal exchange programs*).

2 A completar

Completa cada oración usando una palabra apropiada de la lista.

1. Encuentro mucha __ en la red.
2. Hoy recibí un __ de una amiga que vive en Madrid.
3. Tienes que apagar el __ durante la clase.
4. Necesito el __ de la página de internet para las actividades de español.
5. Navego por la __ en mi tableta todos los fines de semana.
6. Busco información para la __ de historia.

internet
información
vínculo
celular
`e-mail`
asignatura

3 Antes de empezar el año escolar

Di lo que las siguientes personas hacen, usando el presente de los verbos indicados y las pistas que se dan.

MODELO Mario / comprar
Mario compra una computadora nueva.

1. Rosario / buscar

2. Ernesto y Soledad / viajar

3. Marta / escribir

4. Gerardo y Carla / comprar

5. nosotros / leer

6. tú y yo / navegar

Diálogo 🎧

¡Ay, qué aburridos!

Alba: Pedro, ¿vas a terminar ya con la internet para poder ir al cine?

Carlos: Sí, chico. La película empieza pronto.

Pedro: Bueno, solo estoy enviando un e-mail y vamos.

Carlos: ¡Siempre estás conectado a esa computadora!

Pedro: ¡Tú siempre estás hablando por ese celular!

Alba: ¡Ay, qué aburridos! Uds. siempre están conectados a algo.

Carlos: Es verdad, Alba.

Pedro: Sí, siempre estamos ocupados con la tecnología y no hacemos nada más.

Alba: Entonces, ¡vamos!

---

4 ¿Qué recuerdas? 🎧

1. ¿Qué le pregunta Alba a Pedro?
2. ¿Qué hace Pedro?
3. ¿Quién está siempre conectado a una computadora?
4. ¿Quién está siempre hablando por el celular?
5. ¿Con qué están siempre ocupados?

---

5 Algo personal 🎧

1. ¿Tienes computadora en casa? ¿Para qué la usas?
2. ¿Usas la internet? ¿Cuál es tu vínculo favorito?
3. ¿Usas la internet para conseguir información? ¿Qué información buscas?
4. ¿Usas e-mail? ¿A quién envías correos electrónicos?
5. ¿Piensas que la tecnología es buena o mala?

¡Comunicación!

6 ¿Lo usas? 👥 Interpersonal Communication

Averigua (*Find out*) cuál de los siguientes aparatos (*devices*) tu compañero/a usa todos los días.

> **MODELO** A: ¿Usas el celular todos los días?
> B: Sí, (No, no) uso el celular todos los días.

1. el celular   2. el fax   3. la computadora   4. la tableta

Gramática

Present Tense of *-ar*, *-er*, and *-ir* Verbs

Do you remember the endings for regular verbs in the present tense?

Verbos regulares

hablar: hablo, hablas, habla, hablamos, habláis, hablan
comer: como, comes, come, comemos, coméis, comen
vivir: vivo, vives, vive, vivimos, vivís, viven

---

7 Todos usan la tecnología

Completa las siguientes oraciones con la forma apropiada de los verbos entre paréntesis.

> **MODELO** Jaime **habla** con Raquel por celular. *(hablar)*

1. Uds. __ un informe para su asignatura de ecología. *(escribir)*

2. Mis amigos __ a unos amigos de España por la internet. *(ver)*

3. Yo les __ un e-mail a mis amigos de Colombia. *(escribir)*

4. Julia y Andrés __ en la internet para buscar información. *(navegar)*

5. Algunos estudiantes __ a navegar por la red. *(aprender)*

6. La profesora __ vínculos para su clase de ecología. *(buscar)*

7. Javier y Jairo __ el periódico por la internet. *(leer)*

8. Tú y yo __ e-mails de nuestros amigos de todo el mundo. *(recibir)*

9. Graciela __ a su hermana a enviar un fax a su colegio con la tarea. *(ayudar)*

Jaime habla con Raquel.

Present Tense of Verbs with Irregularities

How many of these verb irregularities in the present tense do you recall?

Verbos irregulares

estar: estoy, estás, está, estamos, estáis, están
decir: digo, dices, dice, decimos, decís, dicen
hacer: hago, haces, hace, hacemos, hacéis, hacen
ir: voy, vas, va, vamos, vais, van
ser: soy, eres, es, somos, sois, son
tener: tengo, tienes, tiene, tenemos, tenéis, tienen
venir: vengo, vienes, viene, venimos, venís, vienen

Repaso rápido

Verbos con cambios en la raíz

cerrar: cierro, cierras, cierra, cerramos, cerráis, cierran

turn on lights.
snowing

        (Verbos similares: empezar, encender, nevar, pensar, preferir, querer, sentir)

pedir: pido, pides, pide, pedimos, pedís, piden

        (Verbos similares: seguir, conseguir, repetir)

poder: puedo, puedes, puede, podemos, podéis, pueden   *To hang up*

        (Verbos similares: colgar, contar, costar, dormir, encontrar, llover, volver)

jugar: juego, juegas, juega, jugamos, jugáis, juegan

Tres verbos con acento

esquiar: esquío, esquías, esquía, esquiamos, esquiáis, esquían

enviar: envío, envías, envía, enviamos, enviáis, envían   *on tese.*

continuar: continúo, continúas, continúa, continuamos, continuáis, continúan

8 Charlando

Completa el diálogo entre Julia y Luisa con la forma apropiada del presente de los verbos indicados.

Julia: ¿(**1.** *Tener*) correo electrónico?

Luisa: Sí. Yo (**2.** *tener*) e-mail.

Julia: ¿Cuál (**3.** *ser*) la dirección de tu correo electrónico?

Luisa: Mi dirección (**4.** *ser*) luisa, arroba, comcas, punto, com.

Julia: ¿(**5.** *Navegar*) en la internet?

Luisa: Sí, mi hermana y yo (**6.** *navegar*) mucho en la internet.

Julia: ¿(**7.** *Encontrar*) Uds. mucha información usando la internet?

Luisa: Sí, yo (**8.** *encontrar*) mucha pero mi hermana no.

Julia: ¿(**9.** *Hacer*) amigos en la red?

Luisa: No, no (**10.** *hacer*) amigos en la red.

Julia y Luisa hablan.

9 Navegando 🎧

Las siguientes personas están navegando en la internet. Haz oraciones completas para decir si consiguen el vínculo que están buscando, usando las pistas que se dan.

Elena consigue el vínculo.

MODELO Elena (sí)
Consigue el vínculo que está buscando.
Pedro (no)
No consigue el vínculo que está buscando.

1. la profesora (sí)
2. Natalia (no)
3. Norberto y Mónica (no)

4. nosotros (no)
5. tú (sí)
6. yo (sí)

10 Hoy

Completa las siguientes oraciones con la forma apropiada del presente de los verbos entre paréntesis.

1. Diego y Diana (*estar*) muy cansados hoy.
2. Rodrigo (*hablar*) con Ana por celular.
3. Hoy yo (*comer*) tarde porque estoy ocupada con mi tarea.
4. Nosotros (*jugar*) a muchos juegos por la internet.

5. Tú (*poder*) encontrar toda la información para la tarea en la red.
6. Uds. (*pedir*) información sobre ecología.
7. Mauricio (*cerrar*) unas páginas web que están abiertas en su tableta.
8. Estefanía (*seguir*) conectada a la red.

¡Comunicación!

11 Tres e-mails 👥   Interpersonal Communication

Pide la dirección de correo electrónico a tres compañeros/as de clase. Luego, escríbeles un mensaje con cinco cosas que vas a hacer el próximo fin de semana. Usa el tiempo presente.

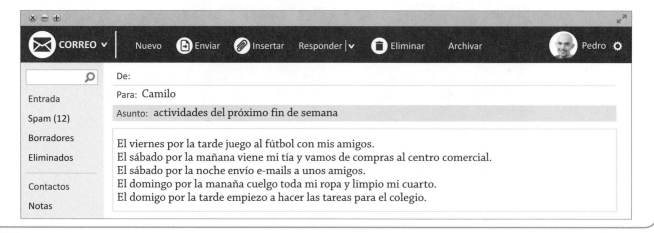

De:
Para: Camilo
Asunto: actividades del próximo fin de semana

El viernes por la tarde juego al fútbol con mis amigos.
El sábado por la mañana viene mi tía y vamos de compras al centro comercial.
El sábado por la noche envío e-mails a unos amigos.
El domingo por la mañana cuelgo toda mi ropa y limpio mi cuarto.
El domingo por la tarde empiezo a hacer las tareas para el colegio.

Gramática

The Present Progressive

- Use the present progressive tense to say what is happening right now. It is formed by combining the present tense of *estar* and the present participle (*gerundio*) of a verb.

estar + gerundio

- The present participle of most Spanish verbs is formed by replacing the infinitive ending *-ar* with *-ando* and by replacing the infinitive endings *-er* and *-ir* with *-iendo*.

-ar	-er	-ir
-ando	-iendo	
estudiar ➝ *estudiando*	comer ➝ *comiendo*	vivir ➝ *viviendo*

- Some stem-changing verbs require a different change in the present participle. This change is indicated by the second letter or set of letters shown in parentheses after infinitives in this book.

verbo	presente	gerundio
dormir (*ue, u*)	*duermo*	*durmiendo*
sentir (*ie, i*)	*siento*	*sintiendo*

but:

pensar (*ie*)	*pienso*	*pensando*
volver (*ue*)	*vuelvo*	*volviendo*

- There are some irregular present participles:

decir	diciendo	poder	pudiendo
leer	leyendo	traer	trayendo
oír	oyendo	venir	viniendo

Pedir → pidiendo

repetir → repitiendo

Servir → sirviendo

Seguir → Siguiendo

Conseguir → Consiguiendo

leer → leyendo

traer → trayendo

oír → oyendo

- In addition, combine *seguir* with a present participle to say that someone keeps on doing something.

seguir + gerundio

*Marta **sigue navegando** en la red.*   Marta **keeps surfing** the Web.

Ella está empezando a usar la tecnología.

Repaso rápido

¿Qué están haciendo las personas en las fotos?

MODELO   Marcela
Está navegando en la internet.

1. Jorge

2. nosotras

3. Alberto

4. Nubia

5. Rosa

6. María y Hugo

¡Comunicación!

13 Por el celular 👥 Interpersonal Communication

With a partner, role play a conversation in Spanish in which you are talking on a cell phone.

Ask your partner what he/she is doing.

Que estás haciendo

Answer the question, making up an appropriate activity you are doing and what you are going to do afterwards.

Even though your partner already has plans, invite him/her to do something.

Refuse the invitation and suggest another time when you can go with your partner to do the activity.

Gramática

Talking About the Future: *Ir a* + Infinitive

Remember to use the present tense of *ir* followed by *a* and an infinitive to talk about what is or is not going to happen in the near future.

$$ir + a + \textbf{infinitivo}$$

*¿Qué vas a **hacer**?* What are **you going to do?**

*Voy a **navegar** en la internet.* **I am going to surf** the Internet.

---

14 La semana de Carlos

Di qué va a hacer Carlos la semana que viene, según el siguiente horario.

MODELO **El lunes que viene va a navegar en la internet.**

Soy Carlos.

FEBRERO

lunes
navegar en la internet

martes
escribir e-mails a mis amigos

miércoles
leer un libro sobre ecología

jueves
jugar videojuegos en la computadora

viernes
buscar información en la red

sábado
ir al cine con Pedro

domingo
llamar a mi amiga Alba al celular

¡Comunicación!

15 La semana que viene 👥 Interpersonal Communication

Prepara tu horario para la semana que viene, usando el horario de Carlos como modelo (puedes inventar cualquier información). Luego, trabajando en parejas, alterna con tu compañero/a de clase para preguntar y contestar qué van a hacer, según sus horarios.

MODELO A: ¿Qué vas a hacer el lunes que viene?

B: Voy a hablar con mis amigos de Colombia por la internet.

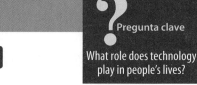
El lenguaje cibernético 🎧

a2	adiós
desp	después
dnd	donde
hl	hasta luego
k	que
mña	mañana
nos	nosotros
tkm o tqm	te quiero mucho
pa	para
peli	película
pf	por favor
pq	porque
q	que
sds o salu2	saludos
tmb o tb	también
x	por

abreviaturas cibernéticas

¿Usas abreviaturas[1] cuando escribes mensajes de texto? ¡Seguro que sí, al igual que los jóvenes hispanohablantes! La razón es simple. Pasamos muchas horas del día escribiendo de forma electrónica y a veces debemos comunicarnos tan rápido que tenemos que ahorrar tiempo. Con el uso de los mensajes de texto o SMS, los jóvenes crearon un lenguaje con abreviaturas para escribir más rápido. Además, las personas que tienen un servicio de celular limitado pueden ahorrar dinero porque escriben menos caracteres.

¡Claro! Si alguna persona no está acostumbrada[2] a chatear en español, esas abreviaturas pueden ser difíciles de comprender. Aquí hay una lista de abreviaturas cibernéticas para usar en el momento de chatear en español.

[1] abbreviations   [2] used to

🔍 **Búsqueda:** abreviaturas para chatear

Productos | Conéctate: la literatura 🎧

En España se publicó (*published*) el primer libro bilingüe en español y en código SMS; es decir, en el lenguaje de abreviaturas que se usa para mandar mensajes de texto. Su título es *¿Pero de verdad sabemos qué hacer con los ordenadores?* y se trata sobre (*it is about*) computación. La editorial Adicciones Digitales publicó dos versiones: una en español, escrita por un adulto y una chica, y otra en código SMS, escrita por un adolescente. Según la editorial, el objetivo de este formato innovador es acercar (*to bring closer*) el tema de la informática a los dos públicos —adulto y adolescente—, y que cada grupo lea el libro en el formato que se sienta más cómodo.

¿Pero de verdad sabemos qué hacer con los ordenadores?

Peo d vrdd sabmos q acer cn los ordnadors?

Libro en español y en código SMS publicado por Adicciones Digitales

16 Comprensión | Interpretive Communication

1. ¿Qué es el lenguaje SMS?
2. ¿Cuál es la ventaja (*advantage*) de escribir en lenguaje SMS?
3. ¿Quién escribió *¿Pero de verdad sabemos qué hacer con los ordenadores?* y cuál es su objetivo?

17 Analiza

1. ¿Qué tipo de abreviaturas usas tú cuando chateas? Menciona tres.
2. Do you think that the book *¿Pero de verdad sabemos qué hacer con los ordenadores?* is really bilingual? Explain.

Las redes sociales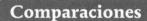

Como en los Estados Unidos, las redes sociales[1] son el pasatiempo favorito y la forma de comunicarse de muchos jóvenes en los países hispanohablantes. Redes sociales como Facebook y Twitter son también de gran popularidad en los países de habla hispana. Hoy Facebook en América Latina tiene 170 millones de usuarios[2] y cada minuto se registran 1.6 nuevos usuarios. De todos los usuarios, 33% son de edades de los 18 a los 24 años. Pero también hay otras redes sociales favoritas en diferentes países del mundo. Un ejemplo es Tuenti, una red social creada en 2006 por un estudiante universitario de Madrid, España. Esta red ya tiene más de 12 millones de usuarios, y casi todos son españoles y muy jóvenes. Tuenti, como las otras redes, tiene un gran futuro; por eso la empresa nacional Telefónica la compró por 99 millones de dólares.

[1] social networks   [2] users

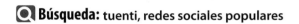 **Búsqueda:** tuenti, redes sociales populares

La red social Tuenti tiene millones de usarios jóvenes.

Comparaciones

¿Cuáles son las redes sociales más populares entre tus amigos? ¿Qué características tienen?

Perspectivas

Existe una expresión muy popular que dice "el mundo es un pañuelo (*handkerchief*)", o sea, que el mundo es pequeño. ¿Cómo refleja este dicho (*saying*) la forma en que los hispanohablantes ven el mundo? ¿Cómo se refleja esa visión del mundo en la tecnología que se usa hoy en día?

18 Comprensión   Interpretive Communication

1. ¿Cuántos años tienen el 33% de los usuarios de Facebook en América Latina?
2. ¿Qué diferencia hay entre Facebook y Tuenti en cuanto a (*regarding*) los usuarios?

19 Analiza

1. Why do you think the company Telefónica paid the inventor of Tuenti millons of dollars?
2. What are some potential benefits of social networks? And some negative effects?

Vocabulario 2

La internet 🎧

> **María**
>
> 12:05 ¿Buscaste los vínculos para la clase de ecología? ☺
>
> 12:06 Sí, los busqué esta mañana.
>
> 12:08 ¿Bajaste la nueva aplicación de música?
>
> 12:09 Sí, la bajé ayer. ☺

Muchos chicos entran a la red para **chatear** con amigos.
Tienen **una comunicación** por internet.

el mensaje de texto / SMS

el motor de búsqueda

la aplicación

el programa

bajar

la contaminación ambiental

la web

Para decir más

el/la bloguero/a	*blogger*
el chat en tiempo real	*live chat*
la red social	*social network*
compartir	*to share*
subir	*to upload*
transferir (video)	*to stream (video)*
tuitear	*to tweet*

Para conversar

*T*o talk about the computer:

¿Están las computadoras del colegio conectadas a la web?

Are the computers at school connected to the Web?

Compré dos nuevos programas de computadora: un antivirus y uno de ajedrez.

I bought two new computer programs: an antivirus one and a chess one.

Bajé una nueva aplicación para ver los niveles de contaminación ambiental.

I downloaded a new app to see the levels of environmental pollution.

¿Qué motor de búsqueda usas con más frecuencia?

What search engine do you use most frequently?

20 ¿Cierto o falso?

Escucha las siguientes oraciones relacionadas con la tecnología. Di si lo que oyes es cierto o falso.

21 Mensaje de texto

Completa la siguiente conversación de mensaje de texto, usando las palabras de la lista. Cada palabra se usa una vez.

bajé	ambiental	vínculo	ecología
texto	contaminación	motor	navegando

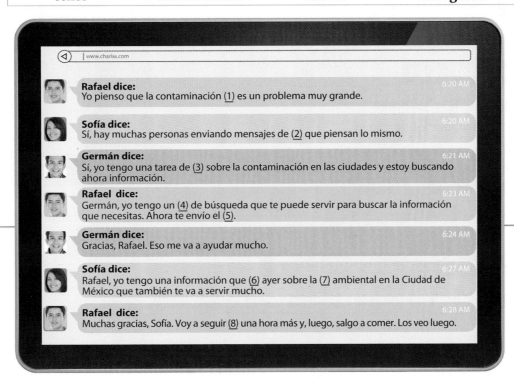

www.charlas.com

Rafael dice: 6:20 AM
Yo pienso que la contaminación (1) es un problema muy grande.

Sofía dice: 6:20 AM
Sí, hay muchas personas enviando mensajes de (2) que piensan lo mismo.

Germán dice: 6:21 AM
Sí, yo tengo una tarea de (3) sobre la contaminación en las ciudades y estoy buscando ahora información.

Rafael dice: 6:23 AM
Germán, yo tengo un (4) de búsqueda que te puede servir para buscar la información que necesitas. Ahora te envío el (5).

Germán dice: 6:24 AM
Gracias, Rafael. Eso me va a ayudar mucho.

Sofía dice: 6:27 AM
Rafael, yo tengo una información que (6) ayer sobre la (7) ambiental en la Ciudad de México que también te va a servir mucho.

Rafael dice: 6:28 AM
Muchas gracias, Sofía. Voy a seguir (8) una hora más y, luego, salgo a comer. Los veo luego.

Diálogo

¡Tanta contaminación ambiental!

Alba: ¡Qué buena la película!

Carlos: Sí, muy buena, pero también muy triste.

Pedro: ¡Tanta contaminación ambiental!

Alba: Me recuerda que debo hacer la tarea.

Carlos: ¿La tarea para la clase de ecología?

Alba: Sí, pero no sé cómo puedo conseguir más información.

Pedro: Yo usé un motor de búsqueda nuevo y conseguí mucha información.

Alba: ¿Qué motor de búsqueda usaste?

Pedro: Es nuevo, pero te digo solo si me compras un helado.

Carlos: ¡Qué malo eres!

22 ¿Qué recuerdas?

1. ¿Les gustó la película a los chicos?
2. ¿Cómo fue la película?
3. ¿Sobre qué fue la película?
4. ¿Qué le recuerda la película a Alba?
5. ¿Qué usó Pedro para conseguir mucha información?

23 Algo personal

1. ¿Te gusta la ecología? ¿Por qué?
2. ¿Hay contaminación donde vives?
3. ¿Eres bueno/a para navegar en la internet? ¿Puedes encontrar toda la información que buscas?
4. ¿Qué motores de búsqueda usas?

¿Hay contaminación?

24 ¡Tanta contaminación ambiental!

Di si lo que oyes es cierto o falso, según el Diálogo. Si es falso, di lo que es cierto.

Gramática

Preterite Tense of -ar Verbs

- Use the preterite tense when you are talking about actions or events that were completed in the past.

- Form the preterite tense of a regular -ar verb by removing the last two letters from the infinitive and attaching the endings shown.

lavar					
yo	**lav**é	I washed	nosotros nosotras	**lav**amos	we washed
tú	**lav**aste	you washed	vosotras vosotros	**lav**asteis	you washed
Ud. él ella	**lav**ó	you washed he washed she washed	Uds. ellos ellas	**lav**aron	you washed they washed they washed

- Regular verbs that end in -car (*buscar*, *explicar*, *sacar*, *tocar*), -gar (*apagar*, *colgar*, *jugar*, *llegar*) and -zar (*empezar*) require a spelling change in the **yo** form of the preterite in order to maintain the original sound of the infinitive.

infinitivo			pretérito
bus**car**	c	➙ qu	yo bus**qu**é
nave**gar**	g	➙ gu	yo nave**gu**é
empe**zar**	z	➙ c	yo empe**c**é

Repaso rápido

25 Ayer en casa

Completa las siguientes oraciones con la forma correcta del pretérito de los verbos entre paréntesis para decir lo que pasó ayer en tu casa.

1. Mis amigos (*llegar*) temprano.
2. Yo (*navegar*) en la internet por la noche.
3. Daniel (*buscar*) información en la web.
4. Ángela me (*ayudar*) mucho a buscar información.
5. Ella (*pasar*) a recoger mi tarea.
6. Uds. (*trabajar*) todo el día en la tarea de ecología.
7. Todos (*hablar*) mucho sobre el problema de la contaminación.
8. Yo (*buscar*) más información con un motor de búsqueda nuevo.
9. Yo (*empezar*) a tener sueño a las diez.
10. Nosotros (*chatear*) hasta tarde.

Gramática

Talking About the Past: Preterite Tense of -er and -ir Verbs

- Form the preterite tense of regular -er and -ir verbs by removing the last two letters from the infinitive and adding the same set of endings for either type of verb.

aprender	
aprendí	aprendimos
aprendiste	aprendisteis
aprendió	aprendieron

escribir	
escribí	escribimos
escribiste	escribisteis
escribió	escribieron

Aprendí sobre la contaminación ambiental.   I **learned** about environmental pollution.

¿Le escribió Juan un e-mail a su amiga?   **Did** Juan **write** an e-mail to his friend?

- Stem changes that occur in the present tense for -ar and -er verbs do **not** occur in the preterite tense.

- However, -ir verbs that have a stem change in the present tense require a different stem change in the preterite tense for *Ud., él, ella, Uds., ellos,* and *ellas.* This second change is shown in parentheses after infinitives in this book. Some verbs that follow this pattern include **dormir (ue, u)**, **mentir (ie, i)**, **pedir (i, i)**, **preferir (ie, i)**, **repetir (i, i)**, and **sentir (ie, i)**. The stem changes do not interfere with the verb endings.

*divertirse ii
also among stem chungeo*

dormir	
dormí	dormimos
dormiste	dormisteis
durmió	durmieron

pedir	
pedí	pedimos
pediste	pedisteis
pidió	pidieron

preferir	
preferí	preferimos
preferiste	preferisteis
prefirió	prefirieron

26 Diez cosas que hicimos

Use the verbs shown to state ten things you or someone else did or did not do yesterday.

MODELO   correr

     Yo corrí ocho kilómetros.

abrir   escribir   aprender   *sweep* barrer   comer

mentir   salir

dormir   pedir   recoger   repetir   correr

27 ¿Qué hicieron ayer?

Usa elementos de cada columna para formar siete oraciones completas
y decir lo que las personas hicieron ayer.

MODELO **Yo bajé tres aplicaciones para mi tableta.**

tú y yo	pedir	información para la clase de ciencias
Uds.	bajar	vínculos interesantes en la red
la profesora	dormir	libros sobre la contaminación ambiental
Ud.	hablar	tres aplicaciones para mi tableta
la chica	conseguir	la tarea de español
los chicos	recoger	con mis amigos en la internet
tú	repetir	casi ocho horas
yo	buscar	correos electrónicos de todo el mundo

¡Comunicación!

28 Chateando Interpersonal Communication

Working in pairs, pretend you and a friend are talking online about things you did.
What might the conversation sound like, based upon the provided cues?

MODELO recoger el nuevo celular

A: **¿Recogiste tu nuevo celular?**

B: **Sí, (No, no) lo recogí.**

1. escribir el número de celular
2. aprender a usar una nueva aplicación
3. conseguir vínculos buenos

4. escoger páginas web para buscar información
5. seguir buscando vínculos en la red
6. navegar en la internet

¡Comunicación!

29 En la red Interpersonal Communication

En parejas, hablen Uds. de lo que pasó cuando navegaban
en la red buscando información para una de sus
asignaturas del colegio.

MODELO **A:** **¿Qué encontraste?**

B: **Yo encontré más de cien vínculos en español.**

¿Qué encontraste?

¡Comunicación!

30 La semana pasada 👥 Interpersonal/Presentational Communication

Usa la tabla para hablar con tres compañeros/as de clase y tomar apuntes. Usa los apuntes para presentar la información a la clase. Algunas actividades que puedes mencionar: escribir un e-mail, comer en un restaurante, jugar a videojuegos, comprar ropa, chatear, estudiar, mirar una película.

Nombre	¿Qué hiciste la semana pasada?	¿Cuándo lo hiciste?	¿Con / A / Para quién?
Santiago	Escribí un e-mail.	anteayer	a mi abuela

MODELO   **Anteayer, Santiago le escribió un e-mail a su abuela.**

Escribí un e-mail.

¡Comunicación!

31 Competencia loca 👥 Presentational Communication

Trabajando en grupos de cuatro estudiantes, inventen tres cosas locas y divertidas que hicieron ayer y escríbanlas en un papel. Luego, compártanlas con los miembros del grupo. Finalmente, decidan quién contó las historias más creativas y chistosas. La persona con las historias más locas debe presentarlas al resto de la clase.

Ayer, ¡vi a un extraterrestre!

Todo en contexto

¡Comunicación!

32 Nosotros y la red 👥 | **Interpersonal Communication**

Con un/a compañero/a de clase, hablen sobre sus experiencias en la red y en las redes sociales. Usen las siguientes preguntas en su conversación. ¿Son sus experiencias similares o diferentes?

> **MODELO** A: ¿Qué red social usaste el año pasado?
>
> B: Usé la red social del colegio. No chateé mucho pero compartí muchas fotos. ¿Y tú?
>
> A: Yo también usé la red social del colegio. Chateé mucho con mis amigos.

El año pasado:

1. ¿Qué red social usaste? ¿Chateaste mucho? ¿Qué compartiste?
2. ¿Escribiste e-mails? ¿A quiénes?
3. ¿Conociste a gente interesante en la red? ¿A quién?

Ahora:

4. ¿Qué red social usas? Si es una red diferente a la del año pasado, ¿hay diferencias?
5. ¿Qué abreviaturas usas en tus mensajes?

Esta noche:

6. ¿Qué vas a hacer esta noche al entrar a la red?

¡Comunicación!

33 Encuesta 👥 | **Interpersonal/Presentational Communication** **Conéctate: la sociología**

Hazles las preguntas de la siguiente encuesta (*survey*) a tres compañeros/as de clase. Luego escribe un resumen (*summary*) de los resultados. Debes estar listo/a para presentar la información a la clase.

ENCUESTA

1. ¿Es la tecnología importante en tu vida?   sí ◯ no ◯

2. ¿Puedes vivir sin... ?
   - **A.** una computadora   sí ◯ no ◯
   - **B.** tu celular   sí ◯ no ◯
   - **C.** un televisor   sí ◯ no ◯
   - **D.** consola de videojuegos   sí ◯ no ◯

3. ¿Escuchas la radio de otros países en la internet?   sí ◯ no ◯

4. ¿Lees periódicos de otros países en la internet?   sí ◯ no ◯

5. ¿Envías fotos a tus amigos por internet?   sí ◯ no ◯

6. ¿Tienes una cuenta (*account*) en una red social?   sí ◯ no ◯

7. ¿Usas la internet para hacer compras?   sí ◯ no ◯

8. ¿Es tu vida mejor porque usas la tecnología?   sí ◯ no ◯

¿Usas la internet para hacer compras?

Lectura informativa

Antes de leer 🎧

1. ¿Conoces una red social o una página web que ayuda a la gente? ¿Cuál es y a quién ayuda?
2. ¿Qué problemas tienen los indígenas de los Estados Unidos?
3. ¿Cuál es la comunidad indígena más cerca de donde vives?

Estrategia

Predicting

You are going to read an article about how indigenous groups make use of the Internet. What kind of information do you think you will find?

La voz de los indígenas en la internet 🎧

Muchos indígenas están conectados a la red.

Hay grupos sociales que no siempre reciben la ayuda de los políticos. Uno de estos grupos son los indígenas, que reclaman[1] sus derechos[2] pero nadie los escucha. Después de muchos años de quejarse[3] por la falta[4] de tierra donde vivir o por la destrucción de selvas[5], los indígenas tienen hoy una herramienta[6] que les permite hacer escuchar su voz: las redes sociales.

Sitios web como "América indígena en Red", de Venezuela, o "Servindi", de Perú, publican a diario las preocupaciones de los pueblos nativos. Gracias a que muchos jóvenes indígenas van a estudiar a la universidad, tienen acceso a la internet para enviar su mensaje y pedir ayuda a millones de personas. Cuando regresan a su aldea[7] y encuentran conflictos, pueden transmitir el incidente con su celular, a todo el mundo y en tiempo real.

Una página web de las Naciones Unidas

La organización Naciones Unidas declaró el Día Internacional de los Pueblos Indígenas. Ese día celebra el uso de las redes sociales para defender los derechos y las lenguas de estos pueblos.

Afortunadamente, la tecnología también sirve para escuchar la voz de los más débiles[8].

[1] claim [2] rights [3] complain [4] lack
[5] jungles [6] tool [7] village [8] weak

🔍 **Búsqueda:** día internacional de los pueblos indígenas

34 Comprensión 🎧 Interpretive Communication

1. ¿Cuáles son las principales quejas (*complaints*) de los indígenas?
2. ¿Qué miembros de la comunidad indígena facilitan la comunicación por la internet?
3. ¿Cómo ayuda las Naciones Unidas a los indígenas?

35 Analiza

1. What is the main idea of the *Lectura informativa*?
2. Do you think politicians read messages that indigenous people post on the internet? If so, how can they help them?

Extensión

En el año 2013, un indígena de la comunidad terena, al sur de Brasil, muy cerca de Paraguay y Bolivia, murió en una lucha con la policía. El motivo fue el reclamo de sus tierras. En pocos minutos, fotografías y videos del incidente estaban en la red, frente a los ojos de todo el mundo.

🔍 **Búsqueda:** comunidad terena, gabriel oziel

Los terenas luchan por sus derechos.

✏️ Escritura

36 Una página de ayuda   Presentational Communication

Vas a crear la portada (*home page*) de una página web que sirve para ayudar a una comunidad indígena. Investiga en la internet sobre algunas comunidades indígenas de Latinoamérica para ver qué problemas tienen. Piensa en una o varias comunidades que necesitan ayuda y qué propones (*propose*) para ayudarlas. No tienes que escribir artículos largos; sigue la guía que aparece abajo y diseña (*design*) tu portada.

- Nombre de la página web
- Párrafo sobre "Quiénes somos"
- ¿Dónde está la organización?
- ¿A qué comunidad indígena ayuda?
- ¿Qué problemas tienen?
- ¿Qué soluciones propones?
- ¿Quién puede participar de este proyecto?

Luego presenta tu portada a la clase y explica tus ideas.

Para escribir más

el árbol	*tree*
la carretera	*highway*
la ley	*law*
el recurso	*resource*
el territorio	*territory*
el vehículo	*vehicle*

37 ¡Te toca a ti!

Piensa en la ciudad donde vives. ¿Quién puede necesitar ayuda? Piensa en ancianos (*senior citizens*), estudiantes, inmigrantes o algún otro grupo. Sigue la guía de la actividad 36 y prepara una página web para ayudarlos.

Repaso de la Lección

A Escuchar: ¿Qué hace? 🎧 (pp. 2, 14)

Selecciona el dibujo que corresponde con lo que oyes.

A

B

C

D

B Vocabulario: La palabra lógica (pp. 2, 14)

Completa cada oración con una palabra lógica del vocabulario.

1. Mis dos __ favoritas en el colegio son historia y ecología.

2. Usamos un motor de __ para encontrar información en la web.

3. Las computadoras de la biblioteca están __ a la red.

4. Los amigos están escribiendo mensajes de __ .

5. Jorge bajó una __, o programa de computadora, de música.

6. Tengo un __ (www.ecologia.net) pero necesito otros.

C Gramática: La semana pasada (p. 18)

Mira el calendario de la semana pasada. Escribe seis oraciones para decir qué hicieron las personas.

MODELO **El lunes Sofía corrió un maratón.**

lunes	martes	miércoles	jueves	viernes	sábado	domingo
Sofía / correr un maratón	yo / escribir un informe de ecología	Martín y Luis / comer sushi	Laura y yo / aprender a preparar flan	mi tía / abrir una tienda de celulares	tú / barrer el patio	Tamara / cumplir quince años

D Gramática: Ayer (p. 18)

Completa cada oración con el pretérito de los verbos entre paréntesis.

1. Leonardo (*dormir*) ocho horas anoche.

2. Mis abuelos (*pedir*) pollo con mole.

3. Yo siempre me siento feliz pero ayer me (*sentir*) triste.

4. Generalmente tú prefieres hablar por celular pero ayer (*preferir*) chatear.

5. Uds. (*conseguir*) seis vínculos interesantes.

6. Manolo (*sentir*) mucho frío ayer.

E Cultura: El lenguaje cibernético (p. 12)

¿Recuerdas las abreviaturas para chatear? Escribe el siguiente mensaje de texto usando palabras completas.

Juana: 10:12 AM

hl mña voy de compras pq necesito ropa tmb necesito un nuevo celular pf, ven conmigo y dsp vamos a ver una peli ☺

Vocabulario

La tecnología		Verbos	Otras expresiones
la aplicación	el motor de búsqueda	bajar	la asignatura
el celular	el programa	chatear	la comunicación
conectado/a	la red	conseguir (i, i)	la contaminación ambiental
el e-mail	la tableta	encontrar (ue)	la ecología
el fax	la tecnología	navegar	la información
la internet	el vínculo	seguir (i, i)	el mundo
el mensaje de texto	la web		

Gramática

Preterite tense of regular -er and -ir verbs

The preterite tense endings for -er and -ir verbs are the same.

aprender		escribir	
aprend**í**	aprend**imos**	escrib**í**	escrib**imos**
aprend**iste**	aprend**isteis**	escrib**iste**	escrib**isteis**
aprend**ió**	aprend**ieron**	escrib**ió**	escrib**ieron**

Stem-changing verbs in the preterite tense

Stem changes that occur in the present tense for **only** -ir verbs have a stem change in the preterite for the third-person singular and plural forms.

pedir (i, i)		dormir (ue, u)		preferir (ie, i)	
pedí	pedimos	dormí	dormimos	preferí	preferimos
pediste	pedisteis	dormiste	dormisteis	preferiste	preferisteis
p**i**dió	p**i**dieron	d**u**rmió	d**u**rmieron	pref**i**rió	prefirieron

Vocabulario 1

Las vacaciones pasadas 🎧

¡Hay tantos lugares en el mundo hispanohablante que **visitar**!

el camping

el picnic

el crucero

el bote

el chisme

Para decir más

el campamento de verano	*summer camp*
la caravana	*RV (camper)*
el destino turístico	*tourist destination*
el parque de atracciones	*amusement park*
la zona arqueológica	*archaeological zone*
balsear en los rápidos	*to go white-water rafting*
hacer caminatas	*to go hiking*
hacer un recorrido por	*to tour (a place)*

Para conversar

***T**o talk about your last vacation:*

¿Qué **hiciste** en las **últimas** vacaciones?
What did you do on your last vacation?

Visité a mis abuelos. ¿Y tú?
I visited my grandparents. And you?

***T**o talk about vacation activities:*

A mi familia y a mí nos gusta **ir de camping**.
My family and I like to go camping.

Mis abuelos quieren **hacer un crucero / tomar un crucero / ir de crucero** por el Caribe.
My grandparents want to go on a cruise around the Caribbean.

Vamos al parque para **hacer un picnic**.
We go to the park to have a picnic.

¿Te gustaría **dar un paseo en bote** con nosotros?
Would you like to go on a boat ride with us?

***T**o gossip or tell news:*

¿Te cuento un chisme?
Shall I tell you some gossip?

¿Leíste las últimas **noticias**?
Did you read the latest news?

¿Oíste las últimas noticias?
Did you hear the latest news?

***T**o react to gossip or news:*

¿De veras?
Really?

¡No lo puedo **creer**!
I cannot believe it!

¡Fantástico!
Fantastic (Great)!

¡Qué bueno!
That's great!

¡Qué lástima!
What a shame!

¿Qué hiciste en las últimas vacaciones?

1 ¿Qué hacen? 🎧

Selecciona la letra de la foto que corresponde con lo que oyes.

A

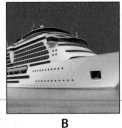

B

C

D

E

2 Minidiálogos

Completa los siguientes minidiálogos con las palabras apropiadas de la lista.

Marta: ¿Te gustaría ir de viaje en un **(1)** ?

Sofía: No, no me gustan los barcos grandes, prefiero los **(2)** pequeños.

Marco: Estoy leyendo el periódico para saber las últimas **(3)** .

Roberto: ¡Qué bueno! A mí solo me gustan los **(4)** .

José: Vamos a hacer un **(5)** este fin de semana, ¿vienes?

Paco: No, no puedo. Nos vamos de **(6)** a un parque con unos amigos.

botes   crucero

camping

noticias

picnic

chismes

3 ¿Cierto o falso?

Lee el siguiente e-mail. Luego di si cada oración es cierta o falsa, según la información en el e-mail. Si es falso, di lo que es cierto (*true*).

1. Elena le envía fotos a Sonia.

2. La familia de Elena fue a un hotel.

3. En una foto, Alberto está en un picnic.

4. Alberto dio un paseo en carro.

5. Los padres de Elena tomaron un crucero.

6. Elena no quiere saber ni chismes ni noticias de Sonia.

CORREO ∨ | Nuevo | Enviar | Insertar | Responder | ∨ | Elena ⚙

Entrada
Spam (1)
Borradores
Eliminados
Contactos
Notas
Archivar
Grupos

De: Elena
Para: Sonia
Asunto: Fotos

¡Hola Sonia!

Aquí te envío cuatro fotos de nuestras últimas vacaciones. Una foto es de nuestro viaje de camping. En otra foto está Alberto en un picnic al que él fue el cuatro de julio y en otra está él en un paseo en bote. La última es del crucero que tomaron mis padres. Ellos visitaron varios países. Yo creo que las fotos te van a gustar. Y tú, ¿tienes algún chisme o noticia?

Elena

camping.07jpg picnic03.jpg bote05.jpg crucero09.jpg

Diálogo

El crucero de Pablo

Ignacio: Acabo de recibir un e-mail de Pablo desde su crucero.

Eduardo: ¿Y te escribió desde el crucero?

Ignacio: No, me escribió desde un cibercafé en San Juan.

Eduardo: ¡Qué bueno! ¿Y te contó algún chisme?

Ignacio: Me contó que estuvo en un camping.

Eduardo: Chico, ¡en los cruceros no hay campings!

Ignacio: No, hombre, cuando el crucero llegó a San Juan fueron a visitar a su hermano a un camping en El Yunque.

Eduardo: Ah, bueno, porque creo que ir de camping en un crucero es de locos.

Ignacio: ¡Qué tonto eres, Eduardo!

4 ¿Qué recuerdas?

1. ¿Qué acaba de recibir Ignacio?
2. ¿Desde dónde escribió Pablo?
3. ¿Qué le contó Pablo a Ignacio?
4. ¿Adónde fue Pablo a visitar a su hermano?
5. ¿Qué es de locos según Eduardo?

5 Algo personal

1. Di algo que acabas de hacer.
2. ¿Te gusta ir de camping? ¿Por qué?
3. ¿Adónde te gustaría ir de crucero?

Un poco más

Remember you can tell what someone has just done recently by using the expression *acabar de* in the present tense followed by an infinitive.

Acabo de venir de camping.
I just came (have just come) from camping.

¡Comunicación!

6 Acabo de... 👥 Interpersonal Communication

Working with a partner, create six small exchanges. Taking turns, one person says something he/she has done recently using the expression *acabar de*. The other person reacts appropriately to the news. Use expressions found on page 27.

MODELO

A: **Acabo de hacer un crucero.**

B: **¡Fantástico! Yo acabo de venir del dentista.**

A: **¡Qué lástima! Yo acabo de...**

Gramática

The Preterite Tense

The preterite is used to talk about past events. Do you remember the endings for regular verbs?

bajar: bajé, bajaste, bajó, bajamos, bajasteis, bajaron

comer: comí, comiste, comió, comimos, comisteis, comieron

salir: salí, saliste, salió, salimos, salisteis, salieron

Un poco más

Remember that some verbs require a stem change in the third-person singular and the third-person plural forms of the preterite tense:

sentir (sintió/sintieron); dormir (durmió/ durmieron); pedir (pidió/pidieron).

Also, it may be necessary to make a spelling change in order to maintain the correct pronunciation: *buscar (busqué); navegar (navegué); empezar (empecé).*

---

7 Las vacaciones pasadas

Completa las siguientes oraciones con la forma apropiada del pretérito de los verbos indicados, para describir lo que hicieron tú y tus amigos durante las vacaciones.

1. Yo (comer) en muchos restaurantes. *Come*
2. Nosotros (salir) de paseo todas las tardes. *Salimos*
3. Jorge y Alberto (bajar) programas para sus computadoras. *bajaron*
4. Ana (dormir) doce horas todos los días. *durmio*
5. Tú (alquilar) la nueva película de Penélope Cruz. *alquilaste*
6. Las chicas (buscar) nuevos vínculos de música española. *buscaron*
7. Pedro (navegar) en la internet toda la semana. *navego*
8. Yo (empezar) a leer un libro de dos mil páginas. *empece*
9. Ellos (pedir) favores a todo el mundo. *Pidieron*
10. Yo (jugar) videojuegos con mis amigos. *juge*

---

8 El tiempo libre 🎧

Escribe oraciones completas para decir lo que hicieron Pedro y sus amigos durante su tiempo libre. Añade las palabras que sean necesarias.

MODELO yo / comer / mis abuelos / en el centro

Yo comí con mis abuelos en el centro.

1. Eva / escribir / e-mails / amigos
2. Rosa, mi padre y yo / montar / bote / fines de semana
3. señora Iglesias y su hija / tomar / crucero / el Caribe
4. Lola / navegar / internet todos los días
5. Jaime / visitar / a sus tías

¿Tomaste un crucero por el Caribe?

Gramática

Irregular Preterite Tense Verbs

You have learned to use several verbs that are irregular in the present tense. Similarly, the following verbs are irregular in the preterite tense.

dar: di, diste, dio, dimos, disteis, dieron

estar: estuve, estuviste, estuvo, estuvimos, estuvisteis, estuvieron

hacer: hice, hiciste, hizo, hicimos, hicisteis, hicieron

ser: fui, fuiste, fue, fuimos, fuisteis, fueron

tener: tuve, tuviste, tuvo, tuvimos, tuvisteis, tuvieron

ver: vi, viste, vio, vimos, visteis, vieron

decir: dije, dijiste, dijo, dijimos, dijisteis, dijeron

ir: fui, fuiste, fue, fuimos, fuisteis, fueron

9 El fin de semana pasado

Di cuáles de las siguientes cosas hiciste o no hiciste el fin de semana pasado.

MODELO hacer un picnic
Sí, hice un picnic./No, no hice un picnic.

1. tener que conseguir información para mi tarea de ciencia
2. dar un paseo en bote
3. ver televisión
4. hacer la tarea de español
5. decir una mentira
6. hacer un viaje al Caribe
7. tener un examen
8. ver las noticias por la internet
9. ir al cine

Hicimos un picnic.

10 Los Pérez y sus vacaciones

Di qué hizo cada uno de los miembros de la familia Pérez en las vacaciones pasadas, según las fotos. Añade las palabras que sean necesarias.

1. Sr. y Sra. Pérez / hacer

2. mis hermanos y yo / estar

3. el tío / dar un paseo

4. Victoria / ir con sus amigas

5. Alberto / hacer

6. las primas / dormir mucho

11 Las últimas vacaciones

Describe las últimas vacaciones con tu familia, completando las siguientes oraciones con más información. Puedes inventar la información, si quieres.

MODELO   En las últimas vacaciones mi madre (*hacer*)....

En las últimas vacaciones mi madre hizo mucha comida.

1. Mis abuelos (*ir*)....

2. Mis tíos (*tener*)....

3. Mi hermana (*hacer*)....

4. Mi padre (*buscar*)....

5. Nosotros (*estar*)....

6. Yo (*dormir*)....

¡Comunicación!

12 Chismes y noticias   Interpersonal Communication

En parejas, hablen sobre los chismes o las últimas noticias de sus vidas en el colegio o en casa. Pueden inventar la información, si quieren.

MODELO   A: **El sábado estuve con Margarita.**

B: **¿De veras? ¿Qué hicieron?**

A: **Hicimos un picnic en el parque.**

Gramática

Negative and Affirmative Expressions

- Negative words such as **nothing** and **never** are used to negate and contradict. Affirmative words like **something** and **always** are their opposites. How many of the following expressions do you remember?

Expresiones negativas	
nada	nothing, anything
nadie	nobody, anybody
ningún, ninguna	none, not any
nunca	never
tampoco	neither, either
todavía no	not yet
ya no	not anymore

Expresiones afirmativas	
algo	something, anything
alguien	somebody, anybody
algún, alguna	some, any
siempre	always
también	also, too
ya	already
todavía	still

- In Spanish, negative expressions can be used in two ways. The words *nada*, *nadie*, *nunca*, and *tampoco* may precede the verb. Negative words can also come after the verb. When they do, the word *no* must be added.

  Nunca voy de paseo en bote.

  No voy de paseo en bote nunca.
  No voy nunca de paseo en bote.

- *Todavía* is sometimes used at the beginning or at the end of a negative sentence when it is the equivalent of **yet**. When used without a verb, *todavía* must be used with the word *no*, which most commonly follows *todavía*.

  Todavía no lo encuentran.
  Todavía no.

  No lo encuentran todavía.

Nunca voy de paseo en bote.

- Most affirmative words (also known as positive words) are used the same way in Spanish as in English.

  Algunos de los niños están escribiendo un e-mail.   **Some** of the kids are writing an e-mail.
  Alguien habla.   **Someone** is speaking.

---

13 Expresiones negativas y afirmativas

Escucha a Paulina hablar sobre sus vacaciones, prestando atención a las expresiones negativas que usa. Para cada expresión que oyes, escoge la expresión afirmativa que corresponde.

A. algo
B. alguien
C. algún

D. siempre
E. también
F. ya

Comparaciones

Sentences in Spanish often contain a double negative. Does English do this? How would you say *No hice nada* in English?

14 ¿Qué fue eso?

Completa el diálogo entre Alicia y Teresa, escogiendo las palabras apropiadas.
¿Qué pasa en casa de Teresa?

Alicia: Oye, Teresa, creo que hay (*1. nada/alguien*) en el otro cuarto. ¿Oyes?

Teresa: No, no oigo (*2. algo/nada*). Creo que tú (*3. siempre/nunca*) oyes cosas que (*4. nada/nadie*) más oye. (Ahora Teresa oye algo en el otro cuarto.) ¿Qué fue eso?

Alicia: Sí, ¿ves? Ahora (*5. tampoco/también*) oyes lo que yo oigo. Bueno, voy a ver qué es.

Teresa: Ay, espera Alicia, ¿te puedo decir (*6. alguien/algo*)?

Alicia: (*7. Todavía/Ya*) no. ¡Silencio! Primero debemos mirar quién está en el otro cuarto.

Teresa: ¡Pero es que es (*8. alguien/algo*) muy importante!

Alicia: Está bien, ¿qué es?

Teresa: Yo sé quién está en el otro cuarto. Es mi perro Motas. Mis padres no lo sacaron a pasear y (*9. siempre/todavía*) le gusta jugar.

Alicia: ¡Qué bueno! Entonces, vamos a sacarlo.

15 Muy negativo 👥 🎧

Trabajando con un(a) compañero/a de clase, alternen en preguntar y en contestar en forma negativa las siguientes preguntas. Usen *nada, nadie, no, nunca* o *tampoco*.

MODELO **A: ¿Quién te envió un fax?**
B: Nadie.

1. ¿Cuándo vas a comprarte un celular?
2. ¿Qué le quieres dar a tu hermano de cumpleaños?
3. ¿Qué compraste ayer?
4. ¿Bajaste los programas nuevos?
5. ¿Te gusta navegar en la web?
6. ¿Cuándo vas de crucero?
7. ¿Quién te visitó el fin de semana pasado?
8. Yo no sé ningún chisme. ¿Y tú?

Yo no sé ningún chisme. ¿Y tú?

16 Nunca sabe nada 👥 🎧

Repite con tu compañero/a de clase la actividad anterior, pero ahora usando negativos dobles.

MODELO
A: ¿Quién te envió un fax?
B: Nadie me envió nada.

1. ¿Cuándo vas a comprarte un celular?
2. ¿Qué le quieres dar a tu hermano de cumpleaños?
3. ¿Qué compraste ayer?
4. ¿Ya bajaste los programas nuevos?
5. ¿Te gusta navegar en la web?
6. ¿Cuándo vas de crucero?
7. ¿Quién te visitó el fin de semana pasado?
8. Yo no sé chismes. ¿Y tú?

Nadie me envió nada.

¡Comunicación!

17 En forma negativa 👥 Interpersonal Communication

Imagina que estás hablando por teléfono con un(a) amigo/a y que estás de mal humor (*bad mood*). Responde a todo lo que tu amigo/a dice en forma negativa. Sigue el modelo.

MODELO
A: Me gustó mucho la película.
B: A mí no me gustó nada.

¡Comunicación!

18 ¿Cuántas veces lo hiciste? 👥 Interpersonal/Presentational Communication

Ask a partner how frequently he/she did the following activities last week. Fill in the chart. Then write a paragraph in which you compare your partner's answers with your own. Use the following affirmative and negative expressions: *siempre, también, no, nunca, tampoco.*

Actividades de la semana pasada	¿Cuántas veces lo hiciste?
ir a la biblioteca	
ver televisión	
navegar por la internet	
chatear por celular	
ir a un partido de fútbol americano	
ir al cine	

? Pregunta clave
What role does technology play in people's lives?

Hay servicio de Wi-Fi gratuito en el subte (o metro) de Buenos Aires.

Internet gratis en todo el mundo

¿Te imaginas vivir sin Wi-Fi? Quizás tú no, pero tus padres sí: esa palabra no existía antes de 1999, y por muchos años el acceso era limitado. En 2004, Grand Haven, Michigan fue la primera ciudad en los Estados Unidos de ofrecer Wi-Fi a toda la ciudad. Málaga, España lo hizo en 2007, así también como Monterrey, México.

Hoy, en muchas ciudades del mundo hispanohablante hay Wi-Fi gratis[1] en los lugares públicos. Un ejemplo es Buenos Aires, Argentina, que ofrece[2] un servicio gratuito[3] para estar conectados a la red en cientos de lugares de la ciudad: plazas, calles, parques, museos ¡y hasta el metro!

En Panamá, el 86% de la población posee[4] acceso gratuito a Wi-Fi. Si viajas a Panamá, puedes conectarte a la internet fácilmente y leer tus e-mails, chequear el tiempo, buscar lugares para visitar o comprar boletos[5] para un paseo en bote.

[1] free [2] offers [3] free [4] has [5] tickets

Q Búsqueda: wifi público gratuito

Prácticas

Calpe, España es la primera ciudad española con Wi-Fi gratis en la playa. Esta hermosa ciudad del Mediterráneo pertenece a la Comunidad Valenciana. Allí llega gente de todo el mundo, y desde el año 2013, todos ellos pueden conectarse a la internet desde cualquier playa, sin pagar nada. Es una gran ventaja, pues no hace falta ir a un cibercafé ni pagar gastos de *roaming* si quieres usar el celular para entrar en la red.

En Calpe, España, hay Wi-Fi gratis en la playa.

19 Comprensión   Interpretive Communication

1. ¿Cuál fue la primera ciudad de los Estados Unidos en ofrecer Wi-Fi a toda la ciudad? ¿Cuál fue la primera ciudad de España en hacerlo? ¿Y de México?
2. ¿En qué lugares de la ciudad de Buenos Aires, Argentina hay Wi-Fi gratis?
3. ¿Qué país latinoamericano ofrece acceso a la internet gratis?

20 Analiza

1. ¿Cómo ayuda Calpe, España a sus habitantes y a los turistas?
2. ¿Alguna vez quisiste usar la internet y no tenías acceso? ¿En qué lugar? ¿Qué pasó?

Conexión antes, durante y después de un viaje

Cuando estamos de viaje, usamos el celular y las tabletas para comunicarnos con nuestros amigos y conectarnos a la internet. Nos sentimos muy felices de estar conectados, pero a veces nos sentimos muy frustrados cuando nos quedamos sin batería. Por suerte, muchos aeropuertos internacionales ofrecen estaciones para cargar[1] las baterías de nuestros aparatos[2] electrónicos. Son pequeñas torres[3] donde podemos enchufar[4] y recargar las baterías mientras esperamos[5] el avión.

Y si estamos aburridos entre vuelo[6] y vuelo, podemos distraernos en la internet sin pagar nada. Por ejemplo, en el Aeropuerto Internacional de la Ciudad de México (AICM) hay Wi-Fi completamente gratis. En otros, como el Aeropuerto Internacional Madrid-Barajas, ofrecen Wi-Fi gratis por un tiempo limitado de quince minutos y luego tienes que pagar.

[1] to charge [2] devices [3] towers [4] plug [5] wait for [6] flight

Una pequeña torre para cargar las baterías

Búsqueda: aeropuertos wifi gratis

El Aeropuerto Internacional de la Ciudad de México ofrece Wi-Fi gratis.

Comparaciones

¿Qué aeropuerto de tu país tiene Wi-Fi o estaciones de recarga? ¿Estuviste allí? ¿Usaste aparatos electrónicos? ¿Qué hiciste?

Perspectivas

Algunos aeropuertos ofrecen Wi-Fi gratis, otros lo ofrecen por tiempo limitado y otros cobran (*charge*) siempre. ¿Por qué crees que países con problemas económicos como México ofrecen Wi-Fi gratis y otros países ricos, como Inglaterra, cobran?

21 Comprensión   Interpretive Communication

1. ¿Qué es una torre de recarga?
2. ¿Qué tipos de Wi-Fi puedes encontrar en un aeropuerto internacional?
3. ¿Tienes que pagar para usar la red de Wi-Fi en el Aeropuerto Internacional de la Ciudad de México?

22 Analiza

1. What are the benefits of charging stations and free Wi-Fi in the airports?
2. Why do you think the airport in Madrid, Spain offers free Wi-Fi for only a limited time?

Vocabulario 2

¡Vamos de compras! 🎧

¡Vamos de compras en el centro comercial!

las bermudas

la gorra

los tenis

las sandalias

los shorts

las gafas de sol

En otros países

las gafas de sol	*los lentes de sol (México)*
la gorra	*la cachucha (Colombia)*
los tenis	*las zapatillas (España)*

Para decir más

las chanclas	*flip-flops*
la sudadera	*sweatshirt*
sin mangas	*sleeveless*

instalar

pintar

limpiar el polvo

Para conversar

*T*o express an immediate wish:

Quisiera comprar esos pantalones.
I would like to buy those pants.

*T*o describe lack of company:

Voy de compras **solo/a**.
I am going shopping alone (by myself).

el novio

la novia

el novio / la novia

Un poco más

¿Recuerdas el vocabulario de ropa del nivel 1?

la blusa	*blouse*	**los pantalones**	*pants*
las botas	*boots*	**el pijama**	*pajamas*
los calcetines	*socks*	**la ropa**	*clothes*
la camisa	*shirt*	**el sombrero**	*hat*
la camiseta	*t-shirt*	**el suéter**	*sweater*
la chaqueta	*jacket*	**el traje de baño**	*bathing suit*
la falda	*skirt*	**el vestido**	*dress*
los jeans	*jeans*	**los zapatos**	*shoes*
los guantes	*gloves*		

Ayer, Carmen se vistió de una camisa.

Llevar - to wear
ropa

Vestirse (to be dressed) (e→i)
Ponerse (to put on)
Esta mañana, Carlota se puso el suéter de color rosa.

23 En un centro comercial 🎧

Selecciona la letra de la ilustración que corresponde con lo que oyes.

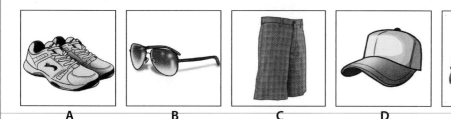

A   B   C   D   E   F

24 La familia Rojas

¿Qué lleva la familia Rojas cuando va de vacaciones? Completa el párrafo, usando las palabras más lógicas.

Los Rojas siempre van de vacaciones a la playa. Al papá le gusta llevar una **(1)** para su cabeza porque es calvo. A la mamá le gustan las **(2)** porque son cómodas para caminar por la playa. A Pedro y a Rosa les gustan los **(3)** porque corren y juegan mucho al tenis. Todos llevan unas **(4)** porque son más cómodas que los pantalones. A Pedro también le gusta llevar sus **(5)** porque hace mucho sol.

tenis   *gorra*

gafas de sol

bermudas

sandalias

25 La nueva tienda 👥

La familia García va a abrir una nueva tienda y todos ayudaron. ¿Quién hizo qué? En parejas, alternen en hacer y contestar las preguntas según (*according to*) la ilustración. Deben usar el pretérito.

1. ¿Quién pintó las paredes?
2. ¿Quién instaló la luz?
3. ¿Quién limpió el polvo?

4. ¿Quién colgó las bermudas?
5. ¿Quién puso las gorras cerca de la puerta?

Diálogo 🎧

No me gusta el color verde

Lucía: ¿Sabes?, mi novio va a comprarme una gorra para el colegio.

Gloria: ¿Y va solo? Espero que no. Él no sabe comprar nada.

Lucía: No, él va con su mamá, y ella sí sabe.

Gloria: ¡Qué bueno! ¿Sabe ella que a ti no te gusta el color verde?

Lucía: Sí, claro, porque él no recuerda esas cosas.

Gloria: ¡Ah, sí! Recuerdo los tenis que te compró la última vez.

Lucía: Sí, unos tenis verdes tan feos que nunca uso.

Gloria: ¿Nunca los usas?

Lucía: Bueno, solo en la casa para limpiar el polvo.

26 ¿Qué recuerdas? 🎧

1. ¿Qué va a hacer el novio de Lucía?
2. ¿Quién no sabe comprar nada?
3. ¿Va el novio de Lucía de compras solo?
4. ¿Qué color no le gusta a Lucía?
5. ¿Cómo son los tenis que compró el novio de Lucía la última vez?

27 Algo personal 🎧

1. ¿Te gusta ir de compras?
2. ¿Vas solo/a de compras? Explica.
3. ¿Qué fue lo último que compraste?
4. ¿Tienes novio o novia?

💬¡Comunicación!

28 De compras 👥   Interpersonal/Presentational Communication

Entrevista (*Interview*) a un/a compañero/a para saber a qué tienda quisiera ir hoy y qué quisiera comprar allí. Luego escribe un pequeño resumen (*summary*) con la información que conseguiste.

MODELO   **David quisiera ir a West Mall esta tarde. Quisiera ir solo. Piensa comprar unos tenis azules para jugar al básquetbol.**

¿Adónde?	¿Con quién?	¿Qué?	¿De qué color?
West Mall	solo	tenis	azul

Gramática

Direct and Indirect Object Pronouns

Do you remember the direct and indirect object pronouns?

los pronombres de complemento directo			
me	*me*	nos	*us*
te	*you* (tú)	os	*you* (vosotros, -as)
lo	*him, it, you* (Ud.)	los	*them, you* (Uds.)
la	*her, it, you* (Ud.)	las	*them, you* (Uds.)

*¿**Me** ayudas a instalar los programas?*
*Estoy instalándo**los** ahora.*

los pronombres de complemento indirecto			
me	*to me, for me*	nos	*to us, for us*
te	*to you, for you* (tú)	os	*to you, for you* (vosotros, -as)
le	*to you, for you* (Ud.) *to him, for him* *to her, for her*	les	*to you, for you* (pl.) (Uds.) *to them, for them*

*¿**Me** compras un regalo?*
*Voy a comprar**te** dos.*

Un poco más

In Spanish, direct and indirect object pronouns usually precede conjugated verbs, but also may be attached to an infinitive or a present participle. When attaching an object pronoun to the end of a present participle, add an accent mark to maintain the original stress of the present participle. Example: *estoy comprándolo*.

29 ¿Algo más? 🎧

Alberto terminó de limpiar el polvo y le pregunta a su madre qué más puede hacer. Completa las siguientes oraciones para decir lo que ella responde, usando los pronombres de complemento directo. Sigue el modelo.

MODELO   ¿El cuarto? **Lo** voy a arreglar yo.

1. ¿Los platos? __ voy a lavar yo.
2. ¿Los cubiertos? Yo __ voy a poner en la mesa.
3. ¿El piso? __ voy a limpiar yo.
4. ¿La comida? Yo __ voy a cocinar.
5. ¿La nueva computadora? Yo __ voy a instalar.

30 La promesa de Víctor

Víctor prometió ayudar a su compañera de clase con su tarea. Completa el diálogo usando los pronombres de complemento directo apropiados.

Marisol: Oye, Víctor, ¿ **(1)** ayudas a buscar información en la internet para mi tarea de historia? *Me*

Víctor: ¿Cuándo quieres que **(2)** ayude? *te*

Marisol: Mañana por la tarde. *me te*

Víctor: Mañana por la tarde no **(3)** puedo ayudar. Mi novia y yo vamos a ir al cine con sus padres. Ellos **(4)** invitaron. Tú **(5)** comprendes, ¿verdad? *te nos* *te me*

Marisol: Sí, no te preocupes. ¿Qué te parece si **(6)** hacemos pasado mañana por la tarde? *de la*

Víctor: Me parece bien. Hasta luego.

31 Fueron de compras

Lucía y su novio fueron de compras al centro comercial. Acaban de comprarles algo a varias personas. Haz oraciones completas para saber qué acaban de comprarle a cada persona, usando los pronombres de complemento indirecto.

MODELO a José
Acaban de comprarle una gorra.

1. a ti

2. a mí

3. a Ernesto

4. a Carmen

5. a Uds.

6. a nosotros

Gramática

Using Direct and Indirect Object Pronouns Together

- When a sentence has two object pronouns in one sentence in Spanish, the indirect object pronoun comes first. When adding two object pronouns to an infinitive or a present participle, an accent mark must be added to the infinitive or present participle in order to maintain the correct pronunciation.

  ¿Me la puedes traer?
  ¿Puedes traérmela?   Can you bring **it** (*la gorra*) **to me**?

- The indirect object pronouns *le* and *les* become *se* when used together with *lo*, *la*, *los*, or *las*.

  ¿Quieres pintarles la silla a tus padres?   *¿Quieres pintársela?/¿Se la quieres pintar?*

- You can clarify the meaning of *se* by adding *a Ud.*, *a él*, *a ella*, *a Uds.*, *a ellos*, or *a ellas*, if needed.

  Se la pinto a ellos.   I paint **it for them**.

32 En casa de Andrés 🎧

Escribe de nuevo (*again*) las siguientes oraciones, usando **se** y el complemento directo apropiado.

> **MODELO**   Andrés le trae las sandalias a su abuela.
> **Se las trae a ella.**

subir

Yo le saco los perros.

1. Yo le saco los perros a caminar a mi hermana.
2. Silvia le cuelga la gorra a su abuelo.   *colgar – to hang up clothing*
3. Tú les subes las camisetas a tus tías.
4. Andrés y Daniel le lavan el carro a su padre.
5. Uds. les arreglan las sillas a sus padres.
6. Nosotros les preparamos la comida para el picnic a mis abuelos.

33 En tu vida 🎧

Contesta las siguientes preguntas, usando los pronombres de complemento apropiados.

> **MODELO**   ¿Le haces la cama a tu hermano/a?
> **Sí, (No, no) se la hago.**

1. ¿Les preparas la comida a tus hermanos?
2. ¿Les limpias el polvo a tus padres?
3. ¿Le limpias la cocina a tu madre todos los días?
4. ¿Les arreglas la casa a tus padres?
5. ¿Le lavas las camisetas a tu padre?
6. ¿Le haces compras a tu novio/a?

¡Comunicación!

34 Ofreciendo tu ayuda 👥 Interpersonal Communication

Trabajando con un(a) compañero/a de clase, alterna con él/ella en preguntar y contestar lo que tú puedes hacer para ayudar, usando los dos pronombres de complemento.

> MODELO   hacer las camas
>
> A: ¿Te puedo hacer las camas?
>
> B: Sí, (No, no) puedes hacérmelas.

1. limpiar el polvo
2. lavar las bermudas
3. traer las gafas de sol
4. pintar la casa
5. instalar la computadora
6. bajar los programas

¡Comunicación!

35 Tu familia 👥 Interpersonal Communication

Working in pairs, decide what things you receive from members of your family and what things you give them. If someone does not receive anything, say that. Use any items from the list, or make up your own. Try to use double object pronouns in your answers, if you can.

| dar dinero | comprar ropa | comprar cuadernos | dar helados |
| dar comida | dar dulces | dar flores | dar amor |

> MODELO   A: ¿Quién te da dinero?   A: ¿Le das flores a tu madre?
>
> B: Nadie me lo da.   B: Sí, se las doy para su cumpleaños.

¡Comunicación!

36 ¿Ya lo hiciste? 👥 Interpersonal Communication

Trabajando en parejas, alternen en preguntar y contestar si ya hicieron las cosas de la lista. Añaden otras cosas a la lista.

> MODELO   A: ¿Ya le diste la tarea de español al profesor?
>
> B: Sí, ya se la di./No, no se la di.

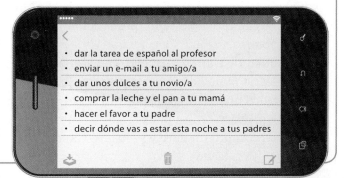

- dar la tarea de español al profesor
- enviar un e-mail a tu amigo/a
- dar unos dulces a tu novio/a
- comprar la leche y el pan a tu mamá
- hacer el favor a tu padre
- decir dónde vas a estar esta noche a tus padres

Todo en contexto

¡Comunicación!

37 De vacaciones 👥 **Interpersonal Communication**

Tú y un(a) compañero/a hablan sobre sus vacaciones del año pasado. Tú fuiste a Argentina y tu compañero/a a España. Hablen sobre su viaje y expliquen lo siguiente:

1. ¿Qué ropa llevaron en la maleta?
2. ¿A qué lugares de ese país fueron?
3. ¿Qué actividades hicieron?
4. ¿Dónde tuvieron acceso a la internet? ¿Tuvieron que pagar alguna vez?
5. ¿Qué les compraron a sus amigos?

¡Comunicación!

38 Una página web 👥 **Interpretive Communication**

Daniel viajó a Colombia y estuvo en el Aeropuerto Internacional de Medellín. En parejas, lean la página web de este aeropuerto. Luego digan si Daniel pudo hacer las siguientes cosas o no.

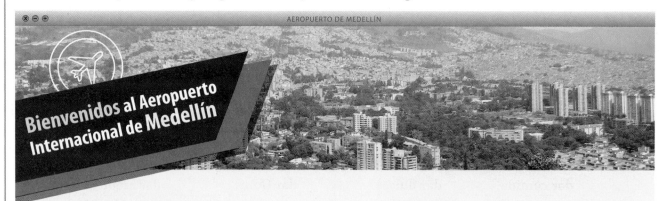

AEROPUERTO DE MEDELLÍN

Bienvenidos al Aeropuerto Internacional de Medellín

Servicios al pasajero

- El aeropuerto ofrece cajeros ATM y bancos para cambiar dinero
- Sala VIP para relajarse y leer el periódico tranquilo
- Teléfonos públicos
- Acceso a internet Wi-Fi gratis
- Restaurantes y cafeterías
- Tiendas de regalos y revistas
- Servicios de enfermería

¡GRACIAS POR VISITAR COLOMBIA! ¡BUEN VIAJE!

Daniel pudo hacer las siguientes cosas: ¿sí o no? Expliquen sus respuestas.

1. Daniel cambió dólares por pesos colombianos en el banco.
2. El celular de Daniel se quedó sin batería y Daniel no pudo llamar a sus padres.
3. Tampoco pudo llamarlos por internet ni chatear por la computadora.
4. Daniel compró un libro y se lo leyó tomando un café con leche.
5. Daniel vio a una señora enferma y buscó a un doctor.
6. Daniel pagó 100 pesos para leer las noticias de Colombia por la internet.
7. Daniel conoció a un jugador de fútbol famoso. Él lo llevó a ver televisión a la sala VIP.

Lectura literaria

Las abejas de bronce
de *Marco Denevi*

Sobre el autor

Marco Denevi (Argentina, 1922–1998) fue escritor de novelas y cuentos, periodista y abogado. Su obra más famosa es la novela *Rosaura a las diez*. Sus temas tratan generalmente de la conducta de los humanos. En esta selección en forma de fábula, vas a leer una historia de animales, que puede ocurrir entre los humanos.

Marco Denevi

---

39 Antes de leer: Vocabulario   Conéctate: las ciencias

Conecta las palabras de la columna I con los cognados de la columna II.

I	II
1. inventaron	**A.** observed
2. artificial	**B.** consequence
3. insecto	**C.** metal
4. electrónicamente	**D.** insect
5. control remoto	**E.** invented
6. tecnológica	**F.** investigated
7. metal	**G.** artificial
8. observó	**H.** electronically
9. investigó	**I.** remote control
10. consecuencia	**J.** technological

Estrategia

Using cognates to determine meaning

It will be easier to read in Spanish if you learn to recognize cognates— words that are similar in both Spanish and English and share the same meaning. Some cognate pairs have the exact spelling; others may differ slightly, especially their endings.

---

40 Antes de leer: Conocimientos previos

1. How often do you eat honey? Where does the honey come from? Would you eat honey that is not natural? Why or why not?

2. Why are bees important to flowers? How would the world be different if there were no flowers?

3. What is a fable? How is the fox usually portrayed in fables?

Personajes del cuento:

el zorro

la abeja

el oso

el cuervo

Las abejas de bronce 🎧
de *Marco Denevi (Adaptación)*

Un Zorro muy ambicioso vivió muchos años vendiendo miel[1]. Su tienda era próspera, con muchos clientes.

"Hasta que un día se inventaron las abejas artificiales. Sí. Insectos de bronce[2] dirigidos[3] electrónicamente, a control remoto, podían[4] hacer el mismo trabajo que las abejas vivas[5]. Pero con enormes ventajas."

El Zorro, al saber esta noticia tecnológica, compró las abejas artificiales y no usó más los servicios de las abejas de verdad. La tienda prosperó más y el Zorro ganó mucho dinero. Pero aparentemente, la calidad de la miel cambió. El Oso, un cliente importante, probó la miel y le preguntó a su mujer, la Osa.

—Vaya, ¿qué te parece?

—No sé —dijo ella—. Le siento gusto[6] a metal.

Un día, el Zorro observó que los insectos fueron a buscar flores y tardaron[7] en volver. Su ayudante, el Cuervo, investigó la situación.

—Patrón —balbuceó[8]—, no sé cómo decírselo. Pero las abejas tardan, y tardarán cada vez más, porque no hay flores en la comarca[9].

—Cómo que no hay flores en la comarca. ¿Qué tontería es esa?

—Parece ser que las flores, después que las abejas les han sorbido[10] el néctar, se doblan, se debilitan[11] y se mueren[12].

—¡Se mueren!

—Y no termina ahí la cosa. La planta, después que las abejas le mataron[13] sus flores, se niega[14] a florecer nuevamente. Consecuencia: en toda la comarca no hay más flores.

Las abejas artificiales destruyeron todas las flores, y por eso muchos animales se enfermaron. Al final, el Zorro cobarde[15] cerró su tienda, tomó su dinero y se fue del pueblo.

—Desde entonces nadie volvió a verlo jamás[16].

[1]honey [2]brass [3]controlled [4]were able [5]live [6]taste [7]took a long time [8]stammered [9]region [10]have sucked up [11]weaken [12]die [13]killed [14]refuses [15]coward [16]ever

---

41 Comprensión 🎧 Interpretive Communication

1. ¿Qué tecnología decide el Zorro usar para vender más miel?

2. ¿Por qué no crecen más flores?

3. ¿Cómo reacciona el Zorro después del desastre natural?

42 Analiza

1. What were some possible advantages of the artificial bees?

2. Why did Zorro leave the region?

3. Think of a case in which techonology could have a negative impact on the environment. Explain.

Repaso de la Lección B

A Escuchar: ¿Lógico o ilógico? 🎧 (p. 38)

Di si lo que oyes es lógico o ilógico. Si es ilógico, di lo que es lógico.

B Vocabulario: Definiciones (pp. 26, 38)

Conecta las palabras de la columna I con las definiciones de la columna II.

I	II
1. bermudas	**A.** un barco pequeño
2. bote	**B.** una comida en un parque
3. chisme	**C.** una noticia cierta o falsa
4. crucero	**D.** zapatos para hacer deporte
5. novio	**E.** un viaje en barco
6. picnic	**F.** sin nada o nadie
7. solo	**G.** pantalones cortos
8. tenis	**H.** persona en una relación sentimental

C Gramática: En forma negativa (pp. 31, 33)

Completa las siguientes oraciones con el pretérito del verbo entre paréntesis y con la expresión negativa equivalente a la palabra entre paréntesis.

MODELO ¿Mi novio no te (*decir*) (*algo*)?

¿Mi novio no te <u>dijo</u> <u>nada</u>?

1. Ayer yo no (*ver*) a (*alguien*) en la biblioteca.
2. Mis amigos y yo no (*hacer*) (*algo*) interesante en las vacaciones.
3. El sábado Elena no (*ir*) de compras (*también*).
4. Los estudiantes no (*tener*) (*algún*) problema para bajar el programa.

5. (*Alguien*) (*dar*) un paseo en bote cuando fuimos a la playa.
6. Mi celular (*siempre*) (*estar*) encendido durante la película.
7. ¿Por qué tú no nos (*decir*) (*algún*) chisme?

D Todos hacen algo después de clases (p. 44)

Escribe de nuevo (*again*) las siguientes oraciones, usando **se** y complementos directos apropiados.

MODELO Francisca le está instalando el programa a él.

Se lo está instalando./Está instalándoselo.

1. Yo les estoy colgando los shorts a ellas.
2. Tú le estás lavando las bermudas a ella.
3. Carlos y Mario le están pintando las paredes a ella.

4. Uds. les están comprando unas gafas de sol a ellas.
5. Ramiro le está lavando los tenis a ella.
6. Nosotros les estamos trayendo las gorras a ellas.

E   Cultura: Internet gratis (p. 36)

Compara el acceso a Wi-Fi gratis en Buenos Aires y en la ciudad donde vives. ¿En qué lugares puedes conectarte a la internet sin pagar? Usa el diagrama Venn para comparar los dos lugares.

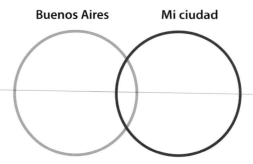

Buenos Aires   Mi ciudad

Vocabulario

Las vacaciones	La ropa	Verbos	Otras expresiones
el bote	las bermudas	creer	el chisme
el camping	las gafas de sol	instalar	la noticia
el crucero	la gorra	pintar	la novia
el picnic	los tenis	quisiera	el novio
	las sandalias	visitar	el polvo
	los shorts		solo/a
			último/a

Gramática

Irregular preterite-tense verbs

The following verbs are irregular in the preterite tense: *dar, decir, estar, hacer, ir, ser, tener,* and *ver.*

Negative and affirmative expressions

Double-negative expressions are common in Spanish. Often *no* is used before the verb, while a negative expression follows the verb.

Expresiones afirmativas	Expresiones negativas
algo	nada
alguien	nadie
algún, alguna	ningún, ninguna
siempre	nunca
también	tampoco
ya	todavía no
todavía	ya no

Using direct and indirect object pronouns together

When a sentence has both direct and indirect object pronouns, the indirect object pronoun always appears first. When adding both the direct and indirect object pronouns to the end of an infinitive, an accent mark must be added to the third vowel from the end of the word to maintain correct pronunciation.

> ***Me la*** *puedes traer?*   Can you bring **it** (*la gorra*) **to me?**
> *¿Puedes traér****mela****?*

The indirect object pronouns **le** and **les** become **se** when used together with **lo, la, los,** or **las.** Use *a ellos, a ellas, a Uds., a él, a ella,* or *a Ud.* after the verb to clarify who is receiving the action.

> ***Se la*** *quiero pintar **a ellos**.*   *I want to paint **it** (la silla)*
> ***Se la*** *quiero pintar.*   **for them.**
> *Quiero pintár****sela a ellos**.*
> *Quiero pintár****sela**.*

Para concluir

Proyectos

A. ¡Manos a la obra!

Un ejemplo de cómo la tecnología forma parte de nuestras vidas es nuestro uso de las aplicaciones. Hay aplicaciones para todo: para hacer la tarea, para jugar juegos, para ir de compras, para organizar las vacaciones, para aprender sobre la ecología.

En grupos de tres o cuatro, piensen en una nueva aplicación para el celular o tableta. ¿Qué hace? ¿Para quiénes es? Investiguen en la internet para conseguir toda la información necesaria. Escriban una descripción de la aplicación y también incluyan imágenes o diagramas para ilustrar cómo funciona.

B. En resumen

Copy the diagram below and fill in the boxes in the right-hand column to describe the role each technological plan, product, or place plays in the Spanish-speaking world.

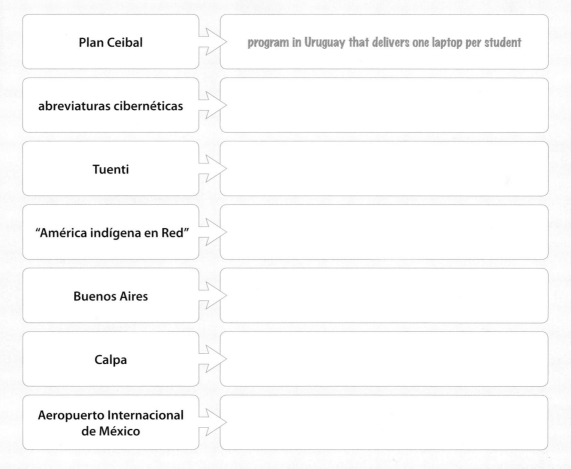

Plan Ceibal	program in Uruguay that delivers one laptop per student
abreviaturas cibernéticas	
Tuenti	
"América indígena en Red"	
Buenos Aires	
Calpa	
Aeropuerto Internacional de México	

Extensión

Investiga un poco más y busca dos ciudades hispanohablantes con Wi-Fi público gratis (*free*).

C   ¡A escribir!

Escribe un párrafo sobre tus últimas vacaciones. Imagina que fuiste a un país hispanohablante y en algunos lugares tuviste problemas cuando quisiste usar tu celular o computadora. Incluye información que aprendiste en esta unidad. Escribe en el pretérito, usando expresiones negativas y pronombres de complemento directos e indirectos.

Estrategia

Graphic organizer

Use a table to organize your thoughts. In one column, write the places you visited. In another column, write the problems you encountered.

hotel	Wi-Fi muy caro

D   Traduccción   Conéctate: la informática

Tu amiga te envió un mensaje de texto desde Honduras. Ella usó mucho el lenguaje SMS para contarte cosas importantes. ¿Comprendes todo? Escribe de nuevo (*again*) el mensaje usando solamente el español.

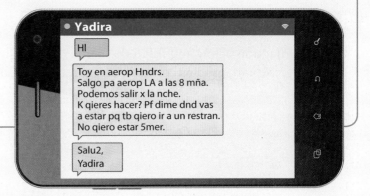

> **Yadira**
>
> HI
>
> Toy en aerop Hndrs.
> Salgo pa aerop LA a las 8 mña.
> Podemos salir x la nche.
> K qieres hacer? Pf dime dnd vas
> a estar pq tb qiero ir a un restran.
> No qiero estar 5mer.
>
> Salu2,
> Yadira

E   Ayuda para las comunidades indígenas   Conéctate: las ciencias sociales

En Venezuela, en la zona del Amazonas, vive un pueblo indígena llamado Yanomami. Investiga un poco sobre cómo vive esta comunidad. Luego piensa qué tipo de tecnología puedes darle para comunicarse con el mundo. Prepara una tabla con sus necesidades y tus soluciones.

F   Wi-Fi   Conéctate: el lenguaje

En esta unidad leíste la palabra **Wi-Fi** muchísimas veces. ¿Sabes qué quiere decir? Busca su significado. ¿De qué lenguaje viene? ¿Cómo dices lo que significa en español? Luego explica por qué crees que se usa esa palabra en todo el mundo, sin traducirla (*without translating it*).

Vocabulario de la Unidad 1

la **aplicación** app *1A*
la **asignatura** subject *1A*
bajar (un programa)
to download (a program) *1A*
las **bermudas** bermuda shorts *1B*
el **bote** boat *1B*
el **camping** camping *1B*

chatear to chat *1A*
el **celular** cell phone *1A*
el **chisme** gossip *1B*
la **comunicación**
communication *1A*
conectado/a connected *1A*
conseguir (i, i) to obtain,
to attain, to get *1A*
la **contaminación ambiental**
environmental pollution *1A*
creer to believe *1B*
el **crucero** cruise *1B*

la **ecología** ecology *1A*
el **e-mail** e-mail *1A*
encontrar (ue) to find *1A*
el **fax** fax *1A*
las **gafas de sol** sunglasses *1B*
la **gorra** cap *1B*
la **información** information *1A*
instalar to install *1B*
la **internet** Internet *1A*
el **mensaje de texto** text
message *1A*
el **motor de búsqueda** search
engine *1A*
el **mundo** world *1A*
navegar (uso en informática)
to surf (in the computer field) *1A*
la **noticia** news *1B*

la **novia** girlfriend *1B*
el **novio** boyfriend *1B*
los **tenis** tennis shoes *1B*
el **picnic** picnic *1B*
pintar to paint *1B*
el **polvo** dust *1B*
el **programa** program *1A*
quisiera would like *1B*
la **red** Web *1A*
las **sandalias** sandals *1B*
seguir (i, i) to follow,
to continue, to keep on,
to go on, to pursue *1A*
los **shorts** shorts *1B*
solo/a alone *1B*
la **tableta** tablet *1A*
la **tecnología** technology *1A*
último/a last *1B*
el **vínculo** link *1A*
visitar to visit *1B*
la **web** Web *1A*

¿Sabías que...?

American Heart Association implementó la conferencia anual Tu Corazón Latino Health Summit. En esta conferencia se presentan temas para mejorar la salud (*health*) en general y prevenir (*prevent*) enfermedades (*illnesses*) cardíacas entre la comunidad hispana. Sentirse bien es el objetivo para todos.

Unidad

2

Vivir en salud

Escanea el código QR para ver este episodio de *El cuarto misterioso*.

Después de un largo viaje, Sandra llega a la casa de los Montero. ¿A qué cuarto quiere ir primero?

A. al cuarto de Ana
B. al cuarto de baño
C. a la cocina

Pregunta clave

?

What do people do to feel well?

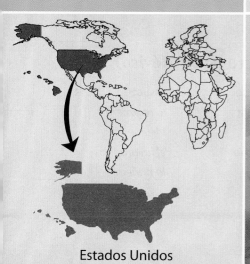

Estados Unidos

¿Por qué está usando una planta de aloe vera?

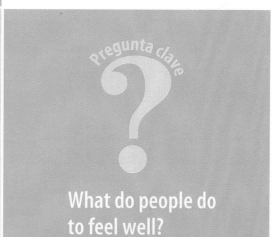

Mis metas

Lección A I will be able to:

▶ identify objects in a bathroom
▶ talk about getting ready in the morning
▶ express an action without mentioning the subject
▶ discuss how two Latino celebrities help people feel better
▶ talk about daily routine using **reflexive verbs**
▶ express certainty
▶ show how something is done
▶ point out someone or something using **demonstrative pronouns**
▶ discuss the popularity of Dominican hair salons

Lección B I will be able to:

▶ identify parts of the body
▶ ask someone about their health
▶ describe my symptoms
▶ give and take instructions
▶ discuss home remedies and the need for medical interpreters
▶ describe a non-deliberate action
▶ express a reciprocal action
▶ talk about camping
▶ talk about habits
▶ discuss our unhealthy obsession with beauty

En el baño

la tina

la ducha

el espejo

el inodoro

¿Qué hay en un baño?

el lavabo

el grifo

la toalla

el cepillo

el peine

el champú

la crema de afeitar

el desodorante

el jabón

el maquillaje

Para decir más

el cepillo de dientes	toothbrush
la pasta de dientes	toothpaste
la máquina de afeitar	shaver
el papel higiénico	toilet paper
el secador de pelo	hair dryer
abrir/cerrar la llave de agua	to turn on/to turn off the water
bajar el agua/echar el agua	to flush the toilet

En otro país (México)

afeitarse	rasurarse
la ducha	la regadera
el grifo	la llave
el lavabo	el lavamanos
la tina	la bañera

despertar(se) (ie)

levantar(se)

bañar(se)

duchar(se)

cepillar(se) los dientes

lavar(se) las manos

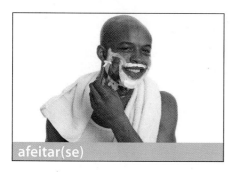
afeitar(se)

peinar(se)

maquillar(se)

Para conversar 🎧

*T*o talk about getting ready in the morning:

Tengo que lavarme **el pelo**.
I have to wash my hair.

El niño necesita ayuda para **vestirse**.
The boy needs help to get dressed (to dress himself).

Me toma mucho tiempo para estar listo/a.
It takes me a long time to get ready.

Mañana no debo levantarme **tarde**.
Tomorrow I should not get up late.

ponerse (los zapatos)

quitarse (los zapatos)

Escoge la letra de la foto que corresponde con lo que oyes.

A

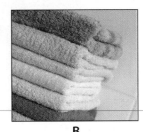

B

C

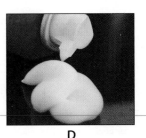

D

2 **En el baño**

Di qué es y para qué usas cada uno de los objetos en las fotos.

MODELO   **Es el maquillaje. Lo uso para maquillarme.**

1. Es ___. Lo uso ___.   **2.** Es ___. La uso ___.   **3.** Es ___. Lo uso ___.

4. Es ___. Lo uso ___.   **5.** Es ___. Lo uso ___.   **6.** Es ___. Lo uso ___.

3 **El intruso**

Busca al intruso (*the intruder; the one that doesn't belong*) y explica por qué.

MODELO   peine / maquillaje / cepillo / champú
          maquillaje: El peine, el cepillo y el champú son para el pelo.

1. tarde / maquillaje / jabón / crema de afeitar
2. inodoro / lavabo / ducha / escritorio
3. afeitarse / toalla / vestirse / bañarse

4. peinarse / cepillarse / levantarse / lavarse
5. tina / ducha / lavabo / espejo

Diálogo 🎧

¡Nos vamos!

David: ¿Nos vamos, mamá?

Mamá: Sí, solo tengo que vestirme y peinarme.

David: Quiero salir ahora para no llegar tarde.

Mamá: ¿Por qué estás tan apurado?

David: Es que tú tomas mucho tiempo.

Mamá: ¡Ay, perdón, David!

David: ¿Estás lista, mamá?

Mamá: Sí, sí. ¿Y tú? Debes quitarte esa camiseta roja y ponerte esta camiseta azul.

David: ¡Ay, mamá! Está bien. ¡Qué guapa estás, mamá!

Mamá: Sí, ¡pero me tomó mucho tiempo!

4 ¿Qué recuerdas? 🎧

1. ¿Qué tiene que hacer la mamá de David?
2. ¿Qué quiere David?
3. ¿Qué debe quitarse David?
4. ¿Qué debe ponerse David?
5. ¿Quién está guapa?

5 Algo personal 🎧

1. ¿Qué haces en la mañana antes de ir al colegio?
2. ¿Cuál es tu color preferido para la ropa?
3. ¿Tomas mucho tiempo para estar listo/a por las mañanas? ¿Por qué?

💬 ¡Comunicación!

6 Mi rutina 👥 Presentational Communication

Di en qué orden haces las siguientes actividades. Luego presenta la información a un grupo pequeño. ¿Quién tiene la misma (*same*) rutina que tú?

MODELO Primero, me levanto. Después...

me pongo desodorante

me ducho   me peino

me visto   me levanto   me cepillo los dientes

Gramática

Reflexive Verbs

- Some verbs in Spanish have **se** attached to the end of the infinitive, for example, *cepillarse*. The **se** is a reflexive pronoun (*pronombre reflexivo*) and the verb is called a reflexive verb (*verbo reflexivo*) because it reflects action back upon the subject of the sentence. For example, adding the reflexive pronoun **se** to the infinitive *cepillar* (to comb another person's hair) forms the reflexive verb *cepillarse* (to comb one's own hair).

- Reflexive verbs are conjugated the same as nonreflexive verbs; however, they are used with a corresponding reflexive pronoun, which may precede a verb or be attached to the end of an infinitive or a present participle.

  *Marta **se** va a cepillar.*
  *Marta va a cepillar**se**.*   Marta is going to brush her hair.

cepillarse			
yo	**me** cepillo	nosotros nosotras	**nos** cepillamos
tú	**te** cepillas	vosotras vosotros	**os** cepilláis
Ud. él ella	**se** cepilla	Uds. ellos ellas	**se** cepillan

- In Spanish, a definite article is generally used instead of a possessive adjective when using a reflexive verb to talk about personal items, such as clothing and parts of the body.

  Me *pongo* **los** *zapatos.*   I put on **my** shoes.

  *¿Quieres lavar**te** **las** manos?*   Do you want to wash **your** hands?

---

7 La rutina diaria 🎧

Di cuáles de las siguientes oraciones o preguntas usan el reflexivo.

- **A.** Tengo sed.
- **B.** ¿No se va a duchar?
- **C.** ¿A qué hora se visten Uds.?
- **D.** ¿Te estás quitando los calcetines?
- **E.** ¿No la viste ayer?
- **F.** Me levanté temprano hoy.
- **G.** Comemos juntos.
- **H.** Los voy a despertar ahora.

8 ¿Qué pasa, Julia?

Di lo que pasa en la casa de Julia, indicando la oración que describe mejor la acción en cada una de las siguientes fotos.

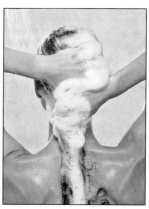

1.
- **A.** Lo cepilla antes de salir.
- **B.** Se cepilla antes de salir.

2.
- **A.** Despierto temprano a mi hermana.
- **B.** Me despierto muy temprano.

3.
- **A.** Estoy poniéndome los calcetines azules.
- **B.** Estoy poniéndolos en la cama.

4.
- **A.** Ella le está lavando el pelo.
- **B.** Ella está lavándose el pelo.

9 Un día de fiesta

Haz oraciones completas, combinando palabras de cada una de las tres columnas y añadiendo más información para decir cómo es la rutina de los miembros de tu familia en un día de fiesta.

MODELO   **Mi hermana se viste muy elegante.**

I	II	III
mi papá	me	afeitar
mi hermana	nos	bañar
mi hermano	se	despertar
mis padres	te	lavar
mis hermanos		levantar
mi mamá		maquillar
mis hermanos y yo		poner
yo		vestir

¡Ojo! 👁

Comparing Spanish and English

English often uses a form of **to get** where Spanish uses a reflexive verb. Knowing this may help you decide when to use a reflexive or a nonreflexive verb to state an action. Compare the following:

levantarse: Ellos se levantan.   They get up.

vestirse: Ella se viste.   She gets dressed.

10 Hay que ser cortés

Si invitas a otras personas a tu casa, tienes que ser cortés (*courteous*). Completa las siguientes oraciones, escogiendo la palabra apropiada.

MODELO   Tienes frío. ¿Deseas ponerte (*tu / la*) chaqueta?

Tienes frío. ¿Deseas ponerte la chaqueta?

1. ¿Puedo llevarte (*el / tu*) abrigo para el cuarto?

2. ¿Te gustaría cepillarte (*tus / los*) dientes?

3. ¿Quieres llamar a (*tus / los*) padres para decirles dónde estás?

4. Por favor, ¿puedes quitarte (*los / tus*) zapatos?

5. ¿Quieres ir a lavarte (*tus / las*) manos antes de comer?

6. ¿Te gustaría quitarte (*tu / el*) abrigo?

7. ¿Quieres comer con (*tu / la*) prima?

11 ¿Qué están haciendo?

Di lo que estas personas estan haciendo antes de salir, según las ilustraciones. Forma las oraciones de dos maneras diferentes, siguiendo el modelo.

MODELO   **Ella se está maquillando. / Ella está maquillándose.**

1. él   **2.** ella   **3.** él   **4.** ella

5. él   **6.** ella   **7.** él

12 Antes de salir

En parejas, alterna con tu compañero/a de clase en hacer y contestar preguntas para decir cómo se preparan para salir. Sigan las indicaciones.

MODELO bañarse / vestirse

A: ¿Vas a bañarte? (¿Te vas a bañar?)

B: No, voy a vestirme. (No, me voy a vestir.)

1. afeitarse / peinarse
2. maquillarse / vestirse
3. ponerse el impermeable / ponerse el abrigo
4. cepillarse el pelo / lavarse el pelo
5. quitarse las botas / ponerse otros calcetines
6. lavarse las manos / ponerse los guantes

¡Comunicación!

13 ¿A qué hora?   Interpersonal Communication

Trabajando con un/a compañero/a de clase, alternen en preguntar y contestar a qué hora van a hacer las siguientes actividades mañana.

MODELO ducharse

A: ¿A qué hora vas a ducharte mañana?

B: Voy a ducharme a las seis y media de la mañana. ¿Y tú?

1. despertarse
2. levantarse
3. vestirse
4. ponerse los zapatos
5. salir de la casa
6. llegar al colegio

¡Comunicación!

14 El/La compañero/a de cuarto ideal   Interpersonal/Presentational Communication

Este verano vas a un campamento y necesitas un/a compañero/a de cuarto. Usa las siguientes preguntas para entrevistar (*interview*) a dos o tres compañeros/as de clase. Toma apuntes. Luego escribe un párrafo para explicar quién es más compatible y por qué. Después, presenta la información a la clase.

MODELO Morgan y yo somos compatibles porque nos levantamos temprano...

1. ¿Te gusta levantarte temprano o tarde?
2. ¿Te bañas por la mañana o por la tarde?
3. ¿Haces la cama todas las mañanas?
4. ¿Escuchas música antes de dormir?

Gramática

The Word *se*

In Spanish, if a person who is doing something is indefinite or unknown (the situations in English in which you might say "one," "people," or "they"), *se* is sometimes combined with the *él/ella/Ud.* or the *ellos/ellas/Uds.* form of a verb in order to express the action. In such cases, the subject (which may precede or follow the verb) indicates whether the verb should be singular or plural. If the subject is singular, the verb is singular. Likewise, if the subject is plural, so is the verb.

*Se **vende** casa.*

House **for sale**.

*Las verduras **se comen** muchas veces para el almuerzo.*

People often **eat** vegetables for lunch.

15 El horario de los Vargas

Estas oraciones describen algunas de las actividades de un sábado típico de la familia Vargas. Cámbialas, usando una construcción con **se**.

MODELO   Empiezan el día a las ocho.

        Se empieza el día a las ocho. / El día se empieza a las ocho.

1. Arreglan la casa a las nueve.
2. Lavan el carro a las diez y media.
3. Preparan el almuerzo a las once.
4. Cepillan el perro a las cuatro.
5. Preparan un pollo a las seis.
6. Ponen la mesa a las siete.
7. Comen el pollo a las siete y media.

Se empieza el día a las ocho.

¡Comunicación!

16 ¿Se venden? 👥 Interpersonal Communication

Alterna con un(a) compañero/a de clase en preguntar y contestar qué cosas se venden o no en la tienda de la ilustración.

MODELO
A: ¿Se venden toallas en la tienda?
B: Sí, se venden toallas.

A: ¿Se vende crema de afeitar en la tienda?
B: No, no se vende crema de afeitar.

¡Comunicación!

17 Adivina qué es 👥 Interpersonal Communication

En grupos pequeños, un(a) estudiante debe representar con un dibujo, en un tiempo máximo de treinta segundos, una acción o un objeto nuevo presentado en el Vocabulario 1 de esta lección. Los otros deben adivinar (*guess*) lo que está dibujando esa persona haciendo preguntas. El/La estudiante que primero adivina la acción o el objeto gana un punto y tiene el turno para dibujar. La persona con más puntos después de un período de juego de diez minutos es la ganadora (*winner*).

MODELO
A: ¿Se usa para lavarse el pelo?
B: No.
C: ¿Se usa para bañarse?
B: Sí.
A: Es un jabón.
B: Sí, muy bien.

? Pregunta clave

What do people do to feel well?

La moda de la mano de un hispano 🎧

¿Sabes quién creó vestidos para la primera dama? ¡Es un hispano! Los hispanos en los Estados Unidos están bien representados por personas relacionadas con el cuidado[1] de la belleza[2]. ¡Personas que trabajan para hacernos sentir[3] bien cuando nos vemos en el espejo! Una de esas personas es Narciso Rodríguez, un famoso diseñador de moda cubano-americano que crea vestidos para personas importantes, como Michelle Obama.

Narciso Rodríguez

A Rodríguez le gusta diseñar ropa práctica, femenina y glamorosa. Pero la vida de Narciso Rodríguez no se trata[4] solo de moda. Él también realiza obras de beneficencia[5] para las comunidades que necesitan ayuda.

En el año 2008 se unió[6] a AFAI (*Aid For AIDS International*), dando donaciones de dinero para investigaciones médicas. Al año siguiente viajó a Puerto Rico y colaboró en un desfile[7] benéfico para la Fundación Alas a la Mujer, que ayuda a las mujeres pobres[8] de esa isla. Y en 2013 se conectó con Marina García, una mujer colombiana que fabrica ropa para donársela[9] a niños pobres de Colombia.

[1] care [2] beauty [3] feel [4] is about [5] charity work [6] joined [7] fashion show [8] poor [9] donate them

🔍 Búsqueda: narciso rodríguez, fundación alas a la mujer, aid for aids quiénes somos

Productos 🎧

La gran comunidad de cubanos que viven en Florida sigue usando su ropa típica como una forma de sentirse (*feel*) bien y de no sentirse tan lejos de su país. Un ejemplo típico es la guayabera, una camisa suelta (*loose*), fresca y elegante. Las tradicionales son blancas, pero hoy las hay de todos los colores y diseños.

" Para comentar "

¿Por qué una ropa típica puede hacer sentirse bien a una persona?

Una guayabera

18 Comprensión   Interpretive Communication

1. ¿Quién es Narciso Rodríguez y cuál es su origen?
2. ¿Qué tipo de clientes tiene Narciso Rodríguez?
3. ¿De qué otra manera Narciso Rodríguez hace sentir bien a la gente (*make people feel well*)?
4. ¿Qué es una guayabera y por qué es popular en Florida?

19 Analiza

1. Why do you think Narciso Rodríguez does charity work?
2. What other celebrities help people feel well? Describe what they do.

De Colombia al *glamour* de Hollywood 🎧

Sofía Vergara

¿Quién es una latina que pone su talento para todos los que quieren sentirse[1] bien? Es la actriz colombiana Sofía Vergara, quien empezó trabajando como modelo en su país y luego hizo el *crossover* y trabajó en telenovelas en Miami. Con gran esfuerzo[2], su talento fue aceptado en Hollywood y hoy es una latina famosa en los Estados Unidos. Actúa en películas y en series de televisión como *Modern Family*.

Además[3], Sofía Vergara trata de hacer sentir bien a su público no solo con su trabajo como actriz, sino también con una línea de ropa y productos de belleza[4]. Después de todo, al verse bien, uno se siente bien mentalmente. Pero eso no es todo. Vergara también empezó a colaborar desde Nueva York en una campaña[5] educativa sobre el hipotiroidismo, una enfermedad[6] que ella tiene. Sofía Vergara es una latina que se preocupa por la gente y pone su talento y simpatía para todos los que quieren sentirse bien.

[1] feel [2] effort [3] Besides [4] beauty [5] campaign [6] illness

🔍 **Búsqueda:** sofía vergara, línea de productos vergara, hipotiroidismo

Prácticas

La cantante y actriz Jennifer Lopez, o J. Lo, es de origen puertorriqueño.

🎧 Conéctate: el lenguaje

Hoy, en los Estados Unidos, los nombres en español están de moda. Actores, cantantes (*singers*) y deportistas hispanos no necesitan cambiarse (*change*) el nombre para ser aceptados. Pueden mantener su identidad hispana. Sin embargo, hace algunas décadas, personalidades estadounidenses de herencia hispana tuvieron que cambiarse el nombre para progresar. Algunos ejemplos son Raquel Welch (Jo Raquel Tejada, actriz), Ritchie Valens (Ricardo Valenzuela, cantante), Martin Sheen (Ramón Estévez, actor).

El presentador de televisión y actor Mario López es de origen mexicano y costarricense.

20 Comprensión — Interpretive Communication

1. ¿Por qué Sofía Vergara es un ejemplo del *crossover* latino?
2. ¿Cómo se relacionan las actividades de Sofía Vergara con el tema "Vivir en salud (*health*)"?
3. ¿Por qué podemos decir que el lenguaje español está de moda en los Estados Unidos? Da ejemplos.

21 Analiza

1. What are some things you can do to feel well mentally? And physically?
2. Why do you think Sofía Vergara chose to help people with hypothyroidism?

La rutina diaria 🎧

¿Qué haces todos los días?

desayunar; el desayuno

almorzar (ue); la comida

cenar; la cena

Para decir más

el almuerzo	*lunch*
la merienda	*snack*

Me llamo Javier.

llamar(se)

esperar

sentar(se) (ie)

quemar(se)

quedar(se) (en la cama)

acostar(se) (ue)

preocupar(se)

calmar(se)

Para conversar 🎧

To express certainty:

¿Me gusta la sopa? **Desde luego** (que no).
Do I like the soup? Of course (not).

¡Claro!
Of course!

To show how it is done:

Se hace **así**.
That (This) is how it is done.

No se hace así.
That (This) is not how it is done.

22 ¿Con qué corresponde? 🎧

Selecciona la foto que corresponde con cada descripción que oyes.

A

B

C

D

E

F

23 ¿Qué pasa?

Completa las siguientes oraciones con una palabra o una frase apropiada de la lista.

se calma   espera   se acuesta   se quema   almuerza

1. Manolo __ después de estar muy nervioso.
2. Liliana __ la mano con el horno caliente.
3. Pedro __ a las diez de la noche.
4. Elena __ el autobús a las ocho de la mañana.
5. Manuel __ en un restaurante mexicano.

¡Comunicación!

24 Desde luego (que no) 👥   Interpersonal Communication

En parejas, alternen en hacer y contestar preguntas sobre los siguientes hábitos.
Contesten usando la expresión **desde luego** o **desde luego que no**.

MODELO   siempre sentarse en el autobús

A: **¿Siempre te sientas en el autobús?**   B: **¡Desde luego!**

1. siempre sentarse para almorzar
2. siempre acostarse antes de la medianoche
3. siempre desayunar antes de ir al colegio
4. siempre preocuparse por los exámenes
5. siempre quedarse en la cama hasta el mediodía
6. siempre quemarse cuando preparas comida

Diálogo

¿Cuándo cenamos?

David: ¿A qué hora vamos a cenar?

Mamá: Cenamos a las nueve porque voy a llegar tarde.

David: ¡Tan tarde!

Mamá: Entonces, tu papá puede preparar la cena hoy.

David: Pero él también llega tarde a casa.

Mamá: No, hoy llega temprano del trabajo.

David: Bueno, yo prefiero esperarte.

Mamá: No, no te preocupes por mí.

David: Sí, sí me preocupo. La última vez que él preparó la comida la quemó toda.

Mamá: Ja, ja. Tienes razón. Bueno, yo hago la comida.

---

25 ¿Qué recuerdas?

1. ¿A qué hora va a cenar la familia de David?
2. ¿Quién puede preparar la cena más temprano?
3. ¿Qué prefiere David?
4. ¿Por qué prefiere David esperar a su mamá?

26 Algo personal

1. ¿Te gusta cenar con tu familia? ¿Por qué?
2. ¿Preparas la comida en tu casa?
3. ¿Cuál es tu comida favorita?

27 A completar

Completa cada oración que oyes con una respuesta lógica, seleccionando de las posibles respuestas que siguen.

A. ...con su familia.

B. ...en el sofá.

C. ...quedarse en la cama.

D. ...se quemó.

Yo preparo la comida en mi casa.

Gramática

Preterite Tense of Reflexive Verbs

Reflexive and nonreflexive verbs follow the same patterns you have learned for forming the preterite tense, with the exception that reflexive verbs require an appropriate **reflexive pronoun**. Compare the following:

no reflexivo		*reflexivo*	
Bañé al perro.	I gave the dog a bath.	***Me** bañé.*	I took a bath.
Ella vistió a su hermanita.	She dressed her sister.	*Ella **se** vistió.*	She got dressed.

28 Un e-mail de Alicia

Alicia está escribiendo este e-mail sobre lo que pasó ayer. Ayúdala a completarlo, usando la forma apropiada del pretérito de los verbos entre paréntesis.

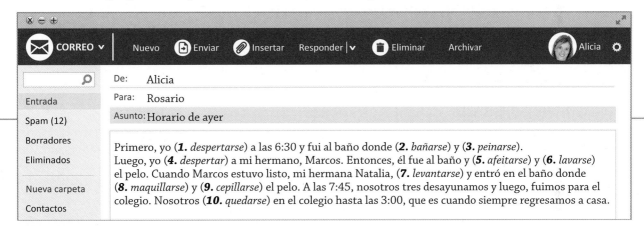

De: Alicia
Para: Rosario
Asunto: Horario de ayer

Primero, yo (**1.** *despertarse*) a las 6:30 y fui al baño donde (**2.** *bañarse*) y (**3.** *peinarse*). Luego, yo (**4.** *despertar*) a mi hermano, Marcos. Entonces, él fue al baño y (**5.** *afeitarse*) y (**6.** *lavarse*) el pelo. Cuando Marcos estuvo listo, mi hermana Natalia, (**7.** *levantarse*) y entró en el baño donde (**8.** *maquillarse*) y (**9.** *cepillarse*) el pelo. A las 7:45, nosotros tres desayunamos y luego, fuimos para el colegio. Nosotros (**10.** *quedarse*) en el colegio hasta las 3:00, que es cuando siempre regresamos a casa.

29 ¿Qué pasó en tu casa esta mañana?

Tu amigo/a es muy curioso/a hoy y te pregunta sobre algunas cosas que pasaron esta mañana. En parejas, alterna con tu compañero/a de clase en hacer y contestar preguntas, usando las pistas indicadas.

MODELO   tu hermana / maquillarse antes de salir

A: **¿Se maquilló tu hermana antes de salir?**

B: **Sí, (No, no) se maquilló antes de salir.**

1. tu hermano menor / quemarse con agua caliente
2. tus padres / despertarse a las seis
3. tú / quedarse en la cama hasta que tu mamá vino para despertarte
4. tu mamá / cepillarse el pelo
5. tu papá / afeitarse después de desayunar
6. nosotros / vestirse con el pantalón del mismo color
7. tú / peinarse antes de salir para el colegio
8. tú / lavarse el pelo

¡Comunicación!

30 Nuestra rutina de ayer   Interpersonal/Presentational Communication

Usa esta tabla para hacer una encuesta (*survey*) sobre la rutina de ayer. Pregunta a cuatro o cinco compañeros/as de clase a qué hora hicieron las actividades de la tabla ayer. Toma apuntes y luego presenta la información a la clase.

despertarse	desayunar	almorzar	cenar	acostarse
6:30 AM	**6:50 AM**	**12:15 PM**	**6:30 PM**	**10:00 PM**

MODELO   **Ayer tres estudiantes se despertaron a las seis y media, y una estudiante se despertó a las...**

Demonstrative Adjectives

You have already learned to use demonstrative adjectives to indicate where someone or something is located in relation to the speaker. They include *este*, *esta*, *estos*, *estas*, *ese*, *esa*, *esos*, *esas*, *aquel*, *aquella*, *aquellos*, and *aquellas*.

*No me gusta **este** jabón.*   I do not like **this** soap.

*Tampoco me gusta **ese** jabón.*   I do not like **that** soap either.

*Prefiero **aquel** jabón.*   I prefer **that** soap **over there**.

Repaso rápido

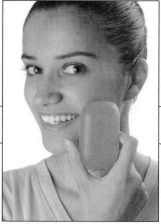

Prefiero este jabón.

31 ¿Quién compró qué?

Tu familia fue a la tienda para comprar unas cosas para la casa y ahora todos están discutiendo quién compró los objetos que están en la mesa de la cocina. Di quién compró qué, según las pistas.

MODELO   tú / champú / allí

Tú compraste ese jabón.

1. yo / sopa para mi almuerzo / aquí
2. mamá / jabón / allí
3. yo / desodorante / aquí
4. tú / cepillos / allí
5. papá / huevos para el desayuno / aquí
6. nuestra abuela / postre para la cena / allá

Gramática

Demonstrative Pronouns

- Demonstrative pronouns are used to indicate specific people or objects without mentioning the noun. They have the same forms as demonstrative adjectives.

Los pronombres demostrativos

	singular	plural
masculino	este	estos
	ese	esos
	aquel	aquellos
feminino	esta	estas
	esa	esas
	aquella	aquellas

Esta leche es mía y esa es tuya.

- Note how demonstrative pronouns are used in the following sentence:

*Creo que **este** es bueno y **ese** es muy bueno, pero **aquel** es el mejor de todos.*

I think **this one** is good and **that one** is very good, but **that one over there** is best of all.

- Three neuter demonstrative pronouns (**esto**, **eso**, **aquello**) refer to a set of circumstances, to very general nouns, or to objects that have not been identified. The neuter demonstrative pronouns exist only in the singular form.

***Esto** no es bonito.*

This is not pretty.

*Me gustaría ver **eso**, por favor.*

I would like to see **that** (stuff), please.

***Aquello** fue imposible.*

That was impossible.

---

32 Preparándose para el viaje

Octavio y su familia se preparan para ir de viaje. Completa las siguientes oraciones con los pronombres demostrativos apropiados para decir qué hacen para prepararse.

MODELO Quiero otro jabón; __este__ no me gusta.

1. ¿Es aquel tu desodorante? ¿Y __ que está aquí?

2. ¿Qué champú es nuevo? __ que está allí es muy nuevo.

3. Necesito otra toalla; __ está sucia.

4. ¿Dónde está mi champú? No es __ que está aquí.

5. Ese jabón no; yo quiero __ que está allá.

6. Mi toalla es roja; __ es rosada.

7. Aquella no es mi crema de afeitar; es __.

8. ¡__ es un desastre! Debes limpiar el baño ahora mismo.

¡Comunicación!

33 ¿Cuánto cuesta eso? 👥 Interpersonal Communication

Durante las vacaciones estás trabajando en una tienda y unos clientes te están preguntando por el precio de algunos objetos. Trabajando en parejas, alternen en hacer y contestar preguntas, según las fotos y las indicaciones.

MODELO   peines / $2.25

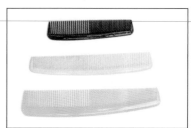

A: ¿Cuánto cuestan esos peines?

B: ¿Esos peines?

A: Sí, esos.

B: Esos peines cuestan dos dólares veinticinco.

1. crema de afeitar / $2.60   **2.** champú / $3.05   **3.** cepillo / $5.80   **4.** jabón / $0.79

5. espejos / $8.96   **6.** desodorante / $3.99   **7.** toallas / $18.25

¡Comunicación!

34 Juego 👥 Interpersonal Communication

En parejas, alternen en preguntar y contestar de quiénes son cinco cosas que señalan en la clase sin mencionarlas.

MODELO   A: ¿Es esto de Patricia?

B: No, esto es de Rafael.

Todo en contexto

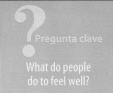
¡Comunicación!

35 Para vernos bien 👥 Interpersonal Communication

En grupos pequeños, hablen sobre qué hacen todos los días para verse bien. También digan qué hacen algunos miembros de su familia. Usen los verbos reflexivos del recuadro en el tiempo presente y las palabras del vocabulario de esta lección.

MODELO   A: Para verme bien, me pongo mi gorra favorita.

B: Yo, para verme bien, me cepillo el pelo por quince minutos todas las noches.

C: Mi papá se afeita todas las mañanas.

afeitarse	cepillarse	ducharse
lavarse	maquillarse	mirarse
peinarse	ponerse	vestirse

Para verme bien, me pongo mi gorra favorita.

¡Comunicación!

36 Celebridades que ayudan 👥 Presentational Communication

Trabaja con un/a compañero/a de clase para buscar en la internet información sobre una celebridad que ayuda a la gente, como Narciso Rodríguez y Sofía Vergara. Preparen una presentación hablando como si fueran *(as if you were)* la celebridad; o sea, usen la forma **yo**. En la presentación, hablen de su profesión, a quién ayudaron y cómo ayudaron.

MODELO   Me llamo Carlos Beltrán. Soy jugador de béisbol profesional. Me preocupan los niños de Puerto Rico, el lugar donde yo nací. Entonces un día me senté con mi esposa y hablamos sobre la idea de abrir una academia para estudiantes. Hoy esa academia existe: se llama Carlos Beltrán Baseball Academy y se encuentra en Florida, Puerto Rico. Allí los estudiantes tienen una experiencia atlética y académica.

Carlos Beltrán

Para decir más

la campaña	*campaign*	**pacientes de cáncer**	*cancer patients*
donar	*donate*	**niños que se quemaron**	*burned children*
recaudar fondos	*to raise funds*	**personas sin hogar**	*homeless*
gente pobre	*poor people*		

Antes de leer

1. What immigrant communities live in your city or state? Are they known for any particular expertise?

2. How do you like to style your hair?

3. How often do you go to the hair salon or barber shop?

Estrategia

Skimming

Reading a text quickly and detecting words that repeat or seem critical can give you the gist of the main idea. Skim the selection you are about to read without paying attention to the details. Try to guess what the reading is about, then read it slowly and carefully.

Un *boom* dominicano en Nueva York 🎧

Los dominicanos tienen una gran pasión por los cortes[1] de pelo. A los hombres, mujeres y niños dominicanos les gusta ir con frecuencia a la peluquería[2] para verse y sentirse[3] bien.

Muchas comunidades latinas comparten sus tradiciones en los Estados Unidos, y los dominicanos se destacan[4], entre otras cosas, por sus cualidades de peluqueros[5]. La gran comunidad dominicana que vive en la ciudad de Nueva York puso al servicio peluquerías y barberías[6] donde todos se miran al espejo y se ven como desean. Las mujeres y los hombres se pueden sentar para recibir un corte de pelo muy original, y los hombres también se pueden afeitar.

Los estilistas dominicanos dicen que pueden crear cualquier estilo para satisfacer los gustos[7] de los diferentes grupos étnicos. ¿Por qué? Porque la población de la República Dominicana está formada por mezclas[8] de ancestros europeos, africanos e indígenas. Los peluqueros dominicanos tuvieron desde siempre la habilidad de peinar y cortar[9] todo tipo de pelo. Hoy, podemos ir a las peluquerías dominicanas en Nueva York y en muchas ciudades de los Estados Unidos sabiendo que estamos en manos de expertos que nos hacen ver espectaculares.

[1] cuts [2] hair salon [3] feel [4] stand out [5] hairstylists [6] barber shops [7] tastes [8] mixtures [9] cut

Los salones dominicanos son populares en los Estados Unidos.

Los dominicanos, adultos y niños, van a la peluquería con frecuencia.

🔍 **Búsqueda:** peluquerías dominicanas, cortes de pelo dominicanos, pelo! pelo! the film

Número de peluquerías por cada 10.000 habitantes

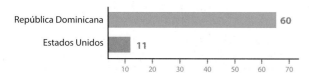

República Dominicana **60**
Estados Unidos **11**

Número de visitas a una peluquería en un año

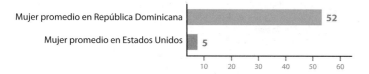

Mujer promedio en República Dominicana **52**
Mujer promedio en Estados Unidos **5**

Comparaciones

Compara el número de peluquerías y la frecuencia de visitas a estas entre la República Dominicana y los Estados Unidos. ¿Qué conclusiones puedes sacar sobre la importancia del cuidado de pelo *(hair care)* en estos dos países?

37 Comprensión  Interpretive Communication

1. ¿De qué costumbre (*custom*) dominicana habla la lectura?
2. ¿Por qué los estilistas dominicanos dicen que pueden crear cualquier estilo?
3. ¿Con qué frecuencia van a la peluquería la mayoría de las dominicanas?

38 Analiza

1. Why is there a boom of Dominican hair salons in the United States?
2. Why do you think Dominicans go to hair salons more often than Americans?
3. In your opinion, are haircuts and styles important? Explain.

✏ Escritura

39 Mi día   Presentational Communication

One of the most famous Dominican barber shops is Jordan Sports Barber Shop, located in New York City. The owner, Moisés López, has been cutting hair for professional baseball players and other athletes since 2002. What do you think his daily routine is like? Write a journal entry from Moisés' point of view saying what you did today. Include at what time you woke up, what you ate, how you dressed, at what time you opened the barber shop (*la barbería*), which professional athlete's hair you cut, who you shaved, and how you finished your day. Be as creative as you like!

Para escribir más

primero	first
después	later
entonces	then, next
también	also
por último	finally

✏ Escritura

40 Una carta de ayuda   Presentational Communication

Write a letter to a Hispanic celebrity that lives in the United States (it can be a TV or movie star, a singer, a politician, etc.). Tell him/her you have an idea for a project that will make people feel better. Explain how this celebrity can help you. Follow the outline to write the letter.

Estimado/a _____:

Me llamo _____. Le escribo porque quiero _____.
Yo pienso _____. Creo que usted puede _____.
Pensé en usted porque _____. Mi objetivo es _____.

Atentamente,

_____

Repaso de la Lección A

A Escuchar: ¿Qué es? 🎧 (p. 56)

Selecciona la foto que corresponde con lo que oyes.

A

B

C

D

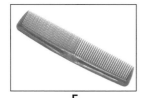

E

F

G

H

B Vocabulario: La palabra lógica (pp. 56, 68)

Completa cada conversación con una palabra lógica del vocabulario.

1. **A:** ¿Vas a levantarte temprano mañana?

   B: ¡No! Voy a levantarme __. *tarde*

2. **A:** ¿Cómo se abre el grifo?

   B: Mira. Se hace __. *lavarme las manos*

3. **A:** ¿Qué haces aquí en la calle?

   B: __ el autobús.

4. **A:** ¿Dónde vamos a __ esta noche?

   B: En un restaurante peruano.

C Gramática: Anuncios *(Ads)* (p. 64)

Completa cada anuncio (*ad*) usando la construcción con **se** del verbo entre paréntesis.

1. __ toallas de 100 % algodón. (*vender*)

2. __ casa de dos pisos. (*alquilar*)

3. __ un tutor de inglés. (*buscar*)

4. __ meseros con experiencia. (*necesitar*)

D Gramática: Ayer (pp. 71, 73)

Completa cada oración con el pretérito del verbo entre paréntesis y con un pronombre demostrativo apropiado del recuadro.

aquel	aquello	esa	estos

1. Mi hermano y yo no (*lavarse*) el pelo con este champú; usamos __.

2. ¿Para qué cena mamá (*vestirse*) muy elegante? Para __.

3. ¿Qué zapatos (*ponerse*) tú para jugar al fútbol? ¿ __ de aquí?

4. Yo (*preocuparse*) mucho por __.

Completa la gráfica con la información que aprendiste en esta lección.

Celebridad	Profesión	Origen	Logros (Achievements)
Narciso Rodríguez			
Sofía Vergara			

Vocabulario

En el baño

el cepillo
el champú
la crema de afeitar
el desodorante
la ducha
el espejo
el grifo
el inodoro
el jabón
el lavabo
el maquillaje
el peine
la tina
la toalla

Comidas

la cena
la comida
el desayuno

Verbos

acostar(se) (ue)
afeitar(se)
almorzar (ue)
bañar(se)
calmar(se)
cenar
cepillar(se)
desayunar
despertar(se) (ie)
duchar(se)
esperar
lavar(se)

levantar(se)
llamar(se)
maquillar(se)
peinar(se)
poner(se)
preocupar(se)
quedar(se)
quemar(se)
quitar(se)
sentar(se) (ie)
vestir(se) (i, i)

Otras expresiones

así
desde luego
el pelo
la salud
tarde

Gramática

Reflexive verbs

When the reflexive pronoun **se** is attached to an infinitive verb, the verb then reflects the action back upon the subject of the sentence.

bañarse	
me baño	**nos** bañamos
te bañas	**os** bañáis
se baña	**se** bañan

The word se

If the subject of a verb is unknown or indefinite, **se** is sometimes combined with the third-person singular or plural forms of the verb.

Se abre a las diez de la mañana.

Se necesitan cepillos de dientes.

Demonstrative pronouns

Demonstrative pronouns take the place of a noun and have the same forms as demonstrative adjectives.

singular		plural	
masculino	**femenino**	**masculino**	**femenino**
este	esta	estos	estas
ese	esa	esos	esas
aquel	aquella	aquellos	aquellas

Neuter demonstrative pronouns are used to refer to a set of circumstances, or when objects have not been identified. They are: esto, eso, and aquello.

El niño abre la boca y la Dra. García examina su garganta.

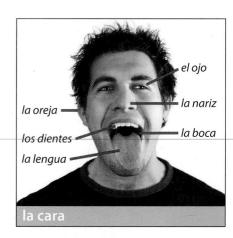

la cara

el ojo
la nariz
la oreja
los dientes
la boca
la lengua

el cuerpo

el codo
el hombro
el cuello
el pecho
la rodilla

(tomar) la medicina

¿Qué hago?

preguntarse

Para decir más

la ceja	eyebrow
la cintura	waist
la frente	forehead
el labio	lip
la mejilla	cheek
la pestaña	eyelash
la uña	nail

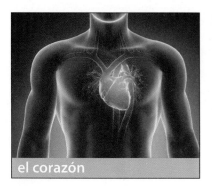

el corazón

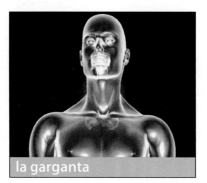

la garganta

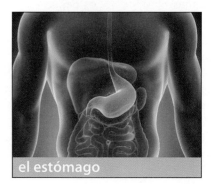

el estómago

La buena salud

descansar

(hacer) ejercicio

dormir(se) (ue, u)

no fumar

no broncear(se)

(no comer) comida rápida

Para conversar

To ask someone about their health:

¿Cómo estás de salud?
How is your health?

¿Cómo te sientes?
How do you feel?

¿Qué te duele?
What hurts (you)?

¿Vas a cuidarte?
Will you take care of yourself?

¿Vas a hacer una cita con la doctora?
Are you going to make an appointment with the doctor?

To describe your symptoms:

¡Me duele todo!
Everything hurts!

Me duele el oído.
My (inner) ear hurts.

Me duele la espalda.
My back hurts (I have a backache).

No me siento bien.
I do not feel well.

Creo que tengo la gripe.
I think I have the flu.

To give instructions:

Siéntate aquí.
Sit down here.

Abre la boca.
Open your mouth.

Saca la lengua.
Stick out your tongue.

Di "aaa".
Say "ahh".

Tócate la nariz.
Touch your nose.

Escucha y adivina (*guess*) a qué partes del cuerpo se refieren las siguientes oraciones.

MODELO **Son los dientes.**

2 Las partes del cuerpo

Conecta las frases de la columna I con las partes del cuerpo de la columna II en forma lógica.

I	II
1. Ves con... D.	**A.** ...los dientes.
2. Puedes tocar algo con... E.	**B.** ...la boca.
3. El corazón está en... F.	**C.** ...la cara.
4. A veces mi amiga se maquilla... C.	**D.** ...los ojos.
5. A mi hermanito no le gusta cepillarse... A.	**E.** ...el dedo.
6. Oímos con... G.	**F.** ...el pecho.
7. Para comer, abrimos... B.	**G.** ...los oídos.

3 Parejas lógicas

En cada grupo escoge las dos palabras que están relacionadas (*related*) de alguna forma.

1. cabeza / cara / traer / cinturón
2. gripe / pierna / rodilla / cena
3. codo / brazo / piso / cita
4. mano / calle / tina / dedo
5. boca / codo / dientes / espalda
6. enfermera / espejo / dedo / doctora
7. niño / nieve / chico / norte
8. Abre la boca / Siéntate / orejas / martes
9. Tócate el codo / bote / camiseta / Di "aaa"

Estoy enferma con la gripe.

Diálogo 🎧

La gripe

Juan: ¡Felipe!

Mamá: Juan, tu hermano está enfermo. Está durmiendo.

Juan: ¿Lo vas a llevar al médico?

Mamá: Ya lo llevé a la doctora Beltrán.

Juan: ¿Y qué dijo la doctora?

Mamá: Dijo que Felipe tiene la gripe.

Juan: ¿Y cómo se siente mi hermanito?

Mamá: Le duele mucho la garganta y se siente muy cansado.

Juan: Entonces, ¿qué debe hacer?

Mamá: Debe descansar mucho.

Juan: Estar enfermo no es muy divertido.

Mamá: ¡Desde luego que no!

4 ¿Qué recuerdas? 🎧

1. ¿Quién está enfermo? *Felipe*
2. ¿Dónde llevó la mamá a Felipe? *a la doctora Beltrán*
3. ¿Qué dijo la doctora? *Felipe tiene la gripe*
4. ¿Cómo está Felipe? *Le duele mucho*
5. ¿Qué debe hacer Felipe? *Estar enfermo*

5 Algo personal 🎧

1. ¿Tienes hermanos? ¿Cuántos? *nunca*
2. ¿Has estado enfermo/a con la gripe alguna vez? *No*
3. ¿Cuándo fuiste al doctor la última vez? *la semana pasada.*

¡Comunicación!

6 ¿Qué debo hacer? 👥 Interpersonal Communication

En parejas, alternen en describir un síntoma imaginario. La otra persona debe dar un consejo (*advice*) usando la expresión **(no) debes + infinitivo**. Usen las ideas de los recuadros o sus propias (*own*) ideas.

MODELO   A: **No me siento bien.**

              B: **Debes hacer una cita con el doctor.**

Síntomas:	Consejos (*Advice*):
no sentirse bien	no broncearse
tener la gripe	no comer comida rápida
doler el estómago	hacer una cita con el doctor
sentirse muy cansado	descansar
quemarse la espalda	cuidarse

Gramática

Verbs That Are Similar to *gustar*

Some verbs in Spanish may seem as if they should be reflexive, but they are not. They follow the pattern you have learned for **gustar** and are normally used with an indirect object pronoun (*me, te, le, nos, os, les*).

- **hacer falta** (to be necessary, to be lacking)
  *Les **hace falta** hacer más ejercicio.*

  They need to do more exercise.

- **importar** (to be important, to matter)
  *No me **importa**.*

  It does not **matter** to me.

- **parecer** (to seem)
  *¿Te **parece** difícil?*

  Does it **seem** difficult (**to you**)?

- **doler** (ue) (to hurt, to suffer pain from)
  *A Fernando le **duelen** las piernas.*

  Fernando's legs **hurt**.

Note: Use the singular form of the verb when referring to an infinitive or a singular noun: *Me **duele** la cabeza*. Use the plural form when referring to a plural noun: *Me **duelen** los oídos*.

7 Todos se sienten mal

Todos se sienten mal hoy en la familia de Juan. Completa el e-mail con la forma apropiada de **doler**, **hacer falta**, **importar** o **parecer** y el complemento directo o indirecto apropiado para ver por qué.

De: Juan
Para: Lucía
Asunto: Estamos mal

Nadie se siente muy bien hoy en mi familia. Yo me siento mal y (**1.** *doler*) todo el cuerpo. Mi hermana cantó mucho ayer y hoy a ella (**2.** *doler*) la garganta. Felipe, mi hermano, también cree que está enfermo. A él (**3.** *parecer*) que tiene la gripe. A mi padre (**4.** *doler*) la cabeza, pero dice que a él no (**5.** *importar*), y a mi madre (**6.** *doler*) mucho los pies. Creo que a todos nosotros (**7.** *hacer falta*) descansar mucho. Y tú, ¿cómo estás? ¿(**8.** *parecer*) que hoy hay alguien enfermo en tu familia? ¿A ti también (**9.** *hacer falta*) descansar?

Yo me siento mal.

¡Comunicación!

8 ¿Qué les duele?   Interpersonal Communication

En parejas, alterna con tu compañero/a de clase en preguntar y contestar lo que les duele a estas personas.

MODELO   Pablo

A: ¿Qué le duele a Pablo?

B: Le duele el estómago.

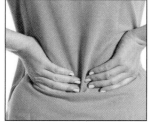
1. Daniela

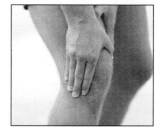
2. Miguel

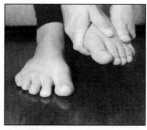
3. ellas

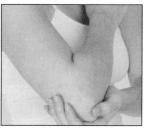
4. Timoteo y Laura

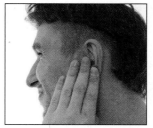
5. tú

6. nosotros

7. yo

¡Comunicación!

9 Natalia va al médico   Interpersonal Communication

Natalia fue al médico. Con un(a) compañero/a de clase, hagan el papel (*play the roles*) de Natalia y el médico. Completen el siguiente diálogo de una manera lógica.

Natalia: ¡Hola, doctor Tovar!

Médico: ¡Hola, Natalia! ¿Qué te **(1)**?

Natalia: Me duele mucho la **(2)**.

Médico: Bueno, vamos a mirar. **(3)** la nariz. **(4)** la boca. **(5)** la lengua. **(6)** "aaaaa". Parece que tienes una **(7)**.

Natalia: ¿Qué debo hacer?

Médico: Debes **(8)** y tomar mucha agua.

Natalia fue al médico.

¡Comunicación!

10 Tócate... 👥 **Interpersonal Communication**

En parejas, alterna con tu compañero/a en decirle qué parte del cuerpo se debe tocar. Mira para ver si tu compañero/a se toca la parte del cuerpo correcta. Cada estudiante debe mencionar ocho partes del cuerpo.

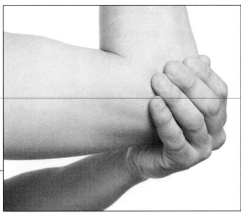

MODELO   A: **Tócate el codo.**

B: (*Student B should touch his/her elbow.*)

Tócate el codo.

¡Comunicación!

11 Sus cosas favoritas 🎧 **Interpersonal/Presentational Communication**

Trabajando en parejas, alternen en hablar de sus vidas. Pueden usar algunas de las siguientes preguntas en su conversación si quieren. Luego, deben reportar la información a la clase.

MODELO   A: **¿Te importa tener buena salud?**

B: **Sí, me importa. Quiero hacer más ejercicio para tener mejor salud.**

1. ¿Te hace falta hacer ejercicio?
2. ¿Te parece que la escuela es difícil?
3. ¿Te importa dormir mucho?
4. ¿Te duele la cabeza a veces?

5. ¿Te duelen los pies después de caminar mucho?
6. ¿Te importa asistir a la universidad algún día?
7. ¿Te gusta viajar?

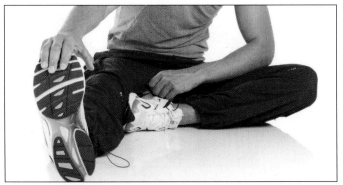

Me importa tener buena salud.

Comunidades

¿Te parece importante ayudar a los hispanos que viven en tu comunidad? Hay muchas oportunidades de trabajo voluntario en español. Por ejemplo, puedes llevar a personas a las citas médicas y interpretar (*interpret*) lo que dice el doctor/la doctora. También puedes enseñar clases de ejercicio en español en los centros de recreación.

¡Comunicación!

12 **¿Qué dices?** Interpersonal/Presentational Communication

Con otro/a estudiante de la clase, completen las siguientes frases. ¡Sean creativos!
Luego, deben reportar la información a la clase.

MODELO **Me importa tener buena salud.**

Me importa...   No me importa...   *Me parece...*   No me parece...

Me duele...   *No me duele....*

No me hace falta...   *Me hace falta...*   *No me gusta...*   **Me gusta....**

¡Comunicación!

13 **Una cita médica** Interpersonal Communication

Con un(a) compañero/a de clase, crean una conversación entre un(a) doctor(a)
y un(a) paciente.

Greet the patient and ask how he/she is feeling.

Greet the doctor and describe your symptoms.

Instruct the patient to open his/her mouth and stick out his/her tongue.

Ask the doctor if you have the flu.

Answer the question and give the patient two pieces of advice.

Thank the doctor and say good-bye.

Las herboristerías venden plantas medicinales.

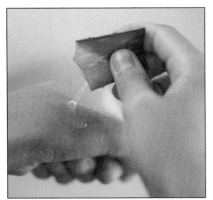

La sustancia de la planta aloe vera tiene muchos usos.

? Pregunta clave

What do people do to feel well?

Sentirse bien de manera natural 🎧

La medicina natural existe desde hace miles de años. Hoy, muchas personas optan por la medicina complementaria, es decir que además[1] de visitar a su médico, realizan otros procedimientos[2] naturales para mantener la buena salud.

Los hispanos les prestan mucha atención a los remedios naturales, por eso en las comunidades hispanas de los Estados Unidos se puede encontrar muchas botánicas o herboristerías. Estos lugares son "farmacias" de productos naturales, como hierbas o plantas medicinales.

Es una costumbre[3] cultural entre muchos hispanos intentar curarse[4] por medios naturales, sin químicos. Por ejemplo, muchas casas tienen una planta de aloe vera y cuando alguien se quema, usan la sustancia de esa planta. Cuando a alguien le duele el estómago, se toma un té de manzanilla[5] o de cilantro. En algunos países hispanohablantes, cuando te duele la cabeza, te pones rodajas[6] de papa sobre la cara. En otros países, se usan los pelos del maíz para las inflamaciones de los pies.

Esta práctica entre los latinos de usar plantas es cada vez más popular entre otras comunidades que buscan el equilibrio perfecto entre la medicina ortodoxa y la naturaleza[7].

[1] besides [2] procedure [3] custom [4] to get better [5] chamomile [6] slices [7] nature

🔍 **Búsqueda:** medicina natural, herboristerías, cilantro, aloe vera

Comparaciones

¿En tu familia qué hacen cuando alguien se quema, le duele el estómago o le duele la cabeza? ¿Usan alguna planta mencionada en la lectura?

Productos 🎧 Conéctate: la botánica

El herbario del Centro Médico Nacional Siglo XXI, en la capital de México, tiene la colección de plantas medicinales más grande del continente americano. Estas plantas fueron usadas por los médicos tradicionales de los mixtecas, mayas y otros grupos indígenas.

14 Comprensión Interpretive Communication

1. ¿Qué es la medicina natural?
2. ¿Qué es una herboristería?
3. ¿Cuáles son dos plantas naturales que algunos hispanos usan? ¿Para qué problemas de salud las usan?

15 Analiza

1. Do you think natural remedies are as effective as chemical remedies? Explain.
2. Do you ever use natural remedies? If so, what and for what ailment?

La importancia de los intérpretes médicos 🎧

¿Cómo nos sentimos cuando nos queremos comunicar con alguien y la otra persona no comprende? ¿Qué ocurre si estamos en otro país, vamos al hospital y no entendemos lo que dice el doctor? Seguramente nos sentimos mal, frustrados y desesperados. Por suerte, existen los intérpretes.

A los Estados Unidos llegan muchas personas de países hispanos que tienen que ir al hospital y no hablan inglés. Por esa razón, los hospitales de los Estados Unidos tienen, por ley[2], un servicio de intérpretes disponible.

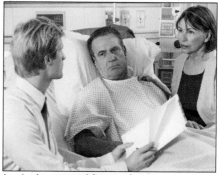

Los intérpretes médicos trabajan en hospitales y centros médicos.

El/La intérprete médico es un(a) profesional apasionado/a que escogió ese trabajo con el objetivo de ayudar. El/La intérprete quiere servir de puente[1] entre dos idiomas y dos culturas. Su mayor satisfacción es aclarar todas las dudas en el diálogo entre el paciente y el médico. Se siente bien eliminando las barreras lingüísticas y ayudando a los demás.

El/La intérprete médico ayuda al paciente a llenar[3] formularios[4] antes de la cita con el médico. Durante la cita, cuando las diferencias culturales entre médico y paciente dificultan el proceso de un tratamiento médico, el/la intérprete médico utiliza su lado humano para explicarle al médico las costumbres y tradiciones del paciente, para lograr un mejor entendimiento[5] entre los dos. Está especialmente entrenado/a[6] para transmitir mensajes precisos, está motivado/a y se siente bien ayudando.

[1] bridge   [2] by law   [3] to fill   [4] forms   [5] understanding   [6] trained

🔍 **Búsqueda:** intérpretes médicos, certificado nacional de intérprete médico

Perspectivas

Para muchos indígenas de Perú, el concepto de salud no se refiere solamente a sentirse bien física y mentalmente. La salud también significa estar en armonía con la familia, la comunidad y los animales. Por eso, cuando un indígena está enfermo, el médico tradicional trata (*treats*) (a) solamente al enfermo, (b) solamente a la mascota del enfermo, (c) al enfermo y a su familia.

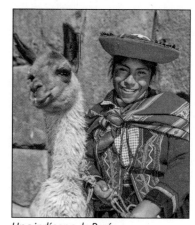

Una indígena de Perú

16 Comprensión   Interpretive Communication

1. ¿Qué función tiene un(a) intérprete médico?
2. ¿Qué deben conocer muy bien los intérpretes médicos?

17 Analiza

1. Why do you think hospitals in the United States are required by law to have interpreters?
2. What is the satisfaction that medical interpreters receive from doing their work?

Vocabulario 2

De camping 🎧

El lago es el lugar ideal para ir de camping.

pescar

el pez

los peces

pescar un resfriado

despedirse (i, i)

ir(se) de viaje

divertir(se) (ie, i)

tocar la guitarra

la mano izquierda /
la mano derecha

Para decir más

la caña de pesca	*fishing rod*
la fogata	*campfire*
el río	*river*
la tienda de campaña	*tent*

Para conversar 🎧

*T*o describe a non-deliberate action:

Todo el mundo **se equivoca** alguna vez.
Everyone makes mistakes at some point.

Ayer **me olvidé** de hacer la tarea.
Yesterday I forgot to do the homework.

¿Cómo **te caíste** en el lago?
How did you fall into the lake?

*T*o express a reciprocal action:

Mi familia va a **reunirse** en Miami.
My family is going to get together in Miami.

Mis primos y yo **nos llevamos** muy bien.
My cousins and I get along very well.

*T*o talk about habits:

Es fácil **acostumbrarse** a la buena vida.
It is easy to get used to the good life.

Mi padre quiere **dejar de** fumar.
My father wants to stop (quit) smoking.

18 En otras palabras 🎧

Conecta lógicamente lo que oyes con las siguientes palabras.

A. sentarse

B. olvidarse

C. despedirse

D. acostumbrarse

E. pescar

F. el lago

19 De camping en el lago

Unos amigos están de camping en el lago. ¿Qué dicen? Completa las diferentes conversaciones con palabras lógicas del recuadro.

divertirme	guitarra	izquierda
lago	me olvidé	peces
resfriado	reunirte	te equivocas

Carlos: Este es un buen día para pescar.

Felipe: Sí, para pescar un **(1)** si te caes en el **(2)**.

Carlos: No, Felipe, **(3)**. Hoy voy a pescar **(4)**.

Andrea: Siéntate, Marcos, y toca la **(5)**.

Marcos: No puedo porque **(6)** traerla.

Andrea: ¿Qué dices? ¡La tienes en la mano **(7)**!

Clara: Eva, ¿vas a ir a Chile y **(8)** con tu familia?

Eva: Sí, ¡voy a **(9)**!

Diálogo 🎧

Pescando un resfriado

Mamá: Antes de comer voy a limpiar las ventanas.

Juan: Mamá, siéntate un rato.

Mamá: Y después, voy a reunirme con Graciela.

Juan: Mamá, debes descansar más.

Mamá: Bueno, y tú, ¿vas a irte a pescar esta tarde?

Juan: Esta tarde no, estoy cansado. Parece que va a llover esta tarde y no quiero pescar un resfriado.

Mamá: Pues me parece bien, porque con un chico enfermo tengo suficiente.

Juan: ¡Achís! ¡Oh, oh, creo que ya estoy pescando un resfriado!

---

20 ¿Qué recuerdas? 🎧

1. ¿Qué va a hacer la mamá antes de comer?
2. ¿Qué le dice Juan a la mamá?
3. ¿Con quién va a reunirse la mamá?
4. ¿Va a irse Juan a pescar en la tarde?
5. ¿Qué no quiere pescar Juan?

21 Algo personal 🎧

1. ¿Cuándo pescaste el último resfriado?
2. ¿Te gusta ir de pesca? ¿Por qué?
3. ¿Cuándo te reúnes con tus amigos/as? ¿Para qué te reúnes?

🗨 ¡Comunicación!

22 Encuesta 👥 Interpersonal/Presentational Communication

Entrevista (*Interview*) a un(a) compañero/a para saber cuándo fue la última vez que hizo las actividades en la tabla y dónde las hizo. Toma apuntes. Luego escribe un pequeño resumen (*summary*) con la información que conseguiste.

MODELO **Matilda se reunió con su familia hace un mes. Se reunieron en casa de los abuelos. El sábado Matilda se divirtió en la fiesta de Amelia. El año pasado Matilda se fue de viaje a Orlando.**

Nombre	reunirse con familia (¿dónde?)	divertirse (¿dónde?)	irse de viaje (¿adónde?)
Matilda	**hace un mes (en casa de los abuelos)**	**el sábado (fiesta de Amelia)**	**el año pasado (Orlando)**

Gramática

More on Reflexive Verbs

- Sometimes in Spanish a verb will have a different meaning if it is used reflexively.

comer to eat		**comerse** to eat up	
dormir (*ue, u*) to sleep		**dormirse** (*ue, u*) to fall asleep	
ir to go		**irse** to leave, to go away	
llevar to take, to carry		**llevarse** to take away, to get along	
preguntar to ask		**preguntarse** to wonder, to ask oneself	

- Compare the following:

Diana *duerme mucho.* Diana **sleeps** a lot.

A veces **me duermo** *antes de las diez.* Sometimes **I fall asleep** before ten.

- In addition, some verbs are reflexive in Spanish that do not appear at all reflexive in English.

acostumbrarse	to get used to	**equivocarse**	to make a mistake
broncearse	to tan	**olvidarse**	to forget
caerse	to fall down	**reunirse**	to get together
despedirse (*i, i*)	to say good-bye	**sentirse** (*ie, i*)	to feel

Note: The verb **caer**(**se**) is regular in the present tense, except for the first-person singular form: (**me**) **caigo**. The preterite tense of **caer**(**se**) is conjugated following the pattern of the verb *leer*: **caí, caíste, cayó, caímos, caísteis, cayeron**. The present participle of **caer** (**caerse**) is **cayendo** (**cayéndose**).

---

23 En casa de los tíos

Cuando José visita a sus tíos, muchas cosas pasan. Di lo que pasa, completando las siguientes oraciones con la forma apropiada de los verbos entre paréntesis.

MODELO   José y sus primos (*irse*) a pescar al lago bien temprano.
José y sus primos <u>se van</u> a pescar al lago bien temprano.

1. Todos (*ir*) al lago a las cinco y media de la mañana.
2. Raúl siempre (*preguntarle*) a él todo lo que José sabe sobre cómo pescar.
3. José (*dormirse*) temprano para despertarse temprano.
4. La tía (*llevar*) a los chicos en su carro nuevo.
5. José (*llevarse*) muy bien con Raúl.
6. Ellos (*comer*) perros calientes.
7. La tía de José siempre (*preguntarse*) a qué hora van a volver de pescar.
8. A la hora de la comida, José y sus primos (*comerse*) todo el pescado.

José se lleva bien con su tía.

24 En San Antonio

Fuiste con tu familia de vacaciones a San Antonio el verano pasado. Haz oraciones completas con las indicaciones que se dan para decir lo que pasó.

MODELO mi tía / no / equivocarse al decir que la ciudad es bonita

Mi tía no se equivocó al decir que la ciudad es bonita.

1. nosotros / reunirse con nuestros parientes en San Antonio
2. yo / sentirse un poco resfriado el primer día
3. mis hermanas / no / broncearse mucho en la piscina
4. mi papá / olvidarse de llevar ropa de verano
5. mi abuela / no / acostumbrarse a tantos carros
6. yo / caerse / al montar a caballo
7. mis primos / comerse todos los tacos
8. nosotros / despedirse de nuestros tíos el último día

¿Fuiste a San Antonio el verano pasado?

25 Planes para las vacaciones 👥

Tú y un(a) amigo/a tienen planes para las vacaciones y están hablando de lo que van a hacer. Trabajando en parejas, alternen en hacer y contestar preguntas sobre sus planes, según las indicaciones.

MODELO irse de vacaciones a California / México

A: ¿Vas a irte de vacaciones a California?

B: No, voy a irme de vacaciones a México.

1. dormir mucho / poco
2. llevarse mal con tus amigos / bien con mis amigos
3. irse con tus hermanos / mis amigos
4. comerse todo en el viaje / casi todo
5. dormirse temprano / tarde
6. llevar mucha ropa / poca ropa
7. comer poco en el viaje / mucho
8. sentirse triste / feliz

Nos vamos de vacaciones a México.

¡Comunicación!

26 Preguntas personales 🎧 Interpersonal/Presentational Communication

Trabajando en parejas, alternen en hacer y contestar las preguntas acerca de su rutina diaria y lo que hacen para cuidar su salud. Luego, tienen que presentar la información a la clase.

1. ¿Adónde vas de viaje?
2. ¿Vas mucho a las playas? La última vez que fuiste a la playa, ¿te bronceaste?
3. ¿Qué haces para cuidar tu salud cuando estás viajando? ¿Haces ejercicios aeróbicos?
4. ¿Toma tu familia vacaciones en el invierno? Durante el invierno pasado, ¿te caíste en el hielo?
5. ¿Cuándo piensas irte a otro viaje?
6. Cuando viajas, ¿cómo te diviertes?
7. ¿Qué tipo de comida comes cuando estás viajando?

¿Toma tu familia vacaciones en el invierno?

¡Comunicación!

27 ¡Un sábado típico! 👥 Interpersonal/Presentational Communication

Trabajando con otro/a estudiante, hablen de las actividades que hacen durante un sábado típico. Por ejemplo, pueden decir a qué hora Uds. hacen las actividades, con quién las hacen y cualquier otra cosa que decidan mencionar. Pueden usar los siguientes verbos en su conversación si quieren: *vestirse, levantarse, cepillarse, despertarse, bañarse.* Después, deben compartir la información con la clase.

MODELO   A: ¿A qué hora te sientas para comer?

              B: Me siento para comer a las siete de la noche.

¡Comunicación!

28 Juego 👥 Interpretive Communication

In small groups, play charades by acting out reflexive actions. Taking turns, each player acts out five reflexive actions for the rest of the group to guess. For example, you can wave your hand for others to guess *despedirse*.

Gramática

Prepositions

Look at the following list of **prepositions** in Spanish and see how many you remember. Look up any you do not recognize.

a	de *entre*	lejos de
al lado de	desde	para
antes de	después de	por
cerca de	en	sin
con	hasta	sobre

Verbs that Follow Prepositions

- In Spanish an *infinitive* (the form of the verb that ends in *-ar*, *-er*, or *-ir*) is the only form of a verb that can be used after a preposition.

  *Voy a estudiar **después de**
  descansar media hora.*

  *Juan nunca va a Canadá
  sin ir a pescar.*

  I am going to study **after
  resting** for a half hour.

  Juan never goes to Canada
  without going fishing.

- If the verb after the preposition is reflexive, the reflexive pronoun must be attached to the end of the infinitive and must agree with the subject.

  ***Después de** levantarte, debes bañarte.*
  ***Después de** bañarme, yo me visto.*
  *Nosotros salimos **sin** almorzar.*

  After getting up, you should bathe.
  After bathing, I get dressed.
  We left **without having lunch.**

29 Después de levantarse 🎧

¿Qué van a hacer las siguientes personas después de levantarse, según las indicaciones?

MODELO   mi amiga (*hacer la cama*)

       Mi amiga va a hacer la cama después de levantarse.

1. mis tías (*cepillarse el pelo*)
2. yo (*desayunar*)
3. nosotros (*ducharse*)
4. mis hermanos (*afeitarse*)
5. tú (*leer el periódico*)
6. mi hermana (*maquillarse*)
7. mi madre (*preparar el desayuno*)
8. mi papá y mi tío (*vestirse*)

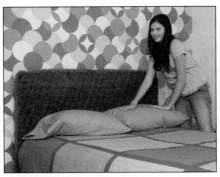

Mi amiga va a hacer la cama.

30 De camping

¿Qué pasó cuando unos amigos fueron de camping? Para saber, completa las oraciones con las preposiciones más apropiadas entre paréntesis.

1. Elena no pudo dormirse __ escuchar música. (*para* / *sin*)
2. Yo me vestí __ bañarme en el lago. (*después de* / *hasta*)
3. Mayra se olvidó __ traer una toalla. (*por* / *de*)
4. Sergio le ayudó a Mayra __ preparar el almuerzo. (*a* / *sobre*)
5. Yo toqué la guitarra __ acostarnos. (*con* / *antes de*)
6. No dejó __ llover toda la noche. (*de* / *hasta*)

De camping

31 Los sábados en mi casa

Contesta las preguntas para decir lo que haces los sábados antes o después de las siguientes situaciones. Puedes inventar la información si quieres.

1. ¿Qué haces después de levantarte?
2. ¿Qué haces antes de bañarte?
3. ¿Qué haces después de vestirte?
4. ¿Qué haces después de desayunar?
5. ¿Qué haces antes de acostarte?

¡Comunicación!

32 Los domingos — Interpersonal Communication

En parejas, hablen de lo que hacen varios miembros de tu familia los domingos por la mañana. Usen las preposiciones **antes de**, **después de** y **sin**, y el infinitivo apropiado para esa situación. Deben usar algunos verbos reflexivos, si es posible.

MODELO
A: ¿Qué hace tu madre antes de bañarse?
B: Mi madre sale a correr antes de bañarse.

¡Comunicación!

33 El fin de semana — Presentational Communication

In Spanish, create an e-mail to a friend telling about your plans for this weekend. Mention some of the following: what time you are going to wake up, your morning preparations, some activities during the day, and what you are going to do to prepare for bed. Then be sure to ask about your friend's weekend plans.

Voy a reunirme con mis amigos en el parque.

Todo en contexto

💬 ¡Comunicación!

34 El/La intérprete médico 👥 Interpersonal Communication Conéctate: la medicina

Trabajando en grupos de tres, hagan el papel de doctor(a), paciente (*patient*) e intérprete. El/La doctor(a) habla en inglés y el/la paciente en español. El/La intérprete debe traducir el diálogo mientras hablan. Usen las preguntas de abajo como guía. También pueden hacer otras preguntas con palabras de Lección B.

- *Good morning, I'm Doctor . . .*
- *How do you feel today?*
- *Sit down here, please.*
- *Does your stomach hurt?*
- *Did your back hurt yesterday?*

- *Open your mouth and stick out your tongue.*
- *Do you eat fast food?*
- *How many times do you eat fast food in a week? Do you like vegetables?*
- *The nurse will give you medicine. You should take it before eating breakfast.*

💬 ¡Comunicación!

35 Planes para ir de camping 👥 Interpretive/Interpersonal Communication

Tú y un(a) amigo/a piensan ir de camping pero no saben adónde. Lean este folleto (*brochure*) para decidir si quieren ir a ese lugar. Después de leer, alternen en hacer y contestar las siguientes preguntas. Deben contestar en oraciones completas usando las preposiciones apropiadas.

1. ¿Quieres ir a un camping lejos de casa?
2. ¿Vamos a un lugar cerca del agua?
3. ¿A qué hora quieres despertarte?
4. ¿Vamos a pescar después de desayunar?
5. ¿Te gusta conocer gente nueva? ¿A quién?
6. ¿A qué hora te duermes normalmente?
7. ¿Quieres tocar la guitarra por las noches?
8. ¿Qué dice el folleto de Dos Lagos? ¿Te gusta el camping Dos Lagos? ¿Crees que allí la gente se siente bien? Explica.

Camping **Dos Lagos**

Abierto desde mayo hasta octubre

¿**Quieres descansar**, pescar y divertirte con tus **amigos**?

En Camping **Dos Lagos** puedes hacer muchas cosas para pasar unos **días especiales**.

- Dos lagos con peces. Puedes pescar por la mañana.
- Dos lagos con familias. Puedes reunirte y conocer gente nueva.
- Dos lagos con música. Puedes tocar la guitarra por las noches.

Una experiencia natural para sentirte bien

Lectura literaria

Apolvenusina (fragmento)
de Yoss

Sobre el autor

Yoss es el seudónimo de José Miguel Sánchez Gómez (Cuba, 1969), autor de obras de ciencia ficción. Yoss es licenciado en ciencias biológicas y relaciona este tema con muchas de sus obras. Yoss también es cantante de *heavy metal*. Sus textos se publican en muchos países y en la internet.

---

36 Antes de leer: Vocabulario

La lectura que vas a leer incluye las siguientes palabras en negrita (*boldface*). Usa el contexto de la oración para determinar su significado. Conecta cada palabra de la columna I con su equivalente en inglés de la columna II.

I	II
1. La **estrella de cine** Julia Roberts ganó su primer Óscar en 2001.	**A.** dye
2. La **cantante** Shakira es de Barranquilla, Colombia.	**B.** loss
3. Despúes de la **caída** de pelo, mi tío era calvo.	**C.** movie star
4. Mi hermana compra un **tinte** de pelo porque quiere ser rubia.	**D.** prescription
5. Para conseguir antibióticos en la farmacia, necesitas una **receta** médica.	**E.** pill
6. Se vende esta medicina en forma líquida o en **píldora.**	**F.** singer

> ### Estrategia
>
> **Context Clues**
>
> Context refers to what is around a word. These bits of information, or clues, help you understand the meaning of an unknown word. Before reading this entire selection, first skim the reading and identify the words that have been glossed (with a number), read them in context, and guess their meaning. Then verify the definition in the footnotes.

---

37 Antes de leer: Conocimientos previos

1. ¿Qué haces para verte mejor?

2. ¿Qué tipo de productos venden por televisión o por la internet para cambiar la imagen de una persona?

3. ¿Conoces artistas que se cambiaron la apariencia para ser más guapos/as? ¿Quiénes?

Shakira es considerada una de las cantantes más bonitas de la música.

Apolvenusina (fragmento) 🎧
de *Yoss*

¿Su sueño[1] es parecerse a una estrella de cine, un cantante o un deportista famoso? ¿Opina[2] que su rostro[3] o su cuerpo no son perfectos? (...) ¿No está satisfecho con el color de sus ojos, su cabello[4] o su piel[5]?

(...) Si no tiene tiempo, deseos o constancia para sufrir[6] dietas o sudar[7] en el gimnasio; si es alérgico a los lentes de contacto cosméticos, los tintes y las pelucas[8] o demasiado perezoso para usarlos; si la cirugía estética lo asusta[9]...

Apolvenusina puede ser la respuesta a todas sus insatisfacciones.

Coloque una píldora bajo la lengua, concéntrese durante cinco segundos en el aspecto que desea tener y luego escúpala[10]. Mírese ahora al espejo. La metamorfosis lo dejará estupefacto... ¡y totalmente satisfecho!

(...)

Miles de mujeres son ahora felices dobles clónicas de Shakira, Britney Spears o Julia Roberts gracias a la magia de *Apolvenusina*.

Miles de copias de Brad Pitt, Mel Gibson y Justin Timberlake caminan hoy orgullosos[11] por el mundo después de haber usado *Apolvenusina*.

(...)

¡No se necesita receta médica! ¡Pídala HOY a su farmacéutico o distribuidor!

(...)

¡MUY IMPORTANTE!

(...)

Utilizada correctamente, *Apolvenusina* soluciona la fealdad[12], la monotonía anatómica y la baja autoestima[13]. Su uso indebido[14], sin embargo, puede ocasionar consecuencias como la degeneración total o parcial del esqueleto y/o de la piel, la caída de la nariz y los ojos y otras que dañen[15] de modo grave e irreversible su apariencia personal y su salud.

[1] dream [2] think [3] face [4] hair [5] skin [6] suffer [7] sweat [8] wigs [9] scares you [10] spit it [11] proud [12] ugliness [13] self-esteem
[14] incorrect [15] damage

38 Comprensión 🎧 Interpretive Communication

1. ¿Qué es Apolvenusina?
2. ¿Cuánto tarda Apolvenusina en hacer efecto?
3. ¿Qué efectos secundarios puede tener Apolvenusina?

39 Analiza

1. "Apolvenusina" is a parody, that is, a piece of writing that imitates something else for comic effect. What is the author making fun of? Do you think he was effective? Explain.
2. Why does the story include names of celebrities? What other celebrities would you have included?
3. Do you think we live in a society obsessed with beauty? Explain.

Repaso de la Lección B

A Escuchar: Las preguntas de Fabiola 🎧 (pp. 90–91)

¡Tu amiga Fabiola tiene muchas preguntas! Selecciona la respuesta más apropiada para cada una de las preguntas que oyes.

A. No, solamente pesqué peces. *3*

B. No, te equivocas; es el miércoles. *5*

C. Aquí en el sofá. *1*

D. No, me olvidé de traerla. *6*

E. No, estamos aburridos. *4*

F. No muy bien. *2*

B Vocabulario: Con la doctora (pp. 80–81)

Completa la conversación entre la doctora y el paciente con palabras lógicas del vocabulario.

Paciente: ¡Ay! Me (**1**) mucho la garganta, doctora.

Doctora: A ver. Abre la (**2**) y (**3**) la lengua.

Paciente: ¿Tengo la (**4**) H1N1?

Doctora: No, tienes una infección de la garganta.

Paciente: ¿Qué hago?

Doctora: Vas a tomar esta (**5**) cada ocho horas, y vas a hacer una (**6**) para la próxima semana.

Paciente: Gracias, doctora.

C Gramática: Opiniones (p. 84)

Completa cada oración con un verbo lógico del recuadro. Tienes que usar la forma apropiada del tiempo presente y el complemento indirecto apropiado.

doler	gustar	hacer falta	importar	parecer

1. A nosotros __ muy interesante la lectura sobre la salud.

2. Cuando a Alejandro __ el estómago por comer comida rápida, se toma un té de manzanilla (*chamomile*).

3. Mi perro es gordo porque __ hacer más ejercicio.

4. Mis padres pueden ir de camping en el lago o en la playa: a ellos no *les importa* __ dónde.

5. ¿A ti qué __ hacer para divertirte los fines de semana?

D Gramática: Los viajes de Martín (p. 93)

Completa el párrafo que Martín escribió con la forma apropiada del tiempo presente de los verbos entre paréntesis.

Mi familia y yo viajamos mucho. A la hora de salir, mi hermana (**1.** *despedirse*) de su perro durante una hora. Yo no puedo (**2.** *acostumbrarse*) a eso. Mi padre siempre me pregunta si no olvidé nada. Es verdad, yo siempre (**3.** *olvidarse*) de algo. Mi madre siempre (**4.** *preocuparse*) de todo pero yo le digo que no debe preocuparse. Lo mejor de todo, cuando viajamos, es que nosotros (**5.** *divertirse*) mucho.

E Cultura: Sentirse bien de manera natural (p. 88)

¿Qué remedios naturales usan algunos hispanos para los pequeños problemas de salud? ¿Y tú? Completa este diagrama de Venn para comparar y contrastar tus hábitos con los de los hispanos.

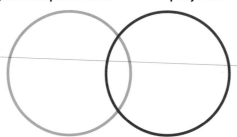

Plantas medicinales que algunos hispanos usan

Plantas medicinales que yo uso

Vocabulario

El cuerpo	Verbos		Otras expresiones
la boca	abre (*command*)	equivocar(se)	la cita
la cara	acostumbrar(se)	fumar	la comida rápida
el codo	broncear(se)	ir(se)	derecho/a
el corazón	caer(se)	llevar(se)	el doctor, la doctora
el cuello	comer(se)	olvidar (se)	el ejercicio
el diente	cuidar(se)	pescar	el enfermero, la enfermera
la espalda	dejar (de)	preguntar(se)	la gripe
el estómago	descansar	reunir(se)	irse de viaje
la garganta	despedir(se) (i, i)	saca (*command*)	izquierdo/a
el hombro	di (*command*)	sentir(se) (ie, i)	el lago
la lengua	divertir(se) (ie, i)	siéntate (*command*)	la medicina
la nariz	doler (ue)	tócate (*command*)	el niño, la niña
el oído	dormir(se) (ue, u)		el pez (peces)
el ojo			el resfriado
la oreja			
el pecho			
la rodilla			

Gramática

Verbs similar to gustar

The following verbs are similar to *gustar* and are not reflexive. They are used with indirect object pronouns. They are: *doler (ue), hacer falta, importar,* and *parecer.*

Verbs that follow prepositions

Infinitive verbs are the only form of a verb that can be used after a preposition. If the verb following the preposition is reflexive, the reflexive pronoun must agree with the subject.

More on reflexive verbs

- Sometimes, a verb's meaning will change when it is used reflexively.

dormir (ue, u) to sleep	→	*dormirse (ue, u)* to fall asleep
ir to go	→	*irse* to leave, to go away
preguntar to ask	→	*preguntarse* to wonder, to ask onself

- Some verbs in Spanish do not seem reflexive in English.

acostumbrarse to get used to	*broncearse* to tan
caerse to fall down	*despedirse (i, i)* to say good-bye
equivocarse to make a mistake	*olvidarse* to forget
reunirse to get together	*sentirse (ie, i)* to feel

Para concluir

Proyectos

A ¡Manos a la obra!

En grupos de tres o cuatro, presenten un servicio o un lugar donde la gente puede ir para sentirse bien. Investiguen en la internet qué lugares sirven para relajarse, qué tipo de comidas son las más saludables y qué actividades son las favoritas para las personas que quieren sentirse bien física y mentalmente. Usen esa información como guía para crear un lugar ideal. Luego preparen una presentación con imágenes, explicaciones y estadísticas. Tienen que convencer (*convince*) a la clase de que su lugar es el mejor para sentirse bien.

Termas Los Pozones en Chile

B En resumen

Según lo que leíste en esta unidad, hay muchas formas de sentirse bien. Copia el diagrama de abajo y completa los recuadros de la columna derecha para indicar cómo cada persona o grupo hace sentir bien a la gente.

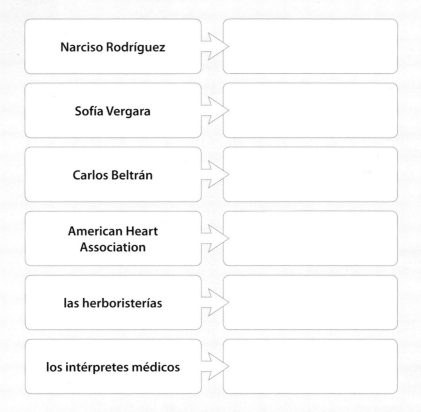

Narciso Rodríguez

Sofía Vergara

Carlos Beltrán

American Heart Association

las herboristerías

los intérpretes médicos

Extensión

Investiga un poco más y busca otra personalidad latina que ayuda a sentir bien a la gente.

C ¡A escribir!

Imagina que el año pasado te fuiste de camping. Escribe un párrafo sobre tu experiencia. Explica cuándo fuiste, dónde estuviste y qué hiciste para divertirte. Utiliza verbos reflexivos y las preposiciones que aprendiste en esta unidad.

Estrategia

Sequence of events

Think about your camping trip chronologically. When did you leave home? When did you arrive? Where did you stop? What happened before, during, and after your camping experience? To make your sentences flow smoothly, include some of the following expressions.

Antes de ir de camping...	Antes de...
Viajé desde... hasta...	Desde las... hasta las...
Estuve cerca de...	Después de...

D Científicos y médicos famosos   Conéctate: las ciencias

¿Sabes quiénes son las personas de esta lista? ¿Qué hicieron para ser figuras relevantes en las ciencias y la medicina? Escoge un nombre y haz una investigación en la internet para aprender sobre esa persona. Escribe una pequeña biografía de cuatro o cinco oraciones. Incluye de dónde es, qué estudió, dónde trabajó y qué hizo para ser famoso.

Antonia Novello

> **Santiago Ramón y Cajal**
> **Severo Ochoa**
> **Antonia Novello**
> **César Milstein**
> **Susana López**

E El cuerpo humano   Conéctate: el arte y la anatomía

En un papel muy grande, traza (*trace*) el cuerpo de un(a) amigo/a. Luego dibuja el sistema digestivo o el sistema respiratorio o el sistema nervioso. Incluye los nombres en español de las partes más importantes de ese sistema.

F Los atletas profesionales   Conéctate: el deporte

¿Cómo es la rutina diaria de un atleta profesional? ¿A qué hora se levanta? ¿Qué desayuna? ¿Cuántas horas hace ejercicio? Investiga en la internet las respuestas a estas preguntas. Según lo que aprendes, escribe un horario para un atleta profesional.

G Estadísticas   Conéctate: las matemáticas

En esta unidad leíste que muchas personas se preocupan por la salud. Investiga en la internet y averigua qué porcentaje de personas en los Estados Unidos son vegetarianos, cuántos van al gimnasio regularmente, cuántos van al médico a su visita anual, cuántos escogen la medicina naturista, cuántos comen comida rápida, cuántos cocinan en su casa, etcétera. Prepara una tabla con tus resultados.

Vocabulario de la Unidad 2

abre (*command*) open 2B
acostar(se) (ue) to go to bed, to lie down 2A
acostumbrar(se) to get used to 2B
afeitar(se) to shave 2A
almorzar (ue) to have lunch, to eat lunch 2A
aquel, aquella (aquellos, aquellas) that (one) (those [ones]) 2A
aquello that 2A
así thus, that way 2A
bañar(se) to bathe 2A
la **boca** mouth 2B
broncear(se) to tan 2B
caer(se) to fall (down) 2B
calmar(se) to calm down 2A
la **cara** face 2B
la **cena** dinner, supper 2A
cenar to have dinner, to have supper 2A
cepillar(se) to brush 2A

el **cepillo** brush 2A
el **champú** shampoo 2A
la **cita** appointment; date 2B
el **codo** elbow 2B
comer(se) to eat 2B
la **comida** food; dinner 2A
la **comida rápida** fast food 2B
el **corazón** heart 2B
la **crema de afeitar** shaving cream 2A
el **cuello** neck 2B
cuidar(se) to take care of 2B
dejar (de) to leave; to stop, to quit 2B
derecho/a right 2B

desayunar to have breakfast 2A
el **desayuno** breakfast 2A
descansar to rest, to relax 2B
desde luego of course 2A
el **desodorante** deodorant 2A
despedir(se) (i, i) to say good-bye 2B
despertar(se) (ie) to wake up 2A
di (*command*) say 2B
el **diente** tooth 2B
divertir(se) (ie, i) to have fun 2B
el **doctor**, la **doctora** doctor 2B
doler (ue) to hurt 2B
dormir(se) (ue, u) to fall asleep 2B
la **ducha** shower 2A
duchar(se) to shower 2A
el **ejercicio** exercise 2B
el **enfermero**, la **enfermera** nurse 2B
equivocar(se) to be mistaken 2B
ese, esa (esos, esas) that (one) (those [ones]) 2A
eso that (*neuter form*) 2A
la **espalda** back 2B
el **espejo** mirror 2A
esperar to wait 2A
este, esta (estos, estas) this (one) (these [ones]) 2A
esto this (*neuter form*) 2A
el **estómago** stomach 2B
fumar to smoke 2B
la **garganta** throat 2B
el **grifo** faucet 2A
la **gripe** flu 2B
el **hombro** shoulder 2B
el **inodoro** toilet 2A
ir(se) to leave 2B
irse de viaje to go away on a trip 2B
izquierdo/a left 2B
el **jabón** soap 2A
el **lago** lake 2B
el **lavabo** sink 2A
lavar(se) to wash 2A
la **lengua** tongue 2B
levantar(se) to get up 2A
llamar(se) to be called 2A

llevar(se) to take away 2B
el **maquillaje** makeup 2A
maquillar(se) to put on makeup 2A
la **medicina** medicine 2B
la **nariz** (narices) nose 2B
el **niño**, la **niña** child 2B
el **oído** (inner) ear 2B
el **ojo** eye 2B
olvidar(se) to forget 2B
la **oreja** (outer) ear 2B
el **pecho** chest 2B
peinar(se) to comb 2A
el **peine** comb 2A
el **pelo** hair 2A
pescar to fish 2B
el **pez**, pl. los **peces** fish 2B
poner(se) to put on 2A
preguntar(se) to wonder; to ask oneself 2B
preocupar(se) to worry 2A
quedar(se) to remain, to stay 2A
quemar(se) to get burned 2A
quitar(se) to take off 2A
el **resfriado** cold 2B
reunir(se) to get together 2B
la **rodilla** knee 2B
saca (*command*) stick out 2B
la **salud** health 2A

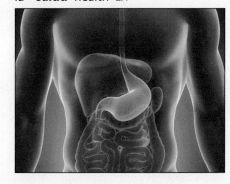

sentar(se) (ie) to sit down 2A
sentir(se) (ie, i) to feel 2B
siéntate (*command*) sit down 2B
tarde late 2A
la **tina** bathtub 2A
la **toalla** towel 2A
tócate (*command*) touch 2B
vestir(se) (i, i) to get dressed 2A

¿Sabías que...?

En la plaza Tapatía, en Guadalajara, México, se encuentra una escultura (*sculpture*) de bronce que representa la inmolación (*sacrifice*) de la figura prehispánica Quetzalcóatl. La escultura es tan pesada (*heavy*) que no se pudo colocar la cabeza de la serpiente: ¡el suelo (*ground*) no soportaría más peso (*weight*)!

Unidad

3

¡Vamos a la ciudad!

Escanea el código QR para ver este episodio de *El cuarto misterioso*.

Cuando Ana, Conchita y Sandra van a la clase de baile, ven un coche deportivo en la calle. ¿De quién es el coche?

A. de Sandra
B. de Rafael
C. de Alicia

Pregunta clave

?

How do people interact with cities?

Mis metas

Lección A I will be able to:

▶ talk about places in a city
▶ ask for and give directions
▶ tell someone what to do using **informal commands**
▶ discuss how people transform cities
▶ identify specialty stores
▶ talk about shopping and window-shopping
▶ suggest what to do using **formal and plural commands**
▶ talk about urban sports

Lección B I will be able to:

▶ give an address
▶ be neighborly
▶ talk about whom and what I know using **conocer** and **saber**
▶ discuss **barrios mágicos**
▶ identify parts of a car
▶ talk about cars and driving
▶ tell someone what not to do using **negative commands**
▶ discuss a Guadalajaran legend

¿Por qué es Coyoacán, en México, D.F., un "barrio mágico"?

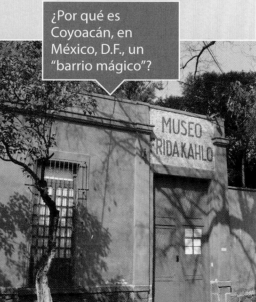

México

En la ciudad 🎧

San Miguel de Allende es una ciudad **mexicana** muy bonita.

la catedral

la iglesia

el monumento

el apartamento

la estación de autobuses

la estación del tren

la estación del metro

el aeropuerto

el puente

la carretera

la cuadra

la esquina

la oficina de correos

(dar) direcciones

parar

el policía / la policía

la torre

En otros países

el apartamento	el piso (España)
	el departamento (Argentina)
la cuadra	la manzana (España)
la estación del metro	la estación de subte (Argentina)

Para decir más

la alcaldía / el ayuntamiento	city hall
la autopista	highway
la comisaría / la estación de policía	police station
el estacionamiento / el parqueadero	parking lot
la estatua	statue
la mezquita	mosque
el paso de peatones	crosswalk
el semáforo	traffic light
la sinagoga	synagogue
el templo	temple

Para conversar

*T*o ask for directions:

¿Cómo llego a la calle Rosales, por favor?
How do I get to Rosales Street, please?

Perdón. ¿Dónde está la estación de autobuses?
Excuse me. Where is the bus station?

Busco el baño de **los caballeros** / de
las damas.
I am looking for the gentlemen's / ladies' bathroom.

El aeropuerto está más **adelante**, ¿verdad?
The airport is further ahead, right?

¿Es la **próxima** calle?
Is it the next street?

*T*o give directions:

Toma la primera calle **a la izquierda**.
Take the first street to the left.

Ve hacia esa torre.
Go toward that tower.

Al llegar a la catedral, ve **a la derecha**.
When you reach the cathedral, go to the right.

Sigue derecho hasta llegar al puente.
Continue straight until you reach the bridge.

Está a dos cuadras del hotel.
It is two blocks away from the hotel.

Para en la próxima esquina.
Stop on the next corner.

1 Por la ciudad 🎧

Selecciona la foto que corresponde con lo que oyes.

A

B

C

D

E

F

2 Oraciones lógicas

Completa en forma lógica las frases de la izquierda con las frases de la derecha.

1. Javier tiene que ir al aeropuerto...   A. ...las damas.

2. Manuela fue a la oficina de correos...   B. ...para tomar el avión a Cancún.

3. Buscamos el baño de los caballeros y de...   C. ...un policía muy amable.

4. Mis padres y yo vivimos en el tercer piso, en...   D. ...para enviar una carta.

5. El autobús a Mérida viaja por...   E. ...un apartamento.

6. El chico le pidió direcciones a...   F. ...la carretera 180.

3 Pedir y dar direcciones

Completa el siguiente diálogo con las palabras del recuadro según corresponda.

| adelante | derecho | estación | hacia | izquierda | próxima |

María: Perdón, Sr. policía. ¿Cómo llego a la **(1)** del metro? ¿Está en la **(2)** calle?

Policía: No, no. Está más **(3)**. Ve **(4)** esa torre. Al llegar a la plaza, ve a la **(5)** y sigue **(6)** hasta llegar a una iglesia. La estación del metro está allí.

María: ¡Muchas gracias!

Diálogo

¿Qué buscas en el mapa?

Pedro: ¿Qué buscas en el mapa?

Alicia: Busco la estación de autobuses.

Pedro: ¿Para qué tienes que ir a la estación de autobuses?

Alicia: Para pedir información sobre los horarios para ir a Guadalajara.

Pedro: ¡Ah, sí! Creo que está a dos cuadras de la oficina de correos.

Alicia: Excelente. Pues, también tengo que enviar unas cartas.

Pedro: Si quieres, voy contigo. Hay un monumento que quiero ver que está cerca.

Alicia: Muy bien. Entonces, mientras yo voy a la estación, tú puedes llevar mis cartas al correo.

Pedro: Sí, y luego, podemos ir juntos a ver el monumento.

4 ¿Qué recuerdas?

1. ¿Qué busca Alicia en el mapa?
2. ¿Para qué tiene que ir Alicia allá?
3. ¿Dónde cree Pedro que está la estación de autobuses?
4. ¿Qué quiere ver Pedro?
5. ¿Qué puede hacer Pedro mientras Alicia va a la estación?

5 Algo personal

1. ¿Hay una estación de autobuses donde vives? ¿Dónde está?
2. ¿Está la oficina de correos cerca de tu casa? ¿Dónde está?
3. ¿Qué edificios de tu ciudad te gustan?
4. ¿Cuáles son los edificios que menos te gustan de tu ciudad?

6 Sigue las direcciones

Escucha las direcciones y síguelas en el mapa. ¿Adónde te llevan las direcciones?

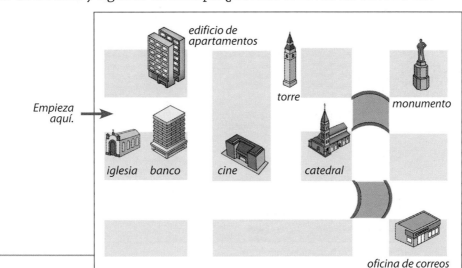

Gramática

Telling Someone What To Do: Informal Affirmative Commands

- A command (*el imperativo o mandato*) is often used to give instructions and to tell people what you would like them to do. In Spanish, commands may be either informal or formal, singular or plural, affirmative or negative. Informal commands are used with people whom you address as *tú* or *vosotros*.

- Singular affirmative informal commands normally use the same form as the present tense *él/ella* form of a verb.

***Visita** la catedral.*	**Visit** the cathedral.
***Aprende** a ir en metro.*	**Learn** to ride the subway.
***Escribe** un blog sobre el viaje.*	**Write** a blog about the trip.

- Verbs that require a spelling change and verbs with changes in their stem in the present tense usually have the same change in the informal singular command.

***Consigue** información en la internet.*	**Get** information on the internet.
***Envía** el paquete en la oficina de correos.*	**Send** the package at the post office.
***Vuelve** a México.*	**Come back** to Mexico.

- A few verbs have irregular affirmative *tú* commands.

decir	**di**	ir	**ve**	salir	**sal**	tener	**ten**
hacer	**haz**	poner	**pon**	ser	**sé**	venir	**ven**

- Object and reflexive pronouns follow and are attached to affirmative informal commands.

***Dime** la verdad.*	**Tell me** the truth.

- Most commands with more than one syllable that have an attached pronoun require an accent mark.

***Siéntate** aquí.*	**Sit down** here.

- When using two object pronouns with the same verb, the indirect object pronoun always comes first.

***Préstamelo** por un día.*	**Lend it to me** for a day.

Sigue caminando hasta la esquina.

7 Encuentra los mandatos

Lee la siguiente página web y encuentra los siete mandatos informales.

» El metro de la Ciudad de México es un medio de transporte muy eficiente. Para tener un viaje agradable y seguro, sigue estos consejos básicos.

Tips para viajar en **metro**

1. Compra tu boleto en la estación del metro. Tienes que usar el peso mexicano.

2. Camina por la derecha cuando hay mucha gente en la estación.

3. Siempre espera el tren detrás de la línea amarilla.

4. Permite a las personas salir antes de entrar a un vagón.

5. Sé amable y dale tu asiento a una persona mayor.

8 ¿Cuál fue el mandato?

Conecta los mandatos con las ilustraciones que corresponden.

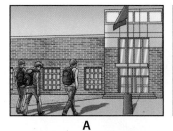

A

B

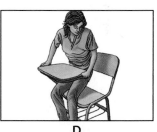

C

D

E

F

Me llamo Gloria.

G

H

1. Siéntate. D
2. Léelo. F
3. Toma el autobús. H
4. Abre la ventana. B

5. Pregúntale. C
6. Ve a la escuela. A
7. Dime tu nombre. G
8. Cierra la puerta. E

9 Pon los acentos

Escribe en una hoja de papel los siguientes mandatos informales y pon los acentos apropiados.

1. dáselos
2. se
3. consiguela
4. compraselas
5. sigueme

6. piénsalo
7. dímelo
8. espérame
9. ciérrala
10. continua

10 ¿Está cerca?

Completa el siguiente diálogo entre dos amigos con los mandatos informales de los verbos indicados.

Santiago: ¿Está la estación del tren cerca del colegio?

Camilia: Sí, está bastante cerca.

Santiago: (**1.** *Decirme*) cómo llegar allá.

Camilia: (**2.** *Hacer*) lo siguiente: Primero, (**3.** *salir*) del colegio. Luego, (**4.** *ir*) a la izquierda y (**5.** *caminar*) dos cuadras hasta la esquina donde está la oficina de correos. Luego, ve a la derecha y (**6.** *continuar*) derecho hasta pasar el puente. Ahí vas a ver la estación a la izquierda. (**7.** *Tener*) el dinero listo para pagar.

Santiago: Muchas gracias, Camilia. (**8.** *Venir*) a mi casa el fin de semana, ¿de acuerdo?

Camilia: No sé si puedo ir, pero voy a ver.

Santiago: Está bien. ¡Hasta luego! ¡(**9.** *Ser*) buena!

Camilia: ¡Siempre lo soy! ¡Chao!

11 ¿Qué debo hacer? 🎧

Con un(a) compañero/a de clase, alternen en hacer y en contestar las siguientes preguntas con mandatos informales, según las indicaciones que se dan. Sigue el modelo.

MODELO ¿A quiénes les limpio las ventanas? (a las tías)

A: **¿A quiénes les limpio las ventanas?**

B: **Límpiaselas a las tías.**

¿A quiénes les limpio las ventanas?

1. ¿Qué te cierro? (la puerta de la casa)
2. ¿Qué te digo? (dónde está el aeropuerto)
3. ¿A quién le pido ayuda? (al policía)
4. ¿A quién le leo las direcciones? (a Camilo)

5. ¿Qué les doy a ellos? (el mapa del centro)
6. ¿Qué le recuerdo a Rosario? (visitar la catedral)
7. ¿Dónde te compro las bermudas? (en el almacén de deportes)

¡Comunicación!

12 Actividades en la clase 👥 Interpersonal Communication

Trabajando con un(a) compañero/a de clase, alternen para dar mandatos informales. Cada uno/a debe dar cinco mandatos, usando si es posible complementos directos e indirectos. La otra persona debe ejecutar (*carry out*) los mandatos.

MODELO
A: **Escribe tu nombre en tu cuaderno.**
B: (*Write your name on your notebook.*)
B: (*Point at a closed book.*) **Ábrelo.**
A: (*Open the book.*)

Ábrelo.

¡Comunicación!

13 Mensajes de texto 👥 Interpersonal Communication

Working in pairs, pretend you are communicating using the texting feature in your phone. First, each one of you should look at the map on page 111 and write on a piece of paper instructions on how to get to one of the places on the map. Don't forget to use informal affirmative commands! When you are finished writing your pretend text message, exchange papers, and follow the instructions on the map. Did you reach the correct destination?

¡Comunicación!

14 Gallinita ciega 👥 Interpersonal Communication

Trabajando en grupos pequeños, un(a) estudiante con los ojos vendados (*blindfolded*) debe seguir las direcciones que los otros estudiantes del grupo le dan para llegar a un lugar determinado en la clase. Cada estudiante del grupo debe seguir una vez las direcciones que le dan los otros estudiantes del grupo. El estudiante en hacerlo en el menor tiempo posible gana (*wins*).

MODELO
A: **Ve hacia adelante.**
B: (*Go straight ahead.*)
C: **Ve a la derecha.**
B: (*Go to the right.*)
D: **Muy bien. Sigue derecho.**
B: (*Continue straight ahead.*)

Pequeña iglesia sobre pirámide grande 🎧

¿Una iglesia española sobre una pirámide azteca? Parece raro[1] ver dos tipos de construcción diferentes y de dos culturas diferentes. Pero lo que ocurrió en Cholula, México no tiene nada de raro si pensamos que es producto de la interacción entre las personas y las ciudades.

La construcción de la pirámide de Cholula probablemente empezó en 300 a.C. como un centro ceremonial. Durante los siguientes mil años, diferentes culturas indígenas que habitaron la ciudad de Cholula ampliaron la pirámide hasta que los aztecas la convirtieron en la pirámide más grande en volumen de todo el mundo.

La Iglesia de los Remedios sobre la gran Pirámide de Cholula

Cuando los conquistadores españoles llegaron a esta zona, construyeron una iglesia en la cima[2] de la pirámide para anunciar[3] que la religión católica era la religión dominante.

Esa iglesia sobre la gran Pirámide de Cholula se llama Iglesia de los Remedios. Fue la primera de las muchas iglesias que hoy hay en esa ciudad. En Cholula, podemos ver 159 iglesias, todas construidas[4] cerca de templos indígenas. La interacción de las personas con la ciudad hizo de Cholula la combinación perfecta de cultura prehispánica y europea.

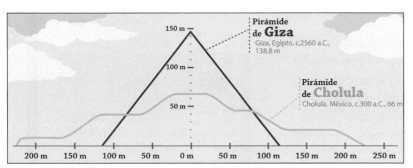

La pirámide de Cholula es la más grande en volumen de todo el mundo.

Pirámide de Giza
Giza, Egipto, c.2560 a.C., 138.8 m

Pirámide de Cholula
Cholula, México, c.300 a.C., 66 m

[1] strange   [2] top   [3] announce   [4] built

🔍 **Búsqueda:** pirámide de cholula, iglesia de los remedios

Productos   🎧 Conéctate: el arte

En el interior de la Pirámide de Cholula se encontraron hermosas obras de arte indígena, creadas hace más de 1800 años. Un ejemplo es el Mural de los Bebedores. Esta pintura ilustra una ceremonia religiosa en que los aztecas comparten (*share*) bebidas para dar las gracias a sus dioses. Al hacer los murales, la interacción de los indígenas con su ciudad sirvió para decorar los edificios públicos y contar historias de la vida diaria.

Mural de los Bebedores, Cholula

15 Comprensión   Interpretive Communication

1. ¿Quiénes construyeron (*built*) la Pirámide de Cholula? ¿Por qué?

2. ¿Quiénes construyeron la iglesia sobre la pirámide? ¿Por qué?

16 Analiza

1. How did the Aztecs interact with the city of Cholula? Consider temples and public art.

2. How did the Spanish conquistadors interact with Cholula? How did they transform it?

Tenochtitlán en el centro del lago Texcoco

Una gran ciudad sobre un lago seco 🎧

A lo largo de la historia, la interacción del hombre con las ciudades hizo crecer las poblaciones pero también modificó el medio ambiente. Esta es la historia de una ciudad en el agua y de un lago seco.

En el año 1300 d.C., los aztecas fundaron la ciudad de Tenochtitlán en una isla en el centro del lago Texcoco. Cuando los conquistadores españoles llegaron a esta isla, capital del imperio azteca, en 1519, observaron una ciudad compleja[1], con calles, casas, edificios públicos y templos.

Lo que más les sorprendió[2] fue la gran cantidad de canales de agua en la isla. Los aztecas hicieron esos canales para recibir agua del lago y poder usarla en los cultivos[3]. También construyeron diques[4] para contener el agua.

La Ciudad de México, hoy

Los conquistadores españoles tomaron posesión de Tenochtitlán y fundaron allí la Ciudad de México. Al hacer construcciones españolas, destruyeron muchas construcciones indígenas y también los diques, lo que provocó inundaciones[5] frecuentes en la ciudad. Por ese motivo[6], los españoles crearon un sistema de desagüe[7] que finalmente terminó por eliminar el agua del lago, convirtiéndolo en un lago seco[8].

Actualmente[9], el centro de la gran Ciudad de México, llamado el Zócalo, está exactamente arriba de lo que fue Tenochtitlán. Los edificios del centro de México cubren[10] lo que alguna vez fue el lago más importante de la civilización azteca.

[1] complex [2] surprised [3] crops [4] dams [5] floods [6] reason [7] drain [8] dry [9] Nowadays [10] covers

🔍 **Búsqueda:** lago texcoco, tenochtitlán

17 Comprensión | Interpretive Communication

1. ¿Qué civilización construyó Tenochtitlán?
2. ¿Qué provocó las inundaciones en la isla y por qué se secó el lago Texcoco?
3. ¿Qué hay hoy arriba de Tenochtitlán?

18 Analiza

1. Based on the reading, do you think Tenochtitlán was a well-developed city? Explain.
2. Name something negative and something positive about the interaction of people with the city of Tenochtitlán.

Comparaciones

La antigua (*former*) estación de tren de Oaxaca es hoy un interesante museo. Cerca del lugar donde vives, ¿conoces estaciones de trenes que hoy son museos? Investiga en la internet si hay alguna en los Estados Unidos. Luego investiga sobre la estación de Oaxaca. ¿Qué puedes ver allí? Haz comparaciones. ¿Cómo interactuaron las personas con estos lugares antes y cómo interactúan ahora?

Vocabulario 2

Almacenes y tiendas 🎧

la zapatería

¿Te gusta ir de compras en un **almacén** grande o en una tienda pequeña?

la florería

la papelería

la heladería

la frutería

la panadería

la carnicería

el dulce

la dulcería

En otros países

la florería	*la floristería (muchos países)*
el dulce	*el caramelo (Uruguay)*
	el confite (Chile)
	la golosina (Perú)
la dulcería	*la bombonería (Argentina)*
	la confitería (Chile)
	la chuchería (España)

En una taquería

la enchilada

el taco

la tortilla

Para conversar 🎧

*T*o talk about shopping and window-shopping:

¡Mira esta **vitrina**!
Look at this shop window!

Vamos a comprar unos dulces.
Let's buy some candy.

Vamos a la papelería.
Let's go to the stationery store.

Para decir más

la ferretería	*hardware store*
la joyería	*jewelry store*
la juguetería	*toy store*
la mueblería	*furniture store*
la pastelería	*cake shop*
la tintorería / la lavandería	*dry cleaners*

19 Los almacenes 🎧

Selecciona la letra del almacén que corresponde con lo que oyes.

A. la papelería   **D.** la dulcería

B. la carnicería   **E.** la librería

C. la frutería   **F.** la florería

Estrategia

Using the word ending *-ería*

In Spanish, adding the ending *-ería* to a word will often tell you where that item can be purchased. For example, you can buy a flower (*flor*) in a *florería*. In a *papelería* you will find *papel* (paper).

💬 ¡Comunicación!

20 ¿Dónde se compra? 👥 Interpersonal Communication

En parejas, alternen en hacer y en contestar preguntas sobre dónde se puede comprar las siguientes cosas. Sigan el modelo.

MODELO A: ¿Dónde se puede comprar papel?

B: Se puede comprar papel en la papelería.

1

2

3

4

5

6

Diálogo 🎧

¡Solo piensas en comer!

Alicia: ¡Mira, una florería! Paremos a comprar unas flores.

Pedro: No, Alicia, ahora no.

Alicia: ¿Por qué no?

Pedro: Tengo hambre. Quiero ir a la Zona Rosa a comer unos tacos.

Alicia: Tú y tus tacos. ¡Solo piensas en comer!

Pedro: Ay, Alicia, ¿qué puedo hacer? Es mediodía.

Alicia: ¡Mira esta vitrina de flores tan bonita!

Pedro: Sí, es bonita, pero yo no como flores.

Alicia: Está bien. Vamos a comer algo y luego, vamos de compras.

---

21 ¿Qué recuerdas? 🎧

1. ¿Adónde quiere parar Alicia?
2. ¿Qué quiere hacer Pedro?
3. ¿Quién piensa solo en comer?
4. ¿Qué hora es?
5. ¿Qué es muy bonita?
6. ¿Paran los chicos en la florería?

22 Algo personal 🎧

1. ¿En qué almacenes te gusta parar a ver vitrinas? ¿Por qué?
2. ¿Piensas siempre en comer? Explica.
3. ¿A qué almacenes vas de compras donde tú vives?

---

23 Los almacenes de la ciudad 🎧

Selecciona la letra del almacén que corresponde con lo que oyes.

A

B

C

D

E

F

Gramática

Formal and Plural Commands

- Formal and plural commands are used to tell people you address as *usted* or *ustedes* what to do.
- Affirmative formal commands are formed by substituting the -o of the present-tense *yo* form of a verb with an **-e** for *-ar* verbs, or with an **-a** for *-er* and *-ir* verbs.
- To form the plural (*Uds.*) command, add the letter **-n** to the singular formal command. Verbs with changes in their stem in the present tense usually have the same change in the formal command.

Note: Like *tú* in singular informal commands, *usted* (*Ud.*) or *ustedes* (*Uds.*) are usually omitted from formal/plural commands. If used, *usted* (*Ud.*) or *ustedes* (*Uds.*) come after the command: *Compre Ud.*

infinitive	*yo* form	stem	singular formal command (*Ud.*)	plural commands (*Uds.*)
hablar	hablo	habl-	hable	hablen
comer	como	com-	coma	coman
escribir	escribo	escrib-	escriba	escriban
cerrar	cierro	cierr-	cierre	cierren
volver	vuelvo	vuelv-	vuelva	vuelvan
seguir	sigo	sig-	siga	sigan

- Look at the following examples:

  Compre (Compren) en esta panadería. — **Buy** at this bakery.
  Coma (Coman) en la taquería. — **Eat** at the taco stall.
  Viva (Vivan) en un apartamento. — **Live** in an apartment.
  Duerma (Duerman) bien. — **Sleep** well.
  Vuelva (Vuelvan) mañana. — **Come back** tomorrow.
  Pida (Pidan) información. — **Ask for** information.

- A few verbs have irregular formal and plural commands.

infinitive	*Ud.* command	*Uds.* command
dar	dé	den
estar	esté	estén
ir	vaya	vayan
saber	sepa	sepan
ser	sea	sean

- Object and reflexive pronouns are attached to the end of affirmative formal commands. A written accent mark may be required in order to maintain the original stress of the verb: *dígame Ud.* (tell me), *escríbanlas Uds.* (write them), *levántense Uds.* (stand up).

24 Compras por internet

Encuentra cinco mandatos formales en el siguiente aviso.

**Consejo para Compras Seguras
por Internet**

 1. Conozca a quién le está comprando
Verifique la legitimidad del negocio.

 2. Use sitios seguros para las transacciones
Verifique que el sitio web donde realizará la compra comience con https://.

 3. Sea inteligente al crear las contraseñas
Contraseñas más largas reducen la posibilidad de que un hacker las adivine.

 4. Use una tarjeta de crédito
Dedique solo una tarjeta de crédito para todas sus compras.

Un poco más

Los cambios ortográficos

Sometimes commands require a spelling change in order to maintain the original sound of the infinitive. Look at the following:

$c \rightarrow qu$ before the letter *e*
(*buscar: busque*)

$g \rightarrow gu$ before the letter *e*
(*apagar: apague*)

$z \rightarrow c$ before the letter *e*
(*empezar: empiece*)

$g \rightarrow j$ before the letter *a*
(*escoger: escoja*)

25 En la capital mexicana

Imagina que estudias en la Ciudad de México y que un amigo de tu papá te visita de vacaciones. Trabajando en parejas, alterna con tu compañero/a de clase en hacer y en contestar preguntas, usando las indicaciones que se dan.

MODELO ¿dónde / poder / dar un paseo en bote?
(en el Bosque de Chapultepec)

A: ¿Dónde puedo dar un paseo en bote?

B: Dé (Ud.) un paseo en bote en el Bosque de Chapultepec.

Dé un paseo en bote en el Bosque de Chapultepec.

1. ¿dónde / poder / conseguir comida? (en el supermercado Gigante)

2. ¿qué / poder / visitar en el centro? (la Catedral Metropolitana)

3. ¿en qué almacén / poder / comprar ropa para mi hija? (en Liverpool)

4. ¿cuándo / deber / visitar San Ángel? (los sábados)

5. ¿dónde / poder / enviar cartas? (en la oficina de correos de la Avenida Juárez)

6. ¿dónde / poder / ver un mural de Diego Rivera? (en el Palacio Nacional)

7. ¿dónde / deber / tomar el autobús para ir a la Zona Rosa? (en la Avenida Rojas)

8. ¿a quién / tener que / escribir para conseguir información sobre el metro? (a la estación del metro)

26 Dos amigos de tu papá

Haz otra vez la actividad anterior, imaginando que estás hablando con dos amigos de tu padre. Trabaja con otro/a compañero/a de clase para alternar en hacer y contestar las preguntas.

MODELO ¿dónde / poder / dar un paseo en bote? (en el Bosque de Chapultepec)

A: ¿Dónde podemos dar un paseo en bote?

B: Den (Uds.) un paseo en bote en el Bosque de Chapultepec.

27 Trabajando en una oficina de turismo

Tu jefe (*boss*) te está diciendo todo lo que debes hacer hoy. Haz oraciones completas, usando los complementos apropiados y los mandatos formales para saber lo que tienes que hacer.

MODELO explicar / a la Sra. Tamayo / cómo llegar a una florería

Explíquele (Ud.) cómo llegar a una florería.

1. decir / a las Sras. Carvajal / dónde está el supermercado Soriana
2. conseguir / a ellas / unos mapas del centro
3. buscar / a mí / un mapa de México
4. escoger / a la señorita Anderson / un buen restaurante
5. traer / a mí / dinero del banco
6. pedir / a nosotros / papel y bolígrafos por la internet
7. enseñar / a los Sres. Pumarejo / la Zona Rosa
8. apagar / a mí / las luces antes de salir

28 Unos amigos de la familia de visita

Imagina que la familia Michaelson está de visita en tu casa y tú estás encargado/a de organizar su horario de actividades. Usa el mandato apropiado para decirles a todos lo que deben hacer antes de visitar tu ciudad mañana.

MODELO Lindsay y Annie / acostarse / temprano

Acuéstense (Uds.) temprano.

1. Sr. y Sra. Michaelson / levantarse / a las 5:30
2. Sr. Michaelson / ducharse / y / afeitarse / en este baño a las 5:45
3. Sra. Michaelson / bañarse / en el otro baño a la misma hora
4. Lindsay y Annie / despertarse / a las 6:30
5. Lindsay / ducharse / en este baño a las 6:45
6. Annie / bañarse / en el otro baño a la misma hora
7. William / desayunar / a las 7:30
8. Uds. / salir / para la ciudad / a las 8:30

La familia Michaelson está de visita.

29 Eres el jefe 🎧

Imagina que eres el jefe en uno de los almacenes Liverpool en el D.F. Diles a las personas que trabajan contigo lo que tienen que hacer, usando los mandatos formales.

MODELO   Ud. / recoger toda la basura
Recoja (Ud.) toda la basura.

1. Uds. / escoger la ropa para esa vitrina
2. Ud. / buscar otras camisas para esta vitrina
3. Uds. / buscar las nuevas faldas para poner allí
4. Ud. / empezar a barrer allá
5. Uds. / volver a pasar la aspiradora
6. Ud. / apagar esas luces
7. Ud. / cerrar todas las ventanas
8. Uds. / limpiar el baño de los caballeros y de las damas

Recoja toda la basura.

¡Comunicación!

30 Simón dice 👥   Interpersonal Communication

En grupos de tres o cuatro estudiantes, jueguen a "Simón dice" (*Simon says*). Alternen en decirles a sus compañeros de grupo tres mandatos. Deben verificar (*check*) que sus compañeros hacen bien cada mandato.

MODELO   **Simón dice tóquense la nariz. Simón dice siéntense en el piso. Simón dice...**

¡Comunicación!

31 En mi ciudad   Presentational Communication

Dos amigos mexicanos vienen de visita a tu ciudad. ¿Qué deben hacer en tu ciudad? Escribe un párrafo con cinco mandatos plurales. Si es posible, justifica cada recomendación que das. Luego, trabajando en grupos pequeños, lee tu párrafo en voz alta (*aloud*).

Pidan el helado de vainilla; es mi favorito.

MODELO   **Visiten la estación de tren porque es muy bonita y vieja. Luego vayan a Main Street porque hay muchos almacenes interesantes. También hay una heladería muy buena. Pidan el helado de vainilla; es mi favorito. El viernes por la noche vengan al estadio de nuestro colegio para ver un partido de fútbol americano. Otra actividad divertida es pescar en el lago. Pesquen muchos peces y luego invítenme a comerlos.**

Gramática

Suggesting What To Do: *nosotros* Commands

- Using a **nosotros** command allows you to suggest that others do some activity with you. It is equivalent to saying "Let's (do something)" in English.

- The **nosotros** command is formed by substituting the *-o* of the present-tense *yo* form of a verb with *-emos* for most *-ar* verbs, or *-amos* for most *-er* and *-ir* verbs.

- Stem-changing *-ir* verbs require a stem change that uses the second letter shown in parentheses after infinitives in this textbook.

infinitive	*yo* form	*nosotros* command
hablar	habl**o**	habl**emos**
comer	com**o**	com**amos**
escribir	escrib**o**	escrib**amos**
cerrar **(ie)**	c**ie**rro	cerr**emos**
volver **(ue)**	v**ue**lvo	volv**amos**
divertir **(ie, i)**	div**ie**rto	div**i**rt**amos**

- The affirmative **nosotros** command for the verb *ir* is irregular: **Vamos** (Let's go).

- Object and reflexive pronouns follow and are attached to affirmative **nosotros** commands. However, when combining a direct object pronoun with the indirect object pronoun *se*, and for reflexive verbs, drop the final consonant *-s* before attaching the pronouns.

    ¿Cuándo vamos a cerrar el almacén?　　→　　**Cerrémoslo** *a las ocho de la noche.*

but:　*¿Vamos a prepararles los tacos a ellas?*　　→　　*Sí.* **Preparémoselos.**

　　　¿Cuándo podemos sentarnos a comer?　　→　　**Sentémonos** *en quince minutos.*

- The **nosotros** command is interchangeable with the construction "*Vamos a* (+ infinitive)."

    Vamos a comer *en este restaurante.*　　→　　**Comamos** *en este restaurante.*

Comamos en este restaurante.

32 ¡Hagámoslo!

Haz sugerencias (*suggestions*) de dos formas diferentes: usando **vamos a** (**+ infinitivo**) y los mandatos con nosotros. Usa las fotos y los verbos que se dan. Sigue el modelo.

MODELO almorzar

Vamos a almorzar en el restaurante Kamilos.

Almorcemos en el restaurante Kamilos.

Almorcemos en el restaurante Kamilos

1. visitar

2. subir

3. ver

4. conducir

5. mirar

6. tomar

33 Buscando el monumento

Imagina que tú y tu amigo/a van en carro por Guadalajara buscando el Monumento a los Niños Héroes, pero no saben cómo llegar. Trabajando con otro/a compañero/a de clase, alternen en hacer y contestar preguntas en forma afirmativa, usando las indicaciones.

MODELO buscar / la dirección en el GPS

A: **¿Buscamos la dirección en el GPS?**

B: **Sí, busquémosla en el GPS.**

1. tomar / esa carretera

2. parar / en la esquina

3. preguntar al policía / dónde está el monumento

4. ir / a la derecha

5. empezar / otra vez a buscar el monumento

6. volver / a preguntarle dónde está

7. seguir / hasta la próxima cuadra

¡Comunicación!

34 ¿A qué hora? 👥 Interpersonal Communication

Tú y tu compañero/a están de visita en el D.F. En parejas, alternen en hacer preguntas sobre a qué hora van a hacer las actividades indicadas. Contesten usando mandatos con nosotros y una hora apropiada.

> **MODELO** levantarnos
>
> A: ¿A qué hora nos levantamos mañana?
>
> B: Levantémonos a las siete.

1. tomar el desayuno
2. salir del hotel
3. reunirnos con nuestros amigos mexicanos
4. visitar la Torre Latinoamericana
5. almorzar
6. conocer el Palacio Nacional
7. cenar
8. acostarnos

¡Comunicación!

35 ¿Qué les gusta hacer? 👥 Interpersonal Communication

Create a list of five things you would like to do with some friends. Then, in small groups, take turns saying what each of you wants to do as a group, using the ideas you prepared and *nosotros* commands. Discuss such things as who wants to participate in each activity, who cannot do an activity because of another obligation, etc. Take notes and finalize your list of activities, adding any details you wish (e.g., the day you will do an activity).

> **MODELO** A: Quiero comer tacos de pollo.
>
> B: Cenemos el viernes en la taquería Guerrero.
>
> C: Yo no puedo ir el viernes. Vamos el sábado.

Cenemos en la taquería Guerrero.

¡Comunicación!

36 Diez mil dólares 👥 Interpersonal/Presentational Communication

Imagina que tú y tus amigos ganaron (*won*) $10.000 en una rifa (*raffle*). ¿Qué van a hacer con el dinero? Trabajando en grupos pequeños, cada uno/a debe dar una sugerencia (*suggestion*) usando el mandato con nosotros. Al final, escribe un resumen (*summary*) de lo que van a hacer y cuánto van a gastar (*spend*) en cada actividad.

> **MODELO** Tomemos un crucero por el Caribe.

Todo en contexto

💬 ¡Comunicación!

37 Visiten México 👥 **Presentational Communication Conéctate: las ciencias sociales**

Imagina que tú y un(a) compañero/a de clase trabajan en la Oficina de Turismo de México y van a presentar a la clase los lugares históricos que hay en una ciudad mexicana. Investiguen en la internet y escojan varios lugares interesantes según el vocabulario de esta lección. Incluyan algún detalle del lugar y una actividad que se puede hacer allí. Usen mandatos (*commands*) plurales en su presentación y la lista de palabras como guía.

apartamento   monumento

iglesia   **catedral**   torre

almacén   *puente*

La fortaleza San Juan de Ulúa, Veracruz

MODELO   A: Visiten Veracruz. Hay una fortaleza con dos torres. La hicieron los españoles en 1535.

   B: Sí. Viajen a Veracruz y tomen muchas fotos.

💬 ¡Comunicación!

38 En el Zócalo 👥 **Interpersonal Communication**

Trabajando con un(a) compañero/a de clase, representen a dos personas que están en el Zócalo, la plaza central de la Ciudad de México. Alternen en hacer el papel de la persona que vive allí y del/de la turista. El/La turista pregunta dónde puede conseguir ciertos productos y la otra persona le da mandatos formales. Si quieren, usen las palabras del recuadro.

bolígrafo	dulces	enchiladas
flores	helado	mango
pan	pollo	sandalias

El Zócalo en la Ciudad de México

MODELO   A: Perdón. ¿Dónde puedo comprar un helado?

   B: Vaya a la heladería. Camine dos cuadras, entre a la heladería y compre un helado.

Lectura informativa

Antes de leer 🎧

1. ¿Qué tipo de actividades físicas haces? ¿Dónde las haces?

2. ¿Dónde hay más posibilidades para hacer actividades físicas: en el campo o en la ciudad?

3. ¿Prefieres hacer deporte solo o en grupo? ¿Por qué?

Estrategia

Quotation marks

Words in quotation marks indicate a meaning of a word, an explanation of a phrase, or the translation of a previous term. When reading the selection, pay attention to the words in quotation marks to clearly understand the main concepts of the reading.

Parkour en México 🎧

En México hay seres[1] que pasan a toda velocidad, que trepan[2] paredes y que saltan[3] como monos[4]. Pero... ¡no hay árboles[5]! ¡Tampoco son monos de verdad! Son "monos urbanos", la nueva especie de las ciudades.

Estos monos urbanos son personas que practican parkour. El parkour es un deporte urbano, también conocido como el "arte del desplazamiento[6]". Consiste en superar obstáculos que se encuentran en el camino, saltando, balanceándose[7] y contorsionándose[8] para llegar de un punto a otro en la manera más eficiente y más elegante, como verdaderos acróbatas. Es necesario tener una buena preparación física y mucha concentración.

Los monos urbanos practican parkour en muchas ciudades de México.

El parkour se originó en Francia pero es muy popular en muchas ciudades de México. En el Centro Histórico de México D.F., en la calle Madero, todos los días los monos urbanos saltan las vallas[9] que limitan la calle, haciendo acrobacias que entretienen a los transeúntes[10]. Lo mismo ocurre en los paredones[11] del Palacio de Bellas Artes, el Parque Naucalli y Chapultepec, entre otras zonas de la capital y de otras ciudades. Además del Distrito Federal, ciudades como Chihuahua, Querétaro, Guadalajara, Monterrey y Tabasco tienen zonas especiales de entrenamiento de parkour donde los monos urbanos se reúnen para perfeccionar su arte. ¡Es la perfecta interacción física entre las personas y la ciudad!

[1] beings [2] climb [3] jump [4] monkeys [5] trees [6] movement [7] swinging [8] contorting [9] fences [10] passersby [11] thick walls

🔍 **Búsqueda:** parkour, monos urbanos

39 Comprensión 🎧 Interpretive Communication

1. ¿Qué es el parkour? ¿Dónde se practica esta actividad?

2. ¿Quiénes son los monos urbanos y por qué se llaman así?

40 Analiza

1. Why do you think parkour is popular in Mexican cities?

2. Would you consider parkour a sport or an art? Explain.

Extensión

Las ciudades activas son la nueva tendencia (*trend*) en México. Son comunidades que promueven (*promote*) la actividad física aprovechando (*making the most of*) los espacios públicos, con el objeto de combatir el sedentarismo y al mismo tiempo interactuar con la ciudad. Entre los deportes urbanos más populares están el parkour, la patineta, los roller y el bike. También está de moda el rapel, que consiste en descender por una cuerda (*rope*) que baja de un edificio alto. Y para los más clásicos, el fútbol callejero sigue siendo una pasión. Todos estos deportes demuestran que no se tiene que salir de la ciudad para mantenerse activo.

La patineta es un deporte urbano popular.

🔍 **Búsqueda:** ciudades activas, patineta, roller en méxico, rapel

✏️ Escritura

41 Tu ciudad activa   Presentational Communication

Escríbele una carta al alcalde o a la alcaldesa (*mayor*) de tu ciudad pidiéndole la creación de una ciudad activa. Explícale qué tipo de actividades físicas quieres incluir. Luego dile qué lugar de la ciudad crees que es apropiado para practicar cada actividad y por qué. No olvides explicarle por qué quieres tener una ciudad activa. Usa esta tabla como referencia para organizar tus ideas.

Actividades	Lugares posibles	¿Quiénes pueden practicar?	¿Cuándo pueden practicar?
parkour	plazas	personas en buena condición física	cuando no hay mucha gente

Luego lee tu carta a la clase y contesta cualquier pregunta de tus compañeros.

✏️ Escritura

42 ¡Te toca a ti!   Presentational Communication

Tú eres el alcalde/la alcaldesa de una ciudad activa nueva. Tienes que comunicar todo lo que la gente puede hacer en la ciudad. Escribe una carta para todos los ciudadanos explicando las actividades que pueden hacer y en dónde. Usa mandatos en plural para invitarlos a visitar esos lugares.

Para decir más

Estimado/a Alcalde/ Alcaldesa:	*Dear Mayor:*
Me llamo...	*My name is...*
Le escribo porque quiero...	*I am writing to you because I want...*
Quiero incluir estas actividades:	*I'd like to include these activities:*
El mejor lugar es...	*The best place is...*
Creo que es importante porque...	*I think it is important because...*

A   Escuchar: ¿Dónde están? 🎧 (pp.108, 118)

Escucha a cada persona hablar y selecciona la letra del lugar donde esa persona
probablemente está.

5

A. en la frutería *5*

B. en el aeropuerto *6*

C. en la torre *4*

D. en la zapatería *1*

E. en la papelería *8*

F. en la carnicería *7*

G. en la estación del tren *2*

H. en la oficina de correos *3*

B   Vocabulario/Gramática: Las direcciones (pp.109, 112)

Completa las direcciones con el mandato familiar
de tú de los verbos entre paréntesis y con las
palabras que faltan (*missing*) según el mapa
siguiente.

(**1.** *Salir*) *Salgo* del apartamento y (**2.** *ir*) *Vayan* hacia la *sigue*
esquina. En la esquina, ve a la (**3**). (**4.** *Seguir*)
derecho. Vas a pasar por un (**5**) y una (**6**). Pasa
el (**7**) y (**8.** *tomar*) la calle a la izquierda. La
estación del (**9**) está al lado de la oficina de (**10**).
Es fácil llegar, pero si te pierdes (**11.** *pedirle*) *Pídale*
direcciones a un policía o (**12.** *llamarme*) *llámeme*
en el celular.

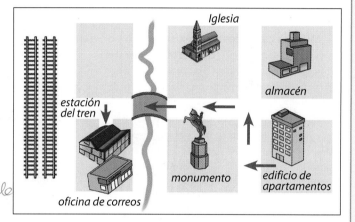

Iglesia

almacén

estación del tren

monumento

edificio de apartamentos

oficina de correos

C   Gramática: ¿Qué dice el guía? (p. 121)

Completa las instrucciones que el guía (*guide*) le da a un grupo de turistas en el D.F.,
usando el mandato formal de los verbos entre paréntesis.

1. (*Levantarse*) *Levántese* Uds. a las seis de la mañana.

2. (*Estar*) Uds. listos para salir a las siete.

3. Por favor, señor, (*ser*) Ud. puntual. *sea*

4. (*Ir*) *Vaya* Ud. a la Zona Rosa para ir de compras.

5. (*Almorzar*) Uds. en un restaurante cerca
del Zócalo. *Almuercen*

D   Gramática: ¡Sí, hagámoslo! (p. 125)

Contesta las preguntas de tu amigo/a de forma afirmativa, usando el mandato de
nosotros y usando complementos directos o indirectos, o pronombres reflexivos.

1. ¿Pedimos huevos rancheros para el desayuno?

2. ¿Hacemos un deporte urbano en el
Parque Naucalli? *Hagámoslo*

3. ¿Escuchamos a los mariachis en la
plaza Garibaldi?

4. ¿Nos sentamos en el metro?

E Cultura: Las transformaciones (pp. 116–117)

How have some Mexican cities and buildings been transformed over time?
Complete the chart with the missing information.

En el pasado	En el presente
Los aztecas construyeron ___ , capital de su imperio, en el lago ___. Los españoles construyeron la Ciudad de México sobre ___ . También drenaron (*drained*) agua de ___.	El centro histórico de la Ciudad está sobre el lago ___, que ahora está ___.
La pirámide de Cholula sirvió de ___. Algunas de sus paredes tenían ___ que ilustraban las ceremonias religiosas.	___ está sobre la pirámide de Cholula.
Muchas ciudades de México, como por ejemplo ___, tenían una estación de tren.	La estación de tren es ahora un ___.

Vocabulario

En la ciudad

el aeropuerto	la florería
el almacén	la frutería
el apartamento	la heladería
la carnicería	la iglesia
la carretera	el monumento
la catedral	la oficina de correos
la cuadra	la panadería
la dulcería	la papelería
la esquina	el puente
la estación de autobuses	la torre
la estación del metro	la vitrina
la estación del tren	la zapatería

Direcciones

a la derecha
adelante
derecho
la dirección
a la izquierda
próximo/a

En la taquería

la enchilada
el taco
la tortilla

Verbos

parar

Expresiones y otras palabras

el caballero
la dama
el dulce
hacia
mexicano/a
el policía, la policía

Gramática

Informal affirmative commands

Affirmative informal singular commands normally use the present-tense form of the third-person singular conjugation.

Para en la esquina del parque.

Sigue caminando hasta la esquina.

Toma la primera calle.

Ve a la escuela.

Siéntate.

Pásamelo.

Formal and plural commands

infinitive	*yo* form	singular formal command (*Ud.*)	plural formal command (*Uds.*)
hablar	hablo	hable	hablen
tener	tengo	tenga	tengan
seguir	sigo	siga	sigan

Nosotros commands

infinitive	*yo* form	*nosotros* command
hablar	hablo	hablemos
tener	tengo	tengamos
divertir (ie, i)	divierto	divirtamos

The verb *ir* is irregular: *Vamos*

Lección B

Vocabulario 1

México

emcpassport.com
WB 1–2
LA 1–2
GV 1–2

Vida en un barrio

norte
noroeste
noreste
oeste
este
suroeste
sureste
sur

la acera

Los chicos viven en un **barrio** tranquilo en Chiapas, México.

el césped

la señal de alto

la dirección prohibida

tirar (la basura)

conducir

la exhibición (de arte)

En otros países

la acera	el andén (Colombia)
	la banqueta (México)
	la vereda (Argentina)
la señal de alto	la señal de pare (Perú)
el césped	el zacate (México)
	la grama (Venezuela)
	el pasto (Argentina)

Para conversar

In final exam

To give an address:

La **dirección** de mi casa es calle Rosales, número 24.

My home address is 24 Rosales Street.

To be neighborly:

¡Bienvenido/a al barrio!
Welcome to the neighborhood!

¿Le puedo **ofrecer** un café **mientras que** espera?
May I offer you some coffee while you wait?

¿Quiere **conocer** a nuestros **vecinos**?
Do you want to meet our neighbors?

Para decir más

la cancha de fútbol	*soccer field*
la cancha de básquet	*basketball court*
el letrero	*sign*
la zona de juegos	*playground*

1 En el barrio

Selecciona la foto que corresponde con lo que oyes.

| A | B | C | D | E | F |

¡Comunicación!

2 Los puntos cardinales Interpersonal Communication

Trabajando en parejas, alterna con tu compañero/a de clase en preguntar y contestar en qué dirección se va desde la escuela a cinco diferentes lugares en la ciudad.

MODELO   A: **¿En qué dirección se va al aeropuerto?**

B: **Se va hacia el noreste.**

¡Comunicación!

3 Donde yo vivo Presentational Communication

Completa el siguiente párrafo con tu información. Trabajando en grupos pequeños, presenten (*share*) sus párrafos en forma oral.

Mi dirección es __(1)__ . El barrio donde vivo se llama __(2)__ . Los vecinos de al lado se llaman __(3)__ . En mi familia, __(4)__ saca la basura y __(5)__ corta (*mows*) el césped, por lo general.

Diálogo

¿Para qué mirar el mapa?

Alicia: ¿Sabes en qué dirección está el lugar de la exhibición de carros?

Pedro: Sí. Está hacia allá, hacia el sur.

Alicia: Está bien. Entonces, caminemos hacia allá...

Ya caminamos mucho y no veo nada. Creo que no sabes dónde está el lugar.

Pedro: Claro que sí sé. ¿Qué dices? Lo sé todo.

Alicia: No lo creo. Espera, miro en el mapa.

Pedro: ¿Para qué mirar el mapa? Te digo, es hacia allá.

Alicia: El mapa dice que el edificio de la exhibición está hacia el norte.

Pedro: ¡Este mapa no conoce el barrio ni sabe la dirección!

Alicia: El que no conoce y no sabe nada eres tú. Vamos hacia el norte.

4 ¿Qué recuerdas?

1. ¿Hacia dónde dice Pedro que está la exhibición de carros?
2. ¿Qué cree Alicia?
3. ¿Quién quiere mirar el mapa?
4. ¿Dónde dice el mapa que está el edificio de la exhibición de carros?
5. ¿Quién no conoce el barrio ni sabe la dirección, según Pedro?

5 Algo personal

1. ¿Sabes llegar siempre a un lugar o tienes que mirar un mapa? Explica.
2. ¿En qué dirección está tu colegio desde tu casa?
3. ¿Sabes siempre en qué dirección vas? ¿Cómo lo sabes? ¿Cómo haces para saberlo?

6 Desde el D.F.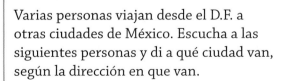

Varias personas viajan desde el D.F. a otras ciudades de México. Escucha a las siguientes personas y di a qué ciudad van, según la dirección en que van.

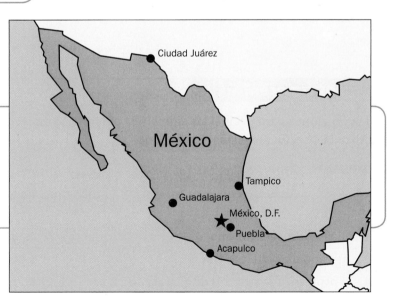

Gramática

Talking About Whom and What You Know: *conocer* and *saber*

- The Spanish verbs **saber** and *conocer* both mean "to know" and are irregular in the *yo* form of the present tense. Even though they both have the same meaning, they are used in very different situations.

saber	conocer
sé	conozco
sabes	conoces
sabe	conoce
sabemos	conocemos
sabéis	conocéis
saben	conocen

- Use **saber** to talk about facts that someone may or may not know. **Saber** followed by an infinitive indicates that someone knows how to do something.

| ¿**Sabes** dónde se puede comprar flores? | **Do you know** where one can buy flowers? |
| **Sé** dar direcciones en español. | **I know how** to give directions in Spanish. |

- Use *conocer* to discuss whether someone is familiar with (or acquainted with) people, places, or things. Note that it is necessary to add the personal *a* after *conocer* when referring to people.

| ¿**Conoces** a tus vecinos? | **Do you know** your neighbors? |
| **Conozco** una florería cerca de la estación del metro. | **I know (am familiar with)** a flowershop near the subway station. |

Note: Other verbs like *conocer* that require the spelling change *c* → *zc* for *yo* in the present tense include the following: *conducir* (to drive, to conduct) and *ofrecer* (to offer).

| Nunca **conduzco** en el centro de la ciudad. | I never **drive** in the downtown area. |
| Siempre **ofrezco** ayuda a todo el mundo. | I always **offer** help to everyone. |

---

7 ¿Los conocen?

Haz oraciones para decir si las siguientes personas conocen o no a las personas indicadas, según las pistas que se dan.

MODELO   Antonio / mi tío / sí   Luisa / Antonio / no
Antonio conoce a mi tío.   **Luisa no conoce a Antonio.**

1. ellas / don Jacinto / no
2. tú / aquellas chicas / no
3. el profesor / los padres de Clara / no
4. yo / ese chico / sí
5. tus amigos / la profesora de geografía / sí
6. nosotros / ese basquetbolista famoso / sí

8 Algunos lugares de la ciudad 👥 🎧

Trabajando en parejas, alterna con tu compañero/a de clase en preguntar y en contestar quién conoce los siguientes lugares. Sigue el modelo.

MODELO   la nueva heladería / Marta

A: **¿Quién conoce la nueva heladería?**

B: **Marta la conoce.**

1. el aeropuerto / tú
2. el apartamento del profesor / ellos
3. el nuevo almacén / Rafael
4. la vitrina del nuevo almacén / yo
5. la nueva carretera / Tomás y Sofía
6. la estación del tren / María
7. la torre del reloj / nosotros

Aeropuerto Internacional Benito Juárez, México, D.F.

9 El barrio de Coyoacán

Completa las siguientes oraciones con las formas apropiadas de **saber**.

1. ¿Qué __ Uds. sobre el barrio de Coyoacán?
2. Nosotros __ que Coyoacán está en el sur del Distrito Federal.
3. ¿ __ tú que la Universidad Nacional Autónoma de México está en Coyoacán?
4. Yo __ que hay muchos museos interesantes en Coyoacán.
5. ¿ __ tu amigo que muchos vecinos de Coyoacán van al Jardín Hidalgo?
6. ¿ __ el profesor mucho sobre la historia de Coyoacán?
7. ¿ __ ellos las direcciones para ir al famoso restaurante Casa de los Cómics?
8. ¿ __ Uds. si el Museo Casa Frida Kahlo abre los domingos?

La Universidad Nacional Autónoma de México, Coyoacán

10 Los nuevos vecinos

Que = Saber

Completa el diálogo entre Eva y Diego con las formas apropiadas de **conocer** y **saber**.

Los nuevos vecinos, Marcela y Alberto

Eva: Oye, ¿ **(1)** tú a Marcela, la nueva vecina? *Conoce*

Diego: Sí, la **(2)**. ¿ **(3)** dónde vive? *conozco y* *Sabro*

Eva: No **(4)** exactamente, pero **(5)** que vive en el barrio.

Diego: ¿ **(6)** tú a su hermano, Alberto?

Eva: No, no lo **(7)**, pero yo **(8)** que es muy simpático.

Diego: Yo no lo **(9)** tampoco, pero quiero **(10)**.

Eva: ¿ **(11)** tú el número de teléfono de Marcela y Alberto?

Diego: No, yo no lo **(12)**, pero mi vecina debe **(13)**.

11 En Monterrey

Imagina que estás con tus compañeros y algunos profesores del colegio en una excursión en Monterrey, México. Haz oraciones completas para decir lo que pasa durante el viaje, usando las indicaciones que se dan.

> **MODELO**   yo / no / conocer / el monumento Faro del Comercio
> **Yo no conozco el monumento Faro del Comercio.**

1. los profesores / conducir / un autobús a Monterrey
2. yo / no / conocer / las carreteras muy bien
3. Sergio / conocer / la ciudad mejor que todos
4. los muchachos / ofrecerles / unos refrescos a las muchachas
5. Luis / ofrecerle / ayuda a su amiga
6. yo / conducir / por el Barrio Antiguo
7. yo / ofrecerles / unos dulces a los profesores
8. todos nosotros / conocer / lugares interesantes para visitar

El monumento artístico Faro del Comercio es emblemático de Monterrey, México.

¡Comunicación!

12 Lugares en el barrio 👥 Interpersonal Communication

Haz una lista de ocho lugares en tu barrio o comunidad. Luego, trabajando en parejas, alterna con tu compañero/a de clase en hacer y en contestar preguntas para saber si conoce cada lugar. La persona que contesta debe decir algo que sabe sobre el lugar.

> **MODELO**   A: **¿Conoces la nueva panadería en la calle Broadway?**
> B: **Sí, la conozco. Sé que se llama Azúcar y que es muy buena.**

¡Comunicación!

13 Personas famosas · Interpersonal Communication

Trabajando en grupos pequeños, hablen sobre personas famosas. Determinen quiénes las conoce y los aspectos que saben, o no saben, sobre esa persona.

MODELO
A: ¿Conocen al cantante Draco Rosa?

B: Sí, claro, yo lo conozco. ¿Saben de dónde es? ¿Es de México?

C: Yo también lo conozco. No es de México. Es de Puerto Rico.

Draco Rosa

¡Comunicación!

14 ¡Bienvenido/a al barrio! · Interpersonal Communication

Imagina que hay una nueva familia en tu barrio. Trabajando en parejas, un(a) estudiante hace el papel de uno de los miembros de la nueva familia y el/la otro/a estudiante hace el papel de un miembro de una familia que ya vive en el barrio.

Welcome your new neighbor to the neighborhood. →

← Thank your neighbor. Then ask if he/she knows whether there is an ice cream shop nearby.

Say that you know a good one and say where it is located. →

← Ask your neighbor if he/she knows a good restaurant.

Say that you know many restaurants. Then invite your neighbor to eat at one of them. →

← Accept the invitation and say good-bye.

Barrios mágicos 🎧

El Barrio Mágico de Santa María de la Ribera

La magia[1] de un lugar es lo que lo hace atractivo, agradable[2] e inolvidable[3]. ¿Qué vemos, oímos y tocamos en cada lugar que visitamos? ¿Qué podemos hacer para descubrir[4] la magia de cada sitio?

En el Centro Histórico de la capital mexicana podemos disfrutar[5] de una gran riqueza[6] cultural pero gran parte de la cultura mexicana se encuentra también en los barrios. Podemos decir que en estas zonas alejadas[7] del centro está la esencia del pueblo mexicano. Al caminar por las calles típicas de los barrios se pueden observar mansiones, fuentes[8] e iglesias con muchos años de historia. También se puede disfrutar de tradiciones, como la Feria del Tamal en Ixtacalco o el Día de los Muertos en Mixquic.

Para mantener vivas[9] estas tradiciones, la Secretaría de Turismo de México inició en el año 2011 el programa "Barrios Mágicos". Se trata de 21 barrios del Distrito Federal que nos permiten disfrutar de cálidos restaurantes, museos pequeños y plazas para niños.

Gracias a esta interacción entre los turistas y los barrios mágicos, el resto del mundo puede tener otra perspectiva de la cultura mexicana y encontrar los tesoros[10] ocultos[11] de México.

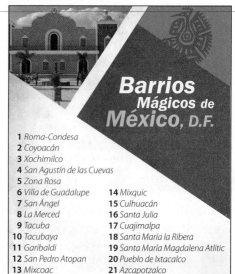

Barrios *Mágicos de* **México, D.F.**

1 Roma-Condesa
2 Coyoacán
3 Xochimilco
4 San Agustín de las Cuevas
5 Zona Rosa
6 Villa de Guadalupe   14 Mixquic
7 San Ángel   15 Culhuacán
8 La Merced   16 Santa Julia
9 Tacuba   17 Cuajimalpa
10 Tacubaya   18 Santa María la Ribera
11 Garibaldi   19 Santa María Magdalena Atlitic
12 San Pedro Atopan   20 Pueblo de Ixtacalco
13 Mixcoac   21 Azcapotzalco

[1]magic   [2]pleasant   [3]unforgettable   [4]discover   [5]enjoy   [6]wealth   [7]far   [8]fountains
[9]To keep alive   [10]treasures   [11]hidden

🔍 **Búsqueda:** barrios mágicos, culhuacán, san ángel, santa maría de la ribera, xochimilco

| **Prácticas** | 🎧 **Conéctate: la geografía** |

Una de las actividades populares de los mexicanos es visitar el Barrio Mágico de Xochimilco y pasear en bote por sus canales de agua. Los aztecas hicieron estos canales para transportar alimentos en canoas. Hoy, todos los que llegan a Xochimilco pueden navegar allí para divertirse e interactuar con la naturaleza (*nature*). En la Laguna del Toro y la Laguna de Caltongo hay embarcaderos (*piers*) desde donde salen botes que van por los canales con historia.

El Barrio Mágico de Xochimilco

15 Comprensión   Interpretive Communication

1. ¿En qué parte de la capital están los barrios mágicos? ¿Cuántos barrios mágicos hay?

2. ¿Qué hay en un barrio mágico?

16 Analiza

1. Would you enjoy the magical neighborhoods more than downtown? Explain.

2. Why does the article include the phrase *tesoros ocultos* in the last sentence? What is the message?

Puntos mágicos en Coyoacán

La Casa Azul, Coyoacán

Los colores y el arte también son parte de la magia de un lugar. ¿Te imaginas nacer[1], vivir y morir[2] en un lugar lleno de arte? ¿Y te imaginas interactuar toda tu vida con esa ciudad para transmitir esa magia a otras personas?

Igual que los otros barrios mágicos, Coyoacán tiene hermosas plazas, iglesias, puentes y casas históricas, como la Casa del Sol, donde se escribió parte de la Constitución mexicana. Pero, quizás, lo más mágico de Coyoacán es que fue parte importante de la vida de los famosos artistas Diego Rivera y Frida Kahlo.

En la calle Londres está el Museo Frida Kahlo, conocido como la Casa Azul. El padre de Frida construyó la casa que luego se convirtió[3] en la más famosa y representativa de Coyoacán. Allí nació la pintora[4], allí vivió con Diego Rivera, y allí ambos[5] crearon muchas de sus obras artísticas. A pedido[6] de Frida antes de morir, su casa, desde 1958, es un museo donde están todos los objetos personales de la pintora, como elementos decorativos, objetos religiosos, ropa y muebles.

En este barrio mágico también está el Anahuacalli, museo de Diego Rivera, donde el pintor quiso compartir con la gente más de 50.000 piezas precolombinas de su colección privada.

El deseo de Frida y Diego fue donar sus obras al pueblo mexicano; así se produjo una interacción entre la gente y los lugares donde ellos estuvieron. Gracias a su deseo, hoy podemos visitar un barrio mágico lleno de arte e historia.

[1] born   [2] die   [3] became   [4] painter   [5] both   [6] Upon request

Búsqueda: frida kahlo, diego rivera, casa azul, museo anahuacalli

---

Prácticas   Conéctate: la música

Cada 22 de noviembre, en el Barrio Mágico de Garibaldi, se celebra el Día del Músico. Miles de mexicanos se reúnen (*gather*) en la plaza para escuchar a diferentes grupos de mariachis tocar música y cantar canciones tradicionales.

El Barrio Mágico de Garibaldi, famoso por los mariachis

---

17 Comprensión   Interpretive Communication

1. ¿Por qué el Barrio Mágico de Coyoacán es importante para la historia política de México?

2. ¿Quiénes son Diego Rivera y Frida Kahlo? ¿Qué compartieron (*shared*) con el pueblo mexicano?

3. ¿Qué se puede escuchar en la plaza de Garibaldi?

18 Analiza

1. Do you think that Frida's wish was to keep interacting with her city and its inhabitants after her death?

2. What can you infer about Rivera and Kahlo donating their works to the city?

3. What are different ways in which people interact with the *Barrios Mágicos*?

Las partes del carro 🎧

el baúl

el motor

el capó

la rueda

la llanta

Este **coche deportivo** es muy **moderno**.

el limpiaparabrisas

el parabrisas

el faro

la placa

el parachoques

el volante

el claxon

el freno

el cinturón de seguridad

Para decir más

el asiento delantero/trasero	*front/back seat*
el cristal	*window*
el espejo retrovisor	*rearview mirror*
la guantera	*glove compartment*
la llanta de repuesto	*spare tire*

En otros países

el capó	*el capote (México)*
el claxon	*la bocina (México)*
el carro	*el auto (Argentina), el coche (España)*
el baúl	*la cajuela (México)*
	el maletero (España)

Para conversar 🎧

*T*o talk about cars and driving:

Vamos a **subir** al carro para ver el volante **de cerca**.
Let's get in the car to look at the steering wheel up close.

No debes **manejar** rápido, **sino** despacio.
You should not drive fast, but slow.

Los coches deportivos pueden **doblar** esquinas y tomar **curvas** rápido.
Sports cars can turn corners and take curves fast.

Vamos a **tardar en** llegar porque hay mucho **tráfico**.
We are going to take a long time (arrive late) because there is a lot of traffic.

No perdono **la demora** porque soy muy **exigente**.
I do not forgive the delay because I am very demanding.

La **alarma** del carro es para mayor **seguridad**.
The car alarm is for greater security.

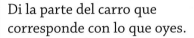

19 El carro 🎧

Di la parte del carro que corresponde con lo que oyes.

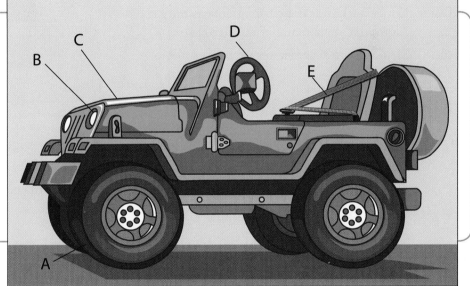

¡Comunicación!

20 ¡A adivinar! 👥 Interpersonal Communication

Trabajando en parejas, alterna con tu compañero/a de clase en describir una de las palabras de la lista, sin mencionar la palabra. El/La otro/a estudiante tiene que identificar la palabra. Continúen hasta que cada uno describa tres palabras.

MODELO
A: Cuando hay estas en la carretera, tienes que doblar.
B: ¡Las curvas!

el baúl	la demora	el freno	la placa
las curvas	exigente	manejar	el tráfico

Diálogo 🎧

¡Por fin llegamos!

Pedro: Aquí es. Mira, llegamos a la exhibición de carros.

Alicia: ¡Gracias al mapa!

Pedro: Sí, sí, está bien.

Alicia: Bueno, entremos y miremos los carros.

Pedro: ¿Solo mirar?, no. Vamos a subirnos a todos los carros.

Alicia: Pero son muchísimos y no tenemos mucho tiempo. ¡Qué exigente eres!

Pedro: ¡Ah! Hay muchos carros aquí.

Alicia: Sí. ¡Mira este! ¡Qué llantas! Son muy deportivas y modernas.

Pedro: Con esas llantas debe tomar curvas muy rápido. Algún día voy a manejar un carro así.

Alicia: Sí, algún día si consigues un buen trabajo.

21 ¿Qué recuerdas? 🎧

1. ¿Adónde llegan Alicia y Pedro?
2. ¿Gracias a qué llegan ellos allí?
3. ¿Quién quiere solo mirar los carros?
4. ¿Qué quiere Pedro?
5. ¿Quién es exigente?
6. ¿Cómo son las llantas del carro?
7. ¿Cómo toma el carro las curvas con las llantas que tiene?

22 Algo personal 🎧

1. ¿Usas siempre un mapa para llegar a un lugar? Explica.
2. ¿Te gustan las exhibiciones de carros? ¿Qué te gusta hacer allí?
3. ¿Cómo te gustan los carros? ¿Qué es lo que más te gusta de un carro?
4. ¿Eres exigente? Explica.

23 En la exhibición de carros 🎧

Identifica la parte del carro que corresponde con lo que oyes.

¿Te gustan los coches eléctricos?

Gramática

Telling Someone What Not To Do: Negative Commands

- The formation of a **negative Ud.** or **Uds.** command or a **negative *nosotros* command** is the same as for an affirmative command, but with *no* before the verb. The negative *nosotros* command for *ir* is one exception: ¡*Vamos!* → ¡***No vayamos****!*

Maneje *Ud. derecho.* (Drive straight ahead.)	→	***No maneje*** *Ud. derecho.* (Don't drive straight ahead.)
Duerman *Uds. temprano.* (Go to sleep early.)	→	***No duerman*** *Uds. muy tarde.* (Don't go to sleep too late.)
¡***Comamos****!* (Let's eat!)	→	***No comamos*** *todavía.* (Let's not eat yet.)

- The **negative *tú* command** is different from the affirmative *tú* command. It is formed by adding an *-s* to the end of the formal *Ud.* command and by placing *no* before the verb.

Alberto, ***maneja****.* (Alberto, drive.)	→	*Alberto,* ***no manejes****.* (Alberto, don't drive.)
Camina *hasta la esquina.* (Walk to the corner.)	→	***No camines*** *hasta la esquina.* (Don't walk to the corner.)

- You have learned to attach object and reflexive pronouns to the end of affirmative commands. For negative commands, object and reflexive pronouns must precede the verb.

*Tíra****lo*** *al cesto de papeles.*	→	***No*** *lo* ***tires*** *al cesto de papeles.*
*Pída****las*** *Ud.*	→	***No*** *las* ***pida*** *Ud.*
*Sentémo****nos*** *allí.*	→	***No*** *nos* ***sentemos*** *allí.*

- When used together with the same verb, the indirect object pronoun precedes the direct object pronoun. Since the placement of object pronouns before the command does not affect the pronunciation of the word, it is not necessary to add a written accent mark to negative commands. Compare the following:

*Prepáren****melas*** *Uds.*	→	***No*** *me las* ***preparen*** *Uds.*
*Cóman****selos*** *Uds.*	→	***No*** *se los* ***coman*** *Uds.*

24 En la carretera

Conecta lógicamente los mandatos con las señales que se muestran.

1. Pare Ud.
2. No entre Ud.
3. Tome Ud. la curva.
4. Vaya Ud. a la derecha.

5. No doble Ud. a la derecha.
6. No doble Ud. a la izquierda.
7. Vaya Ud. a la izquierda.
8. No vaya Ud. a más de 60 kilómetros por hora.

A

B

C

D

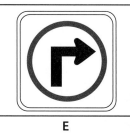
E

F

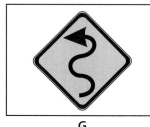
G

H

25 Di que no lo hagan

Cambia los siguientes mandatos al negativo.

1. Cierre Ud. la ventana.
2. Volvamos el sábado.
3. Continúen Uds. adelante.
4. Maneje Ud.
5. Pare Ud. aquí.
6. Pidamos refrescos.

7. Estén Uds. aquí por la mañana.
8. Suban Uds. más tarde.
9. Dobla a la izquierda.
10. Consigue carne para los tacos.
11. Ve derecho.
12. Conduzca Ud.

26 Muy indecisos

Cambia los siguientes mandatos al negativo.

1. Sentémonos a la izquierda.
2. Pidámoslos.
3. Pónganlas Uds. allí.
4. Condúzcalo Ud.
5. Ciérrela Ud.

6. Manéjalo hasta la esquina.
7. Háblele Ud. en inglés.
8. Lávense Uds. las manos en el baño de los caballeros.
9. Comámoslas.
10. Busquémoslos en la zapatería.

¡Comunicación!

27 Anuncio de interés público — Interpretive Communication

Contesta las siguientes preguntas en español sobre el anuncio de interés público (*public service announcement*).

1. ¿Para quiénes es este anuncio de interés público?

2. ¿Qué quiere decir la palabra *puente* en este anuncio?

3. ¿Qué otras palabras quieren decir lo mismo que *camino, vehículo* y *conduzca*?

4. ¿Es este anuncio importante para la gente que no tiene coche? Explica.

5. ¿Cuál es el viaje más bonito, según el anuncio?

6. ¿Cuántos mandatos hay en el anuncio? ¿Cuáles son?

7. ¿Cuáles son los dos mandatos negativos en el anuncio?

ESTE PUENTE TIENE QUE CRUZARLO DOS VECES

Disfrute cuando pueda de estas cortas vacaciones. Pero piense que el puente que le ha traído hasta aquí, es también el camino de vuelta a casa. Y al otro lado hay mucha gente que le espera. Cuando llegue la hora de partir, siga nuestro consejo.

En los largos desplazamientos:

- Revise los puntos vitales de su vehículo.
- Abróchese siempre el cinturón.
- Respete los límites de velocidad.
- Mantenga la distancia de seguridad.
- No adelante sin visibilidad.

- Al mínimo síntoma de cansancio, no conduzca.
- Póngase el casco si viaja en moto o ciclomotor.
- Siga estos consejos también en los trayectos cortos.

 La **vida** es el viaje más **hermoso**

Dirección General de Tráfico · Ministerio de Interior

28 Los niños del barrio 🎧

Imagina que cuidas a un grupo de niños hijos de tus vecinos y ahora caminas con ellos por la calle. Usando mandatos informales y las indicaciones que se dan, diles lo que no deben hacer.

MODELO Sandra / tirar comida al césped
Sandra, no tires comida al césped.

1. Marcos / recoger esa basura
2. Jaime / hacer eso
3. Alejandro / correr por la calle
4. Antonio / ir tan rápido
5. Soledad / decir malas palabras
6. María / ser mala con tu hermanito
7. Ricardo / caminar sobre el césped
8. Juan Manuel / tirar basura al piso

Sandra, no tires comida al césped.

29 El restaurante Rosales 🎧

Imagina que llevas a comer a un grupo de niños de tu familia al restaurante Rosales. Diles lo que no deben hacer en la cafetería.

MODELO Sofía / entrar por esa puerta
Sofía, no entres por esa puerta.

1. Julián / tardar en venir
2. Eugenio / hablar con comida en la boca
3. Alberto y Esteban / ir a tomar más refrescos
4. Carlos / escribir nada sobre la mesa
5. Josefina / tirar la comida al piso

6. Juan / jugar en la mesa
7. Amparo / ir al baño de las damas todavía
8. David / ser malo con tu hermano
9. Carlota / comer la carne con las manos
10. chicos / pedir mucha comida

¡Comunicación!

30 Padres exigentes 👥 Interpersonal Communication

Imagina que estás de vacaciones con tu familia, pero no estás feliz. Cada vez que dices que vas a hacer algo, tus padres te lo niegan (*tell you not to do it*). Trabajando en parejas, alterna con tu compañero/a de clase en decir lo que vas a hacer y en decir los mandatos negativos de los padres.

MODELO levantarme tarde mañana
A: Voy a levantarme tarde mañana.
B: No te levantes tarde mañana.

1. nadar en la piscina antes de comer
2. salir con unos amigos
3. desayunar en la playa mañana

4. quedarme en la cama toda la mañana
5. irme del hotel ahora
6. acostarme tarde esta noche

¡Comunicación!

31 Consejos al manejar 👥 Presentational Communication

Haz una lista de cinco consejos (*pieces of advice*) para tu amigo/a que está aprendiendo a manejar. Puedes usar las ideas del recuadro o tus propias ideas. Usa el mandato familiar de tú en forma negativa. Luego, trabajando en grupos pequeños, presenta tu lista.

¡No envíes mensajes de texto!

conducir rápido	olvidarse el cinturón de seguridad
ir en la dirección prohibida	enviar mensajes de texto manejar si tienes sueño

¡Comunicación!

32 Sigue las direcciones 👥 Interpersonal Communication

Prepare two identical street maps, putting the word *aquí* where someone should start, and the letter *X* where someone should finish. Then, plot your own route between the two points on one copy of the map. Next, give the blank copy to another student. After deciding who will go first, describe the route you plotted between the word *aquí* and the letter *X* as your partner plots the course on the blank map. When you have finished, compare the routes that appear on both maps to see if they are the same. Switch roles.

MODELO
A: **Ve hacia el este una cuadra.**
B: **¿Doblo a la izquierda?**
A: **No, no dobles a la izquierda. Dobla a la derecha.**

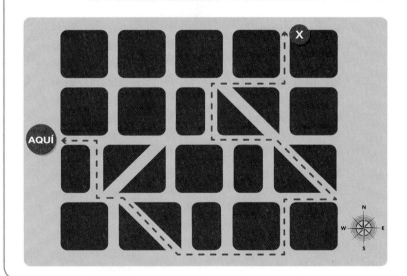

Un poco más

You can tell someone how to go somewhere using *los puntos cardinales: el norte, el sur, el este, el oeste.* For example, *Para ir al banco se va hacia el norte* (To go to the bank, go north). To be even more exact, use the combined directions: northeast (*el noreste*), southeast (*el sureste*), northwest (*el noroeste*), and southwest (*el suroeste*).

¡Comunicación!

33 Dramatización 👥 Presentational Communication

Trabajando en parejas, escojan una de las siguientes situaciones y preparen un diálogo de por lo menos diez líneas. Usen pronombres y mandatos afirmativos y negativos. Luego presenten su diálogo a la clase.

- Un(a) compañero/a de clase le da consejos a un(a) estudiante nuevo/a para no tener problemas en el colegio.
- Un padre/Una madre le da instrucciones a su hijo/a antes de prestarle el carro.
- Dos actores hacen un anuncio (*commercial*) de televisión para vender un coche deportivo.

Todo en contexto

¡Comunicación!

34 Por los barrios de México 👥 Interpersonal Communication

Tú y un(a) compañero/a están de visita en México D.F. Usen la lista Barrios Mágicos que aparece en la página 140 y alternen en preguntarse si conocen los lugares y si saben cómo llegar. Hagan un diálogo con datos imaginarios y usen palabras del Vocabulario para dar direcciones. Sigan el modelo.

MODELO A: ¿Conoces el barrio mágico San Ángel?

B: No, no lo conozco. ¿Tú sabes cómo llegar?

A: Sí, sé cómo llegar. Caminemos al norte siete cuadras.

Caminemos al norte siete cuadras.

¡Comunicación!

35 En la agencia de carros 👥 Presentational Communication

Tú y un(a) amigo/a van a una agencia a ver un carro que les gusta. Otro/a compañero/a es el/la vendedor(a) de carros. Representen para la clase una escena en donde las tres personas dan mandatos (*commands*) afirmativos y negativos utilizando el vocabulario sobre carros que aprendieron en esta lección. Sigan el modelo.

MODELO A: Buenos días, pasen, por favor.

B: Muéstrenos un carro deportivo.

C: No abra el baúl. Abra el capó, por favor. Quiero ver el motor.

A: ¡No toquen el claxon!

Abra el capó, por favor. Quiero ver el motor.

Lectura literaria

Polidor
Leyenda mexicana de Guadalajara
Sobre las leyendas

En la ciudad de Guadalajara, México, existen muchas leyendas. Las leyendas son historias populares de autor anónimo. Estas historias pasan de boca en boca y de generación en generación, para transmitir la cultura de un lugar. En la leyenda "Polidor" vas a leer la historia de un señor que interactúa con su ciudad de forma muy interesante.

Guadalajara es la segunda ciudad más grande de México. Está al noroeste de la Ciudad de México.

36 Antes de leer: Vocabulario

La lista que sigue es de palabras clave de la leyenda que vas a leer. Completa las siguientes oraciones con las palabras apropiadas de la lista. Usa el contexto de la oración como ayuda.

anuncios	memoria	voz alta
dinero	trabajo	

1. Nelson no tiene __. Siempre se olvida todo.
2. En la radio puedes escuchar música, noticias y __.
3. Mi hermano y yo escuchamos la voz del vecino todo el día. Él habla en __.
4. Jaime tiene un __ interesante. Él es astronauta.
5. Todos los viernes, Elisa pone __ en el banco.

37 Antes de leer: Conocimientos previos

1. Cuando miras televisión, ¿qué tipo de anuncios comerciales (*commercial announcements*) te parecen más interesantes?
2. Si en la calle hay personas haciendo un anuncio de una actividad o un producto, ¿te paras a escucharlos? ¿Crees que son honestos? ¿Por qué?
3. ¿Qué personas ves trabajando en la calle?

Estrategia

Repetitions

Repetitions in a reading emphasize part of the text. These repeating words help readers to understand how the characters feel and what message the author wants to transmit. Scan the reading and look for repetitions. It will prepare you to have an idea of the content before you read it in detail.

Polidor 🎧

Leyenda mexicana de Guadalajara

Esta es la historia de José Francisco López, un señor de estatura[1] baja y cuerpo delgado, que se dedicó en Guadalajara a un trabajo muy interesante: anuncios hablados[2] en las calles de la ciudad.

Cuando López llegó a Guadalajara, empezó a trabajar en una compañía de teatro. López nunca supo leer. Tampoco supo escribir. Pero gracias a su memoria fabulosa, supo aprenderse los guiones[3] de las obras de teatro a la perfección.

Él se encargó[4] de hacer la publicidad del teatro, y para eso se aprendió el guión de la obra "Los intereses creados". Parado en una esquina de Guadalajara, con un bastón[5] en la mano, recitó parte del guión durante días y días. A López le gustó tanto esta experiencia, que empezó a hacer otras propagandas en la calle y en voz alta, por el resto de su vida. Se puso un nombre artístico: Polidor.

Un día, Polidor se disfrazó[6] de perico[7] para bailar delante[8] de una vitrina y decirle a la gente que la mejor tienda es "Almacén Aguilar". Fue tan popular que la gente le cambió el nombre a la tienda por el de "Almacén Perico". Todos fueron a comprar a Almacén Perico.

Un día de grandes ofertas[9], Polidor se paró en la puerta de una tienda elegante y empezó a tocar una corneta y a gritar: "¡Pasen, pasen todos!" Y la tienda se llenó de gente.

Un día se lo vio con ropa sucia y rota[10]. "Hoy no hay trabajo", dijo. Al día siguiente se puso un pantalón corto, para caminar y anunciar que un niño de pantalones cortos como él se perdió en la plaza. "No estés triste", le dijo al niño. "Vamos a encontrar a tus padres". Y Polidor los encontró.

Otro día dijo: "Hoy tampoco hay trabajo". Y llegaron los tiempos modernos. Llegó la electricidad y los equipos de audio con propagandas grabadas[11]. Los negocios no quisieron escuchar más los gritos[12] de Polidor. Polidor no tocó más su corneta. Con ropa sucia y muy rota, Polidor solo esperó una moneda de alguien.

Polidor murió en la Cruz Roja[13], con más de noventa años, y en su chaqueta rota encontraron mucho dinero.

[1] height [2] spoken announcements [3] scripts [4] took care of [5] cane [6] dressed up [7] parakeet [8] in front of [9] bargains [10] torn [11] recorded [12] shouts [13] Red Cross

---

38 Comprensión 🎧 Interpretive Communication

1. ¿Qué habilidad (*skill*) tenía Polidor?
2. ¿Por qué la gente conocía a Polidor?
3. ¿Quiénes se beneficiaron con el trabajo de Polidor? ¿Por qué?

39 Analiza

1. Why do you think Polidor stopped working at the theater to work in the streets?
2. Could you say that Polidor was a sensitive human being? Explain.
3. Indirectly, Polidor helped many people. Why didn't anyone help him when he had no work?
4. What can you infer about Polidor after knowing that his jacket was full of money?

Repaso de la Lección B

A Escuchar: Dos vecinos 🎧 (pp. 133, 142)

Escucha el siguiente diálogo y luego completa las oraciones con la información correcta.

1. Don Mario y doña Jimena son (policías / vecinos).

2. Doña Jimena está limpiando (la acera / su coche).

3. Alguien tiró basura desde (un coche / un apartamento).

4. El coche deportivo de don Mario es (moderno / viejo).

5. Las llantas del carro de don Mario son (nuevas / viejas).

6. Doña Jimena (se sube / no se sube) al carro de don Mario.

7. Don Mario y doña Jimena van a hablar sobre la exhibición de carros mientras que (limpian la acera / toman café).

B Vocabulario/Gramática: La exhibición de coches (pp. 136, 142)

Completa el siguiente diálogo con las palabras más lógicas de la lista.

el capó	la demora	exigente
sabes	sé	sino
tarda en	el tráfico	conozco

Dalia: Oye, Juana, ¿ **(1)** dónde está Vicente?

Juana: Sí, **(2)** que está en la exhibición de carros pero no **(3)** llegar. ¡Mira, aquí está!

Vicente: Perdón por **(4)** pero **(5)** es horrible a esta hora y no **(6)** muy bien la ciudad.

Juana: ¿Te gustó la exhibición? ¿Abriste **(7)** de los carros?

Vicente: Sí, pero en mi opinión la exhibición no fue interesante, **(8)** aburrida.

Dalia: ¡Qué **(9)** eres!

C Gramática: En el barrio (p. 145)

Imagina que tú y tus vecinos están en la calle de tu cuadra. Completa cada mandato que dices con las indicaciones entre paréntesis.

MODELO   No **tardemos** en llegar. (*tardar—nosotros*)

1. Sra. Gómez, no les __ dulces a los niños, por favor. (*ofrecer—Ud.*)

2. No __ en esa dirección prohibida. (*seguir—Uds.*)

3. No __ ahora, sino más tarde. (*ir—nosotros*)

4. Carla, no __ basura en el césped. (*tirar—tú*)

5. Pablo y Eva, no __ en la calle. (*jugar—Uds.*)

6. Mauricio, no __ muchos helados. (*comer—tú*)

7. No __ una fiesta este año. (*hacer—nosotros*)

Cultura: Barrios Mágicos (pp. 140–141)

Completa la tabla con actividades que se pueden hacer en los tres Barrios Mágicos de México, D.F.

Barrio Mágico	Actividad
Xochimilco	
Coyoacán	
Garibaldi	

Vocabulario

En la ciudad	Partes del coche	Puntos cardinales	Verbos	Otras expresiones
la acera	la alarma	el este	conducir	de cerca
el alto	el baúl	el noreste	conocer	la demora
el barrio	el capó	el noroeste	doblar	deportivo/a
el césped	el cinturón de seguridad	el norte	manejar	la dirección
la curva	el claxon	el oeste	ofrecer	la exhibición
la señal	el coche	el sur	subir	exigente
el tráfico	el faro	el sureste	tardar	mientras (que)
el vecino, la vecina	el freno	el suroeste	tirar	moderno/a
	el limpiaparabrisas			prohibido/a
	la llanta			la seguridad
	el motor			sino
	el parabrisas			tardar en (+ *infinitive*)
	el parachoques			
	la placa			
	la rueda			
	el volante			

Gramática

Conocer vs. saber

Both *conocer* and *saber* mean "to know."

When to use **conocer**	When to use **saber**
• When someone is familiar with (or acquainted with) people, places or things	• When someone knows a fact • When someone knows how to do something (followed by an infinitive verb)

Negative formal and *nosotros* commands

To create a negative formal or *nosotros* command, add the word *no* in front of the affirmative form of the command. Object and reflexive pronouns **cannot** be attached to negative commands; they must appear in front of the verb.

No se levanten Uds. muy tarde.

No la bebamos.

¡No vayamos!

Negative *tú* commands

To create a negative informal command, add the word *no* in front of a **formal** command, then add –*s* to the end of the verb. Object and reflexive pronouns cannot be attached to negative commands; they must appear in front of the verb.

Alejandro, no hables con ella.

No me las hagas.

Para concluir

Proyectos

A ¡Manos a la obra! Conéctate: la historia

En grupos de tres, preparen el proyecto "Tres ciudades con historia". Investiguen en la internet sobre tres ciudades mexicanas relacionadas con la historia de ese país. Incluyan fotos de cada ciudad y tablas con fechas y lugares clave (*key*). ¿Qué pasó en las ciudades? ¿Cómo eran (*were*) las ciudades antes? ¿Qué hay ahora? ¿Cómo interactuaron las personas con esas ciudades? Hagan una presentación a la clase con sus explicaciones. Para terminar, usen una lista de mandatos en plural para decirles a sus compañeros qué partes de la ciudad deben visitar.

B En resumen

En esta unidad aprendiste que las ciudades cambian con la interacción de sus habitantes. Copia el diagrama de abajo y completa los recuadros de la columna derecha para indicar cómo cada persona o grupo de personas interactuaron con una ciudad mexicana.

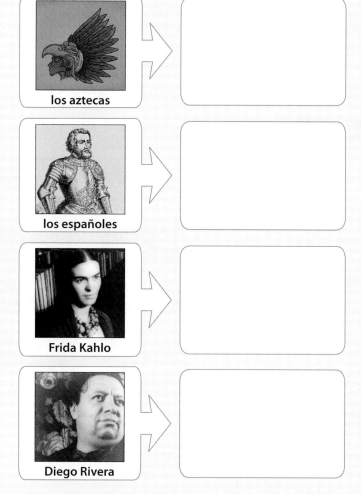

los aztecas

los españoles

Frida Kahlo

Diego Rivera

Extensión

Investiga en la internet sobre la interacción de los mayas con la Península de Yucatán, México.

C ¡A escribir!

Escoge cinco ciudades de los Estados Unidos o de otro país. Escríbele un e-mail a un amigo/a diciendo por qué debe ir o no a esa ciudad. Utiliza mandatos afirmativos y negativos. Usa los verbos **saber** y **conocer**. Por último, escribe un mandato con un consejo (*advice*) para los padres de tu amigo/a.

Estrategia

Use previous knowledge

If you have traveled to another state or country, use what you learned on those trips to write your message. If you haven't traveled, use the places you learned about in Units 1, 2, and 3.

¿Conoces la ciudad de...?   No vayas a ese lugar porque...

Visita esa ciudad porque...   ¿Sabes algo de...?

D Cronología   Conéctate: la historia

Según lo que aprendiste en esta unidad y usando tus habilidades de deducción, ordena los eventos del recuadro cronológicamente.

__ Frida Kahlo vive en la Casa Azul en Coyoacán.
__ Los monos urbanos hacen parkour en la Ciudad de México.
__ Los aztecas hacen la Pirámide de Cholula más grande.
__ Los españoles llegan a Tenochtitlán.

E De la historia a la magia   Conéctate: las matemáticas

Estás de visita en México y tienes que conducir un carro. Ahora estás en la ciudad histórica de Cholula y quieres conducir hasta el Barrio Mágico de Coyoacán, muy cerca del D.F. Observa el mapa y luego contesta las preguntas. Puedes usar una calculadora.

1. ¿Qué distancia hay entre Cholula y el D.F.? ¿Cuánto es eso en millas? (Pista: 1 milla = 1.6 kilómetros)

2. ¿Cuántas horas vas a tardar conduciendo el carro a 35 km. por hora?

3. Tu coche tiene una economía de 20 millas por galón. ¿Cuántos galones vas a consumir?

F La ciudad ideal   Conéctate: el urbanismo

Vas a participar en un concurso (*contest*) de la ciudad ideal. Tienes que diseñar una ciudad moderna e inteligente. Haz un dibujo de la ciudad, rotulando (*labeling*) los edificios, las calles, puentes, parques, etc. También escribe una breve descripción de la ciudad, explicando por qué es la ciudad ideal.

Vocabulario de la Unidad 3

a la derecha (izquierda) to the right (left) *3A*

la **acera** sidewalk *3B*

adelante ahead *3A*

el **aeropuerto** airport *3A*

la **alarma** alarm *3B*

el **almacén** department store, grocery store, warehouse *3A*

el **alto** stop sign *3B*

el **apartamento** apartment *3A*

el **barrio** neighborhood *3B*

el **baúl** trunk *3B*

el **caballero** gentleman *3A*

el **capó** hood *3B*

la **carnicería** meat market, butcher shop *3A*

la **carretera** road *3A*

la **catedral** cathedral *3A*

el **césped** lawn, grass *3B*

el **cinturón de seguridad** safety belt *3B*

el **claxon** horn *3B*

el **coche** car *3B*

conducir to drive *3B*

conocer to know, to be acquainted with, to be familiar with *3B*

la **cuadra** city block *3A*

la **curva** curve *3B*

la **dama** lady *3A*

de cerca close up, from a short distance *3B*

la **demora** delay *3B*

deportivo/a sporty *3B*

la **derecha** right *3A*

derecho straight ahead *3A*

la **dirección** instruction, guidance *3A*; address *3B*; direction *3B*

doblar to turn (a corner) *3B*

el **dulce** candy *3A*

la **dulcería** candy store *3A*

la **enchilada** enchilada *3A*

la **esquina** corner *3A*

la **estación (de autobuses/del metro/del tren)** station (bus, subway, train) *3A*

el **este** east *3B*

la **exhibición** exhibition *3B*

exigente demanding *3B*

el **faro** headlight *3B*

la **florería** flower shop *3A*

el **freno** brake *3B*

la **frutería** fruit store *3A*

hacia toward *3A*

la **heladería** ice cream parlor *3A*

la **iglesia** church *3A*

la **izquierda** left *3A*

el **limpiaparabrisas** windshield wiper *3B*

la **llanta** tire *3B*

manejar to drive *3B*

el **mexicano/a** Mexican *3A*

mientras (que) while *3B*

moderno/a modern *3B*

el **monumento** monument *3A*

el **motor** engine *3B*

el **noreste** northeast *3B*

el **noroeste** northwest *3B*

el **norte** north *3B*

el **oeste** west *3B*

la **oficina de correos** post office *3A*

ofrecer to offer *3B*

la **panadería** bakery *3A*

la **papelería** stationery store *3A*

el **parabrisas** windshield *3B*

el **parachoques** fender *3B*

parar to stop *3A*

la **placa** license plate *3B*

el **policía, la policía** police (officer) *3A*

prohibido/a not permitted, prohibited *3B*

el **próximo/a** next *3A*

el **puente** bridge *3A*

la **rueda** wheel *3B*

la **seguridad** safety *3B*

la **señal** sign *3B*

sino but (on the contrary), although, even though *3B*

subir to climb, to go up the stairs, to take up, to bring up, to carry up *3B*

el **sur** south *3B*

el **sureste** southeast *3B*

el **suroeste** southwest *3B*

el **taco** taco *3A*

tardar to delay *3B*

tardar en (+ infinitive) to be long, to take a long time *3B*

tirar to throw away *3B*

la **torre** tower *3A*

la **tortilla** cornmeal pancake (Mexico) *3A*

el **tráfico** traffic *3B*

el **vecino, la vecina** neighbor *3B*

la **vitrina** store window, glass showcase *3A*

el **volante** steering wheel *3B*

la **zapatería** shoe store *3A*

¿Sabías que...?

El tercer sábado de mayo la avenida principal de La Ceiba, Honduras, se convierte en un gran salón de baile. Medio millón de personas de todas las edades y de todas partes de América Central vienen aquí para divertirse en el gran Carnaval Internacional de la Amistad.

Unidad

4

Diversión para todos

Escanea el código QR para ver este episodio de *El cuarto misterioso*.

¿Qué ocurrió hace muchos años en el Museo Nacional de Antropología e Historia?

A. Rafael encontró el mapa.
B. La policía pensó que Rafael era un criminal.
C. Dos amigos robaron unos objetos de valor.

Pregunta clave

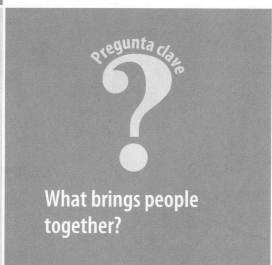

?

What brings people together?

Mis metas

Lección A I will be able to:

▶ describe a place or an event
▶ talk about the past using the **imperfect**
▶ talk about a Salvadoran amusement park and carnival
▶ identify animals
▶ talk about a visit to the zoo
▶ express past intentions
▶ talk about nationality
▶ talk about saving the sea turtles

Lección B I will be able to:

▶ talk about the circus
▶ add emphasis to a description and discuss size
▶ talk about a Honduran social circus and street theater
▶ talk about actions related to animals
▶ describe where something is
▶ indicate possession
▶ discuss a friendship between a man and a donkey

¿Qué se puede hacer en el Parque Infantil de Diversiones en San Salvador?

El Salvador   Honduras

Atracciones y diversiones 🎧

El sábado fuimos al parque de atracciones y nos divertimos mucho.

montar en una atracción

el carrusel

la rueda de Chicago

los carros chocones

la montaña rusa

las montañas

el algodón de azúcar

las golosinas

las palomitas de maíz

el desfile

el coche antiguo

el globo

los fuegos artificiales

En otros países

el carrusel	el tiovivo (España)
las palomitas de maíz	los alborotos (El Salvador)
	el maíz pira (Colombia)
	el pochoclo (Argentina)
	las rocitas de maíz (República Dominicana)
el parque de atracciones	el parque de diversiones (El Salvador)
la rueda de Chicago	la noria (España)
	la vuelta al mundo (Argentina)

Para conversar

*T*o describe a place or an event:

El parque de atracciones es **maravilloso**.
The amusement park is marvelous (fantastic).

Los fuegos artificiales son una **fascinante** exhibición de colores.
Fireworks are a fascinating exhibition of colors.

Fue muy **chistoso/a**.
It was very funny.

Como puedes imaginarte, nos divertimos mucho.
As you can imagine, we had a lot of fun.

No puedo montarme en la montaña rusa sin **gritar de miedo**.
I cannot ride the roller coaster without shouting (screaming) in fear.

Para decir más

el carnaval	carnival
la carroza	(parade) float
la feria	fair
el juego mecánico	amusement park ride
el parque acuático	water park
el parque temático	theme park
las sillas voladoras	flying chairs
el tobogán	slide

1 ¿Dónde ocurre?

Di si lo que oyes es más común en un parque de atracciones o en un colegio.

A. Es común en un parque de atracciones.   **B.** Es común en un colegio.

2 El blog de Andrea

Completa el blog de Andrea con las palabras más lógicas de la lista.

algodón	atracciones	chocones	fuegos	grité
maravilloso	montaña	monté	rueda	

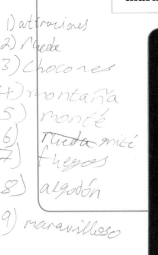

1) atracciones
2) Rueda
3) chocones
4) montaña
5) monté
6) Rueda grité
7) fuegos
8) algodón
9) maravilloso

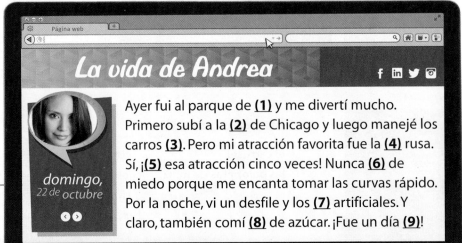

La vida de Andrea

f in 🐦 📷

domingo, 22 de octubre

Ayer fui al parque de **(1)** y me divertí mucho. Primero subí a la **(2)** de Chicago y luego manejé los carros **(3)**. Pero mi atracción favorita fue la **(4)** rusa. Sí, ¡**(5)** esa atracción cinco veces! Nunca **(6)** de miedo porque me encanta tomar las curvas rápido. Por la noche, vi un desfile y los **(7)** artificiales. Y claro, también comí **(8)** de azúcar. ¡Fue un día **(9)**!

¡Comunicación!

3 El parque de atracciones   Interpersonal/Presentational Communication

Entrevista a un(a) compañero/a de clase sobre su parque de atracciones favorito. Usa la tabla siguiente para tomar apuntes. Luego escribe un párrafo con los resultados de la entrevista.

MODELO   **El parque de atracciones favorito de Omar es Lakeside porque tiene muchas atracciones. A él le gusta montar en la montaña rusa y los carros chocones. Cuando va a ese parque, siempre compra palomitas de maíz.**

¿Cómo se llama tu parque de atracciones favorito?	¿En qué atracciones te gusta montar?	¿Qué comida compras allí?	¿Qué más te gusta del parque?
Lakeside	la montaña rusa, los carros chocones	palomitas de maíz	tiene muchas atracciones

Diálogo

¡Qué mentira!

Paco: El fin de semana fui al parque de atracciones con mi amiga guatemalteca.

Sara: ¡Qué bueno! ¿Montaron en todas las atracciones?

Paco: Sí, montamos en todas.

Sara: ¡Qué mentira! Tú no montaste en la montaña rusa.

Paco: Bueno, es que había mucha gente y ya puedes imaginarte.

Sara: Sí, sí, claro.

Paco: Pero mi amiga sí pudo montar. Gritaba como loca.

Sara: ¡Qué chistoso!

Paco: Sí, fue maravilloso.

4 ¿Qué recuerdas?

1. ¿Cuándo fue Paco al parque de atracciones?
2. ¿Con quién fue Paco?
3. ¿En qué atracciones montaron?
4. ¿En qué atracción no montó Paco? ¿Por qué?
5. ¿Qué hacía la amiga de Paco que pudo montar en la montaña rusa?

5 Algo personal

1. ¿Visitaste un parque de atracciones recientemente? ¿Cuál?
2. ¿Cuál es tu atracción favorita en el parque de atracciones? ¿Por qué?
3. ¿Tienes un parque de atracciones favorito? ¿Cómo se llama?

6 ¿Cuál es la respuesta correcta?

Escoge la letra de la respuesta correcta a lo que oyes.

A. A mucha gente le gustan las palomitas de maíz.
B. Es el carrusel. ¡Les encanta a los niños!
C. Sí. Fue fascinante y quiero montar en ella otra vez.
D. No. Es un coche antiguo.

Es el carrusel. ¡Les encanta a los niños!

Gramática

Talking About the Past: Imperfect Tense

- You have already learned the *pretérito*, which expresses completed past actions. A second tense, the imperfect tense (*el imperfecto*), also refers to the past, but without indicating specifically when the event or condition begins or ends.

- To form the imperfect tense of regular verbs, drop the *-ar*, *-er*, or *-ir* ending from the infinitive and add the endings indicated in red. All verbs in Spanish follow this pattern except for *ser*, *ir*, and *ver*, which you will learn later in this lesson.

hablar					
yo	habl**aba**	I was speaking (I used to speak)	nosotros nosotras	habl**ábamos**	we were speaking (we used to speak)
tú	habl**abas**	you were speaking (you used to speak)	vosotros vosotras	habl**abais**	you were speaking (you used to speak)
Ud.			Uds.		you were speaking (you used to speak)
él	habl**aba**	you were speaking (you used to speak)	ellos	habl**aban**	they were speaking (they used to speak)
ella			ellas		they were speaking (they used to speak)

comer					
yo	com**ía**	I was eating (I used to eat)	nosotros nosotras	com**íamos**	we were eating (we used to eat)
tú	com**ías**	you were eating (you used to eat)	vosotros vosotras	com**íais**	you were eating (you used to eat)
Ud.		you were eating (you used to eat)	Uds.		you were eating (you used to eat)
él	com**ía**	he was eating (he used to eat)	ellos	com**ían**	they were eating (they used to eat)
ella		she was eating (she used to eat)	ellas		they were eating (they used to eat)

vivir					
yo	vivía	I was living (I used to live)	nosotros nosotras	vivíamos	we were living (we used to live)
tú	vivías	you were living (you used to live)	vosotros vosotras	vivíais	you were living (you used to live)
Ud.		you were living (you used to live)	Uds.		you were living (you used to live)
él	vivía	he was living (he used to live)	ellos	vivían	they were living (they used to live)
ella		she was living (she used to live)	ellas		they were living (they used to live)

- The imperfect tense is used to describe an ongoing past action, a repeated (habitual) past action, or a long-standing situation.

  Hablaba con Pedro cuando... **I was talking** with Pedro when. . .
  Comíamos juntos todos los días. **We used to/would eat** together every day.
  Vivíamos en San Salvador. **We were living** in San Salvador.

- The impersonal expression *había* is the imperfect tense of *haber* (to have) and is the equivalent of **there was/there were**.

  Había mucha gente en el parque de atracciones. **There were** a lot of people at the amusement park.

7 ¿Qué hacían por la tarde? 🎧

Quieres saber qué hacían ayer por la tarde las personas indicadas. Haz preguntas, usando la forma apropiada del imperfecto de los siguientes verbos. Usa las pistas que se dan.

MODELO montar la rueda de Chicago (él)
¿Montaba él en la rueda de Chicago?

¿Montaba él en la rueda de Chicago?

1. viajar a San Salvador (ella)
2. trabajar en el parque de atracciones (Uds.)
3. gritar en la montaña rusa (él)
4. hablar con un amigo mexicano (tú)
5. aprender español (nosotros)
6. jugar con los globos (tú)
7. correr (ellos)
8. dormir en su cuarto (él)
9. leer (yo)
10. escribir correos electrónicos (nosotros)
11. acostarse (Ud.)
12. divertirse en el carrusel (Uds.)

8 ¿Qué hacían?

Tú y tus amigos fueron a un parque de atracciones. Completa las siguientes oraciones con el imperfecto de los verbos indicados para decir qué hacía cada persona cuando empezaron los fuegos artificiales.

MODELO Gabriel **comía** palomitas de maíz. (*comer*)

1. Yo __ un desfile de músicos chistosos. (*mirar*)
2. Carlos y Belinda __ a una montaña artificial. (*subir*)
3. Uds. __ con todo el mundo. (*hablar*)
4. Nosotros __ algodón de azúcar. (*comprar*)
5. Todos nosotros __ música popular. (*escuchar*)
6. Selena __ en la montaña rusa. (*montar*)
7. Samuel __ en los carros chocones. (*divertirse*)
8. Tú __ en la montaña rusa. (*gritar*)

9 En los carros chocones 🎧

Usando el imperfecto, haz oraciones diciendo qué hacían las personas mencionadas cuando tú montabas en los carros chocones.

MODELO tú / mirar un desfile de carros antiguos
Tú mirabas un desfile de carros antiguos.

Tú mirabas un desfile de carros antiguos.

1. yo / gritar en los carros chocones
2. nosotros / comer unas golosinas
3. cuatro muchachos / recoger basura
4. un hombre chistoso / vender globos rojos
5. tú / jugar con unos globos
6. unas chicas / cepillarse el pelo
7. Uds. / broncearse al sol

10 Cuando tenía ocho años

Completa el siguiente párrafo con las formas apropiadas del imperfecto.

Mis padres me (**1.** *llevar*) al parque de atracciones los fines de semana cuando yo (**2.** *tener*) ocho años. Nosotros siempre (**3.** *hacer*) lo mismo: primero nosotros (**4.** *montar*) en la montaña rusa y (**5.** *gritar*) mucho. Luego nosotros (**6.** *caminar*) por el parque y (**7.** *parar*) muchas veces para comer algo y para tomar unos refrescos. Yo siempre (**8.** *comer*) en menos de cinco minutos pero mis padres (**9.** *tardar*) más tiempo. Cuando nosotros (**10.** *terminar*) de comer, yo (**11.** *montar*) en el carrusel varias veces y luego, (**12.** *pedir*) un globo para llevar a casa. Yo siempre (**13.** *querer*) un globo rojo y mis padres siempre me (**14.** *comprar*) uno.

Un globo rojo

11 Armando y su familia 🎧

Armando vivía con su familia en otra ciudad antes de vivir en San Salvador. Trabajando en parejas, alterna con tu compañero/a de clase para decir lo que varias personas en su familia hacían cuando vivían en la otra ciudad.

MODELO   la hermana de Armando / escribir a unos parientes en San Salvador
La hermana de Armando escribía a unos parientes en San Salvador.

1. Armando / salir a jugar al fútbol con unos amigos
2. la abuela / comprar golosinas en la dulcería
3. sus primos / correr por el parque de atracciones
4. el tío y la tía / visitar los museos de historia
5. la tía Luisa / mirar las vitrinas de los almacenes nuevos
6. su hermano mayor / comer los sábados en un restaurante mexicano

¡Comunicación!

12 ¿Qué recuerdas? 👥 🎧   Interpersonal Communication

En parejas, alternen en hacer y contestar las siguientes preguntas para decir qué recuerdan de cuando tenían seis años. Usen el imperfecto.

1. ¿A qué hora salías para la escuela cuando tenías seis años?
2. ¿Te gustaban tus profesores/as?
3. ¿A qué jugabas con tus amigos/as?
4. ¿A qué hora comía tu familia los domingos?
5. ¿A qué hora tenías que acostarte?
6. ¿Qué hacías durante el verano a los seis años?

¡Comunicación!

13 El fin de semana pasado 👥   Interpersonal Communication

En parejas, hablen de lo que Uds. hacían durante el fin de semana pasado a diferentes horas. Pueden usar algunos de los verbos que están en esta caja si quieren. Cada persona debe hacer seis preguntas.

MODELO   A: ¿Qué hacías a la una el sábado?
            B: Almorzaba a la una el sábado.
            A: ¿Qué comías?
            B: Comía pescado y una ensalada.

acostarse   hacer la tarea

salir de la casa   dormir

levantarse   almorzar

desayunar   divertirse   practicar un deporte

chatear   bañarse   leer

El Parque Infantil de Diversiones de El Salvador combina diversión y educación.

Diversión y educación para los más jóvenes

Se sabe que los jóvenes se reúnen en los parques de atracciones para divertirse, pero ¿es posible que también vengan a estos parques para aprender? La respuesta es sí y un ejemplo es el Parque Infantil de Diversiones en la ciudad de San Salvador, capital de El Salvador. En este parque de atracciones, fundado[1] por los españoles en el año 1892, los niños y jóvenes de El Salvador se reúnen no solo para divertirse sino también para aprender y ayudar al medio ambiente[2] con actividades ecológicas, usando juegos e imaginación.

Los visitantes pueden recorrer[3] el parque en un tren, caminar por un sendero[4] de letras, deslizarse[5] en toboganes y jugar en una pequeña cancha[6] de fútbol. Como en todo parque de atracciones, también hay carruseles y ruedas mecánicas.

Pero lo más interesante es que los niños también pueden participar de talleres[7] de arte, charlar sobre educación ambiental, explorar áreas con árboles y aprender a cuidar a los animales de la zona, como la ardilla[8] gris. ¡Y todo es gratis[9] para los niños!

Esta combinación de atracciones típicas con atracciones educativas es fundamental para el desarrollo[10] de los niños y para cuidar el planeta. Por estas razones, el Parque Infantil de Diversiones es un orgullo[11] para todos los salvadoreños, quienes piden declararlo sitio histórico.

[1] established   [2] environment   [3] go through   [4] path   [5] slide   [6] field   [7] workshops   [8] squirrel   [9] free   [10] development   [11] pride

Búsqueda: parque infantil de diversiones, san salvador, ardilla gris

El Jardín Botánico La Laguna reúne a jóvenes interesados en plantas.

Productos   Conéctate: la ecología

En la ciudad de Cuscatlán, El Salvador, está el Jardín Botánico La Laguna. Originalmente era el jardín privado de una familia alemana (*German*) que traía árboles (*trees*) y plantas de todo el mundo. Hoy, este gran jardín es el lugar de El Salvador donde se reúnen más de 20.000 estudiantes por año para estudiar las diferentes especies vegetales y ayudar al medio ambiente. Además de divertirse con la observación de las plantas, los estudiantes tienen acceso a un centro de computación y a una biblioteca especializada.

14 Comprensión   Interpretive Communication

1. ¿Qué diferencia hay entre los parques de atracciones comunes y el Parque Infantil de Diversiones?

2. ¿Qué tipo de actividad ecológica se puede hacer en el Parque Infantil de Diversiones?

3. ¿Qué características comunes a un parque de atracciones hay en el Parque Infantil de Diversiones?

15 Analiza

1. Why do young people gather together at the *Parque Infantil de Diversiones*? Is it only to have fun?

2. How does the *Jardín Botánico La Laguna* attract young visitors?

Diversión popular salvadoreña en San Miguel 🎧

¿Cuál es la celebración que atrae[1] a más gente? En El Salvador es el Carnaval de San Miguel. Todos los años, cientos de miles de personas llegan a San Miguel durante las fiestas patronales[2] para disfrutar[3] de espectáculos y diversión.

La celebración se inicia el primer domingo de noviembre con la alegre canción "San Miguel en Carnaval". El estilo de música es muy divertido y se llama Xuc. Esta música se toca con un instrumento musical típico, hecho con cuero de venado[4] y una sola cuerda[5].

Carnaval de San Miguel

Durante las siguientes tres semanas, la gente se reúne en las calles para cantar y bailar, pero también para ver impresionantes desfiles de carrozas[6] y bailarines[7] profesionales vestidos en ropa típica salvadoreña.

El Carnaval de San Miguel también es una especie de parque de atracciones, donde mucha gente se puede divertir en las ruedas y otros juegos mecánicos durante todo un día de fiesta. La celebración popular termina con unos coloridos fuegos artificiales y, nuevamente, con la canción "San Miguel en Carnaval", cantada por todos los participantes, que van a esperar otro año más para divertirse juntos.

[1]attracts [2]patronage festivities [3]enjoy [4]deer [5]string [6]floats [7]dancers

🔍 **Búsqueda:** carnaval de san miguel, xuc

---

16 Comprensión **Interpretive Communication**

1. ¿Qué tipo de diversión tiene la gente que se reúne en el Carnaval de San Miguel?
2. ¿Qué es el Xuc y qué relación tiene con el Carnaval de San Miguel?
3. ¿Cuándo se canta la canción "San Miguel en Carnaval"?

17 Analiza

1. What do you think is the main reason to bring people together at the *Carnaval de San Miguel*? Explain.
2. What is the purpose of singing "*San Miguel en Carnaval*" twice during the festival? How does it bring people together?

Comparaciones

En los Estados Unidos hay muchas celebraciones con desfiles y fuegos artificiales. Investiga en la internet cuáles son. Luego haz una comparación con el Carnaval de San Miguel. ¿Qué tienen en común? ¿Qué tienen de diferente?

Perspectivas

La canción "San Miguel en Carnaval" invita a la unidad de todas las personas, sin distinción de edad, sexo o raza. ¿Por qué dice la canción que "todo es igual" en San Miguel, en Carnaval?

San Miguel en Carnaval

Ni pobre[1], ni rico[2], ni joven, ni viejo, ni bello[3], ni feo, ni chele[4], ni prieto[5], ni hembra[6], ni macho[7], ni alto, ni bajo, todo es igual en San Miguel, en Carnaval.

[1]poor [2]rich [3]beautiful [4]white-skinned [5]person of color [6]female [7]male

Vocabulario 2

Animales del mundo 🎧

Animales de África

En el **zoológico** se puede conocer **animales** de todas partes del mundo.

el tigre

la jirafa

la cebra

el elefante

el león

el gorila

el hipopótamo

el camello

Animales de América (Central, del Norte, del Sur)

el flamenco

la pantera

la iguana

el mono

la serpiente

la tortuga

Para decir más

la ardilla	*squirrel*
la ballena	*whale*
el canguro	*kangaroo*
el delfín	*dolphin*
el mapache	*raccoon*
la rana	*frog*
el rinoceronte	*rhinoceros*
el tiburón	*shark*
el venado	*deer*

Para conversar 🎧

[handwritten margin notes:]
1 Zoológico
2 África
3 animales
4 feroces
5 pantera
6 león
7 tigre
8 cebras
9 gorilas
10 guía
11 más de

To talk about a visit to the zoo:

Nos gustó **la visita** al zoológico.
We enjoyed the visit to the zoo.

El guía / La guía me dijo: **Bienvenido/a** al zoológico.
The guide told me: Welcome to the zoo.

El zoológico tiene **más de** dos mil animales.
The zoo has over two thousand animals.

Tomé muchas fotos con **la cámara** de mi celular.
I took a lot of pictures with my camera phone.

To talk about animals:

Vimos muchos animales **salvajes** en el safari en África.
We saw a lot of wild animals on the safari in Africa.

El león es un animal **feroz**.
The lion is a ferocious animal.

Estas panteras viven en **la selva** de América Central.
These panthers live in the jungle of Central America.

Las serpientes no me **molestan**.
Snakes do not bother me.

---

18 ¿Qué es? 🎧

Escucha las oraciones y decide qué animal se describe.

A. el elefante *3*

B. la jirafa *4*

C. el flamenco *5*

D. la serpiente *1*

E. el hipopótamo *2*

---

19 En el zoológico

Completa el párrafo con palabras lógicas del Vocabulario 2.

El **(1)** de mi ciudad tiene muchos animales de muchos lugares, como **(2)**, Australia y América del Sur. Hay **(3)** pequeños y grandes, dóciles y **(4)**. A mí me encanta ver los gatos grandes como las **(5)**, los **(6)** y los **(7)** de lugares exóticos. A los niños pequeños les llaman la atención las **(8)** porque parecen caballos con uniforme de la prisión. También les gusta mucho ver los **(9)**, que son primates grandes. En mi última visita, el **(10)** explicó que las tortugas pueden vivir **(11)** cien años. ¡Se aprende mucho en los zoológicos!

Parecen caballos con uniforme de la prisión.

Diálogo 🎧

¡Qué lástima!

Paco: Sara, ¿qué hiciste tú el fin de semana pasado?

Sara: Mi familia y yo fuimos al zoológico.

Paco: ¿Vieron muchos animales?

Sara: No, no muchos. Eran como cien animales. No tuvimos tiempo de verlos todos.

Paco: Por lo menos viste las iguanas.

Sara: ¿Las iguanas? A mí no me gustan las iguanas. Nosotros solo vimos los animales salvajes de África.

Paco: ¡Qué lástima! La iguana es mi animal favorito.

Sara: ¿Tu animal favorito? Es muy feo.

Paco: Sí, es feo, pero la sopa de iguana que prepara mi mamá me gusta mucho.

Sara: ¡Qué tonto eres! La próxima vez le digo a tu mamá que te prepare una sopa de mono.

Paco: Muy chistosa.

20 ¿Qué recuerdas? 🎧

1. ¿Qué hicieron Sara y su familia el fin de semana pasado?
2. ¿Vieron muchos animales?
3. ¿Cuántos animales eran?
4. ¿Qué animales vieron?
5. ¿Cuál es el animal favorito de Paco?

21 Algo personal 🎧

1. ¿Te gustan los zoológicos? Explica.
2. ¿Cuándo fue la última vez que fuiste a un zoológico?
3. ¿Qué animales había? ¿Eran africanos?
4. ¿Conoces a alguna persona con un apellido de animal? ¿Cómo se llama?

¡Comunicación!

22 Los animales del mundo 👥 Interpersonal Communication

Imagina que tú y tus compañeros vieron animales en diferentes lugares. En parejas, alternen en preguntar y en decir dónde vieron los animales de las fotos.

MODELO A: ¿Dónde viste un camello?

B: Vi un camello en el zoológico.

1   2   3   4   5   6

Gramática

Irregular Imperfect Tense Verbs: *ser*, *ir*, and *ver*

Three verbs are irregular in the imperfect tense in Spanish.

ser		ir		ver	
era	éramos	iba	íbamos	veía	veíamos
eras	erais	ibas	ibais	veías	veíais
era	eran	iba	iban	veía	veían

In addition to describing an ongoing past action, a repeated (habitual) past action or a long-standing situation, the imperfect tense may be used in the following situations:

- to refer to a physical, mental, or emotional characteristic or condition in the past

  Era alto y guapo.   **He was** tall and good-looking.
  Tenían miedo a las iguanas.   **They were** afraid of iguanas.

- to describe or provide background information about the past

  Eran las diez de la mañana.   **It was** 10:00 AM.
  Yo tenía cinco años.   **I was** five years old.
  Hacía mucho calor.   **It was** very hot.
  Había muchos animales.   **There were** many animals.

- to indicate past intentions

  Íbamos a ir al zoológico ayer.   **We were going to go** to the zoo yesterday.
  Querían ver la película sobre los leones.   **They wanted to see** the movie about lions.

Yo tenía cinco años.

Querían ver la película sobre los leones.

23 ¿Qué hacían en el parque?

¿Qué hacían tú y tu familia en el parque de atracciones ayer? Completa las oraciones con la forma apropiada del imperfecto de los verbos entre paréntesis para describir la visita.

MODELO   <u>Eran</u> las diez de la mañana cuando llegamos. *(ser)*

1. Las atracciones __ maravillosas. *(ser)*

2. Mi hermana menor __ la niña más emocionada de todo el parque. *(ser)*

3. Mis primos __ al parque solo para montar en la montaña rusa. *(ir)*

4. Yo __ a comprar una serpiente de plástico, pero no tenía dinero. *(ir)*

5. Mi hermano y yo __ una exhibición de carros antiguos por la tarde. *(ver)*

6. Nosotros __ a montar en globo pero tuvimos miedo. *(ir)*

7. Uds. __ los chicos más chistosos del parque. *(ser)*

8. Tú __ un desfile por más de una hora. *(ver)*

9. Cuando salíamos del parque __ las once de la noche. *(ser)*

10. Mucha gente __ los fuegos artificiales cuando nos fuimos. *(ver)*

24 ¿Qué veían en El Salvador?

Imagina que tú y tu familia iban a El Salvador todos los años. ¿Qué veían allí? Escribe siete oraciones diferentes, combinando elementos de cada columna. Añade las formas apropiadas de **ver** en el imperfecto.

MODELO   **Nosotros veíamos el volcán de Izalco.**

nosotros	el desfile del Día de la Independencia
mis padres	las tortugas en la playa San Blas
mi abuela	partidos de fútbol en el Estadio Cuscatlán
yo	el volcán de Izalco
tú	una exhibición en el Museo de Arte
mi hermana	animales en el Parque Zoológico Nacional
mi primo y yo	mapas antiguos en el Museo de la Ciudad

Volcán de Izalco, El Salvador

Desfile militar en El Salvador por el Día de la Independencia

25 ¿Qué iban a ver?

Tú y tus amigos iban a ir al zoológico la semana pasada para ver los animales favoritos de cada uno pero no pudieron ir. Di qué animales iban a ver, según las fotos.

MODELO Alan

Alan iba a ver las serpientes.

1. Bruno y Sam   **2.** nosotros   **3.** tú   **4.** Uds.

5. Mayra y Ana   **6.** Leonardo   **7.** Jimena   **8.** yo

¡Comunicación!

26 ¿Cómo eran los animales?   Interpersonal Communication

Tú y tus compañeros/as de clase vieron un documental sobre los animales de África. En grupos pequeños, alternen en describir uno de los animales de la lista sin mencionar el nombre del animal. Usen el verbo **ser** y adjetivos apropiados en sus descripciones. Después de cada descripción, los otros miembros del grupo deben adivinar (*guess*) qué animal se está describiendo.

Era un mono muy mono.

los hipopótamos	la tortuga	la leona
la cebra	el tigre	los monos
las serpientes	los flamencos	los gorilas
la jirafa	los elefantes	

MODELO   A: **Eran muy chistosos.**

B: **¿Eran los monos?**

A: **¡Sí!**

Un poco más

Mono

The word *mono* is used in Colombia to refer to blond people. In Mexico and in Spain, the word *mono* is equivalent to "cute." To say "blond" in El Salvador, use the word *chele* for a man or *chela* for a woman.

¡Comunicación!

27 Zoológico Safari   Interpretive/Interpersonal Communication

Mira la siguiente página web del Zoológico Safari. Luego, trabajando en parejas, alterna con tu compañero/a de clase en preguntar y contestar a qué hora ocurrían diferentes actividades ayer en el zoológico.

MODELO   el gran desfile

A: ¿A qué hora era ayer el gran desfile?

B: Era a las ocho de la noche.

1. la exhibición de los monos de América Central
2. los fuegos artificiales
3. la película sobre el zoológico
4. el desfile de la selva
5. las exhibiciones de animales salvajes de África

6. la visita al mundo de los hipopótamos
7. la película sobre los animales de América del Sur
8. la exhibición de los tigres

www.zoologicosafari.com

INICIO   ANIMALES   TARIFAS   TIENDA   CONTACTO

ZOOLÓGICO SAFARI

HORARIO DE EVENTOS

Película: Bienvenidos al Zoológico Safari 9:00 AM

Exhibición: Las serpientes del desierto 9:30 AM, 2:30 PM

Exhibición: Los monos de América Central 10:30 AM

Película: Los maravillosos animales de América del Norte 11:00 AM

Exhibición: Los animales salvajes de África 11:30 AM, 4:00 PM

Visita: El mundo de los hipopótamos 12:00 PM

El desfile de la selva: 1:30 PM

Película: Los animales salvajes de América Central 3:00 PM

Exhibición: Gatos grandes, los tigres 3:30 PM

Película: Los fascinantes animales de América del Sur 4:30 PM

Fuegos artificiales: 7:00 PM

Gran desfile: 8:00 PM

¡Comunicación!

28 ¿Qué hacías tú en el Zoológico Safari? 👥 **Interpersonal Communication**

Imaginen que ayer fueron al Zoológico Safari. Trabajando en parejas, y usando la información de la actividad anterior, alternen en hacer y contestar preguntas sobre lo que Uds. hacían a diferentes horas.

MODELO   A: ¿Qué hacías al mediodía?

               B: Visitaba los hipopótamos.

Ser vs. estar

Do you remember how to use *ser* and *estar*?

- *Ser* may express origin.

Soy de El Salvador.	**I am** from El Salvador.
Soy de los Estados Unidos.	**I am** from the United States.

- Sometimes *ser* expresses a characteristic that distinguishes people or objects from one another.

El zoológico **era** grande.	The zoo **was** large.
¡Qué chistosa **eres**!	How funny **you are**!

- *Estar* is used to express a temporary condition.

Estamos cansados.	**We are** tired.
¡Qué delgado **estaba** el tigre!	How thin the tiger **was**!

- *Estar* also may refer to location.

¿Dónde **está** el baño?	Where **is** the bathroom?

- Although *estar* generally is used to express location, note this exception: *Ser* can refer to the location of an event, in which case it is the equivalent of **to take place**.

¿Dónde **es** el desfile?	Where does the parade **take place**?

Repaso rápido

Somos de El Salvador.

Estamos en la playa El Tunco.

29 ¿Ser o estar?

Completa las siguientes oraciones con la forma apropiada del imperfecto de **ser** o **estar**, según las situaciones.

MODELO   Cuando fuimos al Parque Zoológico Nacional de El Salvador, el día **estaba** nublado.

El día estaba nublado en San Salvador.

1. Mi amiga de Panamá vino con nosotros porque __ en San Salvador de vacaciones.
2. La elefante "Manyula" __ un ícono del zoológico. Murió a los 60 años.
3. Los monos cara blanca __ muy chistosos y activos.
4. Los tigres de Bengalí __ salvajes y muy feroces. Nadie quería estar muy cerca de ellos.
5. ¡La serpiente __ sobre mi cámara cuando trataba de tomar una foto! ¡Qué miedo!
6. La exhibición de iguanas __ ayer a las dos de la tarde.
7. ¿__ enfermas las tortugas de Ecuador?
8. Nosotros __ muy contentos de ver un león de África.
9. Este zoológico no __ muy grande. Tenía solo 400 animales.
10. ¡Las montañas que vimos desde el parque __ fascinantes!

¡Comunicación!

30 Cuando éramos pequeños/as   Interpersonal/Presentational Communication

¿Qué hacías cuando eras pequeño/a? Haz una lista de por lo menos ocho cosas. Luego, trabajando en parejas, lean el uno al otro lo que escribieron y hagan una lista de las actividades que los dos tienen en común en sus listas. Por último, da un reporte de estas actividades a otra pareja de estudiantes.

MODELO   **Cuando éramos pequeños, mi compañero y yo comíamos muchas golosinas...**

Cuando era pequeño:
1. Montaba en la montaña rusa con mi familia.
2. Comía muchas golosinas.

Cuando era pequeña:
1. Comía muchas golosinas.
2. Montaba en bicicleta con mis amigos del barrio.

Gramática

Adjectives of Nationality

- You will recall that singular masculine adjectives that end in *-o* have a feminine form that ends in *-a*, and most singular adjectives that end with an *-e* or with a consonant have only one singular form. However, for masculine adjectives of nationality that end with a consonant, add *-a* to make the feminine form: *español/española*.

Soy de...	Soy...	
(la) Argentina	**argentino/a**	
Bolivia	**boliviano/a**	
Chile	**chileno/a**	
Colombia	**colombiano/a**	
Costa Rica	**costarricense**	
Cuba	**cubano/a**	
Ecuador	**ecuatoriano/a**	
El Salvador	**salvadoreño/a**	
España	**español/española**	
(los) Estados Unidos	**estadounidense**	
Guatemala	**guatemalteco/a**	
Honduras	**hondureño/a**	
México	**mexicano/a**	
Nicaragua	**nicaragüense**	
Panamá	**panameño/a**	*colon*
(el) Paraguay	**paraguayo/a**	
(el) Perú	**peruano/a**	*Lima*
Puerto Rico	**puertorriqueño/a**	*San Juan*
(la) República Dominicana	**dominicano/a**	*Santo Domingo*
(el) Uruguay	**uruguayo/a**	
Venezuela	**venezolano/a**	*Caracas*

- Adjectives of nationality are used after the word they are describing. However, sometimes a word you are describing may be omitted in order to avoid repeating a noun. In such cases the article remains and the adjective must agree with the noun that was omitted.

  ¿Te gustan **las atracciones** *salvadoreñas o* **las guatemaltecas***?*
  Do you like the Salvadoran **attractions** or the **Guatemalan ones**?

Soy salvadoreña.

Un poco más

¿Qué es América?

In the Spanish-speaking world, the word *América* refers to *América del Sur*, *América Central* , and *América del Norte*. Additionally, the adjective *americano/a* refers to anyone from any part of *América*. For this reason, if you are from the United States when traveling in the Spanish-speaking world, demonstrate good diplomacy and knowledge of this cultural and linguistic difference by referring to yourself as an *estadounidense*.

Unos amigos te presentaron a algunas personas de otros países durante una visita al zoológico. Di de qué nacionalidad eran, conectando lógicamente las oraciones de la columna II con las oraciones de la columna I.

I

1. Los amigos de Fernando eran de Nicaragua.
2. Ana y Paula eran de Panamá.
3. Paco era de Chile.
4. Todos éramos de los Estados Unidos.
5. Miguel y Rogelio eran de la República Dominicana.
6. Los señores Toro eran de España también.
7. La señora Martínez era de España.
8. Silvia era de Guatemala.
9. La señorita Sánchez era de Puerto Rico.
10. Margarita era del Perú.

II

A. Eran dominicanos.
B. Eran panameñas.
C. Éramos estadounidenses.
D. Era chileno.
E. Eran nicaragüenses.
F. Era española.
G. Era peruana.
H. Era guatemalteca.
I. Eran españoles.
J. Era puertorriqueña.

Imagina que eres veterinario/a y fuiste a un zoológico en El Salvador para hacer un estudio. Completa las observaciones que hiciste durante tu visita, usando las indicaciones que se dan. Sigue el modelo.

MODELO serpientes / americano / enfermo / por comer algo malo

Las serpientes americanas estaban enfermas por comer algo malo.

1. leones / africano / salvaje
2. monos / hondureño / contento / de verme
3. panteras / negro / feroz *eran*
4. zoológico / salvadoreño / maravilloso
5. iguanas / mexicano / muy chistoso
6. camellos / nervioso / de ver a tanta gente
7. elefantes / africano / cansado / por no dormir bien

Las serpientes americanas estaban enfermas.

¡Comunicación!

33 Ciudades americanas

Interpersonal Communication

Mirando el mapa y trabajando en parejas, alternen en decir "**Es una ciudad (*adjetivo de nacionalidad*)**". La otra persona tiene que identificar la ciudad.

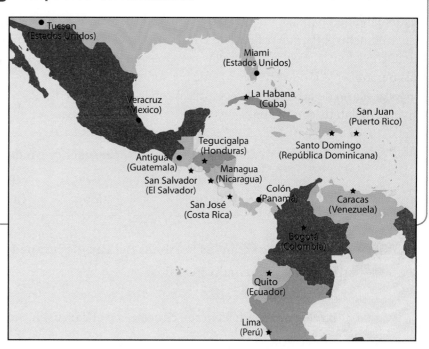

Tucson
(Estados Unidos)

Miami
(Estados Unidos)

La Habana
(Cuba)

San Juan
(Puerto Rico)

Veracruz
(Mexico)

Santo Domingo
(República Dominicana)

Tegucigalpa
(Honduras)

Antigua
(Guatemala)

Managua
(Nicaragua)

San Salvador
(El Salvador)

Colón
(Panama)

Caracas
(Venezuela)

San José
(Costa Rica)

Bogotá
(Colombia)

Quito
(Ecuador)

Lima
(Perú)

¡Comunicación!

34 Un grupo internacional

Interpersonal/Presentational Communication

Primero, escoge una ciudad capital de un país hispanohablante. En esta actividad vas a ser de ese lugar. Luego, pregunta el nombre y el origen de cinco estudiantes de la clase. Finalmente, escribe un pequeño resumen (*summary*) de toda la información.

MODELO **Dominic es de Santiago. Él es chileno. Matilda y Cristina son de Madrid. Ellas son españolas. Daniel es de San Salvador. Él es salvadoreño. Y Ali es de Managua. Él es nicaragüense.**

¿Cómo te llamas?	¿De dónde eres?
Dominic	Santiago
Matilda	Madrid
Daniel	San Salvador
Ali	Managua
Cristina	Madrid

Todo en contexto

¡Comunicación!

35 Reporte de un viaje — Interpersonal/Presentational Communication

Trabajando en parejas, imaginen que uno/a de ustedes estuvo de viaje en El Salvador y le gustó mucho el Parque Infantil de Diversiones y el Carnaval de San Miguel. El/La otro/a lo entrevista y le pregunta sobre las personas que había en esos lugares. ¿Quiénes eran las personas? ¿Dónde estaban? ¿Qué hacían? ¿Qué veían? Usen verbos en el imperfecto y vocabulario de la lección. Luego presenten la entrevista a la clase. Si quieren, usen la lista de palabras como guía.

rueda de Chicago	carrusel	palomitas de maíz
fuegos artificiales	coche	montaña rusa
desfile	globo	carros chocones

MODELO

A: ¿Quiénes eran las personas del Parque Infantil de Diversiones?

B: Eran padres con sus hijos.

A: ¿Qué hacían allí?

B: Montaban los carros chocones y el carrusel.

¡Comunicación!

36 Cuando estabas en el zoológico — Interpretive/Presentational Communication

El sábado pasado fuiste al zoológico y viste muchos animales interesantes. Ahora te reúnes con tus amigos para mostrarles las fotos que tomaste con tu cámara. Para cada foto, explica cómo era cada animal, dónde estaba y cómo estaba cuando lo mirabas.

MODELO

El tigre era anaranjado y negro. Estaba cerca del agua.
El tigre estaba cansado.

1   2   3   4   5   6

Lectura informativa

Antes de leer

1. ¿Qué animales hay en la zona dónde tú vives?

2. ¿Qué tipo de actividad comunitaria te gusta hacer?

3. ¿Qué animales del mundo están en peligro (*danger*)?

Estrategia

Understanding graphics

Illustrations, labels, charts, and other graphics are important to clarify concepts or add information to a reading. Before you read, skim the information around the image. Then you will be prepared to read the text. Afterwards, the table will give you facts about what you read.

La conservación de las tortugas marinas en El Salvador

Las tortugas marinas son reptiles increíbles: han estado en este planeta por más de 200 millones de años y pueden nadar por horas y horas. También mantienen limpios los arrecifes de coral — algo muy importante para el ecosistema marino. Lamentablemente, también son una de las especies de animales en peligro de extinción[1]. Muchas personas las cazan[2] para comer o para hacer productos con su caparazón[3], como los anteojos[4] de carey, que se venden a precios muy altos.

Para proteger a las tortugas, el gobierno de El Salvador participó en el programa "Estrategia Mundial para la Conservación de las Tortugas Marinas". Este programa informa y educa a la sociedad sobre un problema ecológico mundial. En los campamentos de conservación, los biólogos marinos trabajan con estudiantes para cuidar a las tortugas y sus hábitats.

TORTUGA CAREY
Una de las cuatro especies en peligro de extinción en El Salvador

85 cm

Esta tabla muestra los beneficios de criar (*breed*) tortugas carey en corrales protegidos. Las diferencias en las probabilidades de vida son notables.

	En coral	En un sitio sin protección
crías vivas en el nido (*live offspring in the nest*)	2.100	600
crías vivas fuera del nido (*live offspring out of the nest*)	20.100	2.600
huevos con desarrollo (*developed eggs*)	6.900	890

CAPARAZÓN:
Es la **única especie** de tortuga con escamas (*scales*) superpuestas (*superimposed*) en el caparazón. Su color le sirve para **esconderse** (*hide*) y protegerse de otros animales.

¡PELIGRO!
La gente caza esta tortuga para hacer **objetos valiosos** con su caparazón

X   X

¡No los uses!

HUEVOS:
La tortuga carey pone **aproximadamente** 300 huevos por año.

Además, la fundación SalvaNatura inició el proyecto SalvaTortuga, con la creación de corrales[5] protegidos para la incubación de huevos de tortugas en la playa Costa del Sol.

Por otra parte, el Ministerio de Medio Ambiente y Recursos Naturales presentó un plan de conservación de diez años. Con este plan, empresas privadas de la industria pesquera[6], turismo y restaurantes se comprometen[7] a no destruir[8] el hábitat de estos hermosos animales.

Si todos colaboramos, vamos a tener resultados positivos y las tortugas marinas seguirán nadando por los océanos como lo han hecho por millones de años.

[1] endangered   [2] hunt them   [3] shell   [4] sunglasses   [5] pens, corrals   [6] fishing   [7] commit   [8] destroy

Búsqueda: tortuga carey, salvatortuga

1. ¿Por qué las tortugas marinas están en peligro de extinción?

2. ¿Quiénes se reúnen en El Salvador para ayudar a las tortugas? ¿Qué hacen?

3. ¿Qué hizo el gobierno de El Salvador para proteger las tortugas? ¿Quién colabora?

38 Analiza

1. Why is it important to help the sea turtles?

2. Based on the table in the illustration within the reading, what do you think is a possible solution to prevent the extinction of sea turtles?

3. What can you infer from the big difference between the numbers in each category of the table?

Extensión

Las tortugas marinas son parientes de las tortugas terrestres (*land turtles*). Hace millones de años, algunas tortugas terrestres fueron al mar y allí se originó la especie marina. Hoy, las tortugas terrestres también están en peligro de extinción por la actividad humana. Organizaciones de todo el mundo crean proyectos para proteger a estos animales, dando clases educativas en lugares públicos donde la gente se puede reunir para aprender y colaborar. Un ejemplo en los Estados Unidos es el zoológico del Bronx, en Nueva York, o la Comisión para la Conservación de Peces y Fauna de la Florida (FWC).

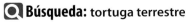 **Búsqueda:** tortuga terrestre

La tortuga terrestre

✏️ Escritura

39 Las tortugas **Presentational Communication**

Aprendiste que en El Salvador protegen a la tortuga carey, una especie de mucho valor. Escribe un breve discurso (*speech*) explicando para qué cazan esta tortuga y qué consecuencias hay. También da ideas sobre cómo puede ayudar la gente como tú para proteger a estos animales. ¿Qué actividades pueden hacer? ¿Qué cosas pueden comprar o no comprar? Usa los verbos **ser** y **estar** de manera apropiada.

Luego lee tu discurso a la clase y contesta cualquier pregunta de tus compañeros.

Para escribir más

Creo que esta especie...	*I believe that this species . . .*
Está (No está) en peligro de extinción porque...	*It is (not) an endangered species because . . .*
Para protegerlos, debemos...	*To protect them, we should . . .*
Creo que es importante porque...	*I think it is important because . . .*

Repaso de la Lección A

A Escuchar: Las definiciones 🎧 (pp. 160, 170)

Vas a escuchar ocho oraciones. Para cada definición, selecciona la palabra que corresponde.

A. algodón de azúcar

B. cámara

C. carrusel

D. desfile

E. fuegos artificiales

F. guía

G. selva

H. tortuga

B Vocabulario: Oraciones lógicas (pp. 160, 170)

Completa las oraciones con las palabras apropiadas del recuadro.

antiguos	artificiales	chistosos	fascinante	feroces	rusa

1. Ayer vimos un desfile de coches __, de los años 1940.

2. Hay que tener cuidado con los tigres porque son animales __.

3. Los globos en forma de animales son muy __.

4. ¿Prefieres montar en una montaña __ o en la rueda de Chicago?

5. La visita al zoológico fue __ porque aprendí mucho.

6. La celebración terminó con música y fuegos __.

C Gramática: ¿Qué hacían en las vacaciones? (pp. 164, 173)

Cambia los verbos indicados al imperfecto para decir qué hacía la familia de Manuela durante las vacaciones.

MODELO *Se levantan* tarde todos los días.
Se levantaban tarde todos los días.

1. El abuelo de Manuela *lee* las noticias por internet todas las mañanas.

2. Manuela y sus hermanos *van* al parque de atracciones todos los días.

3. Manuela *compra* palomitas de maíz todas las tardes.

4. *Duermen* en un hotel que *es* un monasterio.

5. La mamá de Manuela *grita* cuando *ve* películas de horror.

6. Manuela *se acuesta* todas las noches a las once.

D Gramática: Las nacionalidades (p. 179)

Escribe el adjetivo femenino de nacionalidad para los siguientes países.

Costa Rica   **Estados Unidos**   *España*   *Puerto Rico*   Venezuela

Contesta estas preguntas sobre algunos lugares en El Salvador donde la gente se reúne
para divertirse y aprender.

1. ¿Cómo se llama el antiguo parque de atracciones en San Salvador? ¿Qué pueden hacer los niños en ese parque?
2. ¿Qué era originalmente el Jardín Botánico La Laguna? ¿Por qué se reúnen los jóvenes allí?
3. ¿Qué evento en San Miguel atrae (*attracts*) a cientos de miles de personas? ¿Cuándo es?
4. ¿Qué actividad hace la gente al inicio y al final del evento? ¿Cómo se llama el estilo de música?

Vocabulario

En el parque de atracciones	En el zoológico	Para describir	Verbos	Expresiones y otras palabras
el algodón de azúcar	el animal	antiguo/a	gritar	el África
la atracción	el camello	chistoso/a	había	la América (Central/ del Norte/del Sur)
los carros chocones	la cebra	fascinante	imaginar(se)	bienvenido/a
el carrusel	el elefante	feroz	molestar	la cámara
el desfile	el flamenco	maravilloso/a		como
los fuegos artificiales	el gorila	salvaje		más de
el globo	el guía, la guía			la montaña
la golosina	el hipopótamo			la visita
la montaña rusa	la iguana			
las palomitas de maíz	el zoológico			
la rueda de Chicago	la jirafa			
	el león			
	el mono			
	la pantera			
	la selva			
	la serpiente			
	el tigre			
	la tortuga			

Gramática

The imperfect of irregular verbs

gritar		conocer		subir	
gritaba	gritábamos	conocía	conocíamos	subía	subíamos
gritabas	gritábais	conocías	conocíais	subíais	subíais
gritaba	gritaban	conocía	conocían	subía	subían

ser		ir		ver	
era	éramos	iba	íbamos	veía	veíamos
eras	erais	ibas	ibais	veías	veíais
era	eran	iba	iban	veía	veían

Adjectives of nationality

argentino/a	hondureño/a
boliviano/a	mexicano/a
chileno/a	nicaragüense
colombiano/a	panameño/a
costarricense	paraguayo/a
cubano/ a	peruano/a
dominicano/a	puertorriqueño/a
ecuatoriano/a	salvadoreño/a
español/española	uruguayo/a
estadounidense	venezolano/a
guatemalteco/a	

Lección B

Vocabulario 1

Honduras

emcpassport.com
WB 1
LA 1
GV 1

Espectáculos estupendos

El circo viene a la ciudad.

la taquilla

el boleto

la banda

el/la trapecista

el/la malabarista

el payaso

el/la acróbata

la jaula

la fila

el oso

el oso de peluche

Para decir más

la carpa	*tent*
el espectáculo	*show*
el/la maestro/a de ceremonias	*ringmaster*
el/la mago/a	*magician*
el/la ilusionista	*illusionist*
el/la equilibrista	*tightrope walker*

Para conversar 🎧

***T**o talk about the circus:*

Fuimos al circo **durante** las vacaciones.
We went to the circus during vacation.

Ese payaso es un **gran** artista.
That clown is a great artist.

Me gusta ver a los trapecistas porque es **emocionante**.
I like to watch the trapeze artists because it is exciting.

El acto con las motocicletas es muy **peligroso**.
The motorcycle act is very dangerous.

No me gusta ir a los circos con animales.
¡Pobres animales!
I do not like to go to circuses with animals:
Poor animals!

Los acróbatas tienen mucha **destreza**.
Acrobats have a lot of skill.

1 ¿Qué es? 🎧

Escucha y luego, identifica las cosas y personas que se encuentran en el circo.

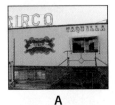

A

B

C

D

E

2 ¿Qué vio Amanda?

Amanda fue al circo el sábado y hoy está hablando con Ricardo sobre lo que ella vio. Completa el siguiente diálogo con las palabras de la derecha para saber lo que dicen.

emocionante

banda

malabaristas

payasos

osos

acróbatas

Ricardo: Oye, Elena, ¿te gustó el circo adonde fuiste el sábado?

Amanda: Sí, fue estupendo. Había **(1)** chistosos, una **(2)** de música, **(3)** con mucha destreza y unos **(4)** marrones lindísimos.

Ricardo: Y, ¿qué era lo más **(5)**?

Amanda: Lo más emocionante fueron los leones.

Ricardo: Y, ¿qué era lo más peligroso?

Amanda: Lo más peligroso eran los **(6)** jugando con fuego (*fire*).

Diálogo 🎧

Soy un gran malabarista

Jorge: Hay un gran circo en la ciudad. ¿Les gustaría ir?

Marina: ¡Ay, sí! Yo oí que era un circo grandísimo.

Ariel: Bueno, ¡vamos! ¿Qué hay en este circo?

Jorge: Hay acróbatas, malabaristas y trapecistas.

Ariel: ¿Malabaristas? ¡Yo soy un gran malabarista!

Marina: ¡Qué mentira tan grande!

Jorge: A ver. Aquí tienes tres naranjas. Queremos ver.

Marina: ¡Ja, ja! Lo que eres es un payaso.

3 ¿Qué recuerdas? 🎧

1. ¿Adónde quiere ir Jorge?
2. ¿Qué oyó Marina?
3. ¿Qué dice Jorge que hay en el circo?
4. ¿Qué dice Ariel que él es?
5. ¿Qué dice Marina de Ariel?

4 Algo personal 🎧

1. ¿Te gusta el circo? ¿Por qué?
2. ¿Te gustaría ser acróbata o malabarista? ¿Por qué?
3. ¿Qué te parece más peligroso, un león o un oso? ¿Por qué?

¡Comunicación!

5 Los circos 👥 Interpersonal/Presentational Communication

Entrevista a un(a) compañero/a de clase usando esta tabla. Luego escribe un resumen de los resultados.

MODELO **El circo favorito de Lina es el Cirque de Soleil. Ella fue a ese circo hace dos años. Lo más emocionante para ella fueron los acróbatas.**

Nombre	Su circo favorito	Cuándo asistió	Lo más emocionante
Lina	Cirque de Soleil	hace dos años	los acróbatas

Gramática

Special Endings: *-ísimo/a* and *-ito/a*

- Adding an ending to an adjective or noun can have special significance in Spanish. For example, when you would use "very," "most," or "extremely" with an adjective in English, the ending *-ísimo* (and the variations *-ísima*, *-ísimos*, and *-ísimas*) often can be added to an adjective in Spanish. For adjectives that end in a vowel, the appropriate *-ísimo* ending usually replaces the final vowel.

*Ese es un león **grande**.*	That is a **big** lion.
*Ese es un león **grandísimo**.*	That is a **very big** lion.

but:

*La jaula estaba **sucia**.*	The cage was **dirty**.
*La jaula estaba **sucísima**.*	The cage was **very dirty**.

- For adjectives that end in *-ble*, change the *-ble* to *-bil* before adding the *-ísimo* ending.

*Ese malabarista era **amable**.*	That juggler was **nice**.
*Ese malabarista era **amabilísimo**.*	That juggler was **very nice**.

- Adjectives with an accent mark lose the accent mark when an *-ísimo* ending is added.

*Las trapecistas eran **rápidas**.*	The trapeze artists were **fast**.
*Las trapecistas eran **rapidísimas**.*	The trapeze artists were **very fast**.

- Attach the appropriate form of *-ísimo* directly to the end of adjectives that end in a consonant, but first remove any plural ending before adding *-ísimo*.

*Era **fácil** jugar con los payasos.*	It was **easy** to play with the clowns.
*Era **facilísimo** jugar con los payasos.*	It was **very easy** to play with the clowns.

but:

*La banda tocaba cosas **difíciles**.*	The band played **difficult** things.
*La banda tocaba cosas **dificilísimas**.*	The band played **extremely difficult** things.

- Adjectives that end in *-co/-ca*, *-go/-ga*, or *-z* require a spelling change when a form of *-ísimo* is added.

c → **qu:**	có**m**i**co**	→	comi**qu**ísimo
g → **gu:**	lar**g**a	→	lar**gu**ísima
z → **c:**	feli**z**	→	feli**c**ísimo

Es un elefante grandísimo.

Es comiquísimo.

- Similarly, you can add another set of endings to a noun to show affection or to indicate that someone or something is small. The most common of these endings is a form of *-ito* (*-ita*, *-itos*, *-itas*), which usually replaces the final vowel of a noun. Other diminutive endings include *-cito* (*-cita*, *-citos*, *-citas*), *-illo* (*-illa*, *-illos*, *-illas*), *-uelo* (*-uela*, *-uelos*, *-uelas*), and *-ico* (*-ica*, *-icos*, *-icas*). Like all adjectives, these endings must match the gender and number of the noun. Try to become familiar with as many variations as you can, since the endings vary from person to person and from country to country.

El osito

-ito: oso → os**ito**   **-cito:** león → leon**cito**   **-illo:** payaso → payas**illo**

-uelo: pollo → poll**uelo**   **-ico:** gato → gat**ico**

6 ¡No es cierto! 🎧

Imagina que alguien te está haciendo las siguientes descripciones sobre algunas cosas que había en el circo, pero tú piensas lo contrario (*opposite*). Haz oraciones para decir qué piensas tú, usando una forma de **-ísimo**.

MODELO   El circo era pequeño.

No es cierto. El circo era grandísimo.

El circo era grandísimo.

1. La taquilla era grande.
2. Los elefantes eran delgados.
3. Los malabaristas eran bajos.
4. Los caballos eran lentos.
5. La banda era mala.
6. Todos nosotros estábamos tristes.
7. Los payasos eran aburridos.

7 Fuimos al circo 👥 🎧

En parejas, alterna con tu compañero/a de clase en preguntar y en contestar cómo eran o estaban las siguientes cosas del circo que visitaron el fin de semana. Usen la forma apropiada de **-ísimo** y las indicaciones que se dan. Sigan el modelo.

MODELO   estar / las jaulas muy sucias

A: **¿Estaban las jaulas muy sucias?**

B: **Sí. ¡Las jaulas estaban sucísimas!**

1. estar / la fila muy larga
2. ser / los osos muy grandes
3. ser / los tigres muy feroces
4. estar / tu amiga muy cansada al final del día
5. ser / los malabaristas muy buenos
6. ser / los boletos muy caros

¡Comunicación!

8 En la red social   Presentational Communication

Crea un perfil (*profile*) para una red social en el cual exageras todo
sobre ti mismo. Escribe por lo menos tres oraciones e incluye la forma
apropiada de **–ísimo** de cinco adjetivos.

Soy un hondureño altísimo que es
buenísimo en el básquetbol.
Corro rapidísimo y salto altísimo.
También soy un malabarista
con muchísimo talento.

9 De menor a mayor 🎧

Escribe la forma original de los siguientes diminutivos.

MODELO   un payasito   **un payaso**

1. unos papelitos
2. un leoncito
3. una florecita

4. unos flamenquitos
5. unos polluelos
6. unos globitos

10 ¡Qué pesado! 🎧

Ernesto exagera mucho, pero a él le gusta usar las terminaciones **–ito** e **–ita** en todo
lo que dice. Cambia las palabras indicadas a la forma apropiada de **–ito** o **–ita** para ver
cómo diría (*would say*) Ernesto las siguientes oraciones.

MODELO   Había muchos *payasos* en el circo.
Había muchos payasitos en el circo.

1. Mis *primas* veían a los *tigres*.
2. A mis *amigos* no les gustaron los *osos*.
3. La *banda* del circo tocaba buena *música*.

4. Los *caballos* hacían una *fila* muy simpática.
5. Veíamos un *león* muy bonito en una *jaula*.
6. Los *payasos* eran muy divertidos.

¡Comunicación!

11 Cinco preguntas 👥   Interpersonal Communication

Piensa en un animal (e.g., el león). Luego, trabajando en parejas, alternen en hacer y
contestar preguntas para identificar el animal. Hagan cinco preguntas antes de
adivinar (*guess*) qué es. Algunas preguntas deben usar la forma de **–ito**, y las
respuestas deben usar la palabra **sí** o **no**. El/La que adivine primero qué animal es gana.

MODELO   A: **¿Es gordito y negro?**
              B: **No.**

Gramática

Adjective Placement

- You will recall that adjectives are masculine or feminine, singular or plural, and usually follow the nouns they modify.

  Era un león **feroz**.　　　　　　　It was a **fierce** lion.
  Los payasos del circo eran **chistosos**.　The circus clowns were **funny**.

- Exceptions to this rule include demonstrative adjectives (*este, ese, aquel*), adjectives of quantity (*mucho, poco*), cardinal numbers (*dos, tres*), question-asking words (*¿qué?*), and indefinite adjectives (*otro*). They precede the nouns they modify.

  ¿Conoces a **ese** acróbata?　　　　Do you know **that** acrobat?
  Vimos **pocos** osos.　　　　　　　We saw **few** bears.
  Había **seis** elefantes en el circo.　There were **six** elephants in the circus.
  ¿**Qué** payaso preferías?　　　　　**What** clown did you prefer?
  El **otro** payaso es mexicano.　　　The **other** clown is Mexican.

- Adjectives that describe a permanent characteristic often precede the noun they describe.

  La *blanca* nieve era linda.　　　　The **white** snow was pretty.

- Ordinal numbers usually precede a noun, although they may sometimes be used after a noun, especially in headings and for titles.

  Este es el *primer* circo del año.　　This is the **first** circus of the year.
  but:
  Juan Carlos I (Juan Carlos **Primero**)　Juan Carlos I (Juan Carlos **the First**)

Note: Cardinal numbers precede ordinal numbers when both are used in one sentence to refer to the same noun.

  Eran los **dos primeros** niños en la fila.　They were the **first two** children in the line.

- Several common adjectives may be used before or after the nouns they describe.

Note: Before a masculine singular noun, **bueno** changes to *buen* and **malo** changes to *mal*.

  Era un *buen* trapecista.
  Era un trapecista **bueno**.　　　　He was a **good** trapeze artist.
  Él no era un *mal* acróbata.
  Él no era un acróbata **malo**.　　　He was not a **bad** acrobat.

- Some adjectives actually change their meaning according to whether they are used before or after a noun. For example, placed before a noun, *grande* may be the equivalent of **great**. (Before singular nouns, *grande* changes to *gran*.) Placed after a noun, a form of *grande* conveys that someone or something is **big**.

  Es un *gran* circo.　　　　　　　It is a **great** circus.
  Es un circo **grande**.　　　　　　It is a **big** circus.

- Here are other adjectives that change their meanings depending upon their placement before or after a noun:

un amigo **viejo**	an **old** (elderly) friend	*un* **viejo** *amigo*	an **old** (I have known him a long time) friend
la mujer **pobre**	the **poor** (without much money) woman	*la* **pobre** *mujer*	the **poor** (pitiful) woman
el profesor **mismo**	the teacher **himself**	*el* **mismo** *profesor*	the **same** teacher
un celular **nuevo**	a (never-owned) **new** cell phone	*un* **nuevo** *celular*	a **new** cell phone (that is new to me, but that may have been previously owned)

- If two or more adjectives describe a noun, they may be used as follows: Place both (or all) after the noun, connecting the last two with the word *y*; or place one before and one (or more) after the noun, according to the preceding rules. (The shorter, more subjective adjective usually precedes the noun.)

> *Era el* **primer** *circo* **grande** *y* **bueno** *del año.*
> It was the **first good**, **big** circus of the year.

Era el primer circo grande y bueno del año.

12 La visita al circo

Completa las siguientes oraciones con los adjetivos indicados, colocándolos en la posición correcta y haciendo los cambios necesarios.

MODELO Era la __ vez __ que íbamos al circo. *(primero)*

Era la **primera** vez __ que íbamos al circo.

1. Era un __ circo __ porque era buenísimo. *(grande)*

2. Los __ leones __ eran lo mejor del circo. *(africano)*

3. El muchacho más joven era un __ acróbata __. *(bueno)*

4. Había una __ banda __. Tenía cincuenta personas. *(grande)*

5. Los __ osos __ eran muy cariñosos. *(blanco)*

6. Había __ payasos __ muy chistosos. *(cuatro)*

7. Los acróbatas tenían __ destreza __. *(mucho)*

13 ¿Qué había en el circo?

Usando las pistas entre paréntesis y haciendo los cambios necesarios, di qué había en el circo cuando fuiste.

MODELO oso / blanco (El oso que vi no era negro.)
Había un oso blanco.

1. mujer / pobre (Una mujer sin dinero perdió su boleto y no podía entrar.)

2. ositos de peluche / nuevos (Vinieron en un camión de la fábrica (*factory*)).

3. banda / grande (La banda era pequeña pero fantástica.)

4. amigo / viejo (Vi a un amigo que conozco hace mucho tiempo.)

5. acróbatas / viejo (Los acróbatas tenían sesenta años.)

6. payasos / malo (Los payasos no eran buenos.)

7. jaula / grande (La jaula no era pequeña.)

¡Comunicación!

14 El Circo del Sol   Presentational Communication

Mira la fotografía y escribe ocho oraciones completas para describir las siguientes cosas, usando por lo menos dos adjetivos en cada descripción. Presenta tus oraciones a la clase.

1. el circo
2. la banda
3. los trapecistas
4. la acróbata
5. los niños
6. el malabarista
7. el oso
8. los payasos

El Circo del Sol

¡Comunicación!

15 Un espectáculo maravilloso   Interpersonal Communication

Trabajando en parejas, hablen de la última vez que fueron al circo o que vieron un espectáculo en la calle. En su conversación, describan todo lo que vieron e hicieron. Pueden usar algunas de estas palabras en sus descripciones, si quieren.

grande   cómico   banda   era   boleto   destreza   trapecista   feroz   acróbata   payaso   había   talentoso   divertido   estaba   emocionante

Cultura

Para ser un buen malabarista se necesita mucha práctica.

El circo social

¿Tienes algún talento para trabajar en un circo? ¿Sabes magia, eres acróbata o tienes la valentía de poner la cabeza en la boca de un león?

En la ciudad de Choluteca, Honduras, muchos jóvenes hondureños tienen una gran posibilidad: reunirse, divertirse, aprender a trabajar en un circo y crecer como personas. El gobierno de esta ciudad participa del programa mundial llamado "Circo Social", que ayuda a jóvenes marginados, es decir, personas que tienen problemas sociales.

El programa utiliza las artes circenses[1] para educar. Con diversión, se aprende cultura, se comparten ideas y se desarrollan[2] destrezas para trabajar artísticamente.

Cada participante puede ser lo que más le gusta: malabarista, trapecista, acróbata, payaso, mago[3] o tocar en la banda de música. Pueden desarrollar una o más destrezas. Aprenden a trabajar en la parte técnica, como escenario[4], luces o vestuario[5], y ayudar en la taquilla para la venta de boletos.

Una parte importantísima del circo social es el entrenamiento[6] estricto. Y aunque se aprenden actividades de circo, el objetivo principal es aprender a tener disciplina y buena conducta. Otro elemento importante del circo social es entender las emociones. Los jóvenes aprenden que los sentimientos[7] son una forma de intercambio y diálogo entre los artistas y la audiencia. Alcanzar estos objetivos les va a dar muchísimas ventajas[8] en la vida.

El circo social está abierto a todos y prepara a los jóvenes para ser mejores individuos en la sociedad.

[1] of the circus [2] develop [3] magician [4] stage [5] wardrobe [6] training [7] feelings [8] advantages

🔍 **Búsqueda:** ciro social, choluteca

Escuela de circo

16 Comprensión Interpretive Communication

1. ¿Qué personas estudian en el Circo Social?
2. ¿Qué actividades aprenden? ¿Qué más aprenden?
3. ¿Qué requerimientos académicos hay que tener para entrar al Circo Social?

Comparaciones

En los Estados Unidos hay muchas escuelas de circo. En el estado de Massachusetts están *Show Circus Studio, Simply Circus* y *Air Craft Aerial Arts*. Investiga en la internet sobre estos programas y compáralos con el Circo Social. ¿Hay alguna escuela de circo cerca de tu ciudad?

17 Analiza

1. How does the *Circo Social* bring marginalized people together?
2. What role do emotions play during a circus performance? Consider both the entertainer's and the audience's point of view.
3. Why is discipline important to achieve your personal goals?
4. What skill would you like to learn in a circus school? Why?

Teatro callejero

¿Existe el teatro callejero en tu comunidad? El teatro callejero es una forma de expresión popular, donde grupos de actores representan obras de teatro en la calle. Con pocos elementos, entretienen a los peatones[1] con espectáculos gratis[2]. Al terminar la obra, los artistas generalmente piden una colaboración al público, que pone el dinero en una gorra.

En la ciudad de Choluteca, Honduras, está la compañía de teatro Abba Dei. Un grupo de estudiantes de esta escuela decidió hacer teatro callejero de manera muy particular: ¡representaron cada semana una noticia que veían por televisión!

El teatro callejero reúne a una multitud.

Este grupo de jóvenes actores, junto con su director, tenía como objetivo representar los problemas sociales de Honduras. De esa manera, la gente que caminaba por la calle se reunía a ver un espectáculo y divertirse, y sobre todo a tomar conciencia social de lo que ocurre todos los días.

Todas las semanas, el grupo de teatro callejero escogía un tema de actualidad[3], como por ejemplo pandillas[4] y robos[5]. Luego preparaban la obra para transmitir el tema de manera divertida pero con un mensaje preciso: hacer pensar a la gente en formas de tener una mejor sociedad.

Después de esta experiencia, el director piensa hacer una película e invita a los jóvenes a usar su tiempo de manera productiva. Las puertas del teatro están abiertas para todos. No es necesario tener estudios de teatro; solamente tener el deseo de ser un buen ejemplo para la juventud[6].

[1] pedestrians [2] free [3] hot news [4] gangs [5] robberies [6] youth

Búsqueda: teatro callejero

Prácticas **Conéctate: la historia**

Todos los años, los hondureños realizan teatro callejero para presentar la obra más antigua de Honduras, llamada "El martirio de San Sebastián". Esta obra llegó a Honduras con los primeros religiosos en la época de la conquista, y cuenta la historia entre la lucha de romanos cristianos y no cristianos. Actualmente (*Currently*), jóvenes de diferentes centros educativos representan la obra para diversión de toda la gente que se reúne en la calle y para recordar este hecho (*fact*) histórico. Esta obra se presentó en Honduras por más de 370 años consecutivos.

El martirio de San Sebastián

---

18 Comprensión Interpretive Communication

1. ¿Qué diferencia hay entre el teatro callejero y el teatro de un auditorio?
2. ¿Cómo escogía sus obras la compañía Abba Dei?
3. ¿Cuál era el objetivo del teatro callejero de Abba Dei?

19 Analiza

1. Do you think theater that brings people together in the street can create a better social consciousness than theater inside an auditorium? Explain.
2. Why do you think Hondurans played *"El martirio de San Sebastián"* for 370 years?
3. What can you infer about Choluteca and its inhabitants in regards to the arts?

Vocabulario 2

Los animales de la finca 🎧

Este señor trabaja en una **finca** de café en Honduras.

el árbol

el bosque

la luna

la estrella

el cielo

el pato

el pájaro

el burro

el establo

la pluma

el pavo

el cuerno

el toro

la pata

la vaca

el rabo

el ratón

el cerdo

el gallo

la gallina

el conejo

la oveja

Un poco más

The word *pata* can mean paw or leg (when referring to an animal's leg). In addition, the term is used to refer to a female duck (*la pata*). Finally, a useful expression you may wish to memorize is *Metí la pata*, meaning **I made a mistake**.

Para conversar 🎧

To talk about actions related to animals:

Al perro le gusta **ladrar** cuando pasa un carro.
The dog likes to bark when a car passes by.

Los pavos salvajes pueden **volar (ue)**.
Wild turkeys can fly.

¿Viste al conejo **saltar**?
Did you see the rabbit jump?

La gallina que quiere **escaparse** es **la suya**.
*The hen that wants to escape (run away)
is his/hers/theirs.*

El caballo escapó del establo y **fue a parar** en
la carretera.
*The horse escaped from the stable and ended up in
the road.*

¿Qué va a **ocurrir** con todos los animales?
What is going to happen to all the animals?

To describe where something is:

El gallo está **encima de**l establo.
The rooster is on top of the stable.

El burro está **detrás de**l árbol.
The donkey is behind the tree.

Para decir más

la cabra	*goat*
el cordero	*lamb*
el ganso	*goose*
la mula	*mule*
la ternera	*calf*

Un gallo

20 El fin de semana en una finca 🎧

Tu tío estuvo en una finca durante el fin de semana pasado
y te está hablando de su gran aventura. ¿Qué animales te
está describiendo?

MODELO   **Era un gallo.**

21 El intruso

Busca al intruso y explica por qué.

MODELO   bosque / conejo / ratón / pájaro
**Bosque: El conejo, el ratón y
el pájaro son animales.**

1. luna / estrella / gallo / sol

2. volar / establo / saltar / ladrar

3. árbol / pata / rabo / cuerno

4. encima / cielo / detrás / al lado

22 ¿Dónde se encuentran?

Completa esta tabla con nombres de los animales
que se pueden encontrar en cada lugar.

casa	finca	zoológico
el gato	la vaca	el hipopótamo

Diálogo

¡Qué chistoso!

Marina: ¿Fuiste a la finca de tu familia el domingo?

Ariel: Sí, fue muy divertido.

Marina: ¿Por qué? ¿Qué ocurrió?

Ariel: Tú sabes que mi hermano y yo tenemos una gallina cada uno.

Marina: Sí, sí.

Ariel: Pues, una gallina se escapó y mi hermano salió detrás de ella. Cuando la gallina paró cerca de los cerdos, mi hermano saltó encima de ella, pero ella voló y él fue a parar encima de los cerdos.

Marina: ¡Qué chistoso!

Ariel: Sí, pero lo más chistoso fue que la gallina que se escapó era mi gallina, no la suya. ¡Ja, ja!

Marina: ¡Qué burro!

Ariel: ¡Ay, no! Pobre hermano.

23 ¿Qué recuerdas?

1. ¿Adónde fue Ariel?
2. ¿Cómo fue el día en la finca?
3. ¿Qué tienen Ariel y su hermano?
4. ¿Qué le pasó a una gallina?
5. ¿De quién era la gallina que se escapó?

24 Algo personal

1. ¿Conoces una finca? ¿Dónde?
2. ¿Hay muchas fincas en tu estado? ¿Dónde están?
3. ¿Cuál es tu animal favorito de una finca?

25 ¿Qué animal es?

Escoge la letra del animal y di qué animal es, según las descripciones que oyes.

MODELO **Es un perro.**

A   B   C   D   E   F

Gramática

Possessive Adjectives: Long Forms

- You will recall that you can show possession in Spanish by using *de* + a noun / pronoun (*el caballo de mis tíos/de ellos*). In addition, you can show possession using the short-form possessive adjectives: *mi(s), tu(s), su(s), nuestro(s), nuestra(s), vuestro(s), vuestra(s)*. There are also long-form (or stressed) **possessive adjectives**.

los adjetivos posesivos (formas largas)	
mío(s), mía(s)	*my, (of) mine*
tuyo(s), tuya(s)	*your, (of) yours*
suyo(s), suya(s)	*your, (of) yours* (Ud.), *his, (of) his, her, (of) hers, its*
nuestro(s), nuestra(s)	*our, (of) ours*
vuestro(s), vuestra(s)	*your, (of) yours*
suyo(s), suya(s)	*your, (of) yours* (Uds.), *their, (of) theirs*

- The long-form possessive adjectives are placed after the noun that they agree with in number and gender.

*Esa es la vaca **mía**.*	That is **my** cow.
*¿Es ese el burro **tuyo**?*	Is that **your** donkey?
*Este es el gallo **nuestro**.*	This is **our** rooster.
*¿Son estos los conejos **suyos**?*	Are these **your** rabbits?
*Todos esos son animales **nuestros**.*	All of those are **our** animals.

- The possessive adjectives also may be used immediately after a form of the verb *ser*.

*¿Son **suyos**?*	Are they **yours**?
*Sí, son **nuestros**.*	Yes, they are **ours**.

- To clarify the meaning of a sentence containing **suyo(s), suya(s)**, it may sometimes be necessary to substitute a phrase that uses *de* followed by a prepositional pronoun.

  *¿Son las ovejas **suyas**?* → **¿Son las ovejas de Ud./de él/de ella/ de Uds./de ellos/de ellas?**

  (Are the sheep **yours/his/hers/ yours/ theirs**?)

¿Son las ovejas suyas?

- Possessive pronouns may be used in place of a possessive adjective and a noun. They are formed by placing a definite article in front of the long-form possessive adjectives. Observe how possessive pronouns are used in the following sentences:

*Veo tu toro y **el mío** también.*	I see your bull and **mine**, too.
*Mis ovejas están gordas y también lo están **las tuyas**.*	My sheep are fat and so are **yours**.
*¿Es ese pavo **el nuestro**?*	Is that turkey **ours**?
*Nuestros gallos son esos y **los suyos** son estos.*	Our roosters are (those ones) over there and **yours** are (these ones) over here.

26 La fiesta de la finca El Suspiro 🎧

Tienen una fiesta el fin de semana en su finca, y quieren saber cuántas personas van a ir. Di con quién van a la fiesta las siguientes personas, usando las indicaciones que se dan.

Nuestros gallos son esos y los suyos son estos.

MODELO   la señora Martínez / unas primas
La señora Martínez va a ir a la fiesta con unas primas suyas.

1. yo / una amiga
2. tú / unos compañeros
3. nosotros / unos parientes
4. tu amiga / una tía
5. tus padres / unos amigos
6. Uds. / unos sobrinos
7. mi hermano / unas amigas
8. Ud. / una compañera

27 Una invitación

Diego llama a Sara para invitarla a ver los animales de su finca. Completa su conversación con las siguientes palabras: **de él**, **de ellos**, **mi**, **mío**, **mis**, **nuestros**, **tu**, **tus**, **tuyo**.

Diego: Aló, Sara. Te llamo para ver si quieres venir a la finca para ver **(1)** animales.

Sara: Sí. Me gustaría mucho. ¿Te importa si voy con Mateo?

Diego: ¿Mateo? ¿Quién es? ¿Es **(2)** novio?

Sara: No. Es un sobrino **(3)** de Honduras que está visitándome. Y, ¿puedo también ir con Alicia y Camila, las hermanas menores **(4)**, y Nina, una amiguita **(5)**?

Diego: Es mucha gente, ¿no?

Sara: Sí, pero a ellos les gustaría mucho ver **(6)** animales. Y ahora que lo pienso, a **(7)** padres también les gustaría verlos... y a Pepe también.

Diego: ¿Quién es? ¿Otro primo **(8)**? ¿Un vecino?

Sara: ¡Claro que no! ¡Es **(9)** perro!

28 ¿De quiénes son?

Hay una confusión hoy con todos los animales en la Finca El Cielo. En parejas, alterna con tu compañero/a de clase en hacer y en contestar preguntas para decir si los siguientes animales son o no son de las personas indicadas. Sigue el modelo.

Es el toro suyo.

MODELO   él / toro

A: ¿Es su toro?

B: Sí, (No, no) es el toro suyo.

1. ellas / pavos
2. tú / gallinas
3. él / vacas
4. ella / conejo

5. nosotros / ovejas
6. yo / vacas
7. Uds. / cerdo
8. tú / burro

29 ¡Más confusión!

Hay gran confusión alrededor de quiénes son los dueños (*owners*) de los animales. En parejas, alternen en hacer preguntas y en identificar los dueños de los animales. Usen las indicaciones y sigan el modelo.

MODELO   él / toro / ella

A: ¿Es su toro?

B: No, no es el toro suyo. Es el de ella.

1. ellas / pavos / tú
2. él / vacas / nosotros

3. tú / conejo / Uds.
4. yo / cerdos / ellos

30 El inventario de los animales

Los Solís, los Castillo y los Vargas tienen tres fincas vecinas. Sus animales se escaparon y se mezclaron (*were mixed up*) ayer. Ahora el señor Castillo está haciendo un inventario de los animales. Completa las siguientes oraciones para ver lo que dice durante el inventario.

1. Yo tengo mis animales y tú...
2. Uds. tienen su toro y nosotros...
3. Los Solís tienen su caballo y los Vargas...
4. Ud. tiene su pavo y yo...
5. Tú tienes tus patos y Uds...

6. Eugenia Vargas tiene sus gallinas y Armando Solís...
7. Nosotros tenemos nuestras ovejas y los Solís y los Vargas...
8. Los Vargas tienen sus cerdos y yo...

31 Animales tuyos

En la feria agrícola (*4-H fair*) de tu comunidad, hay animales tuyos y animales de un amigo tuyo. Di de quién es, usando las pistas que se dan. Sigue el modelo.

MODELO   aquel / tú
Aquel burro es el tuyo.

1. aquellas / Paco   **2.** ese / tú   **3.** estas / Uds.   **4.** aquel / nosotros

5. aquellos / yo   **6.** esas / yo   **7.** esos / él   **8.** estos / Celia

¡Comunicación!

32 Los objetos nuestros   Interpersonal Communication

Trabajando en grupos de tres, hablen de lo que tienen hoy en su posesión. Describan cada objeto. Pueden hablar de algunas de las siguientes cosas, si quieren: **un cuaderno, un celular, una calculadora, un lápiz, una mochila, un diccionario.**

MODELO   A: **Tengo un lápiz. Es amarillo. ¿Tienes tú un lápiz?**
B: **Sí. Aquí está. El mío es rojo.**

¡Comunicación!

33 Lo mío es lo mejor   Interpersonal Communication

En grupos pequeños, alternen en decir que sus posesiones son mejores que las posesiones de la otra persona. ¡Sean creativos! Usen cosas de la lista a la derecha si quieren.

MODELO   A: **Mi perro es muy inteligente.**
B: **El mío es más inteligente.**
C: **Pues, mi perro es mejor que los suyos.**

bicicleta   *casa*
computadora
celular   *coche*
perro   *barrio*
gato   **ropa**

Gramática

Lo with Adjectives/Adverbs

You have seen the word *lo* used as a direct object pronoun to mean **him**, **it**, or **you**.
Lo can also be used with an adjective or adverb, followed by the word *que*, as an
equivalent for **how (+ adjective/adverb)**.

*¿Sabes **lo grandes** que son las fincas?*	Do you know **how big** the farms are?
*Uds. saben **lo cerca** que está la finca.*	You know **how close** the farm is.

Note: Although the form of the adjective may change, the word *lo* remains the same in each example.

34 ¡Y tú lo sabes! 🎧

Sigue el modelo y contesta a las siguientes preguntas, usando la palabra **lo** con un
adjetivo o un adverbio.

MODELO ¿Son grandes los toros?
¡No sabes lo grandes que son!

1. ¿Son bonitas esas flores?
2. ¿Es chistoso tu ratón?
3. ¿Era interesante tu visita a la finca?
4. ¿Era emocionante la música?
5. ¿Van a ser modernos los establos?
6. ¿Está lejos tu finca?

¡Comunicación!

35 En una tienda de mascotas 👥   Presentational Communication

Trabajando en parejas, imaginen que están en una tienda de mascotas (*pet store*).
Uno/a de Uds. es el/la vendedor(a) y el/la otro/a es el/la cliente. El/La cliente
quiere comprar un animal doméstico pero no sabe cuál. Por esa razón, hace muchas
preguntas sobre los animales. El/La vendedor/a debe contestar todas las preguntas.
Preparen un diálogo para dramatizar la escena. Incluyan la construcción **lo +
adjetivo/adverbio** por lo menos tres veces. Estén listos para presentar la escena
a la clase.

MODELO A: **Buenas tardes. Quiero comprar
un animal pero no sé cuál.
¿Qué me recomienda Ud.?**

B: **Le recomiendo un gato.
Todos saben lo maravillosos
que son los gatos.**

A: **Sí, pero lo malo es que soy
alérgico a los gatos.**

Una tienda de mascotas

Todo en contexto

¡Comunicación!

36 Día de circo 👥 Presentational Communication

Tú y un(a) compañero/a visitaron el Circo Social en Honduras. Hoy, les cuentan
su experiencia a sus compañeros de clase. Tomando turnos (*Taking turns*) y usando la
imaginación, digan qué vieron en el circo. Usen las terminaciones **-ísimo/a** e **-ito/-ita**
para describir cómo eran las cosas que vieron. Usen adjetivos en la posición correcta.
También expliquen algo de la función social del circo según lo que aprendieron
en Cultura.

MODELO   A: **En el Circo Social había un trapecista altísimo.**

B: **También había un mono pequeñito.**

A: **Los estudiantes eran jóvenes pobres que querían trabajar.**

B: **Todos tenían un entrenamiento estricto.**

¡Comunicación!

37 Viaje comunitario 👥 Interpretive/Presentational Communication

Tú y dos compañeros/as fueron a hacer un trabajo comunitario en una finca de
Honduras. Allí vieron los animales de las fotos. Entre los tres, describan para la clase a
cada animal. Digan de quién era cada animal, usando adjetivos posesivos. Usen por lo
menos una oración con la estructura **lo + adjetivo o adverbio**. Observen las fotos y
sigan el modelo.

MODELO   A: **En la finca había dos conejos negros. Los conejos eran del Sr. López. Eran
los conejos suyos. Ustedes saben lo bonitos que son los conejos.**

B: **En la finca también había un toro grande. Ahora el toro es mío. Necesito
mucho espacio porque Uds. saben lo grandes que son los toros.**

Lectura literaria

Platero y yo (*Adaptación*)
de *Juan Ramón Jiménez*

Sobre el autor

Juan Ramón Jiménez (España, 1881–1959), fue uno de los grandes novelistas españoles. Vivió muchos años en los Estados Unidos y países de Latinoamérica. Recibió el premio Nobel de Literatura pocos días antes de su muerte (*death*). Sus obras están llenas de poesía y lirismo. La selección que vas a leer es una adaptación de *Platero y yo*, una novela corta escrita en prosa poética.

Juan Ramón Jiménez

---

38 **Antes de leer: Vocabulario** **Conéctate: la geografía**

La siguiente es una lista de palabras que aparecen en la lectura que vas a leer. Tú ya conoces esas palabras. Escoge las cuatro palabras relacionadas con la geografía para saber cuál es el escenario (*setting*) de la lectura.

amor río bosquecillo colina fiesta amigo finca domingo

---

39 **Antes de leer: Descripciones**

Lee las siguientes oraciones que aparecen en la lectura. Para cada oración, identifica el adjetivo; también identifica la cosa, persona o lugar que el adjetivo describe.

1. Platero es pequeño...
2. El señor y Platero eran buenos amigos.
3. Es para mí una fiesta ver el río... con su bosquecillo alto.
4. Platero era el amigo perfecto para el señor.

Estrategia

Descriptive adjectives

Adjectives are literary tools that authors use to describe characters. Adjectives are useful to understand what the narrator feels about certain characters or situations. They also help you visualize the setting. When reading the selection, pay special attention to the adjectives, their position, and the message they transmit.

---

40 **Antes de leer: Conocimientos previos**

1. ¿Qué animales te parecen divertidos?
2. ¿Qué películas, series de televisión o libros conoces sobre una persona que tenga una relación especial con un animal? Explica.
3. ¿En qué casos piensas que una persona puede sentirse mejor con un animal que con otras personas?

Platero y yo (Adaptación) 🎧
de *Juan Ramón Jiménez*

En una finca de España vivía un señor que tenía un amor especial por Platero. Platero era un burro, y también quería mucho a su dueño[1]. Todos los domingos, el señor daba un paseo[2] con Platero por el pueblo. Allí, los hombres de campo miraban al burro con mucho respeto.

"Platero es pequeño, peludo, suave [...] Es tierno[3] y mimoso[4] igual que un niño, que una niña...; pero fuerte[5] y seco por dentro[6], como de piedra[7]."

El señor y Platero eran buenos amigos, y pasaban muchísimo tiempo juntos. Se divertían y se conocían perfectamente.

"Nos entendemos[8] bien. Yo lo dejo ir a su antojo[9], y él me lleva siempre a donde quiero [...] Sabe Platero que [...] es para mí una fiesta ver el río desde la colina de los pinos[10], evocadora, con su bosquecillo alto, de parajes[11] clásicos."

El amor entre el señor y Platero era tan grande que actuaban como dos personas. También se hacían bromas[12].

"Lo beso[13], lo engaño[14], lo hago rabiar[15][...] Él comprende bien que lo quiero, y no me guarda rencor[16]. Es tan igual a mí, tan diferente a los demás, que he llegado a creer que sueña[17] mis propios sueños."

Platero era el amigo perfecto para el señor. Y el señor era el mejor amigo que Platero podía tener.

"De nada protesta. Sé que soy su felicidad. Hasta huye[18] de los burros y de los hombres..."

[1] owner [2] rode [3] tender [4] affectionate [5] strong [6] inside [7] rock [8] get along [9] fancy [10] pine trees [11] places [12] jokes [13] kiss [14] trick [15] to be furious [16] resentment [17] he dreams [18] run away from

---

41 Comprensión 🎧 **Interpretive Communication**

1. ¿Quién era Platero y qué tipo de relación tenía con el señor?
2. ¿Platero era igual de cariñoso con todos? Da ejemplos de la lectura.
3. ¿Adónde llevaba Platero al señor?

---

42 Analiza

1. Read the title of the selection. Whom does the word *yo* refer to?
2. What can you infer about the man's personality?
3. What adjectives does the narrator use to describe Platero? Are these adjectives normally used to describe animals? Explain.
4. Why do you think Platero runs away from other donkeys?

Repaso de la Lección B

A Escuchar: ¿En el circo o en la finca? 🎧 (pp. 187, 189)

Vas a escuchar seis oraciones. Para cada una, di si lo que oyes describe algo que ocurrió **en un circo** o **en una finca**.

B Vocabulario/Gramática: ¿Cómo son? (pp. 190, 198)

Escribe cinco descripciones, usando la forma apropiada de **-ito** con los animales y la forma apropiada de **-ísimo** con los adjetivos. Sigue el modelo.

MODELO   rápido
Los ratoncitos son rapidísimos.

1. lindo   **2.** simpático   **3.** blanco   **4.** gordo   **5.** feliz

C Gramática: La posición correcta (pp. 193, 205)

Escribe el adjetivo indicado en la posición correcta.

1. La __ familia __ no tenía dinero para ir al circo. *(pobre)*

2. Este es la __ vaca __ que se escapa. *(tercera)*

3. Había __ payasos __ en un cochecito. *(muchos)*

4. La banda siempre toca la __ música __ de siempre. *(misma)*

5. Blanquito es un __ burro __; tiene doce años. *(viejo)*

6. ¡No sabes __ lo __ que son los toros! *(peligrosos)*

D Gramática: Posesión (p. 201)

Escribe las oraciones otra vez, cambiando las frases indicadas a pronombres posesivos.

MODELO   Son *mis gallinas*.
Son las mías.

1. Aquellos son *nuestros boletos*.

2. Es *la tortuga de Uds*.

3. Está en *mi establo*.

4. Me gustan *tus ovejas*.

5. Es *el burro de ella*.

Contesta estas preguntas sobre la información que aprendiste sobre Honduras.

1. ¿En qué ciudad hondureña está el Circo Social? ¿Cuál es el objetivo principal de este circo?

2. ¿Qué es el teatro callejero?

3. ¿Qué representaban cada semana la compañía de teatro Abba Dei?

4. ¿Cuál es la obra más antigua de Honduras? ¿Dónde se reúnen los hondureños para verla?

Vocabulario

El circo

el acróbata, la acróbata
la banda
el boleto
el circo
la destreza
la fila
la jaula
el malabarista, la malabarista
el oso (de peluche)
el payaso
la taquilla
el trapecista, la trapecista

La finca

el árbol
el bosque
el burro
el cerdo
el cielo
el conejo
el cuerno
el establo
la estrella
la finca
la gallina
el gallo

la luna
la oveja
el pájaro
la pata
el pato
el pavo
la pluma
el rabo
el ratón
el toro
la vaca

Verbos

ir a parar
escapar(se)
ladrar
ocurrir
saltar
volar (ue)

Expresiones y otras palabras

detrás de
durante
emocionante
encima de
gran
lo (+ adjective/ adverb)
mío/a
nuestro/a
peligroso/a
pobre
suyo/a
tuyo/a

Gramática

Adjective placement

In Spanish, adjectives usually follow the noun they describe. Demonstrative adjectives, adjectives describing quantity, cardinal numbers, indefinite adjectives, and adjectives that describe a permanent characteristic are placed in front of the noun they describe.

¿Dónde está **esa** montaña rusa?

El globo **rojo** estaba en el aire.

La **primera** fila estaba larguísima.

Possessive adjectives: long form

Long-form possessive adjectives usually follow the noun they modify or immediately follow the verb *ser*.

¿Es este gato **tuyo** o de ella?

Es **mío**, no es **suyo**.

El mío es más grande que **el tuyo**.

Sí, pero el gato **suyo** es más inteligente que **el nuestro**.

Special endings: *-ísimo/a* and *-ito/a*

To say something is "very," "most," or "extremely," add –*ísimo/a* to the end of a noun or adjective. To say something is small, add –*ito/a, -cito/a, -illo/a, -uelo/a,* or –*ico/a* to the end of a noun.

Las **golosinitas** eran **buenísimas**.

El **conejito** era **rapidísimo**.

Lo with adjectives/adverbs

Lo can be used with an adjective or adverb followed by the word *que* as an equivalent for "how (+ adjective/adverb)."

Uds. saben **lo importante que** es aprender español.

No sabía **lo listos que** son los cerdos.

Para concluir

Proyectos

A   ¡Manos a la obra!

En grupos de tres, preparen una presentación titulada "Reuniones populares". Investiguen en la internet de qué manera se reúne la gente en lugares públicos de Latinoamérica y España. Escojan dos países. Expliquen lo que hace la gente allí. ¿Se conocían de antes? ¿Para qué se reúnen? ¿Se divierten de alguna manera? ¿Hacen algo artístico? ¿Trabajos comunitarios? Usen fotografías y videos para ilustrar su explicación. Presenten tablas con estadísticas; por ejemplo, ¿desde cuándo se reúnen para hacer eso?, ¿cuánta gente va?, ¿es más popular ahora o antes? Para terminar, expliquen si hay alguna actividad parecida en los Estados Unidos.

B   En resumen

En esta unidad aprendiste que la gente se reúne en grandes grupos con diferentes propósitos. También leíste que a veces la diversión viene acompañada con la educación. Copia el diagrama de abajo y completa los recuadros de la columna derecha para indicar cómo cada lugar o evento reúne a la gente.

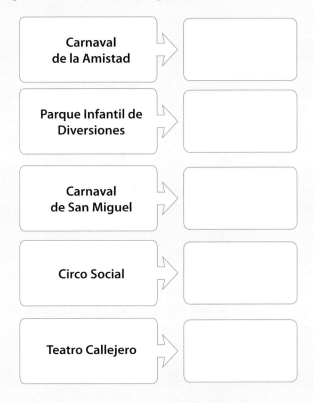

Carnaval
de la Amistad

Parque Infantil de
Diversiones

Carnaval
de San Miguel

Circo Social

Teatro Callejero

Extensión

Investiga en la internet sobre la Feria Trujillana en Honduras. ¿Cuáles son las características de esta reunión popular? ¿Con qué reunión popular del diagrama de arriba la puedes comparar?

C ¡A escribir! Presentational Communication

Escribe un artículo corto sobre un lugar de reunión popular cerca de tu ciudad o en tu estado. Explica quiénes se reúnen allí, qué actividades hacen y cómo se divierten. Tu reporte debe incluir adjetivos, terminaciones en **-ísimo** y adjetivos posesivos.

Estrategia

Position of adjectives

Remember that, in Spanish, descriptive adjectives are usually placed after the noun. However, there are some cases when the adjective goes before the noun. Review those concepts on page 193 before writing your article.

D Obra de teatro romana Conéctate: el lenguaje

La obra de teatro más antigua de Honduras habla de los romanos. Los romanos hablaban latín. Del latín derivaron otros idiomas, como el español, el italiano, el portugués y el francés. Conecta las siguientes palabras en latín con las palabras en español.

I. Latín	II. Español
1. congregatio	A. árbol
2. circus	B. circo
3. theatrum	C. educación
4. educatio	D. elefante
5. tigris	E. león
6. leo	F. pájaro
7. elephantus	G. reunión
8. arbor	H. teatro
9. avis	I. tigre

E Animales Conéctate: la biología

En esta unidad aprendiste vocabulario sobre animales de finca. Investiga en la internet sobre otros animales que puede haber en una finca. Trata de encontrar algún animal de finca que no es muy común en los Estados Unidos. ¿Cómo se llama el animal? ¿En qué país viven esos animales? ¿Son herbívoros o omnívoros? ¿Son mamíferos (*mammals*) u ovíporos (*egg-laying*)? Añade cualquier otra información que te interese. Si puedes, incluye una foto del animal en tu presentación.

F Teatro callejero Conéctate: el teatro / la ecología

En grupos pequeños, preparen una obra de teatro callejero para divertir y educar al público sobre los animales salvajes. Por ejemplo, pueden hablar sobre un animal en peligro de extinción y lo que las personas pueden hacer para la conservación. Presenten su obra a la clase.

Vocabulario de la Unidad 4

el **acróbata, la acróbata** acrobat *4B*

el **África** Africa *4A*

africano/a African *4A*

el **algodón de azúcar** cotton candy *4A*

la **América (Central/del Norte/ del Sur)** (Central, North, South) America *4A*

el **animal** animal *4A*

antiguo/a antique, ancient, old *4A*

el **árbol** tree *4B*

argentino/a Argentinian *4A*

la **atracción** attraction, ride *4A*

la **banda** band *4B*

bienvenido/a welcome *4A*

el **boleto** ticket *4B*

boliviano/a Bolivian *4A*

el **bosque** forest *4B*

el **burro** burro, donkey *4B*

la **cámara** camera *4A*

el **camello** camel *4A*

los **carros chocones** bumper cars *4A*

el **carrusel** carrousel, merry-go-round *4A*

la **cebra** zebra *4A*

el **cerdo** pig, pork *4B*

chileno/a Chilean *4A*

chistoso/a funny *4A*

el **cielo** sky *4B*

el **circo** circus *4B*

colombiano/a Colombian *4A*

como like, since, such as *4A*

el **conejo** rabbit *4B*

costarricense Costa Rican *4A*

cubano/a Cuban *4A*

el **cuerno** horn *4B*

el **desfile** parade *4A*

la **destreza** skill, expertise *4B*

detrás de behind, after *4B*

dominicano/a Dominican *4A*

durante during *4B*

ecuatoriano/a Ecuadorian *4A*

el **elefante** elephant *4A*

emocionante exciting *4B*

encima de above, over, on top of *4B*

escapar(se) to escape *4B*

español, española Spanish *4A*

el **establo** stable *4B*

estadounidense something or someone from the United States *4A*

la **estrella** star *4B*

fascinante fascinating *4A*

feroz fierce *4A*

la **fila** line, row *4B*

la **finca** ranch, farm *4B*

el **flamenco** flamingo *4A*

los **fuegos artificiales** fireworks *4A*

la **gallina** hen *4B*

el **gallo** rooster *4B*

el **globo** balloon, globe *4A*

la **golosina** sweets *4A*

el **gorila** gorilla *4A*

gran big, great *4B*

gritar to shout *4A*

guatemalteco/a Guatemalan *4A*

el **guía, la guía** guide *4A*

había there was, there were *4A*

el **hipopótamo** hippopotamus *4A*

hondureño/a Honduran *4A*

la **iguana** iguana *4A*

imaginar(se) to imagine *4A*

ir a parar to end up *4B*

la **jaula** cage *4B*

la **jirafa** giraffe *4A*

ladrar to bark *4B*

el **león** lion *4A*

lo (+ adjective/adverb) how (adjective/adverb) *4B*

la **luna** moon *4B*

el **malabarista, la malabarista** juggler *4B*

maravilloso/a marvelous, fantastic *4A*

más de more than *4A*

mío/a (of) mine *4B*

molestar to bother *4A*

el **mono** monkey *4A*

la **montaña** mountain *4A*

la **montaña rusa** roller coaster *4A*

nicaragüense Nicaraguan *4A*

nuestro/a our, (of) ours *4B*

ocurrir to occur *4B*

el **oso (de peluche)** (teddy) bear *4B*

la **oveja** sheep *4B*

el **pájaro** bird *4B*

las **palomitas de maíz** popcorn *4A*

panameño/a Panamanian *4A*

la **pantera** panther *4A*

paraguayo/a Paraguayan *4A*

la **pata** paw, leg (for animals) *4B*

el **pato** duck *4B*

el **pavo** turkey *4B*

el **payaso** clown *4B*

peligroso/a dangerous *4B*

peruano/a Peruvian *4A*

la **pluma** feather *4B*

pobre poor *4B*

puertorriqueño/a Puerto Rican *4A*

el **rabo** tail *4B*

el **ratón** mouse *4B*

la **rueda de Chicago** Ferris wheel *4A*

saltar to jump *4B*

salvadoreño/a Salvadoran *4A*

salvaje wild *4A*

la **selva** jungle *4A*

la **serpiente** snake *4A*

suyo/a his, (of) his, her, (of) hers, its, (of) yours, (of) theirs *4B*

la **taquilla** box office, ticket office *4B*

el **tigre** tiger *4A*

el **toro** bull *4B*

la **tortuga** turtle *4A*

el **trapecista, la trapecista** trapeze artist *4B*

tuyo/a (of) yours *4B*

uruguayo/a Uruguayan *4A*

la **vaca** cow *4B*

venezolano/a Venezuelan *4A*

la **visita** visit *4A*

volar (ue) to fly *4B*

el **zoológico** zoo *4A*

¿Sabías que...?

Muchas palabras del español tienen origen en el idioma de los taínos, los indígenas que vivían en las islas del Caribe. En el mercado puedes encontrar muchos ejemplos, como el **maíz,** la **barbacoa,** la **batata** (*sweet potato*) y la **guayaba** (*guava*). Estos alimentos reflejan la cultura caribeña.

Unidad

5

De compras

Escanea el código QR para ver este episodio de *El cuarto misterioso*.

Antes de ir al restaurante, las tres chicas fueron de compras. ¿Qué compraron?

A. un vestido, faldas y blusas
B. comida para toda la semana
C. regalos para el cumpleaños de José

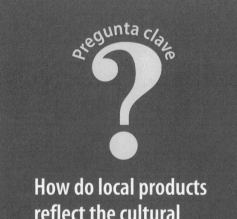

Pregunta clave

?

How do local products reflect the cultural heritage of a region?

Mis metas

Lección A   I will be able to:

▶ name some foods
▶ talk about grocery shopping
▶ talk about the past
▶ discuss the origin of some fruits
▶ buy food
▶ talk about kiosks that sell food

Lección B   I will be able to:

▶ describe clothing
▶ talk about a clothing store
▶ ask for and give advice
▶ state what was happening at a specific time
▶ describe how something was done
▶ talk about typical Caribbean clothing
▶ talk about food
▶ express length of time
▶ discuss how food brings people together

Cuba

República Dominicana

Puerto Rico

¿De dónde es esta ropa típica?

doscientos quince   **215**

Vocabulario 1

En el supermercado 🎧

¿Qué compras cuando vas al supermercado?

la papaya

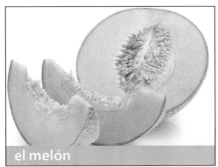
el melón

la piña

la sandía

la ciruela

el durazno

la pera

la toronja

el cereal

el té

la bolsa

Para decir más

la cereza	cherry
el coco	coconut
la frambuesa	raspberry
la guayaba	guava
la mandarina	tangerine
la mora	blackberry
el plátano	plantain

¿Cuál es la fruta más paciente? ¡Es pera!

el chiste

En otros países

el durazno	el melocotón (España)
la papaya	la lechosa (Caribe)
la piña	el ananá (Argentina)
la sandía	la patilla (Venezuela)
la toronja	el pomelo (España)

Para conversar

*T*o talk about grocery shopping:

Compramos la comida **necesaria** para toda la semana.
We bought the food we needed (necessary) for the whole week.

Nuestro cereal favorito está en oferta.
Our favorite cereal is on sale.

Consiguieron **todo** lo que buscaban.
They found everything they were looking for.

La papaya no va a **caber** en la bolsa.
The papaya will not fit in the bag.

Acuérdate de comprar toronjas.
Remember to buy grapefruit.

*T*o talk about the past:

Los chicos fueron **anoche** al supermercado.
The girls and guys went to the supermarket last night.

Ellos no **se acordaron de** comprar té.
They did not remember to buy tea.

Ayer **hubo** menos gente en el mercado.
Yesterday there were fewer people at the market.

Es **probable** que cuando pagué, dejé la billetera allí.
It is likely (probable) that when I paid, I left my wallet there.

1 En el supermercado

Selecciona la foto que corresponde con lo que oyes.

A   B   C   D   E   F   G

2 Sopa de letras

Escribe otra vez la siguiente lista de compras, poniendo las letras de cada comida en su orden correcto.

1. ñaip
2. rnoduasz
3. niatmllaequ
4. elhec
5. pyapasa
6. díanas
7. jorsotna
8. ugjo de arjnana
9. eauglch
10. ateotms
11. npa
12. ét
13. loesmne
14. realce

¡Comunicación!

3 Antes de ir al mercado   Interpersonal Communication

En parejas, dramaticen el siguiente diálogo entre un padre/una madre y un(a) hijo/a. Usen palabras del Vocabulario 1.

> Ask your parent if he/she went to the market last night.

> Say that you did go and that you bought all the food you needed for two weeks.

> Ask if he/she remembered to buy everything to make a fruit salad.

> Answer affirmatively and mention four fruits that you bought.

Diálogo 🎧

Una sandía

César: ¿Compramos una sandía?

María: No, es muy grande y no nos va a caber en el refrigerador.

César: Ay, pero tú nunca quieres comprar lo que a mí me gusta.

María: ¿Qué estás diciendo?

César: Sí, el otro día que estuvimos por el supermercado yo quería comprar unas ciruelas y tú dijiste que no.

María: Eso no es verdad. Yo no recuerdo eso.

César: La otra vez yo quería comprar diez papayas y tú dijiste que yo estaba loco.

María: Pues, claro, diez papayas, solo a ti se te ocurre eso.

César: Entonces, ¿por qué no compramos una piña para la "niña"?

María: ¡Qué chiste tan malo!

4 ¿Qué recuerdas? 🎧

1. ¿Por qué no deben comprar una sandía, según María?
2. ¿Quién nunca quiere comprar lo que le gusta a César?
3. ¿Qué quería comprar César el otro día que estuvieron por el supermercado?
4. ¿Cuántas papayas quería comprar César la otra vez?
5. ¿Qué fruta deben comprar para la "niña", según César?

5 Algo personal 🎧

1. ¿A qué supermercado fuiste la última vez?
2. ¿Qué compraste allí?
3. ¿Compraste lo que a ti te gusta? Explica.
4. Cuando vas al supermercado, ¿te cabe siempre todo lo que compras en el refrigerador?

6 Quería comprar... 🎧

Di la letra de la ilustración que identifica lo que querían comprar las siguientes personas, según lo que oyes.

A

B

C

D

E

The Preterite Tense

You have learned to recognize and use the preterite tense to express simple past actions in Spanish. Review the formation of regular verbs for this frequently used verb tense in the chart that follows.

	preparar	**comer**	**vivir**
yo	**preparé**	**comí**	**viví**
tú	**preparaste**	**comiste**	**viviste**
Ud. él ella	**preparó**	**comió**	**vivió**
nosotros nosotras	**preparamos**	**comimos**	**vivimos**
vosotros vosotras	**preparasteis**	**comisteis**	**vivisteis**
Uds. ellos ellas	**prepararon**	**comieron**	**vivieron**

- Do you recall the spelling changes that occur in the preterite tense?

explicar	c → qu	expliqué
pagar	g → gu	pagué
almorzar	z → c	almorcé

- Do you remember that the verbs *conseguir* (i, i), *despedirse* (i, i), *divertirse* (ie, i), *dormir* (ue, u), *mentir* (ie, i), *pedir* (i, i), *preferir* (ie, i), *repetir* (i, i), *seguir* (i, i), *sentir* (ie, i), *sentirse* (ie, i), and *vestirse* (i, i) all require a stem change in the *Ud., él, ella, Uds., ellos,* and *ellas* form of the preterite tense?

    sentir (ie, i): sentí, sentiste, sintió, sentimos, sentisteis, sintieron

    dormir (ue, u): dormí, dormiste, durmió, dormimos, dormisteis, durmieron

    pedir (i, i): pedí, pediste, pidió, pedimos, pedisteis, pidieron

- Some verbs change their meaning in the preterite tense. You have learned to use *conocer* to indicate whom someone knows or to state what someone is familiar with. In the preterite tense, *conocer* is the equivalent of **to meet**.

    *¿A quién **conociste** anoche?*   Whom **did you meet** last night?

    ***Conocí** a la prima de Alfonso.*   **I met** Alfonso's cousin.

Conocí a la prima de Alfonso.

7 Anoche

Completa estas oraciones con el pretérito de los verbos indicados para decir lo que hicieron las siguientes personas anoche.

MODELO Mario (*ver*) una película sobre los coches en Cuba.
Mario vio una película sobre los coches en Cuba.

1. Tú (*quedarte*) en tu casa viendo videos en la internet.
2. Beatriz (*conseguir*) un regalo para su novio.
3. Yo (*tocar*) el piano durante dos horas.
4. Nosotras (*conocer*) a unos chicos de Puerto Rico.
5. Uds. (*salir*) a caminar por el barrio.
6. Antonio (*llamar*) a sus abuelos en Santo Domingo.
7. Natalia (*leer*) un blog sobre la música del Caribe.
8. Uds. (*comer*) congrí, un plato típico de Cuba.

Mario vio una película sobre los coches en Cuba.

8 Una cena puertorriqueña

Rodrigo invitó a varios amigos a cenar a su casa el fin de semana pasado y él tuvo que preparar todo con la ayuda de su hermano, Hugo, y de su hermanastra, Mariana. Completa cada oración con el pretérito del verbo apropiado para decir lo que pasó.

1. Yo ____ a las cinco y media de la mañana.
2. Poco después, yo ____ a las seis.
3. Mariana ____ algunos de los ingredientes en el supermercado.
4. Yo no fui con ella porque yo ____ que arreglar la cocina.
5. Yo ____ a cocinar a las cuatro de la tarde.
6. Hugo ____ para ayudarme a las cinco.
7. Nosotros ____ un postre especial con papaya y piña.
8. Mis amigos ____ a las ocho.
9. Nosotros ____ a comer a las ocho y media.
10. Nosotros ____ música salsa durante la cena.

llegar buscar
sentarse
empezar levantarse
venir tener
escuchar hacer
despertarse

Arroz con gandules

Gramática

Preterite vs. Imperfect Tense

- A sentence may have various combinations of the two past tenses: **pretérito/pretérito**, imperfecto/**pretérito**, **pretérito**/imperfecto, and imperfecto/imperfecto. For example, all verbs may be in the preterite tense if you are stating simple facts.

  Fui *al supermercado y* **compré** *unas peras.*

  I went to the supermarket and **bought** some pears.

- A sentence may also have one verb that is in the imperfect tense and another that is in the preterite tense. Use the imperfect tense in a sentence to describe a repeated (habitual) past action or ongoing condition; use the preterite tense to state what happened during the repeated or ongoing action/condition.

  Estaba en el supermercado cuando tú **llamaste***.*

  I was in the supermarket when **you called***.*

- Finally, more than one verb may be in the imperfect tense when you are describing simultaneous ongoing actions or conditions.

  Jugábamos videojuegos mientras esperábamos a César.

  We were playing video games while **we were waiting** for César.

- The impersonal expressions *hay*, *había*, and *hubo* are forms of the infinitive *haber* (to have). **Hay** is an irregular present tense form of *haber* and is the equivalent of **there is/there are**. The imperfect tense of *haber*, *había*, and the irregular preterite tense form of *haber*, **hubo**, are both equivalent to **there was/there were**.

---

9 De compras en el supermercado

Completa estas oraciones, escogiendo el verbo correcto para decir lo que las siguientes personas hacían o hicieron en el supermercado.

1. Elena y Enrique (*fueron / iban*) al supermercado.

2. Ellos (*salieron / salían*) a las cinco para ir al supermercado.

3. (*Llovió / Llovía*) cuando ellos (*llegaron / llegaban*) al supermercado.

4. Una señora (*compró / compraba*) cinco piñas.

5. (*Fueron / Eran*) las siete cuando ellos (*salieron / salían*) del supermercado.

6. Enrique (*fue / iba*) a comprar duraznos, pero no (*tuvo / tenía*) bastante dinero.

7. Yo (*estuve / estaba*) en mi cuarto cuando Elena y Enrique (*llegaron / llegaban*) de hacer las compras.

8. (*Fue / Era*) probable que seguía lloviendo.

9. Tú (*comiste / comías*) cuando ellos (*entraron / entraban*) a la cocina con las bolsas.

10 ¿Qué hiciste ayer?

Completa los textos de mensaje entre dos amigas con el imperfecto o con el pretérito de los verbos entre paréntesis.

11 Cenas especiales

Completa las oraciones con **hay**, **había** o **hubo**, según el contexto.

1. Anoche ____ una cena especial en casa de Pablo cuando yo llegué del centro.

2. El lunes pasado ____ una cena en la casa de mis abuelos, pero nadie podía ir.

3. El fin de semana que viene ____ una cena especial en la casa de Diana.

4. El mes pasado no ____ ninguna cena especial en la casa de Diana.

5. El mes pasado ____ dos cenas especiales en mi familia.

6. Esta noche ____ una cena en la casa de Iván y voy a ir con un amigo.

En línea

12:05
¿Qué (**1.** *hacer*) tú ayer?

12:06
Alan y yo (**2.** *ir*) al zoológico.

12:07
¿Por qué Uds. no me (**3.** *invitar*)? ¡Yo (**4.** *tener*) ganas de ir al zoológico!

12:08
¡Lo siento! Alan (**5.** *querer*) estar solo conmigo.

12:09
¿(**6.** *divertirse*) Uds. mucho?

12:09
Sí y no. En la primera hora nosotros (**7.** *divertirse*) mucho, pero después (**8.** *llover*) y no (**9.** *poder*) ver todos los animales.

12:10
Sí, ayer (**10.** *ser*) un día fantástico para quedarse en casa.

Una cena especial

12 En el supermercado

Completa este párrafo con el imperfecto o con el pretérito de los verbos entre paréntesis para decir lo que te pasó ayer en el supermercado.

Ayer por la mañana yo (**1.** *ver*) a mi amigo, Héctor, en el supermercado. Él (**2.** *ir*) de compras con su papá a quien yo (**3.** *conocer*) una vez en el colegio. Él me (**4.** *decir*) que (**5.** *estar*) comprando unas frutas. Yo no (**6.** *tener*) mucho tiempo, pero nosotros (**7.** *hablar*) por unos minutos. Luego, el papá de Héctor (**8.** *decir*) que ellos (**9.** *tener*) que seguir con las compras. Yo les (**10.** *decir*) "hasta luego" y me (**11.** *ir*) para mi casa. Yo (**12.** *salir*) del supermercado y (**13.** *tomar*) un autobús para ir a mi casa. Cuando yo (**14.** *entrar*) a la casa, mi mamá me (**15.** *decir*) que ella me (**16.** *estar*) esperando mucho tiempo. Ella me (**17.** *preguntar*) que (**18.** *ser*) la demora. Yo le (**19.** *decir*) que me (**20.** *encontrar*) con Héctor y su papá en el supermercado y que yo (**21.** *estar*) hablando con ellos por unos minutos. Después, mi mamá me (**22.** *decir*) que nosotros (**23.** *ir*) a almorzar en diez minutos. Yo (**24.** *subir*) al baño donde (**25.** *lavarse*) las manos y luego (**26.** *almorzar*).

En el supermercado

13 ¿Qué hacían?

Di lo que hacían estas personas para preparar una cena.

La madre y la hija preparaban la sopa.

MODELO   la madre y la hija (preparar la sopa) / tú (limpiar) el comedor

La madre y la hija preparaban la sopa mientras que tú limpiabas el comedor.

1. tú (barrer el piso) / yo (poner la mesa)
2. la tía (arreglar flores en la mesa) / el tío (buscar el mantel y las servilletas)
3. el padre (lavar los platos) / los hijos (hacer los quehaceres)
4. Ud. (sacar unas ciruelas del refrigerador) / el abuelo (cortar un melón)
5. las primas (preparar una ensalada) / yo (hacer el postre)
6. Uds. (comprar el pan) / nosotros (cocinar la carne)

¡Comunicación!

14 No había luz **Interpersonal Communication**

Imagina que anoche se fue la luz (*there was a blackout*) a las ocho de la noche. Trabajando en parejas, hablen sobre lo que cada uno hacía y lo que otros miembros de la familia hacían cuando la luz se fue.

Cuando se fue la luz yo leía.

MODELO A: ¿Qué hacías anoche cuando se fue la luz?

B: Cuando se fue la luz yo cenaba. ¿Y tú?

A: Cuando se fue la luz yo leía.

¡Comunicación!

15 La semana pasada **Interpersonal Communication**

En parejas, hablen sobre lo que cada uno/a de Uds. hizo la semana pasada. Puedes inventar la información si lo deseas. Recuerda preguntar por cualquier detalle (*detail*) adicional, según lo que tu compañero/a te cuenta.

MODELO A: ¿Qué hiciste el lunes de la semana pasada?

B: Fui a un supermercado en la República Dominicana.

A: Y, ¿cómo era el supermercado?

B: Era muy grande y había muchas frutas.

16 Mi visita a El Yunque **Interpretive/Presentational Communication**

Imagina que fuiste al bosque tropical El Yunque, en Puerto Rico. Usa la foto, los datos (*facts*) interesantes y tu imaginación para escribir un párrafo sobre tu visita a El Yunque. Usa estas preguntas como guía.

- ¿Cuándo fuiste a El Yunque?

- ¿Cuánto tiempo estuviste allí?

- ¿Qué tiempo hacía mientras caminabas?

- ¿Qué viste? ¿Cómo era?

Bosque Nacional
El Yunque

Datos interesantes:
- *Es una selva subtropical.*
- *Llueve mucho: aproximadamente 500 cm al año.*
- *Tiene 240 especies de árboles.*
- *Es hábitat de la cotorra, un pájaro verde.*
- *No hay serpientes peligrosas.*

Pregunta clave

How do local products reflect the cultural heritage of a region?

El origen de las frutas tropicales

Los plátanos son parte de la cocina caribeña.

¿Te gustan los deliciosos jugos de frutas tropicales? Las frutas tropicales no solo son deliciosas sino también reflejan la herencia cultural del Caribe. Muchas frutas de la República Dominicana, Puerto Rico y Cuba tienen su origen allí y fueron cultivadas[1] por los indígenas taínos, como la piña. Pero otras frutas que se asocian con esas regiones llegaron de otros continentes hace muchos años. Esas frutas son parte de la historia y cultura del Caribe.

No se puede hablar de la cocina caribeña sin mencionar el plátano[2]. Un plato típico cubano lleva esta fruta. Los tostones dominicanos están hechos con plátanos. Y el mofongo, un plato típico puertorriqueño, también se hace con plátanos. En verdad, el plátano llegó de África en el año 1543. Fue adoptado por los nativos y hoy es un ingrediente principal en muchos platos caribeños. Es la perfecta evidencia de la influencia africana en la cultura del Caribe.

En todas las playas del Caribe hay palmeras[3]. ¿Y qué puedes sacar de las palmeras? ¡Coco! Pero esta fruta vino de muy lejos... ¡de Asia! La historia dice que los portugueses llevaron el coco de Asia a África, y de allí al Caribe.

Claro, no todas las frutas tropicales vinieron de afuera[4]. Cuando los españoles llegaron a Cuba, descubrieron una deliciosa fruta de pulpa color anaranjado. Estamos hablando del mamey, una fruta exótica y tan sabrosa[5] que los españoles la llamaron "la fruta de los reyes[6]".

Recuerda que al comer frutas tropicales puedes ser parte de la cultura caribeña, y quizás estar de viaje por lugares más lejanos[7].

[1] grown [2] plantain [3] palm trees [4] outside [5] flavorful [6] kings [7] far

Búsqueda: origen plátano, coco, mamey, piña, taínos

El mamey es una fruta nativa del Caribe.

Prácticas

En los mercados de la República Dominicana es común recibir la "ñapa". La ñapa es una cantidad adicional a lo que el cliente compró. Por ejemplo, si el cliente compra diez plátanos, el vendedor suele regalarle uno más, en forma de agradecimiento (*appreciation*) por su compra.

17 Comprensión — Interpretive Communication

1. Nombra dos frutas tropicales originales del Caribe.
2. ¿Quiénes eran los taínos?
3. ¿Qué fruta caribeña se come en casi todos los platos caribeños?
4. ¿De dónde vino el coco y cómo llegó al Caribe?

18 Analiza

1. Why do you think the Tainos adopted fruits brought from other continents?
2. What is your opinion about the *ñapa*? Do you think that practice would work in your city? Explain.

Sabor sobre ruedas

¿Cómo es un día de verano caminando por el Caribe? Seguramente hace mucho calor y nos da sed. ¿Qué pasa si no hay ninguna tienda cerca para comprar una bebida? Por suerte están los vendedores ambulantes[1]. Son personas que van por la ciudad vendiendo jugos, fruta o comida. ¿Cómo viajan? Aquí está la historia de estos vendedores especiales del sabor[2] del Caribe.

Vendedor ambulante

En las playas de Cuba hay alguien que nos puede quitar la sed inmediatamente. Son los cocoteros, que caminan por todos lados con un triciclo o carreta[3] con cocos frescos. La gente los llama y ellos, en ese mismo lugar, les preparan una deliciosa agua de coco. ¿Cómo lo hacen? Sacan un machete, cortan[4] el coco por la mitad[5] y echan[6] el jugo en un vaso. ¡Ya está! Luego siguen caminando con su vehículo sin motor.

Si estás en las calles de la República Dominicana y te da hambre, ¡llama al pregonero! Él también anda en su triciclo vendiendo maíz, chinas[7], yuca y otras comidas. Se llama *pregonero* porque pregona, es decir que anuncia gritando o cantando los productos locales que lleva.

¡Y qué decir del sabor puertorriqueño! En Puerto Rico, la gente que quiere algo dulce y de la región busca al vendedor ambulante que vende jugo de caña[8] de azúcar.

No importa si estás en la ciudad, en los pueblos o en la playa. Todos los sabores locales del Caribe están sobre ruedas.

[1] street peddler   [2] flavor   [3] push cart   [4] cut   [5] half   [6] pour   [7] oranges   [8] cane

Búsqueda: cocotero, pregonero, vendedor ambulante, guarapo

Productos

En Cuba, otra forma en que los turistas pueden interactuar con el sabor y cultura locales es por medio de los **paladares**. Estos son restaurantes establecidos en casas y no operados por el gobierno cubano. La gente que trabaja allí es generalmente parte de la familia y prepara comida casera (*homemade*) para mostrar la cultura y los productos cubanos.

Comparaciones

¿Qué tipo de vendedores ambulantes ves en los parques y las playas de los Estados Unidos? ¿Venden productos locales? ¿Crees que son atractivos para los turistas? Haz una comparación con los vendedores ambulantes del Caribe.

19 Comprensión — Interpretive Communication

1. ¿Qué tienen de especial los vendedores ambulantes del Caribe?
2. ¿Qué hace un cocotero para preparar agua de coco rápidamente?
3. ¿Qué comidas venden los pregoneros?

20 Analiza

1. What are the benefits of buying fruits or food from street vendors? Are there any disadvantages?
2. Why do *pregoneros* sing as they ride their tricycles or push their carts?
3. Why do you think there are no employees at the Cuban *paladares*?

Carnes, pescados y mariscos 🎧

los mariscos

¡Mira lo que pesqué!

el cangrejo

la almeja

el camarón

el pulpo

el atún

el tocino

la salchicha

la carne de res

la ternera

la costilla

la crema (de camarones)

el sándwich de mantequilla de maní

el flan

freír (i, i)

reír(se) (i, i)

Para conversar 🎧

*T*o buy food:

Ando buscando mantequilla de maní.
I am walking around looking for peanut butter.

Quisiera un **filete** de pescado.
I would like a boneless cut of fish.

Deme un kilo de camarones, por favor.
Give me a kilogram of shrimp, please.

Para decir más

la carne molida	*ground meat*
la chuleta de cerdo	*pork chop*
el cordero	*lamb*
la langosta	*lobster*
el salmón	*salmon*
la trucha	*trout*

21 Carne, pescado o marisco 🎧

Escucha lo que algunas personas buscan en el supermercado. Di si lo que buscan es **carne**, **pescado** o **marisco**.

22 En la carnicería y pescadería 👥

Trabajando en parejas, alterna con tu compañero/a de clase en hacer y contestar preguntas para decir lo que compraron las siguientes personas cuando fueron al supermercado.

MODELO   Amanda

A: **¿Qué compró Amanda?**

B: **Amanda compró costillas.**

1. Uds.

2. Ricardo

3. tú

4. Juan y Arturo

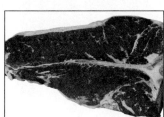

5. Néstor y Silvia

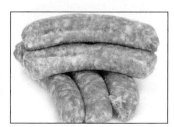

6. nosotros

Diálogo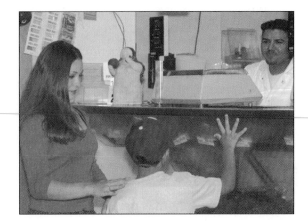

¿Algo más?

María: Un filete de pescado para freír, por favor.

Señor: Sí, cómo no. ¿Qué más se le ofrece?

María: Un kilo de ternera y medio kilo de costillas.

Señor: ¿Algo más?

César: Sí, cinco kilos de camarones.

María: Chico, ¿qué te pasa? No, los camarones no. Eso es todo.

César: ¿Por qué no? A mí me gustan mucho.

María: Es que cuestan mucho y no tenemos mucho dinero.

César: Entonces, creo que el atún me gusta mucho más.

---

23 ¿Qué recuerdas?

1. ¿Qué quiere María para freír?
2. ¿Cuántos kilos de ternera quiere María?
3. ¿De qué quiere cinco kilos César?
4. ¿A quién le gustan mucho los camarones?
5. ¿Por qué no quiere comprar los camarones María?

24 Algo personal

1. ¿Qué carne, pescado o marisco te gusta mucho?
2. ¿Qué carne, pescado o marisco te gusta poco?
3. ¿Te gusta freír las carnes o los pescados?

---

25 Me gusta mucho

Indica la letra de la foto que corresponde con lo que oyes.

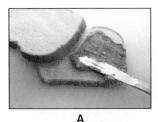

A

B

C

D

E

Gramática

Present Tense of *reír(se)* and *freír*

The verbs *reír(se)* and *freír* are irregular in the present tense. However, both verbs are formed following the same pattern, so learning the conjugation of one will help you learn the conjugation of the other.

reír(se)	
(me) río	(nos) reímos
(te) ríes	(os) reís
(se) ríe	(se) ríen
gerundio: riendo (riéndose)	

freír	
frío	freímos
fríes	freís
fríe	fríen
gerundio: friendo	

26 ¿Quién se ríe?

Cuando el/la profesor/a de español dice un chiste, ¿quién se ríe? Di quiénes lo hacen usando la forma apropiada del presente del verbo **reír** y las indicaciones.

MODELO   Tania (no)
Tania no se ríe.

1. David (sí)
2. Uds. (no)
3. Raúl y Toño (no)
4. nosotros (sí)
5. yo (sí)
6. tú (no)

27 ¿Qué fríen para la cena?

Di lo que fríen para la cena las siguientes personas, usando la forma apropiada del presente del verbo **freír** y las indicaciones.

MODELO   Gabriela
Gabriela fríe pescado para la cena.

1. yo

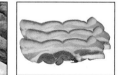
2. Sr. Yepes

3. tú

4. Victoria

5. Uds.

6. nosotros

Gramática

Irregular Preterite Tense Verbs

The following are some verbs that are irregular in the preterite tense. Learning them will improve your ability to talk about the past.

andar (*to walk, to go*):	**anduve, anduviste, anduvo, anduvimos, anduvisteis, anduvieron**
caber (*to fit*):	**cupe, cupiste, cupo, cupimos, cupisteis, cupieron**
conducir (*to drive*):	**conduje, condujiste, condujo, condujimos, condujisteis, condujeron**
freír (*to fry*):	**freí, freíste, frió, freímos, freísteis, frieron**
leer (*to read*):	**leí, leíste, leyó, leímos, leísteis, leyeron**
poder (*to be able*):	**pude, pudiste, pudo, pudimos, pudisteis, pudieron**
poner (*to put*):	**puse, pusiste, puso, pusimos, pusisteis, pusieron**
querer (*to want*):	**quise, quisiste, quiso, quisimos, quisisteis, quisieron**
reír(se) (*to laugh*):	**(me) reí, (te) reíste, (se) rió, (nos) reímos, (os) reísteis, (se) rieron**
saber (*to know*):	**supe, supiste, supo, supimos, supisteis, supieron**
traducir (*to translate*):	**traduje, tradujiste, tradujo, tradujimos, tradujisteis, tradujeron**
traer (*to bring*):	**traje, trajiste, trajo, trajimos, trajisteis, trajeron**
venir (*to come*):	**vine, viniste, vino, vinimos, vinisteis, vinieron**

Note: In the preterite tense, *saber* is the equivalent of **to find out**.

*¿Cuándo **supiste** que querías ser chef?*　　When **did you find out** that you wanted to be a chef?

*Lo **supe** cuando tenía un año.*　　**I found out** when I was a year old.

Supe que quería ser chef cuando tenía un año.

28 ¿Qué ocurrió ayer?

Haz ocho oraciones lógicas, usando elementos de cada columna y haciendo los cambios que sean necesarios.

MODELO **Yo freí mucho tocino en el aceite.**

I	II	III
yo	andar	la salchicha en el refrigerador
tú	freír	mucho tocino en aceite
Sergio y Manuel	poder	la fecha de la cena ayer
Sofía	poner	todo en el baúl
Javier	querer	del supermercado hace media hora
mis padres	saber	unas costillas al horno
mi hermana	traer	dos kilos de almejas del mercado
nosotros	venir	por el supermercado toda la tarde

29 Ayer por la mañana 🎧

Di lo que hicieron estas personas ayer por la mañana según las fotos.

MODELO Gloria / poder ir

Gloria pudo ir al centro.

1. yo / querer ir

2. tú / venir

3. Uds. / querer ir

4. Liliana / andar

5. los Mora / conducir

6. los chicos / andar

7. Inés y Jairo / ir

8. nosotros / conducir

30 Esta mañana en el supermercado

Completa el siguiente párrafo con el pretérito de los verbos entre paréntesis para saber lo que hicieron Mauricio y Yolanda en el supermercado.

Mauricio y Yolanda (**1.** *ir*) esta mañana al supermercado. Ellos (**2.** *andar*) por el supermercado por dos horas y (**3.** *comprar*) mucha comida. Ellos (**4.** *sentirse*) felices porque (**5.** *poder*) conseguir todo en la lista de compras. (**6.** *Llevar*) el carro sin nada y lo (**7.** *traer*) con tantas bolsas que ellas casi no (**8.** *caber*). Un muchacho del supermercado (**9.** *venir*) para ayudarlos. Mauricio no (**10.** *querer*) ayuda y le (**11.** *decir*) "No, gracias". Mauricio (**12.** *poner*) todo en el carro solo. Yolanda nunca (**13.** *saber*) cómo Mauricio, un niño de diez años, lo (**14.** *hacer*), pero ella cree que lo (**15.** *hacer*) muy bien.

31 Las preguntas del chef 👥

El chef del restaurante donde trabajas estuvo enfermo ayer y ahora te hace unas preguntas sobre lo que pasó ayer. Trabajando en parejas, alterna con tu compañero/a de clase en hacer y en contestar las preguntas que te hace el chef.

MODELO   dónde / poner / Pablo el atún (el refrigerador)

        A: ¿Dónde puso Pablo el atún?

        B: Pablo puso el atún en el refrigerador.

1. quién / traducir / el menú al inglés (yo)

2. qué / no caber / en el refrigerador (las costillas)

3. cuánta carne de res / freír / Uds. (veinte kilos)

4. quién / no poder / trabajar ayer (Gerardo)

5. quién / traer / doce piñas del mercado (Margarita)

6. cuántas personas / venir / al restaurante ayer (noventa)

El chef del restaurante

¡Comunicación!

32 La semana pasada 👥   Interpersonal Communication

Trabajando en parejas, alternen en preguntar y contestar si hicieron las siguientes actividades la semana pasada. Añadan detalles a sus respuestas.

MODELO   tener que estudiar el fin de semana

        A: ¿Tuviste que estudiar el fin de semana?

        B: Sí, tuve que estudiar para un examen de historia. ¿Y tú?

1. tener tarea todos los días

2. conocer a alguien nuevo

3. venir a alguna clase tarde

4. ponerse ropa nueva

5. saber una noticia

6. andar por el centro comercial

7. leer algo interesante

8. poder salir con amigos

¡Comunicación!

33 De compras Interpersonal Communication

En parejas, hablen sobre la última vez que fueron de compras en un mercado, supermercado o tienda. Usen el pretérito y el imperfecto en su conversación. Pueden inventar la información si quieren.

Anduve de compras en un supermercado muy grande.

MODELO
A: ¿Por dónde anduviste de compras?
B: Anduve de compras en un supermercado muy grande.
A: ¿Pudiste conseguir todo lo que buscabas?
B: No, no pude conseguir mi cereal favorito.

¡Comunicación!

34 Una encuesta Interpersonal/Presentational Communication

Hazles las preguntas de la siguiente encuesta (*survey*) a cinco compañeros/as de clase para saber quiénes hicieron las actividades indicadas la semana pasada. Luego, prepara los resultados de tu encuesta y preséntalos a la clase. Incluye una gráfica de barra en tu presentación.

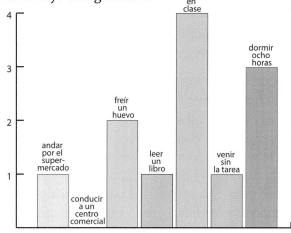

MODELO
Solo un estudiante anduvo por un supermercado, nadie condujo a un centro comercial, dos estudiantes frieron un huevo...

Encuesta	1	2	3	4	5	Total
1. ¿Anduviste por un supermercado?	✓					1
2. ¿Condujiste a un centro comercial?						0
3. ¿Freíste un huevo?	✓				✓	2
4. ¿Leíste un libro?	✓					1
5. ¿Te reíste en clase?	✓	✓		✓	✓	4
6. ¿Viniste a la escuela sin tu tarea?			✓			1
7. ¿Pudiste dormir ocho horas seguidas?	✓		✓		✓	3

Todo en contexto

? Pregunta clave

How do local products reflect the cultural heritage of a region?

35 La cocina puertorriqueña — Interpretive Communication

Lee el siguiente blog sobre la cocina (*cuisine*) de Puerto Rico y luego contesta las preguntas.

La cocina de Puerto Rico

www.lacocinadepuertorico.com

Puerto Rico es territorio de los Estados Unidos pero su cultura está muy conectada con América Latina.

Su cocina tiene tres influencias principales: taína, española y africana. Los indígenas taínos inventaron la barbacoa y el pilón (*wooden mortar and pestle*); los españoles trajeron el aceite de oliva y el ajo; los africanos trajeron el plátano e influenciaron la manera de cocinar: el freír.

Uno de los resultados de esta combinación de comidas de otras culturas es el mofongo. El mofongo es uno de los platos más tradicionales de Puerto Rico ¡y es delicioso! Se prepara con plátanos verdes. Estos se fríen por quince minutos y luego se machacan (*mash them*). Se pone ajo y tocino—o si se prefiere camarones y otros mariscos.

El mofongo con camarones

1. ¿Qué culturas influenciaron la cocina de Puerto Rico?
2. ¿Qué inventaron los taínos?
3. ¿Qué trajeron los españoles? ¿Y los africanos?
4. ¿Cuáles son tres ingredientes del mofongo?
5. ¿Cuál es la manera de cocinar mofongo?

¡Comunicación!

36 En un supermercado dominicano — Presentational Communication

Imagina que fuiste a Bravo, un supermercado de la República Dominicana. Escribe un párrafo contando lo qué hiciste y lo que compraste. También describe lo que hacía la gente mientras estabas en el supermercado. Usa el pretérito y el imperfecto según el contexto. Usa la ilustración como guía o también puedes inventar información. Luego, presenta tu párrafo a la clase.

MODELO La semana pasada, cuando estaba en Santo Domingo, fui a Bravo. Era un supermercado grande y bonito. Compré muchas frutas tropicales: sandía, piña, mangos, mamey...

Lectura informativa

Antes de leer

1. ¿A qué lugares te gusta ir a comer?
2. Cuando vas a la playa, ¿llevas comida o vas a comer a algún lugar?
3. ¿Qué tipo de pescados y mariscos se comen en la zona donde tú vives?

Estrategia

Lists

A list of elements, characteristics, or ideas enhance the description of a character, place, or situation in a reading. Lists usually consist of at least three elements, separated by commas. Before reading the selection, skim the text to see if you find any lists. The lists will give you a better understanding of the places being described.

Una cadena de sabor en la costa caribeña

A la salida de San Juan, la capital de Puerto Rico, hay un lugar único que lo distingue de otros lugares. En este sitio hay cuatro cosas importantes: productos locales, comidas deliciosas, precios bajos y un paisaje muy bonito. Estamos hablando de los kioscos de Piñones.

Las personas que salen de San Juan hacia el oeste, en la costa norte de la isla, a veces quieren comer algo. Pero... ¿a dónde ir? En Puerto Rico todo es delicioso y tomar una decisión no es fácil. Pues, para hacer las cosas de manera rápida y sin gastar[1] mucho dinero, se recomienda parar en los kioscos de Piñones. Esta zona está compuesta por pequeños puestos[2]

Kiosco en Piñones, Puerto Rico

donde venden comida puertorriqueña, preparada en el momento y a precios muy accesibles. Algunos kioscos tienen banquetas[3] para comer en el mostrador[4], o unas pocas mesitas donde la gente se puede sentar a comer y mirar el mar.

En el menú se puede elegir entre varios platos típicos, pero los más populares son los bacalaítos fritos[5], las alcapurrias[6], las empanadillas[7], los pinchos[8] y los piononos[9]. Casi todas esas comidas están hechas con productos de mar, maíz y plátano, tres comidas características del Caribe.

No hay que ir a restaurantes caros para recibir buena atención y comida de buena calidad. En Piñones se come bien, se paga poco, la gente en los kioscos es muy amable y después se puede caminar por la playa para disfrutar[10] del paisaje caribeño. ¿Qué más se puede pedir?

Lista comparativa de precios		
Kiosco de Piñones		**Restaurante en el viejo San Juan**
Mofongo	$5	$10
Pincho	$4	$8
Calamares fritos	$6	$9
Alcapurrias	$5	$10
Bacalaítos	$3	$8
Empanaditas	$2	$6

[1] spend   [2] stands   [3] stools   [4] counter   [5] fried cod snacks
[6] fried croquettes made of banana and meat   [7] small turnovers filled with meat or fish   [8] grilled kabobs   [9] pastries made with plantain, filled with meat and cheese   [10] enjoy

🔍 **Búsqueda:** piñones, kioskos, bacalaítos, alcapurrias

37 Comprensión 🎧 Interpretive Communication

1. ¿En qué parte de Puerto Rico está Piñones?
2. ¿Qué característica tiene Piñones?
3. ¿Qué ingredientes tienen las alcapurrias?
4. ¿Por qué se recomienda comer en los kioscos?

38 Analiza

1. If you were a tourist in Puerto Rico, would you eat at a kiosk? Explain.
2. Compare the prices in the table on page 237. Why do you think the same dish has different prices in different restaurants?
3. How would you balance the service, the quality of food, and the price when you go to a restaurant or a kiosk? What are your priorities? Explain.

✏ Escritura

39 Experiencias culinarias Presentational Communication

Imagina que estuviste en Puerto Rico varios días. Fuiste a comer a los kioscos y también a restaurantes. Escríbele un e-mail a tu amigo/a, contándole adónde fuiste y qué comiste. Recuerda comparar los precios, la calidad de la comida y el servicio. ¿Qué ventajas (*pros*) y desventajas (*cons*) tenía cada lugar? ¿A qué conclusión llegaste? Usa la tabla de abajo como referencia para organizar tus ideas. En la tabla, escribe palabras clave como ayuda antes de escribir el e-mail. Puedes añadir (*add*) otras ideas. Recuerda escribir en el pretérito y el imperfecto cuando sea apropiado. Luego lee tu e-mail a la clase y contesta cualquier pregunta de tus compañeros.

	Restaurantes que visité en Puerto Rico	Kioscos que visité en Puerto Rico
Ubicación:		
Tipo de comida:		
Precios:		
Servicio:		
Atracciones / Diversiones:		
Pros / Contras:		
Conclusión:		

Para escribir más

Fui al restaurante/kiosco...	*I went to the restaurant/kiosk . . .*
Está en...	*It is located in . . .*
Pedí...	*I ordered . . .*
El servicio era...	*Service was . . .*
Los precios eran...	*Prices were . . .*
Pagué...	*I paid . . .*
También había...	*There was/were also . . .*
Creo que...	*I believe that . . .*

A Escuchar: ¿Cierto o falso? (pp. 216, 228)

Escucha la conversación entre Pati y Luis. Luego di si lo siguiente es cierto o falso.
Si es falso, di lo que es cierto.

1. Pati estuvo en el supermercado.

2. Luis consiguió todo lo que buscaba.

3. Para el desayuno, Luis compró toronjas, sandía, huevos, tocino y cereal.

4. Luis no se acordó de comprar mantequilla de maní.

5. Pati y Luis van a comer muchos sándwiches de mantequilla de maní.

6. Después de la conversación, Pati y Luis van a ir de compras.

B Vocabulario/Gramática: Mucha comida frita (pp. 228, 231)

En el Caribe se come mucha comida frita. Di lo que fríen las siguientes personas según las fotos. Usa el presente del verbo **freír**.

1. el Sr. Duarte   **2.** tú   **3.** nosotros   **4.** Eduardo y Carla

C Gramática: En el restaurante (pp. 222, 232)

Di lo que les pasó a estas personas, usando la forma apropiada del pretérito o del imperfecto de los verbos entre paréntesis.

MODELO   Cuando nosotros (*leer*) el menú, el mesero (*venir*) a la mesa.
Cuando nosotros <u>leíamos</u> el menú, el mesero <u>vino</u> a la mesa.

1. Yo (*querer*) comer ternera, pero el restaurante no (*tener*) ternera.

2. Tú no (*traer*) dinero y no (*poder*) pagar por tu comida.

3. Cuando la gente (*llegar*), los meseros (*poner*) las mesas.

4. Pablo y Rafael no (*poder*) pedir las almejas porque (*ser*) muy caras.

5. Yo no (*saber*) qué pedir cuando el mesero me (*preguntar*) lo que yo (*querer*).

6. A la hora de comer el postre, a Samuel no le (*caber*) el flan porque (*comer*) muchas costillas.

7. Mientras nosotros (*pagar*), yo (*saber*) cuánto costaba la comida.

8. Después de la cena, los chicos (*conducir*) a casa y (*ver*) una película.

Cultura: El origen de algunas frutas (p. 226)

¿Cuál es el origen de estas frutas tropicales? Conecta cada fruta con el **Caribe**, **África** o **Asia**, según lo que aprendiste en esta lección. Luego, escribe tres frases describiendo cada fruta.

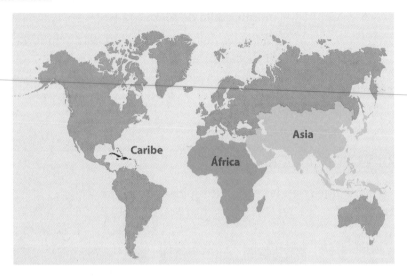

la piña

el plátano

el coco

el mamey

Vocabulario

Las frutas	Los mariscos	Las carnes	Otras comidas	Verbos	Otras palabras
la ciruela	la almeja	la carne de res	el cereal	acordar(se) (ue)	anoche
el durazno	el atún	la costilla	la crema	andar	la bolsa
el melón	el camarón	la salchicha	el filete	caber	el chiste
la papaya	el cangrejo	la ternera	el flan	freír (i, i)	necesario/a
la pera	el marisco	el tocino	la mantequilla	hubo	probable
la piña	el pulpo		de maní	reír(se) (i, i)	todo
la sandía			el sándwich		
la toronja			el té		

Gramática

Irregular preterite tense verbs

The following verbs are irregular in the preterite tense: *andar, caber, conducir, freír, leer, poder, poner, querer, reír(se), saber, traducir, traer,* and *venir.*

- *Saber* in the preterite tense means "to find out."

Preterite tense

- Describe actions or events that were completed in the past
  Fuiste al restaurante el sábado pasado.

- Simple facts from the past
  Ayer fue el día de la independencia de los EE.UU.

- What happened during a repeated or ongoing action
  Cuando yo estaba en el parque, vi unos patitos.

Imperfect tense

- Simultaneous ongoing actions in the past
  Mi hermana hacía el desayuno mientras mi madre cepillaba al perro.

- Habitual (ongoing) or repeated actions in the past
  Todos los viernes, yo almorzaba a la una de la tarde con mi amigo.

- Indicate past intentions
  Nosotros queríamos darle un regalo al profesor.

- Provide background information about the past
  El fin de semana pasada estaba nublado.

- Refer to a past physical, mental, or emotional characteristic
  Mi abuela era muy chistosa.

Lección B

Vocabulario 1

Cuba
Puerto Rico
República Dominicana

emcpassport.com

WB 1
LA 1
GV 1–2

De compras en la tienda

Ella va de compras en una tienda de ropa.

la joyería

el rubí

las telas

la raya

a rayas

el cuadro

a cuadros

(los jeans) desteñidos

las prendas

el vestidor

el cajero

la cajera

probar(se) (ue)

apurar(se)

anochecer

Para decir más

la cadena	*chain*
el diamante	*diamond*
estampado/a	*printed*
hacer juego	*to match*
la talla	*size*

Para conversar 🎧

To talk about a clothing store:

Esta tienda de ropa tiene un buen **surtido**.
This clothing store has a good selection.

Hay una buena **variedad** de prendas de todo tipo.
There is a good variety of all kinds of garments.

No me gusta el **tipo** de ropa que venden.
I do not like the kind (type) of clothes they sell.

La tienda es **elegante** pero los dependientes no son amables.
The store is elegant but the clerks are not nice.

To ask for and give advice:

Necesito pedirte **consejo**.
I need to ask your advice.

¿Qué me **aconsejas**?
What do you advise me?

¿Qué te (**le, les**) **parece**?
What do you think?

No puedo **decidir** cuál comprar.
I cannot decide which one to buy.

Cualquier(a) está bien.
Any is good.

Si es **posible**, cómpralo.
If it is possible, buy it.

No me gusta y **además** cuesta mucho y tú no eres **rico/a**.
I do not like it and besides, it costs a lot and you are not rich.

Tienes razón.
You are right.

---

1 En la tienda de ropa 🎧

Escoge la letra que corresponde con lo que oyes y di lo que se describe.

MODELO   F. los rubís

A	B	C	D	E	F

---

2 En una boutique

Completa el siguiente diálogo con las palabras apropiadas del Vocabulario 1.

Señorita: El **(1)** de vestidos es muy bueno.

Dependiente: Sí, tenemos una buena **(2)** de **(3)**. ¿Qué le **(4)** este vestido a cuadros?

Señorita: Prefiero este a **(5)**. **(6)** está en oferta.

Dependiente: ¿Quiere probárselo? Allí está el **(7)**.

Diálogo 🎧

Buscando una blusa

Marta: El surtido de blusas aquí es muy bueno.

Diana: Sí, hay una gran variedad.

Marta: ¿Qué te parece esta blusa?

Diana: No me gusta la tela a cuadros.

Marta: Y esta a rayas, ¿qué te parece? A mí me gusta mucho.

Diana: No es muy bonita pero tampoco es fea.

Marta: Voy a probármela.

Diana: Muy bien. ¡Mira! Allí está el vestidor.

Marta: ¿Qué tal? ¿Cómo me veo?

Diana: La verdad, con esa tela a rayas pareces una cebra.

Marta: Ja, ja, tienes razón, eso estaba pensando. ¿Qué me aconsejas?

Diana: Que debes apurarte porque debemos ir a comer con Jorge y Edgar.

3 ¿Qué recuerdas? 🎧

1. ¿De qué es bueno el surtido?

2. ¿Qué no le gusta a Diana?

3. ¿Qué le gusta mucho a Marta?

4. ¿Adónde va Marta a probarse la blusa?

5. ¿Qué parece Marta con la blusa de tela a rayas, según Diana?

6. ¿Por qué debe apurarse Marta?

4 Algo personal 🎧

1. ¿Pides consejo cuando vas a comprar ropa? ¿A quién se lo pides?

2. ¿Aconsejas a tus amigos/as cuando vas de compras con ellos?

3. ¿Te pruebas la ropa que vas a comprar?

5 ¿Cuál es la respuesta correcta? 🎧

Escoge una respuesta correcta a lo que oyes.

No me gusta la tela y no es elegante.

No, no soy rica.

Mi consejo es que no la compres.

La consigues en la joyería.

Prefiero el amarillo.

Gramática

The Imperfect Progressive Tense

- The imperfect progressive tense tells what was going on at a specific time in the past, often when something else happened. It is usually formed by combining the imperfect tense of **estar** with the **present participle** of a verb.

imperfect of estar + **present participle**

Marta **estaba pensando** en comprar una blusa a rayas.

Marta **was thinking** about buying a striped blouse.

Cuando te vi ayer **estabas comprando** un rubí.

When I saw you yesterday, **you were buying** a ruby.

- Object pronouns may precede the form of **estar** or may follow and be attached to the present participle. When they are attached, a written accent mark may be necessary in order to maintain the original stress of the present participle without the pronoun.

Me estaba aconsejando.　　　　**Estaba aconsejándome.**

Se estaba probando unos pantalones.　　**Estaba probándose** unos pantalones.

- In addition to **estar**, several other verbs can be used to form the progressive tense. The most common of these are **seguir**, which you already have learned to use; **andar**, **continuar**, and **venir**.

imperfect of seguir, andar, continuar, venir + **present participle**

Alicia y Elena **seguían comprando.**　　Alicia and Elena **kept on buying.**

Carlos **andaba mirando** las vitrinas.　　Carlos **went around looking** at store window displays.

Tú **continuabas esperando.**　　You **kept on (continued) waiting.**

Venían corriendo.　　**They came running.**

Venían corriendo.

6 ¡Qué mala suerte!

Completa la siguiente conversación telefónica entre Franciso y Julián, usando la forma apropiada del imperfecto progresivo de los verbos entre paréntesis.

Francisco: ¿Qué tal, Julián?

Julían: Regular.

Francisco: ¿Qué te pasó?

Julían: Esta mañana muy temprano cuando yo (**1.** *dormir*), un camión pasó por mi calle y su claxon me despertó. Luego, cuando (**2.** *bañarse*), el agua caliente se acabó, y cuando (**3.** *vestirse*), la luz se fue. Después, cuando (**4.** *desayunar*), se me cayó el jugo de naranja en mi camisa a cuadros nueva.

¡Qué mala suerte, hombre!

Francisco: ¡Qué mala suerte, hombre!

Julían: Pero eso no es todo. Cuando la profesora (**5.** *hablar*), me dormí. Luego, cuando mis amigos y yo (**6.** *jugar*) al fútbol, empezó a llover. Cuando (**7.** *volver*) a casa, vi que no tenía los libros necesarios para hacer la tareas. ¿Y sabes qué pasó ahora cuando (**8.** *ver*) mi programa favorito de televisión?

Francisco: No, ¿qué pasó?

Julían: ¡Tú me llamaste!

7 Un día de compras

Completa las siguientes oraciones, usando la forma apropiada del imperfecto progresivo de los verbos entre paréntesis, para saber lo que tú, Sarita y Carmela estaban haciendo a diferentes horas del día.

MODELO A las once Carmela (*continuar / buscar*) una blusa a rayas.

A las once Carmela <u>continuaba buscando</u> una blusa a rayas.

1. A las once y media Sarita y Carmela (*andar / caminar*) por todo el centro comercial.

2. Al mediodía Sarita y yo (*seguir / entrar*) en las tiendas.

3. A las dos Carmela (*seguir / probarse*) blusas.

4. A las dos y media la dependienta (*continuar / sacar*) blusas para Carmela.

5. A las tres y cuarto yo (*seguir / dar*) consejos a Carmela.

6. A las tres y media Sarita y yo (*continuar / esperar*) a Carmela.

7. A las cuatro Carmela y la dependienta (*continuar / hablar*).

8. A las cinco Sarita, Carmela y yo (*venir / correr*) para la casa.

Carmela continuaba buscando una blusa.

8 En la tienda de ropa 🎧

Di lo que hacían los siguientes miembros de tu familia cuando estaban comprando en la tienda de ropa, usando las siguientes pistas.

MODELO Graciela / estar / probarse una blusa a cuadros
Graciela estaba probándose una blusa a cuadros.

1. yo / estar / pedir un consejo a la dependienta
2. mi sobrino / continuar / molestar a su hermana
3. mis primas / estar / mirar unos rubís en la joyería
4. mis padres / continuar / decidir qué ropa comprar
5. tú / estar / dar consejos a todos
6. mi abuelo / estar / ver el surtido de corbatas
7. mi hermano / seguir / apurar a todo el mundo
8. todos nosotros / estar / pensar qué comprar

9 Todavía no consiguen nada 🎧

Las siguientes personas todavía no conseguían lo que estaban buscando, después de pasar todo el día en las tiendas. Haz oraciones completas para decir lo que buscaban.

MODELO Jimena / seguir / falda a cuadros
Jimena seguía buscando una falda a cuadros.

Jimena estaba buscando una falda a cuadros y finalmente la consiguió.

1. nosotros / seguir / abrigos de lana
2. Claudia y Marcela / seguir / vestido a rayas
3. Gloria / seguir / botas negras de cuero
4. Alfonso / continuar / traje de baño
5. Uds. / continuar / tela a rayas
6. tú / seguir / guantes

10 ¿Por qué nadie contestó? 👥

Cuando llamaste anoche, nadie contestó el teléfono. En parejas, alternen en preguntar y constestar qué estaban haciendo todos en ese momento.

MODELO tu abuelo / dormir en su cuarto
   A: **¿Qué estaba haciendo tu abuelo?**
   B: **Estaba durmiendo en su cuarto.**

1. tú / oír música en la sala
2. tu hermano / freír en la cocina
3. tu abuela / leer un libro en el patio
4. tus padres / poner la mesa en el comedor
5. tus primas / andar por el centro
6. Uds. / hacer muchas cosas

11 Cuando los vi ayer, estaban... 🎧

Di lo que estaban haciendo estas personas, de acuerdo con las fotos.

MODELO Horacio
Cuando lo vi, Horacio estaba probándose
(se estaba probando) un suéter a rayas.

1. mi hermano **2.** Ignacio y Mercedes **3.** Gustavo **4.** tú y yo **5.** tú

¡Comunicación!

12 Anoche a las siete 👥 Interpersonal Communication

Trabajando en grupos pequeños, hablen sobre lo que cada uno/a de Uds. y otros miembros de su familia estaban haciendo anoche a las siete. Háganse preguntas para saber más información.

MODELO
A: Anoche a las siete yo estaba en el centro comercial, mi padre seguía trabajando en su coche y mis hermanas estaban haciendo las tareas.

B: ¿Qué estabas haciendo en el centro comercial?

A: Estaba buscando unos jeans nuevos. Quería unos desteñidos pero no los conseguí.

¡Comunicación!

13 De compras 👥 Interpersonal Communication

With a classmate, talk about the last time you went shopping while on vacation. Ask about such things as where each of you went, what items you purchased, and what other members in your family were doing while you were shopping. You may both make up any of the answers if you wish. Use the imperfect progressive and preterite tenses in your answers.

Una tienda en el Caribe

MODELO
A: Dime, ¿adónde fuiste de compras en tus últimas vacaciones?

B: Fui a las tiendas del centro en Santo Domingo. Cuando compré una gorra, mi hermano estaba nadando en la piscina del hotel.

Gramática

Adverbs Ending in *-mente*

In Spanish, many adverbs end in **-mente**, which often corresponds to **-ly** in English: *rápidamente* (rapid**ly**). You can form many other Spanish adverbs by adding **-mente** to the end of the feminine form of an adjective.

Adverbs ending in *-mente*			
adjective	feminine form (+ mente)		adverb
especial	especial (+ mente)	=	especialmente
fácil	fácil (+ mente)	=	fácilmente
feliz	feliz (+ mente)	=	felizmente
necesario	necesaria (+ mente)	=	necesariamente
probable	probable (+ mente)	=	probablemente
solo	sola (+ mente)	=	solamente

14 La escuela primaria

Raúl está recordando lo que hacían sus compañeros de la escuela primaria. Completa cada oración, cambiando el adjetivo entre paréntesis a un adverbio.

MODELO   Óscar jugaba (*maravilloso*) al tenis.

Óscar jugaba <u>maravillosamente</u> al tenis.

Óscar jugaba maravillosamente al tenis.

1. Victoria hablaba (*cariñoso*) con su amiga, Cecilia, porque la quería mucho.

2. Rolando siempre hablaba (*amable*) con todos porque era muy simpático.

3. Susana jugaba al voleibol y (*necesario*) tenía que jugar todos los días.

4. Alejandro siempre caminaba (*rápido*) porque siempre tenía mucha prisa.

5. Isabel era muy especial y (*probable*) ella era la mejor estudiante.

6. Andrea estudiaba mucho y hablaba (*inteligente*).

15 ¿En qué manera?

Completa las siguientes oraciones, escogiendo entre los adjetivos de la lista y cambiándolos a adverbios.

1. Camilo decidió que quería comprar muy __.
2. El profesor nos aconsejó __.
3. A Rolando le queda el traje nuevo __.
4. Cuando mis perros no saben dónde estoy ladran __.
5. Cuando no tenemos prisa caminamos __.
6. Gisela es mi amiga y casi siempre me habla __.

perfecto

lento

inteligente

loco

amable

rápido

16 Mi amiga Bianca

Pablo siempre salía de compras con su amiga Bianca. Ahora ellos no salen juntos y él recuerda lo que ella hacía. Completa lógicamente el siguiente párrafo, escogiendo las palabras de la lista y cambiándolas a adverbios.

Cuando iba de compras con mi amiga, Bianca, ella siempre caminaba **(1)** a las ofertas especiales porque siempre sabía dónde encontrarlas. Me gustaba ir con ella porque sabía comprar muy **(2)** . Ella iba de una tienda a otra, **(3)** , como en una fiesta. A ella no le gustaba comprar **(4)** para ella. También compraba para otros, **(5)** para personas como yo. Como conocía tan bien a la gente escogía **(6)** los mejores regalos para cada persona. A todos les gustaba recibir regalos de Bianca.

fácil   inteligente

rápido
feliz

especial
solo

¡Comunicación!

17 ¿Cómo lo haces?   Interpersonal Communication

Trabajando en parejas, alterna con tu compañero/a de clase en preguntar y en contestar cómo hacen varias acciones. Deben usar adverbios terminados en **-mente** en sus respuestas. Pueden usar los verbos del recuadro u otros.

caminar	dormir	montar bicicleta	correr
estudiar	bailar	hablar	jugar videojuegos

MODELO   A: ¿Cómo duermes?

B: Duermo perfectamente bien.

¡Comunicación!

18 ¡A jugar!   Interpersonal Communication

Formen grupos de cuatro o cinco estudiantes. Primero, cada grupo prepara cinco preguntas que tienen un adverbio en la respuesta. Luego, los estudiantes de un grupo leen sus preguntas a la clase. Cada vez que un(a) estudiante contesta correctamente, gana un punto (*wins a point*) para su grupo. Cuando el primer grupo termina, el siguiente grupo lee sus preguntas hasta que todos los grupos tengan la oportunidad de leer todas sus preguntas. El grupo con más puntos gana.

Abro mi regalo felizmente.

MODELO   A: ¿Cómo ladra el perro?

B: Ladra ferozmente.

C: ¿Cómo abres tu regalo?

D: Abro mi regalo felizmente.

? Pregunta clave

How do local products reflect the cultural heritage of a region?

Ciudad pionera textil 🎧

Fábrica textil en Jaruco, Cuba

Cuando vamos de vacaciones a otra región nos gusta comprar ropa típica, ¿verdad? Cuando usamos ropa típica nos sentimos parte de la cultura de ese país. Y mucho mejor si la ropa se fabrica ahí mismo. Pues, para sentirse cubano hay que usar guayaberas[1]. Pero... ¿de dónde sale la tela para la ropa cubana?

Jaruco es la ciudad textil por excelencia. Su historia empezó en 1920 cuando las mujeres cosían[2] en sus casas y vendían ropa por la ciudad. La producción fuerte[3] empezó en 1940, con el taller[4] La Cruz Blanca, en la casa más antigua de Jaruco. Este taller empezó fabricando calzoncillos[5] y pijamas, y entregándolos a domicilio[6]. Siguió con sacos[7], pantalones, faldas, blusas y guayaberas. Luego compró planchas[8] a China para vender su ropa de forma impecable a los grandes almacenes de La Habana, la capital. Así, las telas de Jaruco se hicieron famosas.

Cuba pasó por diferentes situaciones sociales y económicas, pero su industria textil nunca murió[9]. Hoy en Jaruco está la Empresa de Confecciones Tropicales, que provee ropa para toda la isla. Gracias a esta empresa, las personas que compran ropa en Cuba pueden usar productos locales y conservar la cultura caribeña.

Una guayabera

[1] typical Cuban shirt [2] sewed [3] strong [4] workshop [5] men's underwear
[6] home delivery [7] coats [8] irons [9] died

🔍 **Búsqueda:** jaruco, industria textil cubana, la cruz blanca

Comparaciones

En los Estados Unidos la gente se viste con mucha variedad de ropa. ¿Qué tipo de ropa consideras típica de los Estados Unidos? ¿Qué diferencias hay en la ropa que usan los estadounidenses y la ropa de los cubanos? Investiga en la internet dónde están las industrias textiles de los Estados Unidos o de dónde viene la ropa que usas.

19 Comprensión · Interpretive Communication

1. ¿Qué ropa típica cubana se menciona en la lectura?

2. ¿Cuál fue la primera fábrica (*factory*) textil de Jaruco?

3. ¿Cuál fue la primera actividad de esta fábrica?

4. ¿Qué inversión hizo La Cruz Blanca para progresar comercialmente?

20 Analiza

1. How do small enterprises or home-based companies help to maintain a local cultural heritage? Give examples.

2. Do you think it is necessary to invest money in more equipment even when a company is profitable? Explain.

3. Nowadays, a lot of clothing is made in Asia and sold worldwide. Why do you think Cuba maintains its own textile industry?

Ropa y arte de Puerto Rico

¡Salsa! ¡Merengue! ¡Cha-cha-cha! Todos bailamos con los ritmos del Caribe. Al participar en las danzas típicas de un país conocemos mejor su cultura. Pero la música caribeña no es solamente buen ritmo. Va acompañada[1] de un espectáculo de danza, donde la ropa tiene un papel fundamental. Con la ropa y el arte podemos conocer muchos años de historia caribeña.

Bailando bomba y plena

Puerto Rico tiene un baile y música tradicionales: *bomba y plena*. La parte de "bomba" tiene elementos africanos y se baila rápido; la parte de "plena" tiene elementos taínos, los indígenas de la isla, y se baila con movimientos suaves. Para bailar bomba y plena se usa ropa típica de Puerto Rico. La mujer usa una blusa con volados[2] y una falda larga que se mueve[3] al ritmo de la música. Algunas mujeres se cubren[4] el pelo con una tela. El hombre usa camisa de mangas[5] largas, pantalones y sombrero. El color blanco es predominante, y generalmente hay detalles rojos y azules, los tres colores de la bandera[6] de Puerto Rico.

La ropa no se usa solo para vestirse y salir de paseo, también es parte del arte popular, y los puertorriqueños expresan su cultura con telas finas, buen gusto[7] y mucha música.

[1] accompanied [2] ruffles [3] moves [4] cover [5] sleeves [6] flag [7] taste

Búsqueda: bomba y plena, blusas puertorriqueñas

Prácticas Conéctate: la historia

Para la fiestas nacionales de la República Dominicana, las mujeres usan trajes nacionalistas. Ellas prefieren llamarlos "nacionalistas" y no "típicos", por tener muchos elementos de los vestidos que usaban las mujeres españolas. Son vestidos de algodón, con colores suaves (*light*) y una flor para adornar. En la Republica Dominicana, todavía se hacen concursos (*contests*) para elegir un traje dominicano típico.

Trajes nacionalistas

21 Comprensión Interpretive Communication

1. ¿Por qué el nombre de la música tradicional de Puerto Rico tiene dos partes? Explica cada una.
2. ¿Qué ropa usa la mujer para bailar bomba y plena?
3. ¿Qué usa el hombre en la cabeza para bailar bomba y plena?
4. ¿Cuál es el color principal de los trajes tradicionales puertorriqueños?

22 Analiza

1. The name *bomba y plena* summarizes Puerto Rican heritage. How do you think culture is represented in the dresses for dancing *bomba y plena*?

2. What advice would you give Dominicans to help them find their traditional costume? What characteristics would you look for?

En el restaurante 🎧

¿Te gustaría comer en este restaurante en Santo Domingo, República Dominicana?

el/la cocinero/a

el/la camarero/a

servir (i, i)

(el plato) principal

el pimentero

el salero

la azucarera

el aderezo

la salsa

la propina

el secreto

la cuenta

la salsa de tomate
la mayonesa
la mostaza

En otros países

el aderezo	el aliño (España)
el/la camarero/a	el/la mesero/a (Colombia)
	el/la mesonero/a (Chile)
	el/la mozo/a (Argentina)
la salsa de tomate	el catsup (Puerto Rico)

Para decir más

la receta	recipe
dulce	sweet
picante	spicy
salado/a	salty
satisfecho/a	satisfied

Para conversar 🎧

To talk about food:

La comida es muy **rica**.
The food is (tastes) good.

El postre estaba **delicioso**.
Dessert was delicious.

La sopa tiene buen **sabor**.
The soup has good flavor.

Es una salsa **diferente**.
It is a different (strange) sauce.

Te va a **agradar** el plato principal.
Es muy **agradable**.
You are going to like the main course. It is very pleasing.

Es mejor no **agregar** sal.
It is better not to add salt.

Yo comí demasiada comida y ahora estoy muy **lleno/a**.
I ate too much food and now I'm very full.

Mi abuela **solía** preparar flan los domingos.
My grandmother used to make (was accustomed to making) custard on Sundays.

¡Me **tomaste el pelo**! La taza no estaba llena.
You pulled my leg! The cup was not full.

Comunidades

No es necesario viajar para comer comida caribeña, mexicana, peruana o española. La próxima vez que tú y tu familia van a comer en un restaurante, sugiere ir a un restaurante hispano en tu comunidad o cerca de tu comunidad. Traduce el menú a tu familia y habla con el/la camarero/a en español.

23 ¿Qué es? 🎧

Indica la letra de la foto que corresponde con lo que oyes.

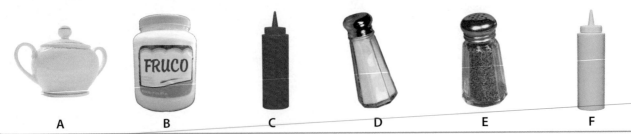

| A | B | C | D | E | F |

24 Comentarios sobre la comida

Completa las siguientes oraciones lógicamente, usando las palabras apropiadas.

agregar   **aderezo**   *secreto*   *rica*   *sabor*   *agradar*

1. La sopa está muy __.
2. Cómo preparan las costillas es un __ de este restaurante.
3. Esta salsa es un __ especial que le pongo a la ensalada.

4. Este pescado tiene un buen __.
5. Prueba este flan. Te va a __.
6. ¿Dónde está el salero? Necesito __ sal a las papas.

¡Comunicación!

25 ¿Qué estoy describiendo? 👥   Interpersonal Communication

Trabajando en parejas, alternen en dar una descripción de una de las palabras de la lista (sin mencionar la palabra). La otra persona tiene que adivinar (*guess*) la palabra.

MODELO   **A:** Es el dinero que se da a un camarero por servir bien.

          B: ¿La propina?

          A: ¡Correcto!

camarera   *propina*   *aderezo*   *servir*

lleno   **cocinero**   *cuenta*   *delicioso*

Diálogo

Una comida muy rica

Diana: La comida estaba muy rica.

Marta: Sí, hacía mucho tiempo que no comía una ternera tan buena.

Edgar: Las costillas que pedí tenían un sabor excelente.

Jorge: ¿Quieren pedir algo de postre?

Diana: No, gracias. Yo estoy muy llena.

Jorge: Edgar, pídele la cuenta a la camarera.

Edgar: Uy, Jorge, ¡son quinientos dólares!

Jorge: ¿Cómo? Entonces, tenemos que quedarnos a lavar platos.

Diana: Marta, no les creas. Nos están tomando el pelo.

26 ¿Qué recuerdas?

1. ¿Cómo estaba la comida, según Diana?
2. ¿Qué hacía mucho tiempo que no comía Marta?
3. ¿Qué pidió Edgar?
4. ¿Por qué no quiere pedir Diana algo de postre?
5. ¿De cuánto es la cuenta, según Edgar?

27 Algo personal

1. ¿Cómo estaba la comida la última vez que fuiste a un restaurante?
2. ¿Pides postre cuando vas a un restaurante? ¿Por qué sí o por qué no?
3. ¿Quién paga la cuenta cuando vas a comer a un restaurante con un(a) amigo/a? Explica.
4. ¿Les tomas el pelo a tus amigos/as? ¿Cuándo? ¿Por qué?

28 ¿Lógico o ilógico?

Di si lo que oyes es lógico o ilógico. Si lo que oyes es ilógico, di lo que es lógico.

Un restaurante puertorriqueño

Hace (+ time) *que*

- Use the following four elements to describe an action that began in the past and has continued into the present time:

hace	+	*(time expression)*	+	**que**	+	*(present tense of a verb)*
1		2		3		4

***Hace** media hora **que** espero mi comida.*   I have been waiting for my food for half an hour.

1   2   3   4   (Half an hour ago I started waiting for my food and I am still waiting.)

- For questions, reverse the order of ***hace*** and the time expression if a form of *¿cuánto?* introduces the question.

*¿**Cuánto** tiempo **hace que** esperas tu comida?*   How long have you been waiting for your food?

2   1   3   4

¡Comunicación!

29 ¿Cuánto tiempo?   **Interpersonal Communication**

Trabajando con un(a) compañero/a de clase, alternen en hacer preguntas
y contestarlas.

MODELO   no comer camarones

A: **¿Cuánto tiempo hace que no comes camarones?**

B: **Hace tres meses que no como camarones.**

1. no ir a un restaurante elegante
2. no saber un secreto
3. no tomar el pelo a un(a) amigo/a
4. no ponerle salsa de tomate a la comida
5. no comer un sándwich de mantequilla de maní
6. no pagar la cuenta en un restaurante

¿Cuánto tiempo hace que no comes camarones?

Hacía (+ time) que

- Express an action that continued for a period of time in the past, by using the following pattern:

hacía +	(*time expression*)	+ **que** +	(*imperfect tense of a verb*)
1	2	3	4

Hacía media hora **que** esperaba mi comida.   I had been waiting for my food for half an hour.
    1   2   3   4

- When a form of ¿*cuánto*? introduces a question, reverse the order of **hacía** and the time expression.

¿***Cuánto*** tiempo **hacía que** esperabas tu comida?   How long had you been waiting for your food?
    2   1   3   4

30 Comiendo en un restaurante

Imagina que fuiste a comer a un restaurante con otra persona. Explica qué pasó, cambiando estas oraciones al pasado.

MODELO   Hace ocho meses que vamos al mismo restaurante.
            Hacía **ocho meses que** *íbamos* **al mismo restaurante.**

1. Hace tres semanas que no comemos pescado con mayonesa.

2. Hace mucho tiempo que quiero probar el nuevo aderezo.

3. Hace poco que no como huevos con sal y pimienta.

4. Hace media hora que estamos en el restaurante.

5. Hace más de media hora que mi amigo está en el teléfono.

6. Hace media hora que esperamos al camarero con la cuenta.

Hace ocho meses que vamos al mismo restaurante.

31 ¿Cuánto tiempo hacía?

Di cuánto tiempo hacía que estabas haciendo estas actividades cuando algo ocurrió.

MODELO   12:00 PM   Empecé a leer un blog interesante.

12:05 PM   Me llamaste. (Estaba leyendo.)

Hacía cinco minutos que leía un blog cuando me llamaste.

Empecé a leer un blog.

1. 12:05 PM   Empezamos a hablar por teléfono.
   12:15 PM   Tuviste que colgar el teléfono. (Estábamos hablando.)

2. 12:30 PM   Decidí ir al supermercado para comprar algunas frutas y verduras.
   12:35 PM   Salí de la casa. (Estaba lloviendo.)

3. 12:55 PM   Llegué al supermercado.
   1:30 PM   Encontré la última verdura de mi lista. (Estaba haciendo compras.)

4. 2:00 PM   Llegué a la casa.
   2:30 PM   Empecé a cocinar. (Estaba preparando todo para cocinar.)

5. 3:15 PM   Le serví la comida a mi familia.
   3:20 PM   Les pregunté si les gustó el sabor de mi receta secreta. (No estaban diciendo nada.)

6. 3:20 PM   Empezaron a reírse.
   3:25 PM   Me dijeron que era deliciosa. (Estaban tomándome el pelo.)

7. 6:00 PM   Empezaron a lavar los platos y limpiar la cocina.
   7:00 PM   Terminaron los quehaceres de la cocina. (¡Yo estaba viendo televisión!)

¡Comunicación!

32 Cuando empecé esta escuela... 👥 Presentational Communication

Di cuánto tiempo hacía que tú hacías estas actividades cuando empezaste a asistir a esta escuela. Luego, presenta la información a dos o tres compañeros/as.

MODELO   saber nadar

Cuando empecé esta escuela hacía ocho años que sabía nadar.

Cuando empecé esta escuela...

1. vivir en esta ciudad
2. conocer a tu mejor amigo/a
3. practicar tu deporte favorito
4. no dormir siesta todos los días
5. saber leer
6. estudiar matemáticas

Contesta estas preguntas, usando una expresión con **hace** o una expresión con **hacía**.

1. ¿Cuánto tiempo hace que no vas a comer con tu mejor amigo/a del colegio?

2. ¿Cuánto tiempo hace que no vas al mismo restaurante?

3. ¿Cuánto tiempo hacía que ibas al colegio cuando conociste a tu mejor amigo/a?

4. ¿Cuánto tiempo hace que tu profesor/a enseña español?

5. ¿Cuánto tiempo hacía que estudiabas español cuando empezaste este año?

6. ¿Cuánto tiempo hacía que ibas a otro colegio cuando empezaste a estudiar en este colegio?

7. ¿Cuánto tiempo hace que estudias español?

8. ¿Cuánto tiempo hacía que tu profesor/a enseñaba español cuando empezó a trabajar en este colegio?

¿Cuánto tiempo hace que estudias español?

¡Comunicación!

34 En el restaurante **Interpersonal Communication**

En parejas, dramaticen una escena en un restaurante entre el/la camarero/a y el/la cliente.

→ Ask the client how the food was.

← Say that it was good. Mention how long it's been since you had food with such good flavor.

→ Ask if he/she wants dessert.

← Answer that you are too full and ask for the bill.

→ Mention that the client hasn't wanted dessert for a whole week. Then say you will bring the bill right away.

? Pregunta clave

How do local products reflect the cultural heritage of a region?

 ¡Comunicación!

35 Algo ocurrió en la tienda de ropa 👥 **Interpersonal/Presentational Communication**

Tú y un(a) compañero/a fueron a un centro comercial de Puerto Rico y entraron a una tienda a comprar ropa. Cuando estaban haciendo cosas, otras cosas ocurrieron. Alternen en decirle a la clase qué compraron y qué estaban haciendo y qué ocurrió. Usen palabras del vocabulario, el tiempo imperfecto progresivo y algunos adverbios que terminan en **–mente**. ¡Sean creativos con su historia!

MODELO
A: **Estábamos comprando camisas a cuadros en una tienda de Puerto Rico y una señora entró con un perro.**

B: **Seguramente la señora estaba pensando que era un parque.**

A: **Después yo estaba pagando y el cajero me dijo que eran mil dólares.**

B: **Probablemente estabas pagando por un rubí de la joyería.**

¡Comunicación!

36 El gran almuerzo 👥 **Interpersonal/Presentational Communication**

Tú y dos compañeros/as fueron a comer a un restaurante caribeño. Allí comieron de todo: carnes, vegetales, frutas y mucho más. Hacía mucho que ustedes no comían cosas tan deliciosas. Representen la situación para la clase. Imaginen que están en el restaurante y digan cuánto hace o hacía que no comían o hacían esas cosas. Usen el modelo y las fotos como guía.

MODELO
A: **El jugo de piña está delicioso. Hacía un año que no tomaba jugo de piña.**

B: **Y la cuenta va a ser muy cara. Hace dos años que no pago una cuenta de restaurante.**

Lectura literaria

Cuando era puertorriqueña (fragmento) 🎧
de *Esmeralda Santiago*

Sobre la autora

Esmeralda Santiago (Puerto Rico, 1948) es una escritora puertorriqueña que fue a vivir a Nueva York de niña. Años después, ingresó a la Universidad de Harvard y luego siguió estudiando hasta obtener un doctorado en Trinity University, Texas. Escribió artículos en muchos diarios y revistas de los Estados Unidos, y en 1994 publicó su primera novela, *Cuando era puertorriqueña*. Vas a leer un fragmento de esta novela, que cuenta los sentimientos de una niña hispana.

---

37 Antes de leer: Vocabulario | Conéctate: la música

Mira las fotos y nombres de instrumentos musicales. Algunos aparecen en la selección que vas a leer. Indica cuáles crees que son parte de la música típica de Puerto Rico y cuáles son para tocar música clásica.

Cuatro

Güiro

Flauta

Violín

Maracas

Piano

Oboe

Guitarra

---

38 Antes de leer: Conocimientos previos 🎧

1. ¿Qué tipo de comida se cocina en tu casa?

2. ¿En qué ocasiones se juntan (*get together*) muchos familiares o amigos en tu casa? ¿Qué celebran y qué comen?

3. ¿Cómo ayudas en tu casa a la hora de cocinar o antes de comer?

Estrategia

Read in short chunks

Some authors use long paragraphs to make their descriptions more vivid, and a lot of text in a paragraph can be difficult to comprehend. In order to monitor your comprehension, break up paragraphs into shorter chunks. Read through each "chunk," and stop often to analyze and summarize what you have read so far. Continue reading after verifying your comprehension of each "chunk" and connect all the ideas of each section together. The selection you are about to read contains long paragraphs. Using this strategy will help you understand the story better.

Cuando era puertorriqueña (fragmento) 🎧
de *Esmeralda Santiago*

[...] Mientras los hombres preparaban y asaban[1] el cerdo, Mami y las mujeres hacían pasteles[2]. Guayaron[3] plátanos, guineos[4] verdes, yautías[5] y yuca y sazonaron[6] la masa[7]. Amontonaron[8] cucharones de la mezcla[9] en el medio de hojas de plátano pasadas por el fuego del fogón y le pusieron carne sazonada en el centro. Doblaron los pasteles en rectángulos, los amarraron con hilo[10] de algodón y los pusieron a hervir[11] en una olla de agua de sal. Rompieron[12] cocos, partieron la carne de adentro y nos la dieron a nosotros niños a guayar, cuando no estábamos comiéndola. Después de guayarlo, se exprimió[13] la leche del coco, la cual se usó para arroz con dulce y tembleque[14]. [...] Ayudé a Papi a poner bombillas[15] de colores de un lado al otro del batey[16], y decoramos un palo[17] de berenjenas[18] con flores de papel crepé y con muñequitos[19] hechos de papel de construcción. [...]

En Nochebuena[20] la barra[21] se cerró, y los vecinos salieron de sus casas cargando[22] mesas, las cuales alinearon alrededor del batey amontonadas con comida preparada por mujeres que yo jamás había visto,

las cuales entraban a nuestro batey como si fueran familiares perdidos[23], pasando las manos por nuestras cabezas, sonriéndose[24] con nosotros como si fuéramos los niños más preciosos del mundo. Un grupo se presentó con un cuatro, una guitarra, maracas y güiros, y bailamos en el centro del batey. Cantamos aguinaldos[25] y, por el resto de la noche, bailamos y cantamos y comimos y bebimos[26] y celebramos como si fuéramos amigos todos y solo necesitásemos una excusa para juntarnos. [...]

[1] roasted [2] pies [3] Shredded [4] bananas [5] Puerto Rican tuber [6] seasoned [7] dough
[8] Stacked [9] mix [10] thread [11] boil [12] Broke [13] squeeze [14] coconut custard
[15] light bulbs [16] patio [17] stalk [18] eggplants [19] dolls [20] Christmas Eve [21] bar
[22] carrying [23] missing [24] smiling [25] Christmas carols [26] drank

---

39 Comprensión 🎧 Interpretive Communication

1. ¿Quién es la narradora de esta novela? ¿Una adulta o una niña?
2. ¿Qué hacían los hombres y las mujeres en esa casa?
3. ¿Por qué había tanta gente en ese lugar?
4. ¿Cómo ayudó la niña a su papá?

40 Analiza

1. What can you infer from the activities that women do in the novel? Can you make a comparison with your own world?
2. Would you say this excerpt narrates a positive or negative experience for Esmeralda? Explain.

Repaso de la Lección B

A   Escuchar: ¿En una tienda o en un restaurante?   (pp. 241, 252)

Vas a escuchar seis mini-diálogos. Para cada uno, di si las personas están en **una tienda de ropa** o en **un restaurante**.

B   Vocabulario/Gramática: ¿Qué estaban haciendo?   (pp. 241, 244, 252)

Di lo que las siguientes personas estaban haciendo a las once de la mañana, de acuerdo con las ilustraciones. Usa el tiempo progresivo imperfecto.

1. la camarera   **2.** tú   **3.** Ana y Sara   **4.** nosotros   **5.** Samuel

C   Gramática: Así lo hacen   (p. 248)

Escribe cinco oraciones con estos adverbios.

posiblemente   rápidamente

elegantemente

fácilmente   solamente

D   Gramática: Hacía mucho tiempo   (p. 257)

Di hacía cuánto tiempo las siguientes personas hacían las actividades usando las indicaciones.

MODELO   mucho tiempo / yo / no comprar una prenda nueva
Hacía mucho tiempo que (yo) no compraba una prenda nueva.

1. una hora / Carmen / probarse blusas

2. seis meses / tú / no comer carne de ternera

3. más de un año / nosotros / no ir a una joyería

4. media hora / yo / decidir adónde ir

5. dos semanas / mi amigo / trabajar de cajero

6. mucho tiempo / Uds. / no aconsejarme

Contesta las preguntas con la información que aprendiste en esta lección.

1. ¿Qué producto local fabrica la Empresa de Confecciones Tropicales? ¿En qué ciudad y país está?

2. ¿Qué es "bomba y plena"? ¿Qué ropa típica se usa para esta expresión cultural?

3. ¿Tiene la República Dominicana un traje típico? Explica.

Vocabulario

En la tienda	En el restaurante	Verbos	Expresiones y otras palabras
a cuadros	el aderezo	aconsejar	
a rayas	agradable	agradar	además
el cajero, la cajera	la azucarera	agregar	el consejo
desteñido/a	el camarero, la camarera	anochecer	cualquier, cualquiera
la joyería	el cocinero, la cocinera	apurar(se)	diferente
la prenda	la cuenta	decidir	elegante
el rubí	delicioso/a	probar(se) (ue)	posible
el surtido	lleno/a	servir (i, i)	principal
la tela	la mayonesa	soler (ue)	¿Qué (te, le, les) parece?
el tipo	la mostaza		la razón
la variedad	el pimentero		el secreto
el vestidor	la propina		tener razón
	rico/a		tomar el pelo
	el sabor		
	el salero		
	la salsa		
	la salsa de tomate		

Gramática

Hacía (+ time) que

Use **hacía** (+ time) **que** to express an action that has continued for a period of time in the past.

Hacía dos horas que yo esperaba en el restaurante.

Hacía muchos años que comíamos una carne agradable.

The imperfect progressive tense

Use the imperfect progressive tense when describing what was going on when something else happened. Form the imperfect progressive with **estar, seguir, andar, continuar, venir** + (present participle).

Yo **estaba comiendo** cuando llegaste.

Ellos **seguían hablando** en el parque.

Adverbs ending in -mente

Many adjectives can be made into adverbs by adding **-mente** to the feminine form.

Adjective: feminine form		Adverb
enojada	→	enojada**mente**
rápida	→	rápida**mente**
lenta	→	lenta**mente**

Para concluir

Proyectos

A   ¡Manos a la obra!   👥

En grupos de tres o cuatro, preparen una presentación titulada "Ropa de moda".
Investiguen en la internet qué tipo de ropa usan los jóvenes de algunos países
latinoamericanos o de España. ¿Qué ropa usan diariamente? ¿Usan ropa típica en
alguna celebración? ¿En qué ocasiones? ¿Cómo es la ropa? Utilicen fotografías para
mostrar y comparar la ropa según el país y la ocasión. Presenten datos para mostrar
grupos de edades y el tipo de ropa que usa cada grupo en general. Para terminar,
expliquen qué tipo de ropa usan hoy los jóvenes y los adultos en los Estados Unidos.

B   En resumen

Copia el diagrama de abajo y completa los recuadros de la columna derecha para
indicar cómo cada producto o lugar forma parte de la herencia cultural de un país
o una región.

bacalaítos	
bomba y plena	
cocotero	
guayabera	
paladares	
Piñones	
plátano	
pregonero	

Extensión

Investiga en la internet sobre la ropa típica para bailar la rumba, un baile tradicional
de Cuba. ¿Cómo es la ropa? ¿Qué colores usan? ¿Cómo la comparas con la ropa de
bomba y plena puertorriqueña y los trajes nacionalistas dominicanos?

Pregunta clave

How do local products reflect the cultural heritage of a region?

C ¡A escribir!

Trabajas para una revista de comidas y fuiste a visitar algunos restaurantes. Escribe un artículo corto sobre tres restaurantes que hay en tu ciudad. Explica qué tipo de comida sirven allí, cómo es el servicio y cómo son los precios. Escribe el artículo usando el pretérito y el imperfecto. Cuando es posible, usa las formas **hace... que** y **hacía... que**.

Estrategia

Preterite vs. imperfect

Remember that the preterite indicates events that happened in the past and ended, while the imperfect indicates ongoing events in the past. When writing your article, consider one or two events that happened while you were doing something else.

D Comidas tradicionales Conéctate: los estudios sociales

En esta unidad aprendiste sobre muchas comidas. Ahora piensa en las comidas que comes en tu casa con tu familia. ¿Comen alguna comida tradicional? Investiga en la internet el origen de algunas comidas que comen en tu casa. ¿De qué cultura vienen? ¿Cómo se preparaban antes y como se preparan ahora? Compara esas comidas con algunas de las comidas que aprendiste en esta unidad. Luego haz un cartel con la receta (*recipe*) de una de esas comidas que comes en tu casa. Incluye imágenes de cada ingrediente.

E Ropa en oferta Conéctate: las matemáticas

El próximo fin de semana vas a bailar bomba y plena con tus amigos puertorriqueños. Tienes que comprar ropa apropiada para ti y para tu pareja. Cuando llegas a la tienda ves la siguiente ropa. Alguna ropa está en oferta o tiene descuentos (*discounts*). Escoge la ropa apropiada para la fiesta. Luego di cuánto pagaste y cuánto ahorraste con esa compra.

Precio regular de la compra: __
Precio que pagué con los descuentos: __
Dinero que ahorré: __

Vocabulario de la Unidad 5

a cuadros plaid, checkered 5B
a rayas striped 5B
aconsejar to advise, to suggest 5B
acordar(se) (ue) (de) to remember 5A
además besides, furthermore 5B
el **aderezo** seasoning, flavoring, dressing 5B
agradable nice, pleasing, agreeable 5B

agradar to please 5B
agregar to add 5B
la **almeja** clam 5A
andar to walk, to go 5A
anoche last night 5A
anochecer to get dark, to turn to dusk 5B
apurar(se) to hurry up 5B
el **atún** tuna 5A
la **azucarera** sugar bowl 5B
la **bolsa** bag 5A
caber to fit (into) 5A
el **cajero,** la **cajera** cashier 5B
el **camarero,** la **camarera** food server 5B
el **camarón** shrimp 5A
el **cangrejo** crab 5A
la **carne de res** beef 5A
el **cereal** cereal 5A
el **chiste** joke 5A
la **ciruela** plum 5A
el **cocinero,** la **cocinera** cook 5B
el **consejo** advice 5B

la **costilla** rib 5A
la **crema** cream 5A
el **cuadro** square 5B
cualquier, cualquiera any 5B
la **cuenta** bill, check 5B
decidir to decide 5B
delicioso/a delicious 5B
desteñido/a faded 5B
diferente different 5B
el **durazno** peach 5A
elegante elegant 5B
el **filete** fillet, boneless cut of meat or fish 5A
el **flan** custard 5A
freír (i, i) to fry 5A
hubo there was, there were 5A
la **joyería** jewelry store 5B
lleno/a full 5B
la **mantequilla de maní** peanut butter 5A
el **marisco** seafood 5A
la **mayonesa** mayonnaise 5B
el **melón** melon 5A
la **mostaza** mustard 5B
necesario/a necessary 5A
la **papaya** papaya 5A
la **parte** place, part 5A
la **pera** pear 5A
el **pimentero** pepper shaker 5B

la **piña** pineapple 5A
posible possible 5B
la **prenda** garment 5B
principal principal, main 5B
probable probable 5A
probar(se) (ue) to try (on), to test, to prove 5B
la **propina** tip 5B
el **pulpo** octopus 5A
¿Qué (te, le, les) parece? What do/does (you/he/she/they) think? 5B
la **raya** stripe 5B
la **razón** reason 5B
reír(se) (i, i) to laugh 5A
rico/a rich, delicious 5B
el **rubí** ruby 5B
el **sabor** flavor 5B
la **salchicha** sausage 5A
el **salero** saltshaker 5B
la **salsa** sauce 5B
la **salsa de tomate** ketchup 5B
la **sandía** watermelon 5A
el **sándwich** sandwich 5A
el **secreto** secret 5B
servir (i, i) to serve 5B
soler (ue) to be accustomed to, to be used to 5B
el **surtido** assortment, supply, selection 5B
el **té** tea 5A
la **tela** fabric, cloth 5B
tener razón to be right 5B
la **ternera** veal 5A
el **tipo** type, kind 5B
el **tocino** bacon 5A
todo everything 5A
tomar el pelo to pull someone's leg 5B
la **toronja** grapefruit 5A
la **variedad** variety 5B
el **vestidor** fitting room 5B

¿Sabías que . . . ?

Cuando los conquistadores
europeos llegaron a lo que hoy es
Venezuela, observaron muchas
casas indígenas construidas sobre
el lago Maracaibo. Esa combinación
de hogares y agua les recordó a la
ciudad italiana de Venecia; por eso
la llamaron Venezuela, que significa
"pequeña Venecia".

Hogar, dulce hogar

Escanea el código QR para ver este episodio de *El cuarto misterioso*.

Conchita le cuenta a don Pedro y a José cómo recuperó el maletín. ¿Dónde lo encontró?

A. en la chimenea
B. debajo de un sillón
C. debajo de la cama

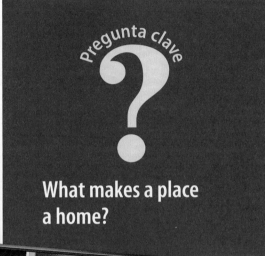

Pregunta clave

?

What makes a place a home?

Mis metas

Lección A   I will be able to:

▶ describe a house
▶ tell someone what to do
▶ express wishes and preferences using the subjunctive
▶ discuss **colonial** and **totora** houses
▶ talk about family and everyday activities
▶ discuss traditional indigenous housing

Lección B   I will be able to:

▶ express how I feel
▶ express emotion and doubt using the subjunctive
▶ discuss the concept of homeland
▶ identify kitchen appliances
▶ state an opinion
▶ discuss childhood homes

Colombia

Ecuador   Venezuela

Perú   Bolivia

Países bolivarianos

¿Cómo es una casa colonial por dentro?

Lección

A

Vocabulario 1

Bolivia
Colombia
Ecuador
Perú
Venezuela

En casa 🎧

¡Bienvenidos a nuestro **hogar**!

la chimenea
el techo

el armario
los muebles
la alfombra
el piso de madera

la secadora
la lavadora
el lavadero

el cuadro
la cortina
la chimenea
el sillón

el ventilador

el aire acondicionado

la bombilla

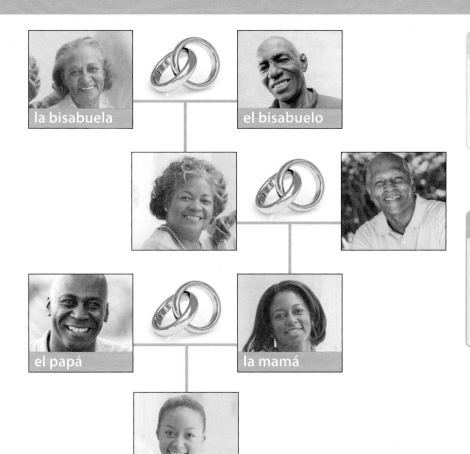

la bisabuela   el bisabuelo

el papá   la mamá

En otros países

la bombilla	la ampolleta (Chile)
	el bombillo (Puerto Rico)
	la bombita (Argentina)
la lavadora	el lavarropas (Argentina)

Para decir más

la almohada	pillow
el balcón	balcony
la cómoda	dresser
el estante	shelf, bookcase
la mesita de noche	nightstand

Para conversar

To describe a house:

Vivimos en una casa de dos pisos.
We live in a two-story house.

La casa tiene **un ático** pero no tiene
un sótano.
*The house has an attic but it does not have
a basement.*

El lavadero está **abajo**.
The laundry room is downstairs.

Mi cuarto está **arriba**.
My room is upstairs.

El carro está **afuera** porque la casa no
tiene garaje.
The car is outside because the house has no garage.

El armario tiene un espejo **adentro**.
The closet has a mirror inside.

To tell someone what to do:

Insisto en que lo hagas.
I insist that you do it.

Tienes que **cambiar** la bombilla.
You have to change the light bulb.

¡**Deja de** reírte!
Stop laughing!

¡Ay, no **exageres** tanto!
Don't exaggerate so much!

Pon **el despertador** para las siete.
Set the alarm clock for seven.

Barre el piso con **la escoba** nueva.
Sweep the floor with the new broom.

1 ¿Mueble o comida?

Di si lo que oyes es: un mueble o una comida.

Es un mueble.   Es una comida.

2 La casa de los García

¿Cómo es la casa de los García? Contesta las preguntas según la ilustración.

1. ¿De qué color es el techo?
2. ¿Tiene la casa un ático?
3. ¿Tiene la casa una chimenea?

4. ¿Dónde está el lavadero?
5. ¿Está el baño arriba o abajo?
6. ¿Está el carro adentro o afuera?

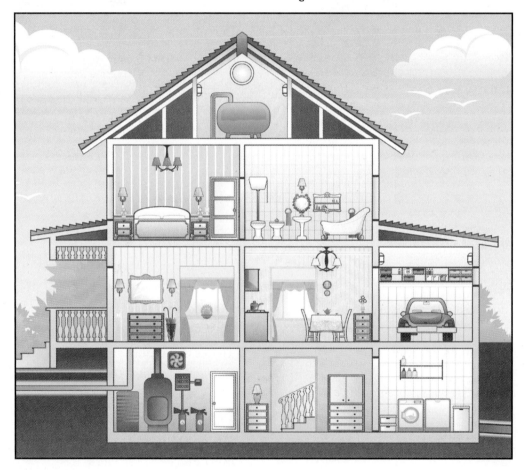

3 Identificar

Con un(a) compañero/a de clase, alternen en señalar (*point to*) las siguientes cosas en la ilustración de la Actividad 2: **las cortinas, la secadora, el ventilador, el armario, un mueble de madera.**

Diálogo 🎧

El ático de los García

Sra. García: Tenemos que comprar un ventilador para este ático.

Sr. García: Sí, y bombillas nuevas también.

Sra. García: No podemos limpiar con tantos muebles aquí. Debemos sacar la alfombra, el sillón y el armario.

Sr. García: ¡Cuántos muebles para llevar afuera!

Sra. García: ¡Ay, no exageres! No son tantos. Llevemos el armario y el sillón a la sala.

Sr. García: Sí, y también el cuadro de la bisabuela y esas cortinas.

Sra. García: No. Insisto en que pongas esas cortinas feas en la basura.

4 ¿Qué recuerdas? 🎧

1. ¿Qué hacen el Sr. y la Sra. García?
2. ¿Qué necesitan comprar para el ático el Sr. y la Sra. García?
3. ¿Qué dice la Sra. García que deben sacar?
4. ¿Dónde quiere llevar el Sr. García el cuadro de la bisabuela?
5. ¿En qué insiste la Sra. García?

5 Algo personal 🎧

1. ¿Tienes ático en tu casa?
2. ¿Limpias tu ático o tu sótano cada año?
3. ¿Te gustaría conocer a tus bisabuelos? ¿Por qué?
4. ¿Cómo es tu casa? Descríbela.

6 ¿Qué es? 🎧

Identifica lo que oyes, según las descripciones.

A. *la cortina*

B. **el armario**

C. la chimenea

D. *el ventilador*

E. el despertador

F. *la lavadora*

Estrategia

Word families

Look at a word and try to determine whether or not it looks like another word you already know in Spanish. For example, do you see the similarity between the new word *despertador* (alarm clock) and *despertar* (to wake up), which you have already learned? Recognizing this similarity will often help you learn new vocabulary or remember words you have already learned.

Stem-Changing Verbs

You have already learned to use several verbs that require a stem change in the present indicative, indicated by the first set of letters in parentheses after infinitives in this textbook: *pensar (ie)*, *poder (ue)*, *pedir (i, i)*, *doler (ue)*.

Can you name other verbs that require this kind of change?

¿Qué piensa mamá?	What does Mom think?
¿Puedes cambiar la bombilla?	Can you change the lightbulb?
Siempre pides ayuda con los quehaceres.	You always ask for help with chores.
Me duelen los brazos.	My arms hurt.

7 ¡Qué calor!

Completa el siguiente párrafo con la forma correcta del presente de los verbos entre paréntesis. Sigue el modelo.

MODELO ¿(*Preferir*) (tú) poner el ventilador o el aire acondicionado?

¿Prefieres poner el ventilador o el aire acondicionado?

Yo no (**1.** *poder*) estudiar porque (**2.** *tener*) mucho calor. Papá (**3.** *querer*) encontrar un ventilador para poner en la sala. Dice que (**4.** *costar*) menos que el aire acondicionado. Él (**5.** *seguir*) buscando el ventilador en el sótano, en el ático y en el garaje. Después de pasar toda la mañana buscando un ventilador, él (**6.** *encontrar*) uno en una tienda no lejos de la casa. Mamá y yo (**7.** *preferir*) poner el aire acondicionado. Ella y abuela (**8.** *cerrar*) las cortinas y ponen el aire. Cuando papá (**9.** *volver*) a casa, (**10.** *tener*) calor y está cansado. Él (**11.** *sentarse*) en un sillón y decide no usar su ventilador nuevo y dejar puesto el aire acondicionado. Nosotros (**12.** *reírse*) porque ¡conseguir el ventilador tomó mucho más tiempo que poner el aire acondicionado!

¿Prefieres poner el ventilador o el aire acondicionado?

Gramática

The Subjunctive

- You have learned to use various tenses in the indicative mood (e.g., present tense, preterite tense, imperfect tense) to express certainty and to state facts. The subjunctive mood (*el subjuntivo*) allows you to convey subjectivity (your opinion) or express uncertainty and emotion. In particular, the subjunctive mood can be useful when suggesting, requesting, or ordering someone to do something. Compare the following sentences.

  Indicative mood: *Abuela siempre **usa** una escoba vieja para barrer.*

  Subjunctive mood: *Mamá quiere que abuela **use** una escoba nueva.*

- To form the present-tense subjunctive, drop the final *-o* from the *yo* form of the present-tense verb and add the following subjunctive endings.

el presente del subjuntivo					
-ar		**-er**		**-ir**	
hable	hablemos	coma	comamos	viva	vivamos
hables	habléis	comas	comáis	vivas	viváis
hable	hablen	coma	coman	viva	vivan

- Stem-changing verbs in the subjunctive follow the same change as in the present-tense indicative. However, stem-changing *-ir* verbs require a second change in the *vosotros* and *nosotros* forms; this second change is shown in parentheses after infinitives: *preferir (ie, i)* ➝ *nosotros prefiramos*.

- The subjunctive has the same spelling changes as the *Ud.* command form you already learned: *-car* (c ➝ qu), *-cer* (c ➝ zc), *-cir* (c ➝ zc), *-gar* (g ➝ gu), *-ger* (g ➝ j), *-guir* (gu ➝ g), and *-zar* (z ➝ c).

- The subjunctive is often used when one person is trying to influence the action of another person. When a sentence is expressing influence, it will have two clauses, a main clause and a subordinate clause. The main clause contains an influencing verb which will be conjugated in the indicative. Examples inlcude *aconsejar*, *decidir*, *decir*, *insistir (en)*, *necesitar*, *pedir*, *permitir*, *querer*, or *preferir*. These verbs trigger the use of the subjunctive when there is a change of subject in the subordinate clause. The two clauses are connected by *que*.

> (indicative verb) + que + (**subjunctive verb**)

*Papá **quiere que** (yo) **barra** el patio.*　　Dad **wants** me **to sweep** the patio.

*Tania **insiste en que** Raúl **limpie** el ático.*　　Tania **insists that** Raúl **clean** the attic.

*Raúl **prefiere que** Felipe lo **haga**.*　　Raúl **prefers that** Felipe **do** it.

Note: If there is no change of subject in the sentence, use the infinitive in place of the word *que* and a subjunctive verb: *Yo no quiero **limpiar** el ático.*

8 Anuncios en la internet

Al abrir una página web, ves estos anuncios (*ads*). Léelos y encuentra los cinco verbos en subjuntivo.

Limpieza de chimeneas

Se aconseja que limpiemos las chimeneas una vez al año. Nuestros expertos lo hacen desde abajo hasta arriba. Llame al 506-1280 y pida que vengamos a su casa.

Alfombras Aladín

¿Alfombras?
¡Le aconsejamos que compre la mejor!

Eco-Magia

¿Quiere que sus muebles de madera se vean nuevos? Use nuestro producto: ecológico, barato, maravilloso.

Técnico Plaguicida

No permita que los ratones vivan en su ático. Llame hoy al 506-3321.

9 Pido que todos ayuden

Tu familia va a tener una gran fiesta. Escoge la forma correcta de los verbos entre paréntesis para decir qué pides que haga cada uno para ayudar.

MODELO Pido que mi prima (*siga / sigue*) preparando la sopa.

Pido que mi prima siga preparando la sopa.

1. Pido que mis primos (*limpian / limpien*) el ático.
2. Pido que mi abuelo (*conduce / conduzca*) el carro al mercado.
3. Pido que mi mamá (*empiece / empieza*) a preparar la comida.
4. Pido que mi papá (*pase / pasa*) la cortadora de césped.
5. Pido que mi hermanastra (*cuelgue / cuelga*) los abrigos.
6. Pido que mi hermano (*saca / saque*) la basura.

10 Todos quieren algo

Todos en tu familia quieren que tú y tu hermano hagan algo. Completa las oraciones con la forma de nosotros del subjuntivo de los verbos entre paréntesis.

MODELO Nuestro papá quiere que (*buscar*) el ventilador en el sótano.

Nuestro papá quiere que busquemos el ventilador en el sótano.

1. Nuestra hermana quiere que (*buscar*) algo suyo que está en el ático.
2. Nuestras sobrinas quieren que (*seguir*) jugando con ellas.
3. Nuestro tío quiere que nosotros (*lavar*) su carro.
4. Nuestras primas quieren que (*divertirse*) mucho todo el tiempo.
5. Nuestro abuelo quiere que (*vestirse*) bien antes de salir.
6. Nuestra mamá quiere que (*limpiar*) la alfombra.
7. Nuestros padres quieren que (*dormir*) más de seis horas todos los días.

Gramática

The Subjunctive: Indirect Commands

You have already learned how to use commands to tell people what you would or would not like them to do. It is also possible to suggest what you would or would not like others to do by using the word *que* followed by the third-person (*Ud./él/ella/Uds./ellos/ellas*) subjunctive form of a verb. This indirect or implied command is roughly equivalent to "let (someone do something)" in English.

command	indirect command
Saque Ud. la basura.	**Que** la **saque** otra persona.
(**Take out** the garbage.)	(**Let** someone else **take** it **out**.)

11 ¡Que no lo haga si no quiere! 🎧

Di que estas personas no hagan lo que no quieran hacer.

MODELO Mi papá no quiere recoger la mesa.
¡Que no la recoja, entonces!

1. Pablo no quiere cambiar la bombilla.
2. Mi mamá y mi abuela no quieren mirar el partido de fútbol.
3. Mis hermanos no quieren conseguir una escoba nueva.
4. Susana y Alejandro no quieren lavar los platos.
5. Mis primas no quieren limpiar el ático.
6. El abuelo no quiere barrer el piso de madera.
7. Mi hermanita no quiere ponerse el suéter.
8. Mis hermanitas no quieren quitarse los zapatos.

12 ¡Que hagan lo que quieran! 🎧

Todo el mundo quiere hacer algo diferente durante el fin de semana. Di que estas personas pueden hacer lo que quieran.

MODELO Mis hermanos quieren ver televisión.
¡Que vean televisión!

¡Que vean televisión!

1. Mi abuela y mis hermanas quieren hacer compras.
2. Paula y mi madre quieren preparar galletas.
3. Mi padre quiere conseguir un mueble nuevo.
4. Los niños quieren levantarse temprano.
5. Raúl quiere almorzar solo.
6. Mi tía quiere tocar el piano.
7. Mi abuelo quiere acostarse tarde.
8. Mi primo y mi sobrina quieren jugar a las cartas.
9. Mi tía quiere dormir bastante.
10. Mi hermano mayor quiere ganar un premio en deportes.

13 El blog de Chen

Completa este párrafo que Chen escribió en su blog, usando las formas apropiadas de los verbos entre paréntesis.

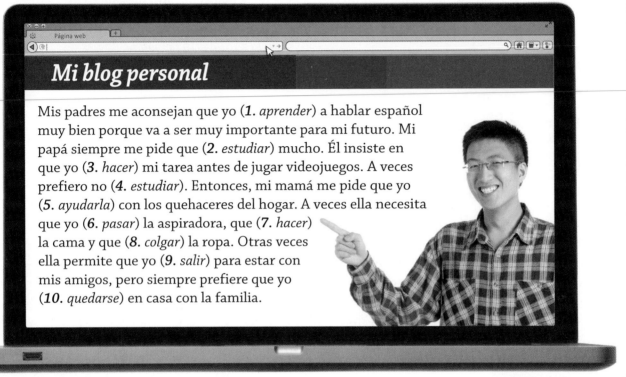

Mi blog personal

Mis padres me aconsejan que yo (**1.** *aprender*) a hablar español muy bien porque va a ser muy importante para mi futuro. Mi papá siempre me pide que (**2.** *estudiar*) mucho. Él insiste en que yo (**3.** *hacer*) mi tarea antes de jugar videojuegos. A veces prefiero no (**4.** *estudiar*). Entonces, mi mamá me pide que yo (**5.** *ayudarla*) con los quehaceres del hogar. A veces ella necesita que yo (**6.** *pasar*) la aspiradora, que (**7.** *hacer*) la cama y que (**8.** *colgar*) la ropa. Otras veces ella permite que yo (**9.** *salir*) para estar con mis amigos, pero siempre prefiere que yo (**10.** *quedarse*) en casa con la familia.

14 ¿Qué dicen? 👥

Hay mucho que hacer hoy en tu casa y todos están dando órdenes diferentes. Trabajando en parejas, alterna con tu compañero/a de clase en hacer preguntas y contestarlas para saber lo que dicen las siguientes personas.

MODELO la abuela (tú / limpiar el piso de madera)

    A: ¿Qué dice la abuela?

    B: La abuela dice que limpies el piso de madera.

La abuela dice que limpies el piso de madera.

1. el tío Rafael (nosotros / pagar la cuenta del teléfono)
2. mamá (yo / poner las cortinas en la lavadora)
3. papá (mis hermanos / buscar una bombilla para la lámpara de la sala)
4. los abuelos (mi hermana menor / poner la mesa)
5. los padres (tú / colgar este cuadro en la sala)
6. la tía María (nosotros / subir la ropa de verano al ático)
7. Uds. (mi hermana / comprar una escoba en la tienda)
8. tú (nosotros / salir ahora)

¡Comunicación!

15 En mi familia — Presentational Communication

¿Cuáles son algunas expectativas (*expectations*) en tu familia? Completa las siguientes oraciones; si quieres, puedes inventar la información. Luego comparte tus oraciones con un(a) compañero/a de clase.

1. Mis abuelos quieren que yo...
2. Mis padres insisten en que mi hermano/a y yo...
3. Papá prefiere que mi mamá...
4. Papá nunca permite que mis amigos y yo...
5. Mi tío me aconseja que...
6. Yo le pido a mi hermano/a que...

¡Comunicación!

16 Opiniones diferentes — Interpersonal/Presentational Communication

Los padres de Eduardo y Elisa quieren que ellos hagan los quehaceres del hogar pero Eduardo y Elisa prefieren divertirse. Trabaja con un(a) compañero/a de clase para crear una conversación entre los padres y los hijos. Usen el subjuntivo y las actividades que se muestran (*shown*) en las ilustraciones.

MODELO   A: Su padre y yo queremos que limpien al armario.

               B: ¡Ay, mamá! Yo prefiero que juguemos al tenis.

Lo que los padres quieren

Lo que prefieren los hijos

?
Pregunta clave
What makes a place a home?

Hogares coloniales

Imagina que vas a colonizar Marte u otro planeta. ¿Construyes[1] un hogar parecido[2] al tuyo para sentirte como en casa? En la época colonial (1492–1810), los españoles que llegaron a América hicieron exactamente eso. Construyeron sus hogares conservando el estilo del sur de España: techos con tejas[3] rojas, paredes gruesas[4], ventanas pequeñas y puertas de madera. Claro, tuvieron que utilizar materiales locales, entonces muchas de las casas coloniales en América son de adobe.

Hay muchos ejemplos de ciudades con hermosa arquitectura colonial: Sucre, Bolivia; Villa de Leyva, Colombia; Cuenca, Ecuador; Coro, Venezuela; Lima, Perú. Las casas coloniales de estas ciudades se parecen mucho a las casas coloniales en California o Nuevo México, pues todas tienen el mismo estilo de esos años.

Casa colonial en Sucre, Bolivia

Las casas coloniales parecen muy sencillas[5] desde afuera pero adentro tienen mucho espacio para el confort de la familia, con un gran patio en el centro y rodeando[6] el patio, una galería con habitaciones donde las familias disfrutaban[7] de un nuevo mundo sin olvidar su cultura española.

[1] build [2] similar [3] tiles [4] thick [5] simple [6] surrounding [7] enjoyed

Búsqueda: casas coloniales, sucre, villa de leyva, cuenca, coro, lima

Productos — Conéctate: la arquitectura

El patio central es un producto fundamental de las casas coloniales en Hispanoamérica. Cuando los españoles construían sus casas en el Nuevo Mundo, se preocupaban más por el patio que por las habitaciones. El historiador español Joaquín Hazañas cita las palabras de un colono que llegó a Quito, la capital de Ecuador, en el siglo XVI. El colono le dijo a su arquitecto: "Quiero que me hagas un gran patio y, si queda sitio (space), las habitaciones".

El patio central

17 Comprensión — Interpretive Communication

1. ¿Cuáles son algunas características de las casas coloniales?

2. ¿Por qué todas las casas coloniales de América son parecidas?

3. ¿Qué diferencia hay entre la parte exterior de una casa colonial y la parte interior?

4. ¿Qué parte de la casa colonial es muy importante en la creación de un hogar?

18 Analiza

1. Why do you think Spanish colonists wanted to maintain Spanish architecture?

2. Why do you think colonial houses don't show luxury or comfort from outside?

3. What activities do you think took place in the central patio?

Hogares sobre un lago

No todas las casas están en la calle de una ciudad. Tampoco todas las casas son de madera, adobe o ladrillo[1]. Hay gente que vive en hogares muy particulares, hechos de plantas y... ¡sobre el agua!, pero no son botes.

En Bolivia y Perú son famosas las casas sobre islas flotantes[2]. Las casas están hechas de totora, una planta de tallos[3] muy largos que crece en zonas de lagos. Estos hogares extraordinarios están sobre el lago Titicaca, el lago más alto del mundo, a 3.810 metros sobre el nivel del mar[4].

Las familias indígenas del lago Titicaca —los uros— crearon este estilo de casas imitando los nidos[5] de los pájaros. Con los tallos de totora, hacen las paredes y los techos. Cada dos semanas tienen que poner una capa[6] nueva de totora en el piso para que no pase el agua.

Hoy, las casas de totora son una atracción turística. Representan la combinación perfecta de cultura, naturaleza y creatividad. Pero sobre todo, nos enseñan que podemos tener un hogar en donde más nos guste.

Casas de totora en el lago Titicaca

[1]brick [2]floating islands [3]stalks [4]above sea level [5]nests [6]layer

Búsqueda: totora, titicaca, uros

Perspectivas

Conéctate: la música

El cantante Juanes, de Colombia, presenta una respuesta muy interesante a la pregunta clave de esta unidad, *What makes a place a home?*, en su canción "La vida es un ratico". Según Juanes, ¿qué hace de un lugar un hogar?

♪ *La vida es un ratico*
Tú y yo, nos amamos (love) de verdad
y hemos hecho (have made) de un
lugar, un hogar. ♪ ♫

Comparaciones

En la costa oeste de los Estados Unidos no es raro ver casas flotantes. Busca en la internet "casas flotantes estados unidos" e investiga en dónde están, cómo están hechas y quiénes viven allí. ¿Qué recursos (*resources*) y comodidades tienen en ese tipo de hogar? Compara su construcción con las casas de totora.

---

19 Comprensión — Interpretive Communication

1. ¿Qué es la totora?
2. ¿Quiénes crearon las casas de totora?
3. ¿En qué se inspiraron para construir este hogar especial?
4. ¿Qué tipo de mantenimiento (*maintenance*) necesitan las casas de totora?

20 Analiza

1. Why do you think totora houses are built on the lake instead of the land?
2. Why aren't totora walls and roofs replaced every two weeks?
3. Would you like to live in a totora house floating on a lake? Explain.

Vocabulario 2

En el jardín 🎧

el cuidado (del jardín)

Esta casa en Perú tiene un jardín muy grande, lleno de **aire puro**.

la cerca

el muro

el ladrillo

la reja

el beso

la broma

la cortadora de césped

cortar el césped

invitar

el premio

ganar

En otros países

la cortadora de césped	el cortacésped (España)
	la podadora (México)
el césped	el pasto (Colombia)
	el zacate (México, Costa Rica)

Para conversar 🎧

*T*o talk about family:

¿Cuántos **miembros** hay en tu familia?
How many members are there in your family?

Tengo una **madrastra** y dos **hermanastros**.
I have a stepmother and two stepbrothers.

Vivo con mi madre, mi **padrastro** y mi **hermanastra**.
I live with my mother, my stepfather, and my stepsister.

Mamá siempre me dice que **tenga cuidado**.
Mom always tells me to be careful.

En verano, mi familia come **al aire libre**.
In the summer, my family eats outdoors.

¿Quién en tu familia va a **encargarse de** cuidar el jardín?
Who in your family is going to be in charge of taking care of the garden?

Para decir más

la maceta	*plant pot*
la manguera	*hose*
el rastrillo	*rake*
podar	*to prune*
sembrar	*to plant*

21 ¿Prefieren estar adentro o afuera? 🎧

Escucha lo que dicen varias personas y decide si prefieren estar adentro o afuera. Selecciona la letra de la ilustración apropiada.

A

B

22 ¿Qué es?

Lee las siguientes definiciones e identifica la palabra del Vocabulario 2 que describe.

1. Es el esposo nuevo de tu madre.
2. Es algo que se hace a alguien para reírse.
3. Es la acción de decir a alguien que quieres que venga a una celebración.
4. Se usa para describir algo limpio, sin contaminación.
5. Es la acción de cuidar algo, de ser responsable por algo.
6. Es algo que se recibe después de ganar.

Diálogo

¡Qué buena eres!

Daniel: Mamá, papá dice que está cansado.

Mamá: ¿Qué quiere tu papá?

Daniel: Quiere que le lleves un refresco.

Mamá: Sí, toma. Llévale este refresco.

Papá: Ay, estoy cortando el césped desde las nueve y ¡hace calor!

Mamá: ¿Quieres que ponga el aire acondicionado?

Papá: No, gracias, Marta. Prefiero el aire puro, pero sí me gustaría otro refresco.

Mamá: Bueno, pues, abro la ventana y te preparo un jugo.

Papá: ¡Qué buena eres! ¡Dame también un beso!

Mamá: ¡Bueno, cómo no!

---

23 ¿Qué recuerdas?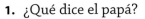

1. ¿Qué dice el papá?
2. ¿Qué quiere el papá?
3. ¿Desde qué hora corta el papá el césped?
4. ¿Qué prefiere el papá: el aire acondicionado o el aire puro?
5. ¿Qué abre la mamá?
6. ¿Qué más quiere el papá?

24 Algo personal

1. ¿Cortas el césped en tu casa? ¿Quién lo hace?
2. Si hace calor, ¿prefieres poner el aire acondicionado o abrir una ventana?
3. ¿Te gusta trabajar en el jardín o prefieres trabajar adentro de la casa? Explica.

25 ¿Quién es?

Indica la letra de la ilustración que corresponde con lo que oyes.

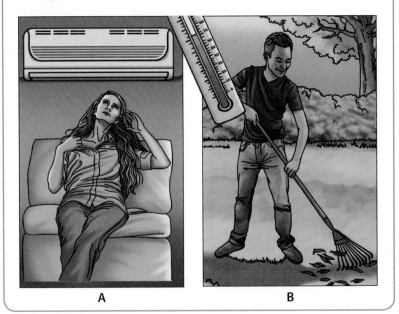

A   B

Gramática

Irregular Subjunctive Verbs

- Some verbs are irregular in the present-tense subjunctive. They do not have a present-tense indicative *yo* form that ends in *-o*.

	dar	estar	ir	saber	ser
yo	dé	esté	vaya	sepa	sea
tú	des	estés	vayas	sepas	seas
Ud./él/ella	dé	esté	vaya	sepa	sea
nosotros/nosotras	demos	estemos	vayamos	sepamos	seamos
vosotros/vosotras	deis	estéis	vayáis	sepáis	seáis
Uds./ellos/ellas	den	estén	vayan	sepan	sean

- The only other verb that is irregular in the subjunctive is *haber*. The indicative form *hay* becomes **haya** in the subjunctive.

> *Prefiero que* **haya** *un jardín grande en la casa.*
>
> I prefer that **there be** a large garden in the house.

Aconseja que vaya a pintar la reja.

26 ¿Qué aconsejan?

Usa elementos de cada columna para hacer oraciones sobre lo que aconsejan varias personas en la familia de Daniel.

MODELO   **Su papá aconseja que él vaya a pintar la reja.**

su papá	ella	estar	en casa a las cinco
sus abuelos	Uds.	ser	a pintar la reja
su bisabuelo	yo	dar	más tiempo en casa
sus tíos	nosotros	ir	bueno(s) estudiante(s)
sus padres	tú		de comer a los gatos
su hermanastro	él		al jardín para disfrutar del aire libre
su mamá	ellos		dinero para la fiesta del barrio

27 ¿Adónde van?

Di adónde deben ir diferentes miembros de la familia, según las fotos.

MODELO mis tíos / mis hermanas.
Mis tíos dicen que mis hermanas vayan al museo.

1. mi bisabuelo / mi hermano y yo

2. mi hermanastra / tú

3. mi madrastra / nosotros

4. mi padrastro / yo

5. mis tías / Uds.

6. mi abuela / mi hermano

28 ¿Qué aconsejas?

Trabajando en parejas, alterna con tu compañero/a de clase en explicar el problema de cada persona y en ofrecer una solución del recuadro. Luego, hablen de otros problemas que conozcan y ofrezcan soluciones. ¡Sean creativos!

estar feliz	saber español	ir al centro comercial
ir a la biblioteca	darle comida	acostarse más temprano

MODELO Ricardo: "No me gusta estar adentro".
A: A Ricardo no le gusta estar adentro.
B: Aconsejo que vaya afuera.

1. Sandra: "Tiene mucha ropa vieja".
2. Patricia: "Siempre estoy triste".
3. Omar: "Duermo en clase porque tengo sueño".
4. Sergio: "No puedo estudiar en mi cuarto".
5. Fabiola: "Quiero vivir con una familia boliviana".
6. Pepe: "Mi perro tiene hambre."

Gramática

Using an Infinitive Instead of the Subjunctive

You have learned several verbs that are followed by the subjunctive when there is a change of subject. However, the verbs *dejar*, *hacer*, *invitar*, and *permitir* may be followed by **an infinitive** instead of the subjunctive, even when there is a change of subject. In such instances, the sentence requires an indirect object.

Papá **me deja que maneje**.

Yo no **permito que el niño juegue** en el ático.

Mi madre **hace que nosotros tengamos** cuidado.

Papá **me deja** *manejar*.

Yo no **le permito** *jugar* en el ático.

Mi madre **nos hace** *tener* cuidado.

29 En algunos hogares 🎧

Lee sobre algunas situaciones que pasan todos los días. Luego, di las oraciones en forma diferente sin usar el subjuntivo.

MODELO Un papá permite a sus hijos que corten el césped.
Un papá les permite cortar el césped.

1. Una madrastra deja que sus hijos vayan al cine.
2. Unos muchachos invitan a sus amigos a que vengan a su casa.
3. Una tía permite que su sobrina juegue afuera, al aire libre.
4. Unos abuelos hacen que sus nietos tomen toda la sopa.
5. Unos padres no dejan que sus hijos manejen su carro.

Su papá le permite cortar el césped.

30 Nosotros estamos encargados 👥

Tus padres y tus tíos fueron juntos al teatro, dejándote en casa a ti, a tus hermanos y a tus primos. Tú y tu prima mayor deciden lo que pueden o no pueden hacer sus hermanos menores. Trabajando en parejas, tomen sus decisiones, usando **dejar**, **hacer**, **invitar** o **permitir**, sin usar el subjuntivo.

MODELO Piden jugar con sus amigos.
Les dejamos jugar con sus amigos. / No les dejamos jugar con sus amigos.

1. Quieren mirar una película de horror.
2. Prefieren estar arriba jugando.
3. Piden salir de la casa.
4. Quieren limpiar el sótano.
5. Tienen ganas de navegar por la internet.
6. Quieren comer galletas y tomar refrescos.
7. Deciden que quieren estudiar.
8. Quieren bañar al perro.

¡Comunicación!

31 Muy estrictos 👥 Interpersonal Communication

Imagina que tú y tu compañero/a son profesores/as de una clase nueva. Trabajando en parejas, hablen de las reglas (*rules*) de la clase. Como son muy estrictos/as, todas las reglas deben empezar con la palabra *no*.

MODELO **No les permitimos hablar en clase.**

Una profesora estricta

¡Comunicación!

32 Quehaceres del hogar 👥 Interpersonal Communication

In groups of six, first decide who will play the role of various family members. Then form two concentric circles of three, with students who are playing the part of adults in one circle and students who are playing the part of children in the other circle. Now do the following: *1*) The adults ask the children to perform a household chore or to help with an errand; *2*) the children must answer by saying someone else should do the requested task; *3*) the adults rotate one person to the left and begin the activity again, making a different request. Switch roles after each person has had an opportunity to make three requests or to respond three times.

MODELO
A: **María, quiero que pongas la ropa en la secadora, por favor.**
B: **Ay, no, Papá. Que lo haga Amanda.**

¡Comunicación!

33 En el jardín 👥 Interpersonal Communication

Trabajando en grupos, alternen en sugerir (*suggest*) diferentes actividades y quehaceres que pueden hacer en el jardín.

MODELO
A: **¿Pintamos la cerca?**
B: **Sí, (No, no) quiero que la pintemos.**
C: **Prefiero que Paco y Marta la pinten. Yo prefiero que juguemos al fútbol.**

Todo en contexto

¡Comunicación!

34 Día de la mudanza 👥 Interpersonal Communication

Tu familia acaba de alquilar una casa y hoy es el día de la mudanza (*moving in*). Trabajando en parejas, alternen en preguntar y dar instrucciones en dónde poner las cosas que están en las siguientes fotos. Usen el presente del subjuntivo.

MODELO A: ¿Qué quieres que haga con este cuadro?

B: Quiero que lo cuelgues encima de la chimenea.

¡Comunicación!

35 Casas coloniales 👥 Presentational Communication

Tú y un(a) compañero/a están de visita en una ciudad colonial. Observan las casas coloniales y hablan sobre lo que quieren hacer. Preparen un diálogo con la información de las lecturas y con los verbos **pensar**, **poder** y **pedir** en el presente del indicativo y del subjuntivo. Luego presenten el diálogo a la clase.

MODELO A: Pienso que el patio de esa casa es muy atractivo.

B: ¿Puedes tomar una foto?

A: Prefiero que nos tomen una foto juntos.

B: ¿Por qué no le pides a ese señor?

Lectura informativa

Antes de leer

1. ¿Prefieres vivir solo o con un grupo de gente? ¿Por qué?

2. ¿Qué ventajas tiene la gente que vive en el campo (countryside) o en el bosque?

3. En tu familia, ¿qué tareas y quehaceres hace cada uno en la casa?

Estrategia

Statistics

A statistic is a set of data or facts that allows the reader to visualize changes about a particular topic. Usually, companion statistical charts help to understand or expand information presented in the text. After reading the selection, analize the chart and make connections with the information you just read in the text. That will help you to answer the final questions.

Los bohíos

¿Cuántas familias viven en tu casa? Esta pregunta es bastante común en las viviendas[1] comunales: hogares donde viven muchas familias y todas colaboran con los quehaceres. Los verdaderos pioneros en la creación de viviendas comunales fueron los indígenas de Sudamérica.

En Colombia y Venezuela podemos ver muchas viviendas

Un bohío en Colombia

comunales en la cultura indígena barí. La casa que comparten las familias se llama bohío. Está en el centro de un campo[2] principal donde cultivan yuca, plátano y piña. En este sector también celebran fiestas y actividades culturales.

Los bohíos están hechos con madera que cortan de los árboles y los techos están hechos de paja[3]. Siempre están cerca de un río, donde pueden pescar.

Los bohíos son muy grandes donde pueden vivir más de 100 personas. Para dormir usan hamacas, que están distribuidas según la edad de las personas. Los más jóvenes duermen arriba, los más viejos en el medio, y las mujeres y los niños abajo.

En los hogares comunales todos trabajan, hombres y mujeres. Es un ejemplo perfecto de reglas[4] sociales, respeto por los demás[5] y vida en comunidad.

[1]housing [2]field [3]straw [4]rules [5]others

Búsqueda: bohío, barí

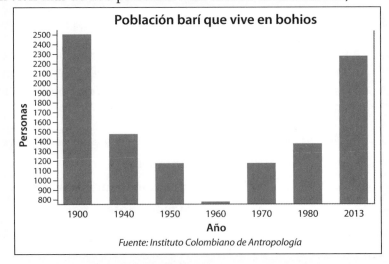

Población barí que vive en bohios

Fuente: Instituto Colombiano de Antropología

36 Comprensión 🎧 Interpretive Communication

1. ¿Qué es un bohío?
2. ¿Dónde está generalmente?
3. ¿De qué material está hecho el bohío?
4. ¿Qué hacen las personas afuera del bohío?

37 Analiza

1. Where do you think the Bari people find wood to make the *bohíos*?
2. What are the possible reasons for sleeping in different places according to age?
3. In your opinion, what are the benefits of living in a communal home? Any disadvantages?
4. Look at the statistical chart. How has the number of people who live in *bohíos* changed over time? In what year was there a noticeable change? What are the possible reasons? What can you anticipate about people living in *bohíos* in the future? Explain.

✏️Escritura

38 Reglas comunitarias

Eres el/la jefe (*boss*) de un bohío en Sudamérica. Debes decidir cómo tienen que vivir todos en ese hogar comunal. Escribe cinco reglas (*rules*) que consideras importantes para la vida en el bohío. Expresa tus deseos con el subjuntivo.

MODELO   **Quiero que los niños duerman abajo.**

✏️Escritura

39 La vida en un bohío

Escribe un artículo corto sobre la vida en un bohío. Recuerda que el lector (*reader*) no sabe qué es un bohío. Incluye la siguiente información. Si es necesario, busca más información en la internet.

- Dónde está el bohío
- Cuántas personas pueden vivir allí
- Qué tareas van a hacer en el campo
- Qué tareas van a hacer adentro
- Quién va a hacer cada tarea
- Cómo van a dormir
- Qué tipo de fiesta o celebración van a tener

Luego lee tu artículo a la clase y contesta cualquier pregunta de tus compañeros.

Para escribir más

Está ubicado en...	*It is located...*
Está construido con...	*It is built with...*
Alrededor del bohío hay...	*Around the bohío, there is...*
Hay que...	*One must...*
Puede haber hasta...	*There can be up to...*

A ¿Qué describe? 🎧 (pp. 270, 282)

Vas a escuchar cinco descripciones. Para cada una, selecciona la foto que corresponde.

| A | B | C | D | E |

B Vocabulario: Se vende casa (pp. 270, 282)

Completa el párrafo en forma lógica con las palabras del recuadro.

alfombras	cerca	chimenea
hogar	lavadero	muebles
premio	sótano	ventiladores

Se vende casa de dos pisos más ático y **(1)**. Tiene tres habitaciones, dos baños, sala con **(2)**, cocina y **(3)**. El año pasado ganó el primer **(4)** en diseño. Es moderna y agradable. No tiene aire acondicionado pero todas las habitaciones tienen **(5)** de techo. Se vende con todos los **(6)**, televisor, lámparas, cortinas y **(7)**. Afuera, el jardín es grande con una **(8)** alrededor. Si quiere hacer de esta casa su **(9)**, llámenos al 3345166.

C Vocabulario/Gramática: ¿Qué nos permite? (pp. 270, 282, 287)

Completa cada oración con el verbo más lógico del recuadro para saber lo que nos permite hacer papá.

cortar	dejar	encargarnos	hacer	tener

1. Nos permite ___ bromas.
2. No nos permite ___ de estudiar.
3. Nos hace ___ cuidado.
4. Nos deja ___ del jardín.
5. Nos permite ___ el césped.

D Gramática: ¿Qué quieren? (pp. 276, 285)

Completa las oraciones con el subjuntivo de los verbos entre paréntesis.

1. Joaquín quiere que yo (*limpiar*) la chimenea.
2. Tú necesitas que tu hermana (*ir*) al supermercado.
3. La bisabuela pide que tú (*pintar*) su armario.
4. Papá prefiere que nosotros (*estar*) en el sótano.
5. Uds. necesitan que alguien (*arreglar*) la lavadora.
6. Mi tío quiere que su esposa (*saber*) usar la cortadora de césped.
7. El señor Soto insiste en que sus hijos (*volver*) a casa antes de las nueve.

E Cultura: Casas coloniales y de totora

(pp. 280–281)

¿Qué recuerdas de las casas coloniales y las casas de totora? ¿Quiénes las construyeron (*built*)? ¿Qué características tienen? Completa la gráfica con información.

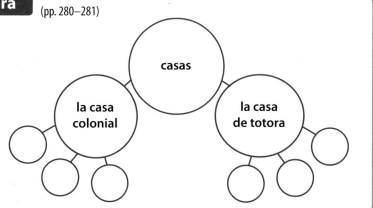

Vocabulario

La casa		La familia	Verbos	Expresiones y otras palabras
el aire (acondicionado)	el ladrillo	el bisabuelo	cambiar	abajo
la alfombra	el lavadero	la bisabuela	cortar	adentro
el armario	la lavadora	el hermanastro	dejar	afuera
el ático	la madera	la hermanastra	encargar(se) (de)	al aire libre
la bombilla	el mueble	la madrastra	exagerar	arriba
la cerca	el muro	la mamá	ganar	el beso
la chimenea	la reja	el miembro	insistir (en)	la broma
la cortadora de césped	la secadora	el padrastro	invitar	el cuidado
la cortina	el sillón	el papá		el premio
el cuadro	el sótano			tener cuidado
el despertador	el techo			puro/a
la escoba	el ventilador			
el hogar				

Gramática

The present subjunctive

Use the subjunctive when expressing wishes, requests, emotion, hope, or doubt. To create the subjunctive, drop the -o from the *yo* form of the verb and add the following endings.

-ar		-er		-ir	
llame	llamemos	corra	corramos	escriba	escribamos
llames	llaméis	corras	corráis	escribas	escribáis
llame	llamen	corra	corran	escriba	escriban

The subjunctive: influencing, requesting, suggesting, uncertainty, and emotion

indicative verb + *que* + **(new subject) subjunctive verb**

Mi papá **dice que** (nosotros) **lleguemos** temprano.

Quiero que (tú) **laves** los platos.

The subjunctive: indirect commands

"let (someone do something)"

command: **Saque Ud.** la basura.

indirect command: **Que** la **saque** otra persona.

Irregular subjunctive verbs

The following verbs are irregular in the present subjunctive: *dar, estar, ir, saber,* and *ser. Haber* is also irregular and becomes *haya* in the present subjunctive.

Lección B

Vocabulario 1

Bolivia
Colombia
Ecuador
Perú
Venezuela

En el club 🎧

Reglas de la
Piscina

> NO CLAVADOS

> NO CORRER

> NO COMIDA

> NO VIDRIO

> SIN EXCEPCIONES

las reglas

Los fines de semana mi familia y yo vamos al **club** para jugar al tenis y nadar en la piscina.

la llave

(llegar) a tiempo

dudar

alegrarse (de)

regresar (a casa)

Para decir más

el campo de golf	*golf course*
la cancha de tenis	*tennis court*
el casillero	*locker*
el/la invitado/a	*guest*
la membresía	*membership*
el vestuario	*locker room*

Para conversar 🎧

*T*o express how you feel:

Estoy seguro/a de que van a llegar a tiempo.
I am sure (certain) that they will arrive on time.

Lo dudo mucho.
I really doubt it.

Espero jugar al golf después del almuerzo.
I hope to play golf after lunch.

Me interesa trabajar en un club este verano.
I am interested in working at a club this summer.

Me encanta manejar el carro de mi madrastra.
I love driving my stepmother's car.

Me fascina el tenis.
I am fascinated by tennis.

Me complace decir que voy a trabajar en el club este verano.
I'm pleased to say I'm going to work at the club this summer.

Me encanta jugar al golf.

---

1 Dictado 🎧

Escucha la información y escribe lo que oyes.

---

2 A completar

Completa las siguientes oraciones, usando las palabras de la lista. Cada palabra se usa una vez.

llaves   *alegra*   *seguros*

regresar   *tiempo*   *dudo*   encantar   *club*

1. Me fascina mucho ir al __ para jugar al tenis.
2. Tienes que __ a las diez de la noche.
3. Yo siempre llego a __.
4. No olvides llevar las __ de la casa.
5. Me va a __ si puedo manejar tu carro.
6. Están __ que voy a manejar con cuidado.
7. Me __ mucho ser tu compañero para jugar al golf.
8. Queremos ganar pero lo __; no jugamos muy bien.

Diálogo

¿Y las llaves?

Javier: Me fascina manejar rápido.

Pablo: ¡Ten cuidado! No tenemos prisa por llegar al club.

Javier: Sí, está bien. Voy a complacerte. ¿Podemos dejar el carro aquí?

Pablo: Dudo que puedas dejarlo aquí. Mira, hay una señal de prohibido.

Javier: Estoy seguro de que no hay otro lugar cerca.

Pablo: Sí, sí, mira, allí hay uno.

Javier: Bueno, vamos ya a divertirnos al club.

Pablo: Oye, ¿y las llaves del carro?

Javier: ¡Ay, las dejé en el carro!

Pablo: Bueno, está claro que el club no va a estar tan divertido.

3 ¿Qué recuerdas?

1. ¿Qué le fascina a Javier?
2. ¿Tienen prisa?
3. ¿De qué duda Pablo?
4. ¿De qué está seguro Javier?
5. ¿Qué dejó Javier en el carro?
6. ¿Qué está claro para Pablo?

¿Sabes manejar? ¿Cómo manejas?

4 Algo personal

1. ¿Sabes manejar? ¿Cómo manejas?
2. ¿Sigues siempre las reglas?
3. ¿A qué lugares vas con tus amigos?
4. ¿Dejaste las llaves dentro del carro alguna vez?

5 ¿Y las llaves?

Di si lo que oyes es cierto o falso, según el Diálogo. Si es falso, corrige la información.

Gramática

The Subjunctive with Verbs of Emotion and Doubt

- In Spanish, the subjunctive is used after verbs of emotion and after verbs that express doubt, when there is a change of subject in the clause that is introduced by *que*.

> (indicative verb) + *que* + (subjunctive)

- You have already learned some verbs that convey emotion: *esperar* (to hope), *sentir* (to be sorry, to feel sorry, to regret), *temer* (to fear), and *tener miedo* (to be afraid).

  *Espero **que** regreses temprano.*   **I hope you return** early.

- Here are other verbs of emotion.

  agradar to please   *gustar* to like, to be pleasing
  alegrar (de) to make happy   *importar* to be important, to matter
  complacer to please   *interesar* to interest
  divertir to amuse   *molestar* to bother
  encantar to enchant, to delight *parecer bien/mal* to seem right/wrong
  fascinar to fascinate   *preocupar* to worry

  *Me agrada **que** aprendas español.*   **I'm glad (It pleases me) that you are learning** Spanish.

- When the verb *alegrar* becomes reflexive, it is followed by the word *de* and no longer follows the pattern of *gustar*. Compare these two sentences:

  *Me alegra **que** vengas al club.*
  *Me alegro **de que** vengas al club.*   **I am glad** you are coming to the club.

- The principal verb of doubt is *dudar* (to doubt). The verbs *no creer* and *no pensar*, and the expression *no estar seguro/a (de)*, imply doubt when they are negative. Therefore, they require the subjunctive.

  *Dudo **que** Javier vaya a llegar a tiempo.*   **I doubt (that) Javier is going** to arrive on time.

  *No creo **que** él sea muy responsable.*   **I don't think (that) he is** very responsible.

  *No pienso **que** a Javier le guste seguir las reglas.*   **I don't think Javier likes** to follow rules.

  *No estoy seguro **de que** vaya a ayudar.*   **I'm not sure he is going** to help.

6 La fiesta del club

Estas personas están hablando de lo que sienten antes de una fiesta en el club. ¿Cómo cambia lo que dicen estas personas si pones las frases entre paréntesis al comienzo (*beginning*)?

MODELO   Somos los primeros en llegar. (Tengo miedo de...)
Tengo miedo de que seamos los primeros en llegar.

1. Nadie viene a la fiesta. (Temen...)
2. La fiesta es divertida. (Me alegra...)
3. Nos sentamos en el jardín. (¿Esperan Uds...?)
4. El club es muy grande. (Nos complace...)
5. Los niños juegan afuera. (Me encanta...)
6. La Sra. Miranda trae su perro. (Me molesta...)
7. Tú vas a tocar el piano. (Les fascina...)
8. Uds. siguen las reglas. (A mí me interesa...)
9. Hay fuegos artificiales. (Me alegro de...)
10. La comida es muy mala. (Me molesta...)

Tengo miedo de que seamos los primeros.

7 Dando opiniones 🎧

Di lo que piensan o sienten las siguientes personas, según las indicaciones.

MODELO   a Raúl / gustar / Marta / regresar a tiempo
A Raúl le gusta que Marta regrese a tiempo.

1. a sus padres / agradar / Marta y Tomás / ayudar en la casa
2. a Raúl / molestar / yo / traer a Marta después de la medianoche
3. yo / tener miedo de / Marta / no tener las llaves de la casa
4. a Tomás / parecerle bien / su hermana / seguir las reglas
5. Ud. / esperar / nosotros / ir a la fiesta del club con Marta
6. la novia de Tomás / no pensar / él / tener que estar en la casa todo el día
7. a sus tíos / no importar / tú / ser amigo de Tomás
8. a nosotros / preocupar / Marta y Tomás / comer poco

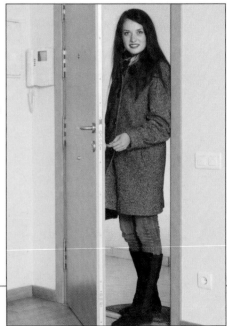

A su papá le gusta que Marta regrese a tiempo.

8 El hogar de los Vargas

Combina las dos oraciones en una sola oración para saber cómo son algunas cosas en el hogar de los Vargas.

MODELO ¿Están aquí los abuelos? (No, lo siento.)
Siento que los abuelos no estén aquí.

1. ¿Regresan tus padres temprano? (Me alegra que sí.)
2. ¿Tienen Uds. mucho que hacer hoy? (Temo que sí.)
3. ¿Sabe manejar tu hermana? (Me encanta que sí.)
4. ¿Va a llevarlos al club después del trabajo? (Me agrada que sí.)
5. ¿Te parece bien que no tengan las llaves? (Me parece mal.)
6. ¿Cuándo empieza a pasar la aspiradora tu hermano? (Pronto, espero.)
7. ¿Puede manejar Daniel el carro al club si tus padres no están? (Lo dudo.)
8. ¿Van a llegar a tiempo? (Me preocupa que no.)

Siento que los abuelos no estén aquí.

9 Lo dudan

Nadie está seguro de nada en la familia de Pablo. Di qué están pensando hoy algunos miembros de su familia, usando las indicaciones que se dan.

MODELO Mis hermanos están en el club. (*mi madre / dudar*)
Mi madre duda que mis hermanos estén en el club.

1. El aire acondicionado está funcionando bien. (*tú / no creer*)
2. Mis padres compran más muebles para la casa. (*mi hermanastro / dudar*)
3. Nosotros siempre tenemos mucho cuidado cuando lavamos los platos. (*ellos / no pensar*)
4. Las bromas les gustan a mis primos. (*mi tía / no estar segura de*)
5. Mi hermana tiene las llaves de la casa. (*mi padrastro / no creer*)
6. Uds. se encargan de limpiar la cocina hoy. (*yo / dudar*)
7. Las cortinas de la casa son nuevas. (*mi abuela / no estar segura de*)
8. Mi hermana invita a sus amigas a almorzar. (*Uds. / no pensar*)

Mi madre duda que mis hermanos estén en el club.

¡Comunicación!

10 ¿Qué sienten? 👥 Interpersonal Communication

En parejas, hablen de lo que sienten, usando las expresiones que se dan y el subjuntivo si es necesario. Pueden usar otras expresiones para expresar sus emociones personales si lo prefieren.

Temo... Espero... Me complace... Me molesta... Me interesa... Me fascina... Me encanta... Siento...

MODELO Me encanta...

Me encanta que mis padres me permitan nadar en la piscina.

¡Comunicación!

11 En el año 2200 👥 Interpersonal Communication

En parejas, alterna con tu compañero/a de clase en decir cinco oraciones sobre el año 2200 y luego, ponerlas en duda. Usen **dudar**, **no creer**, **no estar seguro/a** o **no pensar** en cada oración. ¡Sean creativos!

MODELO A: **Pienso que la gente va a vivir más años en el año dos mil doscientos.**

B: **Dudo (No creo / No pienso / No estoy seguro/a) que la gente vaya a vivir más años.**

Pienso que la gente va a vivir más años.

¡Comunicación!

12 ¿Qué sienten? 👥 Interpersonal Communication

Trabajando en parejas, alternen en hacer preguntas y en contestarlas sobre lo que sienten los miembros de sus familias. Pueden hablar de ideas que sean verdaderas para sus familias o pueden inventar las ideas, si prefieren.

hermano o hermanastro / preocupar	padres / alegrar	abuelo / interesar	padre / molestar
hermana o hermanastra / encantar	abuela / fascinar	tíos / agradar	madre / complacer

MODELO madre / complacer

A: **¿Qué le complace a tu madre?**

B: **A mi madre le complace que ayude con los quehaceres.**

Cultura ^{PRE}AP

emcpassport.com

WB 7
LA 3-4

? Pregunta clave

What makes a place
a home?

Un hogar latinoamericano 🎧

¿Alguna vez viajaste a otro país por un tiempo largo y te sentiste
"lejos de casa"? Es que el hogar de una persona no es solamente su casa, sino
también su patria, es decir, la tierra donde nació[1].

Simón Bolívar es el héroe nacional de Colombia, Venezuela, Perú, Ecuador y
Bolivia. Bolívar nació en 1783 en Venezuela y luchó[2] por la independencia de esos
países, que estaban dominados por España. Pero antes de lograr[3] que esas tierras
fueran[4] naciones separadas, Bolívar tenía un sueño[5]: crear la Patria Grande.

La Patria Grande era un gran territorio sin fronteras[6], el mismo hogar para todos
los latinoamericanos, unidos, sin nombres de países que indiquen separación.

En el sur de América, el general argentino San Martín lideró[7] la independencia de
Argentina, Chile y Perú. Y al subir por el continente, se produjo el gran encuentro
con Bolívar.

Un busto de Simón Bolívar

Los dos héroes estaban de acuerdo
en crear una Patria Grande
desde Argentina hasta Venezuela. ¿Te imaginas? ¡Toda
Sudamérica sin límites! Todos los latinoamericanos bajo[8] el
mismo techo, bajo el mismo hogar.

A pesar[9] del gran trabajo de Bolívar y San Martín, el proyecto
quedó inconcluso[10] debido a las condiciones económicas y los
eventos históricos de la época.

[1] was born [2] fought [3] achieve [4] were [5] dream [6] borders [7] led [8] under
[9] in spite [10] unfinished

Bolivia se llama así en honor a su libertador.

🔍 **Búsqueda:** simón bolívar, patria grande, libertador de américa

Comparaciones

En los Estados Unidos, el padre
de la patria es George Washington.
Según lo que estudiaste en el colegio, ¿cómo
puedes comparar a Washington con Bolívar?
Investiga en la internet cómo fue su trabajo
para independizar al territorio americano de
Inglaterra. ¿Quién lo ayudó? ¿Tenía alguna
idea que quedó inconclusa?

13 Comprensión · Interpretive Communication

1. ¿Quién era Simón Bolívar y qué países
   independizó?
2. ¿Qué era la Patria Grande?
3. ¿Qué otro héroe colaboró con Bolívar?

14 Analiza

1. What are the possible benefits of living in a *Patria Grande* instead of separate countries?
2. Why do you think Bolívar and San Martín did not receive enough support to continue their dream?
3. Would you consider the United States of America a kind of *Patria Grande*? Explain.
4. How do you associate the word *homeland* with your home?

La casa del Sol

El sueño de un gran hogar sin fronteras también era parte de la cultura indígena americana. En muchas de las grandes celebraciones indígenas participaban tribus de distintas regiones. De la misma manera que tú te reúnes con familiares que viven en otros estados o países para celebraciones especiales, los indígenas hacían de Cusco, en Perú, un hogar común para celebrar el Inti Raymi.

Inti Raymi significa "festival del Sol" y era la ceremonia más importante del imperio inca, que se celebra hasta hoy.

El imperio inca cubría[1] una extensión enorme: todo Perú y Ecuador, parte de Colombia y Bolivia, y norte de Chile y Argentina. Es decir, que todos los

Inti Raymi

indígenas que tenían su hogar en distintas zonas viajaban muchas millas[2] por muchos días para reunirse en un lugar común, con sus hermanos, durante nueve días de danza, música y comida.

En la actualidad[3], Perú celebra el Inti Raymi todos los años. A esta reunión llegan más de 10.000 personas, nacionales y extranjeras[4], a recordar la cultura nativa y a agradecerle[5] al Sol por la comida y el hogar.

[1] covered   [2] miles   [3] Nowadays   [4] foreign   [5] thank

Búsqueda: inti raymi, imperio inca, cusco

Prácticas   Conéctate: la antropología

La fiesta de la Pachamama es una celebración tradicional de Bolivia y otros países andinos. "Pachamama" significa "madre tierra". La ceremonia se celebra el 1 de agosto y consiste en agradecerle a la tierra por el alimento que nos da para mantener nuestro hogar y nuestra familia.

Celebración de la Pachamama en Bolivia

15 Comprensión   Interpretive Communication

1. ¿Qué es Inti Raymi y qué significa?
2. ¿Dónde se reunían los indígenas para el Inti Raymi?
3. ¿Qué relación hay entre el hogar y el Inti Raymi?
4. ¿Qué es la fiesta de la Pachamama?

16 Analiza

1. Think about the meaning of the words *Inti Raymi* and *Pachamama*. What can you infer about the relationship between South American indigenous people and nature?
2. Would you consider a public place for celebrations home? Explain.

Vocabulario 2

En la cocina

Es claro que la cocina es el corazón del hogar.

la licuadora

la tostadora

la cafetera

el abrelatas

el horno

el pastel

Para decir más

el congelador	*freezer*
la batidora	*mixer*
la sartén	*frying pan*
la tabla de cortar	*cutting board*
la taza de medir	*measuring cup*

la cerradura

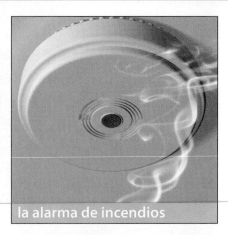
la alarma de incendios

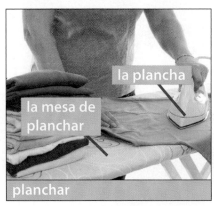
la plancha
la mesa de planchar
planchar

comenzar (ie)

Es **un aparato** para hacer jugo.

discutir

sonreír(se) (i, i) de

temer

Para conversar 🎧

*T*o state an opinion:

El plan de papá es **obvio**.
Dad's plan is obvious.

Cualquiera puede hacerlo.
Anybody can do it.

Más vale que compremos una nueva cerradura.
It is better to (that we) buy a new lock.

No **conviene** planchar los calcetines.
It is not advisable (there is no benefit) to iron the socks.

Es una lástima que el horno no funcione.
It is a pity that the oven does not work.

17 Los aparatos de la casa 🎧

Selecciona la letra de la foto que corresponde con lo que oyes.

A

B

C

D

E

F

18 En la cocina

Completa las oraciones en forma lógica con las palabras del recuadro.

comienzan	cualquiera	discuten	lástima
obvio	sonreían	temías	vale

1. Sé que Uds. estaban contentos porque __.
2. Es fácil usar este aparato: __ puede hacerlo.
3. Está lloviendo entonces más __ que lleves un paraguas.
4. Es una __ que no tengas un abrelatas.
5. Mis hermanos se llevan mal y siempre __.

6. Los fuegos artificiales __ a las diez y terminan a las diez y media.
7. Es __ que el perro se subió a la mesa y se comió el pastel.
8. Cuando eras pequeño/a, ¿te gustaban los payasos o los __?

¡Comunicación!

19 ¿Qué haces con los aparatos? 👥 Presentational Communication

Escribe nueve oraciones describiendo qué haces con los siguientes aparatos o cómo te ayudan en la casa. Comparte (*Share*) tus oraciones con dos compañeros/as de clase.

la mesa de planchar *el abrelatas* *la tostadora* *la licuadora* *la plancha*

la cafetera *la cerradura* *el horno* *la alarma de incendios*

Diálogo

El abrelatas

Javier: ¡No es posible que sea tan tarde!

Pablo: Sí, nos olvidamos de la hora.

Javier: Bueno, pero nos divertimos mucho.

Pablo: Más vale que pensemos ahora en el carro.

Javier: Sí, ¿cómo vamos a abrir esa cerradura?

Pablo: Es evidente que tenemos que pedir ayuda.

Javier: Qué lástima que la cerradura necesite una llave.

Pablo: ¿Cómo así? ¿Qué dices?

Javier: Sí, porque no tengo llave, pero tengo un abrelatas.

20 ¿Qué recuerdas?

1. ¿De qué se olvidaron los chicos?
2. ¿Quiénes se divirtieron mucho?
3. ¿En qué deben pensar los chicos?
4. ¿Qué es evidente para Pablo?
5. ¿Qué tiene Javier para abrir el carro?

21 Algo personal

1. ¿Te olvidas del tiempo cuando sales a divertirte con tus amigos?
2. ¿Pides ayuda cuando tienes problemas?
3. ¿Qué haces cuando no tienes llaves para entrar a tu casa o tu carro?
4. ¿Usas algún aparato de la casa para algo diferente de lo que se usa normalmente?

22 ¿Qué es?

Escucha y adivina a qué se refiere.

A. la licuadora
B. la cafetera
C. el abrelatas
D. el pastel
E. el horno

¿Usas algún aparato de la casa para algo diferente de lo que se usa normalmente?

Gramática

The Subjunctive with Impersonal Expressions

- Impersonal expressions in Spanish are followed by *que* and the subjunctive when they express doubt, uncertainty, or state an opinion and when the verb that follows has its own subject. Compare these sentences:

*Es urgente que **limpies** el horno.*	**It is urgent for you to clean (that you clean)** the oven.

but:

*Es urgente **limpiar** el horno hoy.*	**It is urgent to clean** the oven today.

Some of the more common impersonal expressions include the following:

es difícil (que)	*it is unlikely (that)*	**es posible (que)**	*it is possible (that)*
es dudoso (que)	*it is doubtful (that)*	**es preciso (que)**	*it is necessary (that)*
es fácil (que)	*it is likely (that)*	**es probable (que)**	*it is probable (that)*
es importante (que)	*it is important (that)*	**es una lástima (que)**	*it is a pity (that)*
es imposible (que)	*it is impossible (that)*	**es urgente (que)**	*it is urgent (that)*
es mejor (que)	*it is better (that)*	**más vale (que)**	*it is better (that)*
es necesario (que)	*it is necessary (that)*	**conviene (que)**	*it is fitting, advisable (that)*

- The impersonal expressions *es claro* (it is clear), *es evidente* (it is evident), *es obvio* (it is obvious), *es seguro* (it is sure), and *es verdad* (it is true) are followed by the indicative. However, when these expressions are **negative**, they express doubt, therefore, they require the subjunctive.

*Es verdad **que discutimos** mucho.*	**It is true that we argue** a lot.
*No es verdad **que discutamos** mucho.*	**It is not true that we argue** a lot.

Es verdad que discutimos mucho.

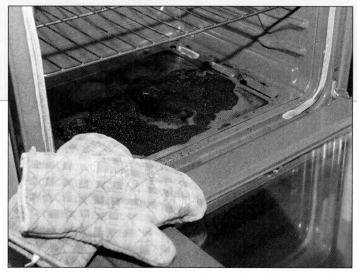

Es urgente que limpies el horno.

23 Los aparatos de la casa 🎧

Di qué aparatos son, de acuerdo con las siguientes pistas.

MODELO Es importante que tengan este aparato para saber cuándo hay un incendio en la casa.
Es la alarma de incendios.

1. Es poco probable que puedan cocinar rápidamente la comida sin este aparato.
2. Es seguro que pueden hacer muchos jugos con este aparato.
3. Conviene que tengan este aparato para tener fresca y fría la comida.
4. Es una lástima que no tengan este aparato cuando es verano y hace mucho calor.
5. Es fácil que hagan el café con este aparato.
6. Es claro que pueden lavar fácilmente los platos y los cubiertos con este aparato.
7. Es posible que usen este aparato para limpiar las alfombras.
8. Es imposible que planchen la ropa sin este aparato.
9. Es difícil que puedan cocinar la comida sin este aparato.
10. Más vale que tengan este aparato si quieren abrir una lata de guisantes.

Es la alarma de incendios.

24 Opiniones

Completa estas opiniones con la forma apropiada de los verbos indicados.

MODELO Es evidente que Uds. **quieren** ayudar. (*querer*)

1. Es importante que nosotros __ más tiempo en casa. (*pasar*)
2. Es preciso que tú __ de comer tantas golosinas. (*dejar*)
3. Es claro que Antonio __ arreglar el aire acondicionado. (*saber*)
4. Es dudoso que Uds. __ unas cortinas nuevas para su casa. (*comprar*)
5. No es seguro que mis padres __ al club también. (*ir*)
6. Es imposible que tú __ dos casas. (*tener*)
7. Es probable que yo __ a Colombia este verano. (*viajar*)
8. Es obvio que Uds. __ los dientes todos los días. (*cepillarse*)
9. Es difícil que ellos __ de su hogar. (*irse*)

Es evidente que quieres ayudar.

25 ¿Cuál es tu opinión? 🎧

Da una opinión para cada una de las situaciones que se muestran en las siguientes fotos, usando las indicaciones que se dan.

MODELO   es una lástima / yo
          Es una lástima que yo no pueda salir a jugar al béisbol.

1. conviene / Pablo y Rosa

2. es necesario / Juan

3. más vale / Ana

4. es urgente / él

5. es importante / ellos

6. es preciso / tú

26 Ir de camping

Tus padres te dan permiso para ir de camping con unos amigos, pero primero expresan unas opiniones. Haz oraciones completas para saber lo que ellos dicen, usando las indicaciones que se dan.

MODELO   lástima / nosotros / no ir
          Es una lástima que nosotros no vayamos.

1. mejor / Uds. / llevar / mucha agua

2. fácil / Uds. / perderse / en las montañas

3. preciso / nadie / estar solo

4. posible / hacer / mucho frío

5. conviene / Uds. / llevar / sus chaquetas

6. importante / Uds. / divertirse / en este camping

7. más vale / tú / llamarnos / cuando regresen

8. probable / tío Roberto / recogerlos

27 Trabajando en publicidad

Imagina que trabajas en publicidad (*advertising*) y estás escribiendo los textos para algunos anuncios (*advertisements*). Completa cada anuncio escogiendo una expresión impersonal y un verbo apropiado de los recuadros. El verbo debe ir en el subjuntivo.

expresiones impersonales

es importante	conviene	más vale	es mejor
es urgente		interesa	creemos

verbos

comprar	llamar	encontrar	tomar
abrir		enviar	correr

MODELO

Es importante que Ud. abra esta carta ahora mismo.
Su vida va a ser mejor.

1.

Nos ___ que Ud. ___ el mejor café.

Compre nuestra cafetera Expres.

2.

___ que Ud. ___ nuestra alarma de incendios

¡Alerta!
Su familia va a vivir más tranquilamente.

3.

Le ___ que Ud. ___ a nuestro Almacén Hogar hoy.

ALMACÉN HOGAR

Tenemos los mejores precios en artículos para el hogar.

4.

No ___ que Ud. ___ mejores planchas que las nuestras.

Planchas Excel planchan mejor.

5.

___ que nos ___ hoy. Aquí en el **Banco Nacional** tenemos una linda **tostadora** de **regalo** para Ud.

6.

___ que Ud. nos ___ su dirección hoy mismo. Vamos a enviarle información importante sobre lo mejor en aparatos eléctricos.
GALLITO
—★ ★ ★—

Comunidades

You already are aware that the ability to communicate in another language can enhance your career (*carrera*) opportunities. One possibility might be a career in advertising (*publicidad*). Would you like to use your creativity and work in an advertising agency to promote products for people who speak Spanish? Marketing (*Mercadotecnia*) is a career that also offers many opportunities to use a second language and communicate ideas to other people. Consider these jobs as a unique way for you to practice your Spanish and use your imagination without limits.

28 ¿Te complace?

Las siguientes personas tienen algo ahora que no tenían ayer. Di qué te complace que tengan.

> **MODELO** Mi hermanastro tenía una cerradura muy mala. (bueno)
> **Me complace que tenga ahora una cerradura buena.**

1. Mi hermanastra tenía un lavadero muy feo. (bonito)
2. La madre de mi amigo tenía un lavaplatos viejo. (nuevo)
3. Nosotros teníamos un armario pequeño. (grande)
4. Mis tíos tenían unas bombillas de poca luz. (mucho)
5. Tú tenías una computatora blanca. (azul)
6. Mis vecinos tenían una licuadora vieja. (nuevo)
7. Mi abuela tenía un horno antiguo en su cocina. (microondas)

¡Comunicación!

29 Eventos importantes — Presentational Communication

Escribe cinco publicaciones (*posts*) en una red social expresando tus opiniones o dudas sobre algunos eventos importantes en tu vida (e.g., en la familia, en tu colegio, etc.). Usa las siguientes expresiones: **es dudoso**, **es fácil**, **más vale**, **es imposible**, **es una lástima**. Puedes inventar la información si quieres. Sé creativo/a.

> **MODELO** **Es dudoso que mis abuelos de Perú vengan a mi fiesta de cumpleaños.**

¡Comunicación!

30 ¿Qué hacemos esta tarde? — Interpersonal/ Presentational Communication

En parejas, preparen una conversación por teléfono donde Uds. deciden lo que van a hacer esta tarde. Dramaticen la conversación por teléfono enfrente de la clase.

> **MODELO** A: ¡Aló! ¿Óscar?
> B: Hola, Laura. ¿Cómo estás?
> A: Estoy aburrida. ¿Quieres ir al club y nadar en la piscina?
> B: Es mejor que nos quedemos en casa. Es posible que llueva, y además, más vale que hagamos la tarea de español.
> A: ¡Es una lástima que llueva!

¡Aló!

Todo en contexto

¡Comunicación!

31 Tu patria grande 👥 **Interpersonal Communication**

Imagina que tú y un(a) compañero/a son héroes nacionales. Están planeando crear una patria grande para unir a varios países. Decidan qué países van a unir. Alternen para decir qué quieren que ocurra en esa patria grande y en contestar. Usen expresiones del vocabulario, y el subjuntivo con verbos de emoción y duda. Sigan el modelo como guía.

MODELO   A: Quiero que nuestra Patria Grande sean los Estados Unidos y México.

B: Me alegro de que quieras unir a los Estados Unidos y México.

A: Es preciso que todos hablen español.

B: Sí, pero también me gustaría que todos hablen inglés.

¡Comunicación!

32 En la nueva casa 👥 **Interpersonal/Presentational Communication**

Imagina que tú y dos compañeros/as se mudaron a una nueva casa. Cuando entran, se dan cuenta de algunas cosas. Preparen un diálogo para decir lo que pasa. Usen la ilustración como guía y el subjuntivo con las expresiones impersonales del recuadro.

| es difícil | es dudoso | es imposible | es necesario | es mejor |
| es una lástima | conviene | es preciso | es posible | |

MODELO   Es posible que el pastel sea viejo.

Lectura literaria

Vivir para contarla (*fragmento*) 🎧
de *Gabriel García Márquez*

Gabriel García Márquez

Sobre el autor

Gabriel García Márquez (Colombia, 1927–2014) fue un escritor destacado por su estilo descriptivo y por ser parte de la corriente literaria conocida como realismo mágico. Ganador del Premio Nobel de Literatura en 1982, García Márquez escribió famosas novelas como *Cien años de soledad* y cuentos como "Un día de estos". En la selección que vas a leer, el autor escribe de manera interesante sobre la importancia del hogar.

33 Antes de leer: Vocabulario

Las siguientes palabras aparecen en la selección que vas a leer. Son palabras nuevas que todavía no conoces. Sin embargo, ya conoces otras palabras de la misma familia. Primero, conecta cada palabra nueva con la palabra de su familia. Luego, completa las oraciones con la palabra nueva apropiada. Ten en cuenta el contexto.

Palabras nuevas	Palabras conocidas de la familia
pasamanos	esperar
mirada	jazmín
librero	libro
platería	mano
inesperado	mirar
jazminero	plata
recibo	recibir

Estrategia

Word families

Some texts are very descriptive and contain a high number of nouns and adjectives. Many of them are unknown words; however, their spellings or sounds are very similar to other words that we already know, because they belong to the same word family. Therefore, you can figure out their meaning based on your previous knowledge and the context.

1. No esperábamos a Carlos. Su llegada fue __.
2. Mi abuelo no podía subir por las escaleras fácilmente. Tenía que tomarse del __.
3. Diana ya terminó de leer *David Copperfield*. Va a ponerlo en el __.
4. Hoy vienen visitas a mi casa. Voy a atenderlas en la sala de __.
5. Julio quiere observar los jazmines del patio. Les da una __ rápidamente y se va.

34 Antes de leer: Conocimientos previos 🎧

1. ¿Cómo es tu casa? ¿Cuántas habitaciones (*rooms*) tiene?
2. ¿En qué parte de la casa pasa más tiempo tu familia? ¿Qué hacen allí?
3. ¿Alguna vez te mudaste a otra casa? ¿Cómo te sentiste? Puedes contestar en inglés.

Vivir para contarla (*fragmento*) 🎧
de *Gabriel García Márquez*

La casa donde creció Gabriel García Márquez está en Aracataca, Colombia.

El resto de la tarde, mientras llegaba el tren de regreso, la pasamos recogiendo nostalgias en la casa fantasmal[1]. [...] Una casa lineal de ocho habitaciones sucesivas, a lo largo de un corredor con un pasamanos de begonias donde se sentaban las mujeres de la familia a bordar[2] en bastidor[3] y a conversar en la fresca de la tarde. Los cuartos eran simples y no se distinguían entre sí, pero me bastó[4] con una mirada para darme cuenta de que en cada uno de sus incontables[5] detalles había un instante crucial de mi vida.

La primera habitación servía como sala de visitas y oficina personal del abuelo. Tenía un escritorio de cortina, [...] un ventilador eléctrico y un librero vacío con un solo libro enorme y descosido[6]: el diccionario de la lengua. [...] El comedor era apenas[7] un tramo[8] ensanchado[9] del corredor con la baranda[10] donde las mujeres de la casa se sentaban a coser, y una mesa para dieciséis comensales[11] previstos[12] o inesperados que llegaban a diario en el tren del mediodía. Mi madre contempló desde allí los tiestos[13] rotos de las begonias [...] y el tronco del jazminero carcomido[14] por las hormigas[15], y recuperó[16] el aliento[17].

—A veces no podíamos respirar[18] por el olor caliente de los jazmines —dijo, mirando el cielo deslumbrante[19], y suspiró[20] con toda el alma[21]. [...]

Después del corredor había una sala de recibo reservada para ocasiones especiales [...]. Allí empezaba el mundo mítico de los dormitorios. Primero el de los abuelos, con una puerta grande hacia el jardín, y un grabado[22] de flores de madera con la fecha de la construcción: 1925. Allí, sin ningún anuncio, mi madre me dio la sorpresa menos pensada con un énfasis triunfal:

—¡Y aquí naciste[23] tú!

[1] ghostly [2] embroider [3] stretcher (wooden embroidery frame) [4] was sufficient [5] countless [6] coming unstitched
[7] barely [8] section [9] widened [10] rail [11] dinner guests [12] forseen [13] flower pots [14] eaten away
[15] ants [16] recovered [17] breathe [18] to breath [19] shiny [20] sighed [21] soul [22] etching [23] were born

---

35 Comprensión 🎧 Interpretive Communication

1. ¿En dónde estaba el narrador?

2. ¿Adónde lo iba a llevar el "tren de regreso"?

3. ¿Quiénes vivieron en esa casa?

4. ¿Qué tipo de olor recuerda la mamá?

5. ¿Quién nació en esa casa? ¿En qué parte de la casa?

---

36 Analiza

1. Why does the narrator describe the house as "ghostly"?

2. What do you think is the mother's mood while walking through the house?

3. Think about the title. What exactly does it mean in relation to this story?

Repaso de la Lección B

A   Escuchar: ¿Ciertas o falsas? 🎧 (p. 294)

Escucha la siguiente conversación entre Eva y su mamá. Luego indica si las oraciones son ciertas o falsas según lo que escuchaste. Corrige las oraciones falsas.

1. Eva espera que su mamá le deje manejar su carro.
2. A Eva no le gusta manejar el carro de su mamá.
3. Primero la mamá duda que Eva pueda usar su carro pero luego le permite.
4. No es importante que Eva regrese a tiempo.
5. Eva duda que pueda regresar a tiempo.
6. La mamá piensa que a Eva le interesan más las reglas que las llaves.

B   Vocabulario: Aparatos (p. 303)

Identifica el aparato que describe cada oración.

1. Necesitas esto para abrir una lata de sopa.
2. Puedes poner frutas y leche en este aparato para preparar una bebida.
3. Es fácil preparar café en una de estas.
4. Hay de gas y eléctricos y muchos tienen una estufa arriba.
5. Este aparato suena cuando hay fuego en la casa.
6. Algunas personas usan este aparato caliente para sacar la arrugas (*wrinkles*) de la camisa.

C   Gramática: ¿Qué opinan y sienten? (pp. 297, 307)

Completa las oraciones con la forma apropiada del indicativo o del subjuntivo de los verbos entre paréntesis.

1. Mamá se alegra de que nosotros (*ayudar*) a planchar la ropa.
2. Es preciso que la bisabuela (*conseguir*) un nuevo sillón.
3. Es evidente que mis tíos (*tener*) buenos vecinos.
4. No es seguro que la alarma de incendios (*tener*) baterías.
5. Nos complace que Uds. (*venir*) a la fiesta del barrio.
6. Es obvio que el perro (*cuidar*) la casa muy bien.
7. Me preocupa que mis abuelos (*vivir*) tan lejos.
8. No es verdad que el horno (*estar*) muy sucio.

D Cultura: Hogares sin fronteras (pp. 301–302)

Contesta las preguntas con la información que aprendiste en esta lección.

1. ¿Quién es Simón Bolívar?
2. ¿Cuál era el sueño (*dream*) de Simón Bolívar?
3. ¿Qué otro héroe compartió (*shared*) el sueño de Simón Bolívar? ¿Se hizo realidad?
4. ¿Qué es Inti Raymi?
5. ¿Por qué cosas dan gracias los indígenas al Sol?

Vocabulario

En la casa	Para describir	Verbos	Expresiones y otras palabras
el abrelatas	claro/a	comenzar (ie)	a tiempo
la alarma de incendios	dudoso/a	convenir	el club
el aparato	evidente	discutir	cualquiera
la cafetera	imposible	dudar	el incendio
la cerradura	obvio/a	esperar	la lástima
el horno	preciso/a	planchar	más vale que
la licuadora	seguro/a	regresar	el pastel
la llave	urgente	sonreír(se) (i, i)	el plan
la mesa de planchar		temer	la regla
la plancha		valer	
la tostadora			

Gramática

When to use the subjunctive

Remember **WIDE**: **W**ishes, **I**mpersonal expressions, **D**oubts, and **E**motions

The subjunctive: impersonal expressions

Impersonal expressions are followed by *que* and the subjunctive.

es difícil (que)	es posible (que)
es dudoso (que)	es preciso (que)
es fácil (que)	es probable (que)
es importante (que)	es una lástima (que)
es imposible (que)	es urgente (que)
es mejor (que)	más vale (que)
es necesario (que)	conviene (que)

The subjunctive: verbs of emotion and doubt

The subjunctive is used after verbs of emotion and doubt when there is a change of subject introduced by *que*.

Emoción	Duda
agradar	dudar
alegrar (de)	no creer
complacer	no pensar
divertir	no estar seguro/a (de)
encantar	no es claro
fascinar	no es seguro
gustar	no es evidente
importar	no es obvio
interesar	no es verdad
molestar	
parecer bien/mal	
preocupar	

Para concluir

Proyectos

A ¡Manos a la obra!

En grupos de tres, preparen una presentación sobre las casas coloniales de
Latinoamérica. Escojan un país de esta unidad e investiguen en la internet cómo
son las casas coloniales allí. ¿De qué color son? ¿Cómo son las ventanas? ¿Qué hay
adentro? ¿Viven familias en ellas ahora? Expliquen todo lo que puedan a la clase,
incluyendo fotos para ilustrar sus explicaciones. También presenten una tabla con las
fechas de construcción aproximada de las casas coloniales de ese país.

B En resumen

Copia el diagrama de abajo y completa los recuadros de la columna derecha para
indicar cómo cada lugar o concepto hace a la gente sentirse como "en casa".

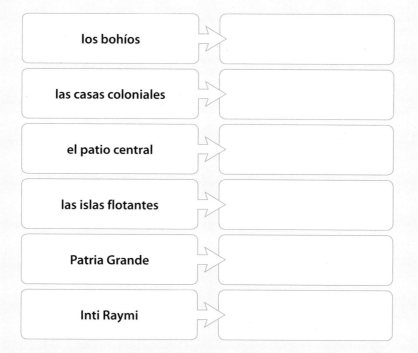

los bohíos

las casas coloniales

el patio central

las islas flotantes

Patria Grande

Inti Raymi

Extensión

En Ecuador son muy populares las casas de bambú. Investiga en la internet qué es el
bambú y cómo se hacen estas casas. ¿Qué ventajas tienen?

C ¡A escribir!

Tu familia compró una casa muy bonita. Tú le escribes un e-mail a un amigo diciendo lo que piensas y lo que quieres hacer con la casa nueva. También dices lo que quieren otros miembros de tu familia. Escribe en la forma de **yo** usando los verbos **poder**, **pensar**, **querer** y **doler**. Usa el subjuntivo cuando sea posible.

Estrategia

Stem-changing verbs

Remember that the verbs *poder, pensar, querer,* and *doler* have stem changes in the present of the indicative, except in the *nosotros* and *vosotros* forms.

D Productos naturales   Conéctate: la biología

Investiga en la internet qué puedes plantar en un jardín de la zona donde vives. Indica cuánto tiempo tarda en crecer esa planta o vegetal. Explica si es necesario tener en el jardín algunos de los elementos que aprendiste en el vocabulario de esta unidad.

E Una superficie grande   Conéctate: las matemáticas

La Patria Grande que quería Bolívar iba a ser muy extensa. Investiga en la internet y completa la tabla con la superficie (*area*) de cada país en kilómetros cuadrados (*square kilometers*). Luego calcula el área total de la Patria Grande que soñó Bolívar. ¿Puedes convertir la superficie total a millas cuadradas (*square miles*)? (1 km = 0.62 m)

País	Superficie
Venezuela	916.450 km²
Colombia	
Ecuador	
Perú	
Bolivia	
Chile	
Argentina	
Superficie total	Superficie total en millas cuadradas: _____

F Mi hogar   Conéctate: la producción de video

Usa una cámara para filmar tu hogar. Prepara un guión (*script*) en el cual identificas los cuartos y algunos objetos y aparatos. ¡Sé creativo/a! Luego comparte tu video con el resto de la clase.

Vocabulario de la Unidad 6

a tiempo on time *6B*

abajo downstairs, down *6A*

el **abrelatas** can opener *6B*

adentro inside *6A*

afuera outside *6A*

el **aire (acondicionado)** air (conditioning) *6A*

al aire libre outdoors *6A*

la **alarma de incendios** fire alarm, smoke alarm *6B*

alegrar(se) (de) to be glad, to make happy *6B*

la **alfombra** carpet, rug *6A*

el **aparato** appliance, apparatus *6B*

el **armario** closet, wardrobe, cupboard *6A*

arriba upstairs, above, up *6A*

el **ático** attic *6A*

el **beso** kiss *6A*

el **bisabuelo,** la **bisabuela** great-grandfather, great-grandmother *6A*

la **bombilla** light bulb *6A*

la **broma** joke *6A*

la **cafetera** coffee pot, coffee maker *6B*

cambiar to change *6A*

la **cerca** fence *6A*

la **cerradura** lock *6B*

la **chimenea** chimney, fireplace *6A*

claro/a clear *6B*

el **club** club *6B*

comenzar (ie) to begin, to start *6B*

complacer to please *6B*

convenir to be fitting, to agree *6B*

la **cortadora de césped** lawn mower *6A*

cortar to cut, to mow *6A*

la **cortina** drape, curtain *6A*

el **cuadro** picture, *painting* 6A

cualquiera any, anyone *6B*

el **cuidado** care *6A*

dejar to let, to allow *6A*

el **despertador** alarm clock *6A*

discutir to discuss, to argue *6B*

dudar to doubt *6B*

dudoso/a doubtful *6B*

encantar to enchant, to delight *6B*

encargar(se) (de) to make responsible (for), to put in charge (of), to take care (of), to take charge (of) *6A*

la **escoba** broom *6A*

esperar to hope *6B*

evidente evident, clear *6B*

exagerar to exaggerate *6A*

fascinar to fascinate *6B*

ganar to win, to earn *6A*

el **hermanastro,** la **hermanastra** stepbrother, stepsister *6A*

el **hogar** home *6A*

el **horno** oven *6B*

imposible impossible *6B*

el **incendio** the fire *6B*

insistir (en) to insist (on) *6A*

interesar to interest *6B*

invitar to invite *6A*

el **ladrillo** brick *6A*

la **lástima** shame, pity *6B*

el **lavadero** laundry room *6A*

la **lavadora** washer *6A*

la **licuadora** blender *6B*

la **llave** key *6B*

la **madera** wood *6A*

la **madrastra** stepmother *6A*

la **mamá** mother, mom *6A*

más vale que it is better that *6B*

la **mesa de planchar** ironing board *6B*

el **miembro** member *6A*

el **mueble** piece of furniture *6A*

el **muro** wall (exterior) *6A*

obvio/a obvious *6B*

el **padrastro** stepfather *6A*

el **papá** father, dad *6A*

el **pastel** cake, pastry *6B*

el **plan** plan *6B*

la **plancha** iron *6B*

planchar to iron *6B*

preciso/a necessary *6B*

el **premio** prize *6A*

puro/a pure, fresh *6A*

la **regla** ruler, rule *6B*

regresar to return, to go back, to come back *6B*

la **reja** wrought iron window grille, wrought iron fence *6A*

la **secadora** dryer *6A*

seguro/a sure *6B*

ser difícil que to be unlikely that *6B*

ser fácil que to be likely that *6B*

el **sillón** armchair, easy chair *6A*

sonreír(se) (i, i) to smile *6B*

el **sótano** basement *6A*

la **tostadora** toaster *6B*

el **techo** roof *6A*

temer to fear *6B*

tener cuidado to be careful *6A*

urgente urgent *6B*

valer to be worth *6B*

el **ventilador** fan *6A*

¿Sabías que...?

Uruguay tiene un canal de televisión online llamado Uruguay Natural TV. La Organización Mundial de Turismo lo reconoció como uno de los productos más innovadores para informar sobre las atracciones turísticas de ese país.

Unidad 7

Informados

Escanea el código QR para ver este episodio de *El cuarto misterioso*.

Carlos llega a la casa de José. ¿Quién es Carlos?

A. el hermanastro de Rafael
B. un primo de José
C. el novio de Sandra

Pregunta clave

?

How do people stay informed?

Mis metas

Lección A **I will be able to:**

▶ report the news
▶ say what has happened using the present perfect
▶ discuss the role of newspapers and interactive exhibits
▶ talk about a television broadcast
▶ describe people and objects using participles as adjectives
▶ learn about a successful Uruguayan actor

Lección B **I will be able to:**

▶ talk about sections of newspapers
▶ relate two events in the past using the past perfect
▶ discuss the two official languages of Paraguay
▶ talk about the popularity of soccer
▶ broadcast a soccer match
▶ talk about past actions using the passive voice
▶ discuss the reactions of soccer fans

Paraguay   Uruguay

¿En qué idiomas se mantienen informados los paraguayos?

Las noticias del día 🎧

ACUERDO

Jóvenes del INAU podrán ingresar al Ejército

El Comandante en Jefe del Ejército, general Juan Villagrán, autorizó que los jóvenes procedentes del Instituto del Niño y Adolescente del Uruguay (INAU) puedan disponer de una de cada cinco vacantes que se generen en cada una de las Unidades Básicas del Ejército.

José Coya

ENTREVISTA AL PRESIDENTE DE ANCAP, JOSÉ COYA: "EN UN TIEMPO NO TAN LEJANO, SABREMOS SI HAY PETRÓLEO EN URUGUAY"

"Los pozos de Pepe Núñez están dando buenos resultados"

por: **Mario Delgado Gerez**

El presidente de Ancap, José Coya, manifestó sentirse "esperanzado"

Tribuna

Cientos de aurinegros burlaron los exorbitantes precios de José Palma

La "viveza criolla" apareció nuevamente en escena. Con el objeto de burlar los elevadísimos precios fijados para Liverpool-Peñarol (José Luis Palma puso la Tribuna Olímpica a $1.050 y la América a $1.290 luego de que se le negara jugar el partido en el Parque Viera), cientos de fieles aurinegros se asociaron a "Socio Espectacular" y consiguieron, sin más costo que el de la cuota mensual, su boleto para decir presentes el domingo en el Estadio Centenario.

Más Noticias

Dos proyectos para el nuevo Torneo Uruguayo

Quedó un puesto más abajo

Jonathan Álvez: "Hay que pelear la Anual hasta el final"

Urrutia pone en marcha su esperanza para el 2014

La chance de cada equipo para clasificar a las copas

"Nacho" González con dolor de espalda es la duda de Gutiérrez

Wanderers no solo juega lindo: remontó 6

el huracán

¿Lees las noticias en la internet para saber sobre **los acontecimientos** del día?

la celebración

la protesta

la reunión

el robo

el temblor

el accidente

la destrucción

el reportero, la reportera

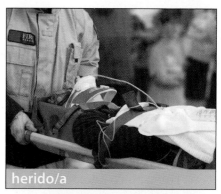
herido/a

la herida

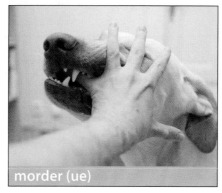
morder (ue)

lastimar(se)

Para conversar

*T*o report the news:

Estos son **los sucesos** más importantes del día.
These are the most important events (happenings) of the day.

Hubo un accidente de tren pero no fue **serio**.
There was a train accident but it was not serious.

Los testigos dicen que el tren tomó la curva muy rápido.
Witnesses say the train was going very fast around the curve.

El presidente declaró la ciudad zona de **catástrofe** por el huracán.
The president declared the city a disaster area because of the hurricane.

El robo del museo de arte sigue siendo **un misterio**.
The theft (robbery) at the art museum continues to be a mystery.

En esta **ocasión** el robo ocurrió durante el día.
On this occasion, the theft happened during the day.

Vuelven **las actividades normales** después del temblor.
Normal activities resume after the tremor (quake).

Las temperaturas altas de hoy van a **romper** el récord.
Today's high temperatures will break the record.

Para decir más

el choque	collision
el crimen	crime
la explosión	explosion
la guerra	war
la huelga	strike
la inundación	flood
el terremoto	earthquake
la tormenta	storm
el tornado	tornado

1 En las noticias

Escoge un contenido apropiado para
los titulares (*headlines*) que oyes.

A. Hubo fuegos artificiales en las principales ciudades
del país.

B. No hubo heridos, ni destrucción de casas o edificios.

C. El Banco Central dijo "adiós" a un millón de dólares.

D. Hubo cinco personas heridas en uno de los carros.

E. Hay lluvias y vientos muy fuertes en Puerto Rico.

2 Las noticias del año

Completa el artículo, usando las palabras de la lista. Cada palabra se usa una vez.

accidente	acontecimientos	protesta	reunión	misterio
catástrofe	celebraciones	robos	huracán	ocasión

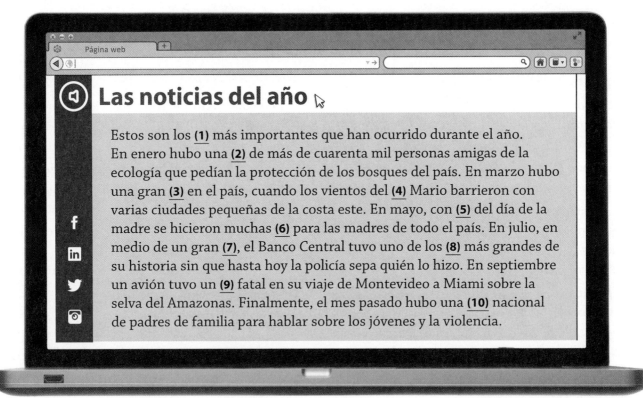

Las noticias del año

Estos son los **(1)** más importantes que han ocurrido durante el año.
En enero hubo una **(2)** de más de cuarenta mil personas amigas de la
ecología que pedían la protección de los bosques del país. En marzo hubo
una gran **(3)** en el país, cuando los vientos del **(4)** Mario barrieron con
varias ciudades pequeñas de la costa este. En mayo, con **(5)** del día de la
madre se hicieron muchas **(6)** para las madres de todo el país. En julio, en
medio de un gran **(7)**, el Banco Central tuvo uno de los **(8)** más grandes de
su historia sin que hasta hoy la policía sepa quién lo hizo. En septiembre
un avión tuvo un **(9)** fatal en su viaje de Montevideo a Miami sobre la
selva del Amazonas. Finalmente, el mes pasado hubo una **(10)** nacional
de padres de familia para hablar sobre los jóvenes y la violencia.

Diálogo

Accidente en la Carretera 10

Blanca: ¡Hola, chicos! ¿Han hecho la tarea?

Rogelio: No, todavía no. Estamos leyendo el periódico.

Blanca: ¡Ay! ¿Leyeron sobre el accidente en la Carretera 10?

Mario: No. ¿Qué pasó?

Blanca: Miren en la página tres A. Hubo un accidente de un bus con un carro pequeño.

Rogelio: Pasan catástrofes en esa carretera todos los días.

Blanca: Lo sé, pero miren bien la foto que muestran en el periódico.

Mario: ¿Esos no son los Vega?

Blanca: Sí, claro. Ellos son los papás de Raúl.

Rogelio: ¿Están bien? ¿Se lastimaron?

Blanca: Un testigo vio dos personas heridas, pero parece que no eran los Vega.

Mario: ¡Qué bueno!

3 ¿Qué recuerdas?

1. ¿Han hecho los chicos la tarea?
2. ¿Qué están haciendo los chicos?
3. ¿Qué pasó en la Carretera 10?
4. ¿Qué pasa todos los días en la Carretera 10?
5. ¿Quién está en la foto del periódico?
6. ¿Cuántos heridos vio un testigo?

4 Algo personal

1. ¿Te gusta ver o leer las noticias? Explica.
2. ¿Qué noticia importante o seria ha pasado donde tú vives?
3. ¿Hubo algún accidente donde tú vives? ¿Hubo heridos?
4. ¿Hubo algún acontecimiento importante esta semana en el país? ¿Cuál?

5 ¿Qué pasó en el zoológico?

Completa lo que dice la reportera con las palabras más lógicas de la lista.

heridas	lastimó	ocasión
serias	suceso	testigos

Un **(1)** dramático ocurrió en el zoológico cuando un tigre escapó de su jaula. Los **(2)** dicen que en esta **(3)**, el tigre **(4)** a una persona. El doctor que vio al herido dijo que las **(5)** no eran **(6)**.

Gramática

The Present Perfect Tense and Past Participles

- The present perfect tense (*pretérito perfecto*) is used to talk about the past in a general sense and to say what **has happened** or what someone **has done**.

- To form the present perfect tense, combine the present tense of **to have** (*haber*) and the past participle (*participio*) of a verb.

he	hemos		
has	habéis	+	participio
ha	han		

- You are familiar with past participles of words in English that usually end in *-ed*. In Spanish, form the past participle of regular *-ar* verbs by changing the *-ar* of the infinitive to *-ado*. For regular *-er* and *-ir* verbs, change the infinitive ending *-er* or *-ir* to *-ido*. Some past participles are regular, but they require an accent mark. You will need to memorize some irregular past participles.

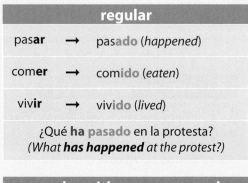

regular	
pas**ar** →	pas**ado** (*happened*)
com**er** →	com**ido** (*eaten*)
viv**ir** →	viv**ido** (*lived*)
¿Qué **ha** pasado en la protesta? (What **has happened** at the protest?)	

regular with an accent mark	
caer →	caído (*fallen*)
creer →	creído (*believed*)
leer →	leído (*read*)
oír →	oído (*heard, listened to*)
reír →	reído (*laughed*)
traer →	traído (*brought*)
¿**Has** leído el periódico? (**Have** you **read** the newspaper?)	

irregular	
abrir →	abierto (*opened*)
cubrir →	cubierto (*covered*)
decir →	dicho (*said, told*)
escribir →	escrito (*written*)
hacer →	hecho (*done, made*)
morir →	muerto (*died*)
poner →	puesto (*put*)
romper →	roto (*broken, torn*)
ver →	visto (*seen*)
volver →	vuelto (*returned*)
Ellos **han** visto mucho. (They **have seen** a lot.)	

- Object pronouns precede the conjugated form of *haber*. However, when an expression uses the infinitive of *haber*, attach object pronouns directly to the end of the infinitive form.

| ¿Qué **les ha** pasado aquí? | What has happened **to them** here? |
| Siento no **habértelo** contado. | I am sorry I have not told (**it**) **to you**. |

6 Periódico en la internet

Lee las siguientes noticias de un periódico en la internet y encuentra ocho verbos en el pretérito perfecto.

UNOTICIAS
Jueves, 10 de abril

Hoy, 22° C

Finanzas | Política | Sociedad | Clasificados | Ocio | Deportes

Montevideo, Uruguay

Inicio | *Último Momento* | *Archivo* | *Registro*

ACCIDENTE EN RUTA 8

10:16

Otro accidente fatal en ruta 8 ha ocurrido anoche. En esta ocasión un adulto y dos niños han muerto. Los vecinos del lugar dicen que todo se debe a la falta de semáforos.

Ver ⊕

TERCER TEMBLOR

12:40

Un temblor de poca intensidad ocurrió en Punta del Este al mediodía. Con este han sido ya tres los temblores que han sentido la población esta semana.

Ver ⊕

BARRIO MARCONI

13:01

Una importante reunión de miembros de la comunidad del barrio Marconi con miembros de la policía se realizó esta mañana para estudiar la situación de los robos que han venido pasando en el sector.

Ver ⊕

REUNIÓN DE PRESIDENTES

14:10

Con ocasión de la posesión del nuevo presidente de la república uruguaya, se han reunido en la capital presidentes de muchos países del mundo.

Ver ⊕

HOMBRE MUERDE PERRO

15:01

Lo ridículo se ha hecho realidad cuando un hombre mordió a su perro, diciendo que su perro trató de morderlo a él primero. Este es el primer suceso de este tipo que ha pasado en la capital.

Ver ⊕

7 En el zoológico

Completa las siguientes oraciones, usando el pretérito perfecto de los verbos entre paréntesis.

MODELO   Mis amigos y yo **hemos caminado** por el zoológico. *(caminar)*

1. Yo __ todo tipo de animales salvajes. *(ver)*
2. Los gorilas __ plátanos todo el día. *(comer)*
3. Los leones __ mucho. *(dormir)*
4. Unos señores __ a la jaula de los tigres. *(entrar)*

5. Nosotras les __ de comer a las jirafas. *(dar)*
6. El mono __ a un árbol. *(subir)*
7. Mis amigos __ la exhibición de las serpientes. *(visitar)*
8. Nosotros __ la visita al zoológico. *(terminar)*

8 ¿Cuántas veces lo han hecho?

Di el número de veces este mes que las siguientes personas han hecho las actividades, usando las indicaciones que se dan.

MODELO   Sr. Ponce / comprar el periódico / 20
El Sr. Ponce ha comprado el periódico veinte veces este mes.

1. Alberto / ir a una celebración / 2
2. yo / estar en una protesta / 1
3. tú / tener una reunión con tu profesor / 3
4. Srta. Montoya / ir de compras / 2
5. los chicos / montar en patineta / 8
6. Mauricio y Mónica / cenar juntos / 15
7. Uds. / discutir sus actividades con sus padres / 4

El Sr. Ponce ha comprado el periódico veinte veces este mes.

9 Esta semana 🎧

Di cuántas veces has hecho esta semana las actividades indicadas, usando el pretérito perfecto.

MODELO   dar un paseo en carro
He dado un paseo en carro dos veces esta semana.

1. leer las noticias
2. ir a una celebración
3. llegar tarde al colegio
4. conducir el carro de mis padres

5. conocer a una persona nueva
6. mentir a un amigo
7. tener un pequeño accidente

10 Un robo en el Banco Comercial

Completa el siguiente diálogo usando el pretérito perfecto de los verbos indicados para saber lo que Paloma y Esteban dicen sobre el robo en el Banco Comercial.

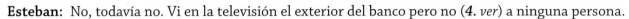

Paloma: ¿Qué (**1.** *ocurrir*) hoy en las noticias?

Esteban: Una reportera (**2.** *decir*) algo sobre un robo en el Banco Comercial.

Paloma: ¿Cómo? ¿Un robo? ¿(**3.** *mostrar*) ellos las personas que estaban en el banco?

Ha habido un robo en el banco.

Esteban: No, todavía no. Vi en la televisión el exterior del banco pero no (**4.** *ver*) a ninguna persona. Pero, ¿por qué te preocupas tanto?

Paloma: Bueno, tengo una amiga que (**5.** *trabajar*) por muchos años en ese banco.

Esteban: ¡No te preocupes! Todas las personas (**6.** *escapar*) de allí, según dijo la policía.

Paloma: ¡Qué bien! ¿Y nadie se lastimó cuando escapaban?

Esteban: No, nadie. Mira, Paloma, creo que tú (**7.** *tener*) un día muy largo. Ve a descansar un poco.

Paloma: Sí, está bien. No (**8.** *dormir*) lo suficiente. Hasta mañana, Esteban.

11 La familia de Rosario

¿Qué han hecho esta mañana algunos miembros de la familia de Rosario? Combina elementos de cada columna para hacer oraciones completas en el pretérito perfecto.

MODELO **Su mamá ha oído la noticia del robo.**

I	II	III
sus abuelos	abrir	frutas y verduras del mercado
sus hermanas	cubrir	la noticia del robo
su hermanastro	escribir	una revista muy interesante
su sobrina	leer	una lámpara jugando al fútbol
su mamá	oír	el jardín con césped
su papá	poner	un mensaje de texto a su amiga de Montevideo
sus tíos	romper	las ventanas de la casa
su prima	traer	sus cosas en su lugar

12 Tu hermano/a te hace preguntas 👥

Trabajando en parejas, alternen en hacer preguntas y contestarlas, usando el pretérito perfecto y las indicaciones que se dan.

MODELO ver las noticias / yo

A: ¿Quién ha visto las noticias?

B: Yo las he visto.

Yo las he visto.

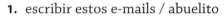

1. escribir estos e-mails / abuelito
2. cubrir el piso con esta alfombra / mamá
3. poner las revistas en la mesa / yo
4. abrir todas las ventanas / papá y yo
5. leer el periódico hoy / los abuelos

6. decir que el piso está sucio / Cecilia
7. morder el pastel / Juanito
8. romper estos platos / la sobrina
9. hacer estas galletas / tía Rosa
10. traer este televisor para la sala / tú

13 Las exageraciones 👥

Trabajando en parejas, alternen en decir algo exagerado, usando el pretérito perfecto de los verbos que se dan.

MODELO leer

A: He leído más de mil revistas.

B: Pues, yo he leído más de cinco mil libros.

1. ver
2. decir
3. escribir

4. hacer
5. comer
6. oír

7. poner
8. romper
9. traer a la clase

🗨 ¡Comunicación!

14 ¿Qué han hecho durante la semana? 👥 Interpersonal Communication

Trabajando con otro/a estudiante, alternen en hacer preguntas y en contestarlas para decir lo que han hecho durante la semana varias personas que Uds. conocen. Usen el pretérito perfecto en cada pregunta y respuesta.

MODELO A: ¿Qué han hecho tus amigos esta semana?

B: Alicia ha escrito un blog muy interesante y Omar ha jugado al fútbol.

B: ¿Qué ha hecho tu hermano?

A: Mi hermano ha salido con Julia.

Alicia ha escrito un blog muy interesante.

15 ¿Qué has hecho este año? 👥 Interpersonal/Presentational Communication

Entrevista a dos o tres compañeros/as de clase para saber lo que han hecho este año. Usa una tabla como la de abajo para tomar apuntes. Luego escribe un pequeño resumen (*summary*).

MODELO
Este año Laura ha jugado al voleibol, al fútbol y al tenis. Ella ha visto tres películas. Ha trabajado mucho en las clases de inglés y biología.

Nombre	¿Qué deportes has jugado?	¿Cuántas películas has visto?	¿En qué clases has trabajado mucho?
Laura	voleibol, fútbol, tenis	tres	inglés, biología

¡Comunicación!

16 Los sucesos Presentational Communication

Escribe un reporte de los sucesos más importantes que han pasado durante la semana en tu comunidad. Informa sobre alguna actividad de la comunidad hispana de tu ciudad o de tu estado. Escribe cinco oraciones con toda la información que puedas.

MODELO
El sábado hubo un desfile en celebración del Mes de la Herencia Hispana. Nunca antes han asistido tantas personas...

Un desfile en celebración del Mes de la Herencia Hispana

? Pregunta clave

How do people stay informed?

Washington Beltrán, fundador de El País

Noticias de ayer, hoy y mañana 🎧

¿Cómo te mantienes[1] informado? Lees las noticias en tu computadora o celular, ¿verdad? Pero... ¿sabes quién fue el papá del periódico virtual? El periódico de papel.

En Uruguay, el periódico más popular se llama *El País*. Desde 1918, ha informado sobre los acontecimientos más importantes. Sobre todo, ha evolucionado con innovaciones de formato.

El País siempre ha hablado de política, y sus artículos generaron controversias. La más famosa fue en 1920, cuando el político José Batlle y Ordóñez se ofendió por un artículo, y retó[2] a duelo[3] al director del periódico, Washington Beltrán, en el que este perdió la vida.

El País también tiene diversión. Todos conocen al Gallito Luis, un personaje que aparece[4] los domingos en la sección Clasificados. Es tan popular, que los uruguayos no piden el diario[5], ¡piden "el gallito"!

El País es líder en innovaciones tecnológicas. Fue el primer periódico de Sudamérica en imprimir[6] a color, y fue pionero en incluir suplementos culturales, y colecciones de libros, CD y DVD.

En 1996 entra en la era[7] digital. Fue el primero, y por diez años el único, periódico digital de Uruguay. Su número de lectores[8] crece, y hoy continúa como líder en informar a la gente en cualquier lugar del mundo, en cualquiera de sus formatos.

[1] stay [2] challenged [3] duel [4] appears [5] newspaper [6] print [7] age [8] readers

🔍 **Búsqueda:** diario el país, washington beltrán, gallito luis

---

Productos 🎧

Los personajes de tiras cómicas son típicos de los periódicos en papel. El dibujante y humorista uruguayo Tabaré empezó su carrera en Uruguay con caricaturas sobre fútbol. Años después, se hizo famoso en el periódico *Clarín*, de Argentina, con sus personajes "Diógenes y el Linyera", un perrito y su dueño (*owner*), que hablan de problemas sociales.

Diógenes y el Linyera

---

17 Comprensión | Interpretive Communication

1. ¿Aproximadamente cuántos años tiene el periódico *El País*?

2. ¿Quién murió por un artículo de *El País*? ¿Qué relación tenía con el periódico?

3. ¿Quién es Luis y qué animal representa?

4. ¿Qué innovación tecnológica importante tuvo *El País* para Sudamérica?

18 Analiza

1. ¿Por qué la mayoría de los periódicos tienen personajes y tiras cómicas?

2. ¿Cómo ayuda la tecnología a mantenernos informados?

3. ¿Crees que los periódicos en papel van a desaparecer (*disappear*) en el futuro? Explica.

Información interactiva 🎧

¿Cómo reaccionamos a la información que recibimos? Muchas veces queremos opinar. Hoy, la tecnología nos permite participar y decidir. Una forma de hacerlo es con el arte interactivo.

"Respira[1] Uruguay" es una exhibición artística y educativa, donde el visitante puede experimentar las situaciones que vive un fumador. Empieza caminando dentro de las costillas[2], donde ve cuatro puertas con argumentos para fumar. Al abrir una de las puertas, entra en un espacio oscuro y escucha un reloj que anuncia el número de uruguayos que mueren a causa del tabaco.

"Respira Uruguay"

Los participantes también observan imágenes computarizadas de sus cuerpos. ¿Cómo es su cuerpo ahora? ¿Cómo va a ser su cuerpo si fuman? ¿Qué siente el corazón de los fumadores?

Con las respuestas a estas y otras preguntas, "Respira Uruguay" ha demostrado que informarse no es únicamente leer o escuchar. La participación es esencial para experimentar y entender el efecto que tiene el cigarillo[3] en la salud, y de sus efectos sociales, como el olor[4] en la ropa, el dinero que se gasta en tabaco y la adicción.

[1] Breathe   [2] rib cage   [3] cigarette   [4] odor

🔍 **Búsqueda:** respira uruguay, arte interactivo

Perspectivas

Conéctate: la literatura

Carolina Aguirre es la escritora digital más leída de Argentina. Cuando le preguntan qué es mejor, publicar (*to publish*) en papel o en la internet, responde:

"Me gusta hacer las dos cosas. No quiero que se genere esa idea de que el blog es el premio consuelo (consolation) del que no puede publicar un libro. Los textos tienen que estar igual de bien escritos, te lean en papel o en Internet".

¿Estás de acuerdo con lo que ha dicho Carolina Aguirre? Explica.

Comparaciones

El Museo de Arte de Cleveland, Ohio, tiene una sala especial: la Galería 1. En ella, los visitantes pueden realizar muchas actividades interactivas. Investiga en la internet qué tipo de actividades puedes hacer allí. ¿Son informativas? ¿Son educativas? Compara la Galería 1 con la exhibición "Respira Uruguay".

19 Comprensión — Interpretive Communication

1. ¿Por qué la exhibición "Respira Uruguay" se llama así?
2. ¿Por qué es una exhibición interactiva?

20 Analiza

1. ¿Cómo informa "Respira Uruguay"?
2. ¿Crees que un formato interactivo es más eficiente para informar que el papel?
3. ¿Qué otro tema informativo te gustaría ver en una exhibición interactiva?

Vocabulario 2

Los programas de televisión 🎧

¿Cuál es tu programa de televisión favorito?

la comedia

los dibujos animados

el noticiero

El periodista informa y **opina** sobre los sucesos del día.

el concurso

El público participa en los concursos.

el musical

Jorge Drexler es un **cantante famoso** de Uruguay.

el anuncio comercial

la actriz, el actor

el autógrafo

Para decir más

el programa deportivo	*sports show*
el reality show	*reality show*
el programa policíaco	*police drama*
el programa de política	*political show*

grabar

aburrir(se)

bostezar

Para conversar

*T*o talk about a television broadcast:

El **canal** 65 **muestra** principalmente películas.
Channel 65 mainly shows movies.

Me encanta esta comedia. Siempre **me muero de la risa** cuando la veo.
I love this comedy. I always die of laughter when I watch it.

Estoy de acuerdo. Nunca va a **fracasar**. Siempre va a **tener éxito**.
I agree. It will never fail. It will always be successful.

Este es mi **personaje** favorito de los dibujos animados.
This is my favorite cartoon character.

No me gustan **las telenovelas**: ni **nacionales** ni **extranjeras**.
I do not like soap operas: neither domestic nor foreign (ones).

Comunidades

The next time you turn on the television, check out the Spanish channels. Begin the habit of watching programs and following the news in Spanish, even if you do not understand everything at first, because it will help you become accustomed to the sounds of spoken Spanish. It will also keep you informed!

21 Lógico o ilógico 🎧

Di si lo que oyes es **lógico** o **ilógico**. Si lo que oyes es ilógico, di lo que es lógico.

22 Programas de televisión

Completa las oraciones con las palabras de la lista.

1. Los __ de mi comedia favorita del Canal 5 son muy chistosos.
2. Las telenovelas __ son mis favoritas.
3. Este musical nunca va a __, tiene mucho éxito.
4. Ayer pedí el __ de una actriz famosa.
5. Los periodistas del Canal 8 __ muy bien sobre los sucesos del día.
6. Los anuncios comerciales que pasan durante mis programas favoritos me __ mucho.

aburren
autógrafo
extranjeras
informan
personajes
fracasar

Diálogo 🎧

¡No hay nada que ver!

Rogelio: Me he aburrido de cambiar canales. ¡No hay nada que ver!

Mario: ¿Cómo que no? En el canal 8 hay unos dibujos animados muy buenos ahora.

Rogelio: Los dibujos animados no me gustan.

Mario: Entonces en el 12 hay una comedia extranjera muy divertida.

Blanca: Ah, sí, donde trabaja Ana María Orozco, esa actriz tan bonita.

Rogelio: ¿A quién le interesan las actrices? Prefiero los noticieros.

Mario: ¡Eres un aburrido!

Blanca: ¡Chicos! Miren. ¡No lo van a creer!

Mario: ¿Qué pasa?

Blanca: Es Ana María Orozco. Está en la calle dando autógrafos.

Rogelio: ¿Ana María Orozco? ¿La famosa actriz? ¿Dónde?

Blanca: ¡Ja, ja! ¡Qué risa! Era un chiste.

23 ¿Qué recuerdas? 🎧

1. ¿Por qué está aburrido Rogelio?
2. ¿Qué hay en el canal 8 ahora?
3. ¿Qué hay en el canal 12?
4. ¿Qué prefiere ver Rogelio?
5. ¿Quién está en la calle dando autógrafos, según Blanca?
6. ¿Qué era un chiste?

24 Algo personal 🎧

1. ¿Cuáles son tus canales de televisión favoritos? ¿Por qué?
2. ¿Qué tipo de programas te gustan?
3. ¿Ves los noticieros alguna vez?
4. ¿Has pedido el autógrafo a alguna persona famosa? ¿A quién?

25 Los programas de televisión 🎧

Selecciona el tipo de programa de televisión que corresponde con cada descripción que oyes.

A. un musical

B. una comedia

C. un concurso

D. una telenovela

E. un noticiero

F. unos dibujos animados

Gramática

The Present Perfect Tense of Reflexive Verbs

The present perfect tense of reflexive verbs is formed using a reflexive pronoun in combination with the present tense of **haber** and the past participle of a verb. **Reflexive pronouns** precede the conjugated form of **haber**. However, when an expression uses the infinitive **haber**, attach the **reflexive pronouns** directly to the end of the infinitive.

*¿**Se** han lastimado ellos?*	Did they **hurt themselves**?
*Siento **haber**me equivocado.*	I am sorry **I was mistaken**.

26 ¿Qué ha ocurrido?

Completa las siguientes oraciones con la forma apropiada del pretérito perfecto de los verbos entre paréntesis para decir lo que ha ocurrido.

MODELO Rodrigo y Lucía **se han reído** mucho viendo videos en la internet. *(reírse)*

1. Mi madre __ temprano para ver el noticiero. *(levantarse)*
2. Un periodista __ cuando decía las noticias. *(caerse)*
3. Nosotros __ mucho viendo los comerciales de la televisión. *(aburrirse)*
4. Yo __ mientras veía a mi cantante favorita en la televisión. *(peinarse)*
5. Uds. __ de la risa viendo una comedia en el Canal 8. *(morirse)*
6. Ellos __ con la información que me dieron sobre los huracanes. *(equivocarse)*
7. Nosotros tuvimos un pequeño accidente porque __ mucho esta mañana. *(apurarse)*
8. Tú __ mientras escuchaba las noticias. *(bañarse)*
9. Ignacio __ montando a caballo. *(lastimarse)*

Rodrigo y Lucía se han reído mucho viendo videos en la internet.

Completa el siguiente anuncio, usando el pretérito perfecto de los verbos entre paréntesis.

Dra. Acevedo
Veterinaria

Si te (**1.** *doler*) algo en los últimos días, o si tú
(**2.** *perder*) el apetito y no (**3.** *tener*) mucha hambre,
no te puedo examinar. Si alguien en tu familia
(**4.** *sentirse*) cansado o si (**5.** *sentirse*) enfermo, ni
mis colegas ni yo le podemos ayudar. Pero si tu gato
(**6.** *caerse*) de un árbol y (**7.** *romperse*) una pata, o
si (**8.** *lastimarse*), ¡tráemelo! Soy la Dra. Acevedo
y soy veterinaria. Yo (**9.** *ver*) a muchos animales y
(**10.** *llegar*) a la conclusión que los problemas de los
animales no son muy diferentes de los problemas de
las personas. Por ejemplo, un chico me (**11.** *traer*) un
perro que tenía dificultades para caminar. ¡Sufría de
artritis! También conejos con la gripe (**12.** *venir*) a
mi clínica. Mis colegas y yo (**13.** *tratar*) a gatos que
(**14.** *tener*) apendicitis. ¡Sí! ¡Gatos! Mis pacientes
nunca me (**15.** *dar*) las gracias, pero sé que se sienten
mucho mejor después de venir a mi consultorio.

¡Comunicación!

Interpersonal Communication

Con un(a) compañero/a, alternen en hacerse preguntas para saber tres cosas que han
hecho ayer y tres cosas que no han hecho. Pueden usar los verbos del recuadro u otros.

aburrirse	bañarse	lastimarse
apurarse	equivocarse	reírse

MODELO   A: ¿Te has aburrido ayer?

              B: No, ayer no me he aburrido.

¡Comunicación!

29 Entrevista personal 👥 Interpersonal Communication

Trabajando en parejas, alternen en hacer las siguientes preguntas y contestarlas con información sobre sus vidas personales. Usen el pretérito perfecto en sus respuestas.

1. ¿Qué hiciste después de haberte levantado hoy?
2. ¿Qué ropa te has puesto hoy?
3. ¿A qué hora te has cepillado los dientes hoy?
4. ¿Cómo se llama el último periódico o revista que has leído?
5. ¿Qué noticia importante has leído o visto hoy?
6. ¿Te has olvidado de traer algo a la escuela hoy?
7. ¿Has ido alguna vez a ver grabar un programa de televisión?
8. ¿Qué te ha hecho reír hoy?
9. ¿Qué has roto últimamente?
10. ¿Les has dicho siempre la verdad a tus padres?

¡Comunicación!

30 Vidas interesantes 👥 Interpersonal/Presentational Communication

Find out some of the interesting things your classmates have done or that have happened during their lives. First, prepare six questions in which you inquire whether someone has done several different activities during his or her life. Then, in pairs, compare the questions and agree upon four that seem the most interesting. Next, each of you must ask a member of another pair the questions you have chosen. Return to your partner to share what each of you has learned about your classmates. Finally, one of you must summarize the information for the class.

MODELO
A: ¿Te has roto un hueso (*bone*) alguna vez?

B: Sí, me he roto el brazo izquierdo.

A: ¿Cómo te lo rompiste?

B: Cuando tenía ocho años subí a un árbol alto y me caí.

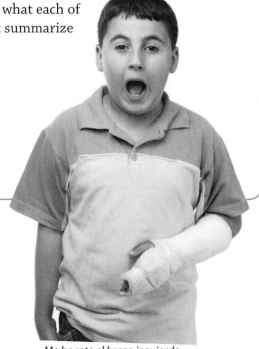

Me he roto el brazo izquierdo.

Gramática

Participles as Adjectives

In Spanish, a past participle may be used as an adjective following a verb (such as *ser* or *estar*), or alone with a noun. As is the case with other adjectives you have learned, past participles that are used as adjectives must agree in number and gender with the noun they modify.

*Las comedias no son **aburridas**.*	Comedies are not **boring**.
*El público estaba **muerto** de risa.*	The audience was **dying** of laughter.
*Es una telenovela sobre corazones **rotos**.*	It is a soap opera about **broken** hearts.

31 Viendo televisión

Completa el siguiente párrafo, usando la forma del adjetivo de los verbos entre paréntesis para saber lo que veían Eduardo y Marta en la televisión.

Eduardo y Marta estaban (**1**. *sentar*) esta mañana en la sala, con los ojos muy (**2**. *abrir*) viendo televisión. En un programa (**3**. *grabar*) en los Estados Unidos, mostraban actores y actrices de mucho éxito que recibían premios. Luego, los mostraban dando autógrafos al público que estaba (**4**. *aburrir*) por haberlos esperado mucho tiempo. Más tarde, en las noticias nacionales, los chicos veían a algunos hombres (**5**. *lastimar*) en un accidente de bote, y que dos edificios (**6**. *quemar*) en un incendio el año pasado eran hoy dos bonitos edificios de oficinas. Después, en los anuncios comerciales, veían una manzana (**7**. *morder*) que bailaba para unos niños. Por la noche, los chicos casi (**8**. *dormir*) y con los ojos casi (**9**. *cerrar*) bostezaban mientras veían una comedia poco (**10**. *divertir*) que los puso a dormir.

Sentados viendo televisión

32 ¿Qué dicen?

Usa la forma del adjetivo de los verbos entre paréntesis para completar las siguientes oraciones y saber lo que dicen algunas personas en una reunión.

> **MODELO** **Luis:** He leído que hay un canal de comedia que es muy **divertido**. *(divertir)*

1. **David:** He visto que algunos programas de concurso dan unos premios __. *(exagerar)*
2. **Susana:** Algunas personas han opinado que los libros de Eduardo Galeano son muy __. *(leer)*
3. **Diana:** Siempre he pensado que los programas de noticias solo presentan información __. *(aburrir)*
4. **Jaime:** Algunas veces me ha parecido que las noticias están llenas de personas __. *(morir)*
5. **Cecilia:** Me han dicho que Juanes tiene algunas canciones __ en español. *(grabar)*
6. **Clara:** He oído que los dibujos animados son tus programas de televisión __. *(preferir)*

¡Comunicación!

33 La escena del accidente | Presentational Communication

Imagina que eres un(a) periodista y ahora cubres un accidente para el noticiero de un canal de tu ciudad. Describe para los televidentes todo lo que ves en la escena del accidente.

> **MODELO** Buenas tardes, soy Julio Rubio del Canal 23. Esta mañana ha ocurrido un accidente entre un autobús y un coche en la carretera hacia Punta del Este. Hay muchos vidrios rotos por todos lados…

Soy Julio Rubio del Canal 23.

¡Comunicación!

34 En el celular | Interpersonal Communication

En parejas, creen una conversación telefónica en donde hablan de los programas de televisión. Recuerden usar un saludo apropiado al comenzar la conversación. Intercambien opiniones sobre los programas y digan si están de acuerdo o no con la opinión de la otra persona. Digan también qué programas les gustan y qué programas no les gustan. Usen el participio tanto como puedan.

> **MODELO** A: ¡Aló! ¿Liliana? ¿Qué tal?
> B: Bien, gracias.
> A: ¿Has visto los nuevos programas de televisión para el otoño?
> B: Sí, hay una comedia con una actriz joven muy divertida.
> A: La he visto, pero creo que esa comedia es aburrida. Va a fracasar.

¡Comunicación!

35 Un anuncio comercial 👥 Presentational Communication

Trabaja con un(a) compañero/a de clase para crear un anuncio comercial de dos minutos. Primero, piensen en un producto (por ejemplo, un carro, un celular, unos zapatos o un programa de televisión). Luego, escriban el guión (*script*), tratando de usar algunos verbos en el pretérito perfecto. Finalmente, presenten el anuncio comercial en frente de la clase. ¡Sean creativos!

MODELO ¿Qué banco ha fracasado? ¿Qué actriz ha tenido un accidente de esquí? ¿Cuánta nieve va a caer esta noche? Para saber esto y mucho más, ¡vea el noticiero del canal 4! Noticias 4 ha informado al público desde 1976...

¡Vean el noticiero del canal 4! Los periodistas del canal 4 han informado al público desde 1976.

36 Galería interactiva 👥 Interpretive Communication

Tú y un(a) compañero/a entran a una galería interactiva. En la entrada, leen el siguiente cartel con instrucciones. Cuando están adentro, túrnense para decir lo que ven según la información en el cartel. Usen los participios como adjetivos.

MODELO Hay una pared cubierta con papel.

GALERÍA INTERARTE

En esta galería interactiva, tú vas a...

1 cubrir una pared con papel
2 romper un espejo
3 filmar un video
4 grabar un CD con tu voz
5 cerrar una caja con llave
6 abrir una puerta con una llave
7 conectar una guitarra eléctrica
8 arreglar un televisor

Lectura informativa

Antes de leer 🎧

1. ¿Qué tipo de expresión artística te interesa?
2. ¿Qué actores jóvenes te gustan?
3. En tu familia, ¿alguien es actor/actriz, músico/a, periodista o artista?

Estrategia

Charts and schedules

Academic schedules allow readers to know how many hours they need to devote to their studies. People believe that certain college majors may be easier than others. By looking at a proper schedule, one can determine how easy, or complicated, that major may be. After reading the selection, study the chart and analize the level of preparation needed to become an actor.

Actor talentoso 🎧

Uruguay se ha destacado por tener jóvenes muy talentosos en los medios de comunicación. En los últimos años ha sobresalido[1] el actor Nicolás Furtado, quien además de actuar en las telenovelas de mayor popularidad, ha resultado ser un profesional multifacético.

Su naturalidad para trabajar hace que todos sus compañeros del equipo se sientan a gusto[2]. Furtado se caracteriza por combinar los guiones[3] estudiados con la improvisación. Opina que esa libertad le da frescura[4] a la actuación y hace que el ambiente[5] de trabajo sea más divertido.

Cuando estaba en la escuela secundaria[6], decidió que quería tener un trabajo como los que veía en las películas: bombero[7], espía o astronauta. Entonces llegó a la conclusión de que quería ser actor y pasar por todas esas vidas.

Furtado siempre ha tenido el apoyo[8] de sus padres. Empezó como modelo y filmando comerciales. Luego estudió cine y teatro. Pero otra de sus pasiones es la música, por eso estudió batería[9]. Es un músico tan bueno que ha sido protagonista de la famosa novela "Dulce Amor", donde además de ser el galán[10], es un baterista profesional.

Nicolás Furtado

[1] stood out   [2] at ease   [3] scripts   [4] freshness   [5] environment   [6] high school   [7] firefighter   [8] support   [9] drums   [10] leading man

🔍 **Búsqueda:** nicolás furtado, emad montevideo, dulce amor

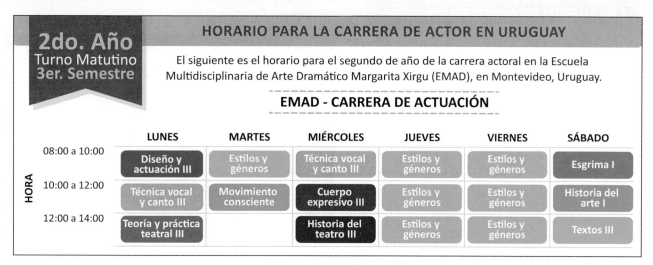

2do. Año
Turno Matutino
3er. Semestre

HORARIO PARA LA CARRERA DE ACTOR EN URUGUAY

El siguiente es el horario para el segundo de año de la carrera actoral en la Escuela Multidisciplinaria de Arte Dramático Margarita Xirgu (EMAD), en Montevideo, Uruguay.

EMAD - CARRERA DE ACTUACIÓN

HORA	LUNES	MARTES	MIÉRCOLES	JUEVES	VIERNES	SÁBADO
08:00 a 10:00	Diseño y actuación III	Estilos y géneros	Técnica vocal y canto III	Estilos y géneros	Estilos y géneros	Esgrima I
10:00 a 12:00	Técnica vocal y canto III	Movimiento consciente	Cuerpo expresivo III	Estilos y géneros	Estilos y géneros	Historia del arte I
12:00 a 14:00	Teoría y práctica teatral III		Historia del teatro III	Estilos y géneros	Estilos y géneros	Textos III

37 Comprensión 🎧 Interpretive Communication

1. ¿Quién es Nicolás Furtado?

2. ¿Por qué es una persona multifacética?

3. ¿Quién lo apoyó en su carrera?

4. ¿Qué instrumento musical toca Furtado?

38 Analiza

1. Do you think being young and good looking is a plus for an actor? Explain.

2. What are the advantages and disadvantages of improvising on stage?

3. In your opinion, does having more than one talent give actors more work opportunities? Explain.

4. Observe the School of Theatre's schedule. What can you infer about the number of hours and the level of academic preparation before graduating as an actor? Can you find any courses not closely related to an acting career? How would you compare this plan of study with other ones, like medicine, engineering, or law?

✒ Escritura

39 Nota periodística   Presentational Communication

Eres un(a) periodista y tienes que escribir un artículo corto sobre Nicolás Furtado. Según lo que aprendiste, escribe sobre lo que ha hecho Furtado en su vida. Usa el pretérito perfecto en tu narración. Incluye la siguiente información:

Estudios	Personas que lo apoyaron	Relación con los compañeros	Trabajos	Ideas en la escuela secundaria	Experiencias musicales

Luego lee tu artículo a la clase y contesta cualquier pregunta de tus compañeros.

✒ Escritura

40 Los sueños (*dreams*) de un actor   Presentational Communication

Escribe una autobiografía corta de una persona que estudió para ser actor/actriz. Ahora se ha graduado y tiene muchos planes. Escribe en primera persona (en la forma de *yo*), diciendo quién te ha ayudado en tu carrera. ¿Qué has estudiado? ¿Dónde? ¿Qué clases has tenido? Usa el pretérito perfecto en tu narración. Luego explica qué estás haciendo ahora como actor/actriz y qué quieres hacer en el futuro.

Un grupo de actores uruguayos

Repaso de la Lección A

A   Escuchar: El noticiero (pp. 322, 326)

Escucha las cuatro noticias e identifica la foto que corresponde a cada una. Dos fotos no corresponden.

A   B   C

D   E   F

B   Vocabulario/Gramática: ¿Qué ha pasado? (pp. 326, 337)

Completa las oraciones en forma lógica con el pretérito perfecto de los verbos del recuadro.

| bostezar   caerse   informar   morder   morirse   romperse   tener |

1. Los periodistas __ sobre los sucesos importantes del día.
2. Un perro feroz __ a un niño de dos años.
3. El personaje de la telenovela __ del caballo y __ la pierna.
4. El público aburrido __ diez veces durante el programa.
5. Nosotros __ de la risa viendo la comedia extranjera.
6. Tú __ mucho éxito en el musical.

C   Gramática: Un temblor (p. 340)

Anoche hubo un temblor. Completa las oraciones con el participio de los verbos entre paréntesis para describir cómo estaba todo en ese momento.

1. La mesa estaba (*poner*) y la comida estaba (*servir*).
2. Yo estaba (*sentar*) en el comedor.
3. La televisión estaba (*apagar*).
4. Los niños estaban (*dormir*) en su cuarto.
5. Dos tazas estaban (*romper*) en la cocina.
6. Jorge y Nora estaban (*preparar*) para salir.

¿Qué recuerdas de *El País* y "Respira Uruguay"? ¿Qué son y cómo informan? Completa la gráfica con algunos datos (*facts*).

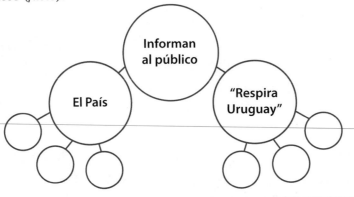

Vocabulario

En las noticias

el accidente	el periodista,
el acontecimiento	la periodista
la actividad	el personaje
la catástrofe	la protesta
la celebración	el público
la destrucción	el reportero, la reportera
la herida	la reunión
herido/a	el robo
el huracán	el suceso
el misterio	el temblor
la ocasión	el testigo, la testigo

En la televisión

el actor	el dibujo animado
la actriz	el éxito
el anuncio (comercial)	extranjero/a
el autógrafo	famoso/a
el canal	el musical
el cantante, la cantante	nacional
la comedia	el noticiero
el comercial	la risa
el concurso	la telenovela

Expresiones y otras palabras

estar de acuerdo
morirse de la risa
normal
serio/a
tener éxito

Verbos

aburrirse
bostezar
cubrir
fracasar
grabar
haber
informar
lastimar(se)
morder (ue)
morir(se) (ue, u)
mostrar (ue)
opinar
participar
romper

Gramática

The present perfect and past participles

The present perfect is used to say what has happened or what someone has done.

present tense *haber*	+	past participle
he — hemos		-ar verbs → **-ado**
has — habéis	+	-er verbs → **-ido**
ha — han		-ir verbs → **-ido**

¿Qué **ha leído** Ud. en el periódico?

No **hemos visto** la telenovela.

The present perfect with reflexives

(reflexive pronoun) + **haber** + (past participle)

Me he caído de la bicicleta.

¿**Te has lastimado** en el accidente?

Past participles as adjectives

You can use the past participle as an adjective to describe a noun or following a verb.

Los anuncios eran **aburridos**.

La patineta **rota** está en el garaje.

Lección B

Vocabulario 1

Los periódicos 🎧

Paraguay
Uruguay

emcpassport.com

WB 1–2
LA 1
GV 1–2

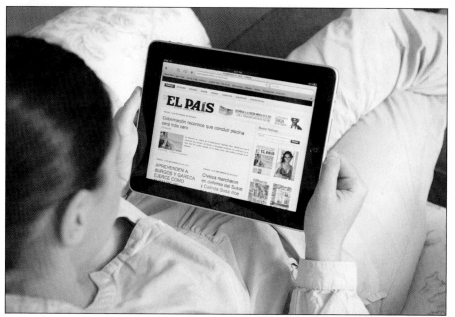

¿Lees **los artículos** de periódico para **enterarte de** las noticias?

el titular

el aviso

la tira cómica

la columna

la tabla

la encuesta

la entrevista

Para conversar 🎧

To talk about sections of the newspaper:

No he tenido **la oportunidad** de leer **el editorial**.
I have not had the chance to read the editorial.

El artículo es **acerca de** los nuevos celulares.
The article is about the new cell phones.

La noticia sobre la reunión de los presidentes está en
la sección **internacional**.
The news about the presidents' meeting is in the international section.

Para la clase de debate leemos **las secciones** de **política** y de **economía**.
For debate class, we read the politics and economy sections.

Leo la sección de **cultura** para ser **culto/a**.
I read the culture section to be cultured.

Para decir más

los anuncios clasificados	*classified ads*
el crucigrama	*crossword puzzle*
la farándula	*celebrity news*
la guía del ocio	*entertainment guide*
la primera plana	*front page*
el pronóstico del tiempo	*weather forecast*
el reportaje	*report*
la vida social	*society pages*

1   En el periódico 🎧

Selecciona la letra del ícono y di la sección del periódico que corresponde con lo que oyes.

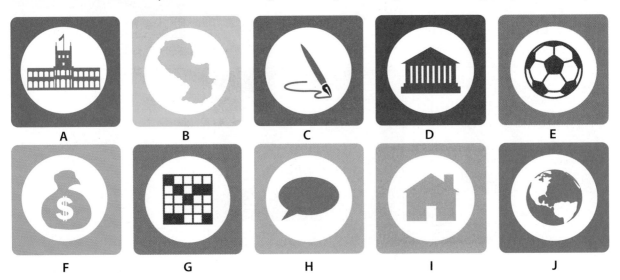

A   B   C   D   E

F   G   H   I   J

2   El intruso

Di qué palabra no pertenece en cada uno de los siguientes grupos de palabras.

1. cultura / deportes / editorial / morder
2. romper / columna / titular / artículo
3. películas / pasatiempos / televisión / temblor
4. internacional / nacional / morir / economía
5. actriz / cantante / encuesta / actor
6. encuesta / lastimarse / tabla / entrevista
7. opinión / risa / periodista / editorial
8. política / economía / deportes / aviso

Diálogo 🎧

Eso no es verdad

Hugo: Yo había visto las tiras cómicas en tu cuarto, pero ya no están allí. ¿Tú las has visto?

Ana: No, yo no leo tiras cómicas. Eso es para niños. Yo solo leo la sección de economía y la sección de política.

Hugo: Uy, ¡qué culta! Entonces, ¿por qué yo las había visto en tu cuarto?

Ana: Bueno, alguien las puso allí.

Hugo: Yo no creo eso. Pienso que a ti también te gustan las cosas divertidas pero no te gusta decirlo.

Ana: No, eso no es verdad. Yo soy muy seria. Solo me entero de las cosas importantes.

Hugo: Pues, eso es mentira.

Papá: Hola, amor. Tenías razón, las tiras cómicas están muy divertidas.

3 ¿Qué recuerdas? 🎧

1. ¿Qué había visto Hugo en el cuarto de Ana?
2. ¿Qué es para niños, según Ana?
3. ¿Qué secciones del periódico lee Ana?
4. ¿Qué piensa Hugo que a Ana le gusta pero no le gusta decirlo?
5. ¿Qué secciones le gusta leer a Ana?
6. ¿Dice Ana la verdad?

4 Algo personal 🎧

1. ¿Lees el periódico todos los días? ¿Qué secciones lees?
2. ¿Crees que leer las tiras cómicas es solo para niños?
3. ¿Qué es para ti una persona culta?
4. ¿Por qué crees que es bueno ser culto/a?

5 Lógico o ilógico 🎧

Di si lo que oyes es **lógico** o **ilógico**. Si lo que oyes es ilógico, di lo que es lógico.

Comunidades

Hay muchos periódicos de países hispanohablantes que puedes leer en la internet. Busca uno de algún país que te interese y léelo. Usa un diccionario online para buscar las palabras que no comprendes. Esta es una gran oportunidad para ampliar tu vocabulario y mejorar tu comprensión de lectura. Adquiere el hábito de leer un periódico digital todos los días e informarte sobre los sucesos del mundo.

Gramática

The Past Perfect Tense

- Use the past perfect tense (**pluscuamperfecto**) when you wish to describe an event in the past that had happened prior to another past event.

  Ana **había leído** las tiras cómicas cuando Hugo llegó.

  Ana **had read** the comic strips when Hugo arrived.

  Tú ya **habías desayunado** cuando empezó el temblor.

  You **had** already **eaten** breakfast when the tremor started.

- The past perfect tense is formed using the imperfect tense of **haber** and a past participle.

$$\boxed{\textit{haber} \quad + \quad \text{past participle}}$$

- Object and reflexive pronouns precede the conjugated form of **haber** in the past perfect tense. However, when an expression uses the infinitive of **haber**, attach object pronouns directly to the end of the infinitive.

  Ya **nos habíamos dormido**.

  We **had** already **fallen asleep**.

  Lo hizo sin **haberme pedido** permiso.

  He did it without **asking my** permission.

---

6 En el metro

Las siguientes personas leían el periódico en el metro. Di qué habían leído antes de llegar a su parada.

MODELO Rodrigo / un artículo sobre un museo en la sección de cultura

Rodrigo había leído un artículo sobre un museo en la sección de cultura.

1. tú / un artículo acerca de la economía del país
2. Juan / los titulares de la sección internacional
3. yo / una encuesta acerca del número de personas que ya no fuman
4. Alicia y Raúl / la columna de un periodista famoso en la sección editorial
5. todos nosotros / las tiras cómicas
6. Gabriela / un artículo interesante en la sección de política
7. Mauricio / una entrevista al actor Nicolás Furtado
8. María y Sonia / las noticias nacionales

¿Qué había leído en el metro?

7 Un e-mail desde Paraguay

Andrés le escribió un e-mail a su amiga Graciela desde el Paraguay. Para saber lo que dice, complétalo usando el pluscuamperfecto de los verbos indicados.

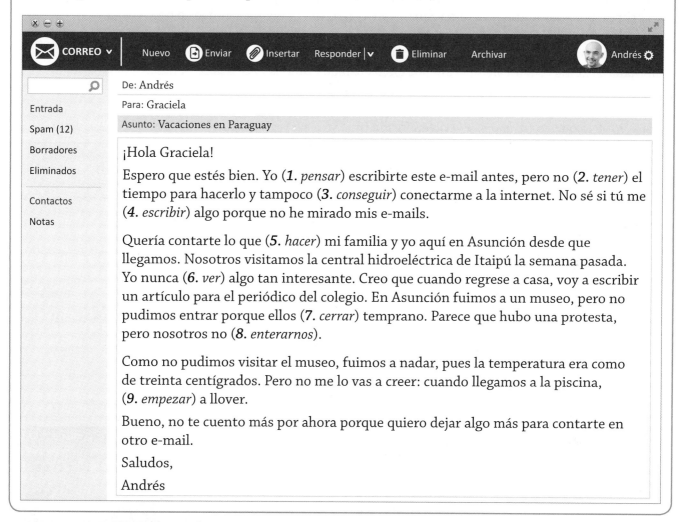

De: Andrés

Para: Graciela

Asunto: Vacaciones en Paraguay

¡Hola Graciela!

Espero que estés bien. Yo (**1.** *pensar*) escribirte este e-mail antes, pero no (**2.** *tener*) el tiempo para hacerlo y tampoco (**3.** *conseguir*) conectarme a la internet. No sé si tú me (**4.** *escribir*) algo porque no he mirado mis e-mails.

Quería contarte lo que (**5.** *hacer*) mi familia y yo aquí en Asunción desde que llegamos. Nosotros visitamos la central hidroeléctrica de Itaipú la semana pasada. Yo nunca (**6.** *ver*) algo tan interesante. Creo que cuando regrese a casa, voy a escribir un artículo para el periódico del colegio. En Asunción fuimos a un museo, pero no pudimos entrar porque ellos (**7.** *cerrar*) temprano. Parece que hubo una protesta, pero nosotros no (**8.** *enterarnos*).

Como no pudimos visitar el museo, fuimos a nadar, pues la temperatura era como de treinta centígrados. Pero no me lo vas a creer: cuando llegamos a la piscina, (**9.** *empezar*) a llover.

Bueno, no te cuento más por ahora porque quiero dejar algo más para contarte en otro e-mail.

Saludos,

Andrés

8 ¿Por qué no podían?

Di lo que las siguientes personas no podían hacer y por qué, según las indicaciones.

MODELO   Alejo quería leer las tiras cómicas. (alguien / tomarlas)
Alejo no podía leer las tiras cómicas porque alguien las había tomado.

1. Uds. querían ver las noticias. (nosotros / llevarnos el televisor)
2. Tú querías participar en la protesta. (tú / tener un accidente)
3. Yo quería ir a pescar. (yo / pescar un resfriado)
4. Nosotros queríamos pedir un autógrafo a nuestro cantante favorito. (él / salir)
5. Mauricio quería llegar a tiempo a la celebración. (él / perder el autobús)
6. Mis amigas querían leer la entrevista sobre su actriz favorita. (Uds. / tirar la revista a la basura)

9 Un artículo de revista

Completa el párrafo, usando el pluscuamperfecto de los verbos entre paréntesis.

Mis padres y yo (**1.** *decidir*) invitar a la casa a algunas personas para la celebración de mi primer artículo en una revista nacional. Yo ya (**2.** *llamar*) a algunos amigos para invitarlos. Mis amigos ya (**3.** *comprar*) la revista en el supermercado. Yo (**4.** *escribir*) el artículo hace un mes pero hasta hoy no salió en la revista. Mi hermana y yo ya lo (**5.** *traducir*) al inglés para algunos amigos en los Estados Unidos hace dos semanas. Mis tíos ya (**6.** *leer*) algunos artículos de la revista esta mañana pero todavía no (**7.** *llegar*) a la sección donde está mi artículo. Yo todavía no he visto la revista, pero claro, yo sé lo que yo (**8.** *hacer*) y verlo en forma final va a ser ¡estupendo!

10 No recuerdo

Imagina que tú no puedes recordar algunas cosas y ahora le haces preguntas a tu hermano/a para tratar de recordar. Trabajando con otro/a estudiante, alternen en hacer preguntas y contestarlas, usando las indicaciones que se dan. Sigan el modelo.

MODELO

Ana y Sara / jugar

A: ¿Habían jugado al fútbol Ana y Sara?

B: Sí, (No, no) habían jugado al fútbol.

1. Sergio / ver

2. mamá / comprar

3. el abuelo / leer

4. papá / ir de compras

5. tú / preparar

6. Marta / arreglar

7. yo / lavar

8. el primo / romper

11 Cuando era joven

Tu abuelo te está contando cosas de cuando era joven. Haz oraciones completas, usando el pluscuamperfecto y las pistas que se dan para saber lo que tu abuelo te dice. Cambia las palabras en itálica con uno de los siguientes prefijos: **super-**, **re-**, **requete-**, **archi-**, **in-** o **des-**. Sigue el modelo.

MODELO a los treinta años, / ser / una persona de *poca cultura*

A los treinta años, había sido una persona inculta.

1. yo / ser / un jugador de fútbol *muy famoso*
2. cuando jugaba al fútbol, siempre / llevar / una camiseta *muy bonita*
3. mis amigos y yo / ser / *muy amigos* de jugadores famosos
4. cuando tenía quince años, solo / jugar / partidos *muy malos*
5. mi madre no me dejaba jugar fútbol si yo no / limpiar / mi cuarto y si lo tenía *sin arreglar*

Estrategia

Applying prefixes

Learning prefixes will improve your ability to express yourself in Spanish. Prefixes may be used, much as in English, to make a new word or to add emphasis. Common prefixes in Spanish:

super- (super-, very)	*superbien* (very well)
re- (very)	*reguapo/a* (very attractive)
requete- (extremely)	*requetebueno/a* (extremely good)
archi- (very)	*archifamoso/a* (very famous)
in- (un-, not)	*inculto* (uncultured)
des- (un-)	*despeinarse* (to mess up a hairdo)

¡Comunicación!

12 Antes de acostarnos 👥 Presentational Communication

Primero escribe una lista de diez cosas que tú y otros miembros de tu familia habían hecho ayer antes de acostarse. Usa oraciones completas. Luego comparte (*share*) las oraciones con dos o tres compañeros/as de clase. Pon una X al lado de las actividades que escribiste que otro/a compañeros/a también menciona.

¡Comunicación!

13 ¿Qué habías hecho antes? 👥 Interpersonal Communication

Haz una lista de ocho actividades que hiciste la semana pasada e indica lo que habías hecho antes para prepararte para hacer cada actividad de la lista. Luego, trabajando en parejas, alternen en hacer preguntas para saber lo que cada uno hizo.

MODELO A: **¿Qué hiciste la semana pasada?**

B: **Escribí un artículo para el periódico del colegio.**

A: **¿Qué habías hecho antes de escribir el artículo?**

B: **Pues, había hecho una encuesta sobre el uso del celular.**

El futbolista paraguayo

Domingo, día de deportes 🎧

¿A qué juegan en Paraguay, Uruguay y Argentina? ¿Qué escuchan en la radio los domingos? ¿Qué ven por televisión ese día? ¿De qué nos informa el periódico los fines de semana? ¿Qué comenta todo el mundo el lunes? ¡Fútbol! ¡El deporte más popular de América del Sur!

Los periódicos del domingo tienen pocos titulares sobre política o columnas sobre economía. En diarios[1] importantes, como *Última Hora* (Paraguay), *Clarín* (Argentina) o *El País* (Uruguay), la noticia de primera plana[2] es el fútbol. Hay fotos y tablas de posiciones[3] para que todos estén bien informados. También hay revistas especializadas en fútbol. *Golazo*, *El Gráfico* y *Fútbol Uruguayo* son algunos ejemplos de esta pasión de millones de personas.

Pero la fiesta deportiva no termina el domingo. El lunes, todos siguen hablando de fútbol y comentando los partidos del día anterior. ¿Y dónde aparece el mejor resumen deportivo del domingo? ¡En los periódicos del lunes!

Podemos estar seguros de que el periódico informa, educa y entretiene[4], sobre todo si se trata[5] de fútbol.

[1] newspapers   [2] page   [3] standings   [4] entertains   [5] it is about

🔍 **Búsqueda:** diarios deportivos, fútbol sudamericano, lionel messi

Prácticas 🎧

La vuelta olímpica es una práctica que se realiza cuando un equipo de fútbol gana un campeonato. Después de ganar el partido final, el equipo recibe su trofeo y corre alrededor de la cancha, saludando al público. Muchas veces, los espectadores corren junto a su equipo para dar la vuelta olímpica. Esta tradición empezó en 1924, cuando la selección de fútbol de Uruguay ganó los Juegos Olímpicos de París. Uruguay era un equipo desconocido (*unknown*) pero le ganó a la famosa selección de Suiza. Para celebrar, espontáneamente dieron la vuelta al estadio. Desde entonces, la vuelta olímpica es una tradición futbolística.

El equipo uruguayo dando la vuelta olímpica

14 Comprensión   Interpretive Communication

1. ¿Cuál es el deporte más popular de América del Sur?

2. ¿Qué día es el más importante en el mundo del fútbol?

3. ¿En qué sección de los periódicos de Paraguay, Uruguay y Argentina se habla de fútbol los domingos?

4. ¿Qué ocurre los lunes en los países que se mencionan en la lectura?

15 Analiza

1. ¿Cómo se compara la pasión del fútbol en América del Sur y los Estados Unidos? ¿Por qué crees que hay una diferencia?

2. En tu opinión, ¿cuál es la mejor manera de mantenerse informado de un evento deportivo?

Información en lengua indígena 🎧

¿Cómo se mantienen informados los paraguayos? He aquí una pista[1]: el 38 % de los paraguayos hablan solamente guaraní; 7 % hablan solamente español, y el 53 % hablan guaraní y español.

Paraguay tiene dos lenguas oficiales: el español y el guaraní, la primera lengua indígena oficial de América. El guaraní se estudia en el colegio, se escucha en la radio y televisión y se lee en los periódicos.

En Paraguay puedes informarte en español y guaraní.

La Radio Nacional Asunción (ZP1) transmite en guaraní con una señal que también llega al norte de Argentina y Uruguay. Y si estás más lejos, puedes escuchar esas noticias, deportes y música en guaraní por la internet.

En el canal de televisión Ayvu Marane'ỹ puedes informarte en guaraní con documentales, entrevistas y, lógicamente, fútbol paraguayo.

Canal de televisión en guaraní

Si prefieres leer, el periódico *Ara* sale todos los meses. En su versión digital, puedes seleccionar "guaraní", "español" o "inglés". Es el método ideal para estudiar guaraní e informarte de lo que ocurre en Paraguay. A propósito, la palabra "Paraguay" es guaraní y significa "río de los aborígenes".

Con medios de información bilingüe, ¡no hay barreras[2] para mantenerse informado! *¡Jajohecha peve!*[3]

[1] here is a clue   [2] barriers   [3] adiós (en guaraní)

🔍 **Búsqueda:** guaraní, payaguá

Perspectivas

El Ministerio de Educación y Cultura de Paraguay promueve (*promotes*) un plan de educación bilingüe para que todos los estudiantes, desde jardín de infantes (*kindergarten*), aprendan en español y en guaraní. También insiste en que las universidades formen a los futuros maestros con una base bilingüe sólida. ¿Por qué crees que insisten en esto?

Educación bilingüe en Paraguay

16 Comprensión   Interpretive Communication

1. ¿Qué es el guaraní?

2. ¿En qué medios de información se encuentra el guaraní?

3. ¿Qué compromiso (*commitment*) tienen los maestros paraguayos?

17 Analiza

1. ¿Qué puedes inferir sobre la señal de radio de ZPI que llega al norte de Argentina y Uruguay?

2. ¿Cómo se compara la educación bilingüe en Paraguay y los Estados Unidos?

Vocabulario 2

Un partido de fútbol 🎧

Hay muchos **espectadores** en el estadio de fútbol.

la pelota

el árbitro

la árbitra

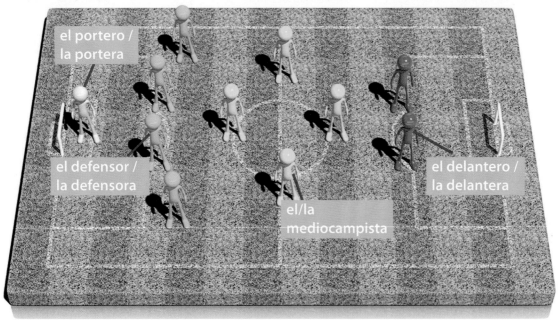

el portero /
la portera

el defensor /
la defensora

el/la
mediocampista

el delantero /
la delantera

Los jugadores de un equipo

el marcador

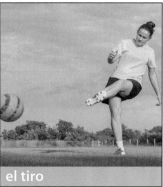
el tiro

el gol

el/la aficionado/a

el comentarista

el micrófono

En otros países

la pelota	el balón (España)
el esférico	el balón (Colombia)
el/la portero/a	el/la arquero/a (Argentina)
	el/la guardameta (España)
	el/la golero/a (Uruguay)

Para decir más

el campo	field
el equipo local	home team
el equipo visitante	away team
la falta	foul
el/la juez de línea	linesperson
la portería	goal
el tanto	score
el tiro libre	free kick
el tiro de esquina	corner kick
el tiro penal/de penalti	penalty kick

Para conversar

*T*o radio broadcast a soccer match:

Uds. están **escuchando la transmisión** por **la emisora** Radio Canal 100.
You are listening to the transmission on radio station Radio Canal 100.

Estamos **llevándoles el campeonato** de fútbol.
We are bringing you the soccer championship.

Vamos a **narrar** el partido **en vivo**.
We are going to narrate (announce) the match /game live.

Hay **alrededor de** veinte mil espectadores.
There are around twenty thousand spectators.

El marcador está uno a cero **a favor del** equipo Guaraní.
The score is one to zero in favor of team Guaraní.

Vamos a ver si Cerro Porteño puede **empatar** en este primer **tiempo**.
Let's see if Cerro Porteño can tie in the first half (period).

El gol fue **marcado** por Carlos Barreto de **pena máxima**.
The goal was scored by Carlos Barreto on a major penalty.

18 El fútbol 🎧

Indica la letra de la respuesta que corresponde con lo que oyes.

A. la pelota

B. el marcador

C. el gol

D. el espectador

E. el árbitro

F. el aficionado

19 En el estadio de fútbol

Completa las siguientes oraciones, usando las palabras del recuadro. Cada palabra se usa una vez.

campeonato	defensores	delantero	empatar
espectadores	equipo	pena	portero

1. Ana quiere que el árbitro dé una __ máxima.
2. Nosotros queremos que el delantero haga otro gol para __ el partido.
3. Eduardo espera que los __ no dejen hacer más goles.
4. Uds. quieren que su __ gane el campeonato.
5. Tú quieres que los __ griten más.
6. Yo quiero que el __ no atrape (*catches*) la pelota.
7. Manolo y Clara quieren que el __ haga más goles.
8. Todos queremos que el __ termine bien.

20 Por la radio

Estás escuchando un partido de fútbol por la radio. Completa lo que dice el comentarista con las palabras apropiadas del Vocabulario 2.

"Buenas tardes, les habla Humberto Rojas y esta es la **(1)** Radio Suprema 89.9. El segundo **(2)** está por empezar y el marcador está dos a uno a **(3)** de Paraguay. Los dos goles de Paraguay fueron **(4)** por Valdez. Este es un partido superemocionante, señores y señoras, y Uds. lo están escuchando en **(5)**."

Humberto Rojas, comentarista

Diálogo

¡Gol!

Hugo: ¿Cómo está el marcador?

Ana: Está uno a cero a favor de Guaraní. El gol fue marcado por Jiménez.

Hugo: Uy, ¡qué mal! Cerro Porteño tiene que empatar.

Papá: Oigan, ¿por qué no escuchamos a José Vélez narrar por la radio?

Ana: Sí, es verdad, papá. Es mucho mejor.

Hugo: Estos comentaristas de la televisión son muy aburridos.

José: Lleva la pelota el número diez en la camiseta, es el delantero Ortiz del Cerro Porteño. Ahora está muy cerca del portero de Guaraní. Mira adelante. Va a hacer el tiro. Lo hace. ¡Goool!

Hugo: ¡Goool! Alabio, alabao, a la bim, bom, bao, Cerro, Cerro, ra, ra, ra.

21 ¿Qué recuerdas?

1. ¿Cómo está el marcador?
2. ¿Por quién fue marcado el gol de Guaraní?
3. ¿A quién quiere escuchar Hugo por la radio?
4. ¿Quiénes son muy aburridos, según Hugo?
5. ¿Quién hace el gol del Cerro Porteño y qué número de camiseta lleva el jugador?

22 Algo personal

1. ¿Cuál es tu equipo de fútbol favorito?
2. ¿Quién es tu comentarista de radio o de televisión favorito/a?
3. ¿Escuchas transmisiones en vivo de deportes por la radio? ¿Qué transmisiones escuchas?
4. ¿Has escuchado alguna transmisión de radio de un partido de fútbol? ¿Dónde? ¿Qué equipos jugaban?

¿Cuál es tu equipo de fútbol favorito?

23 ¿Cierto o falso?

Di si lo que oyes es **cierto** o **falso**. Si lo que oyes es falso, di lo que es cierto.

The Passive Voice

You already know you can combine *se* with the *él/ella/Ud.* form of a verb, or with the *ellos/ellas/Uds.* form of a verb, when the performer of an action is indefinite or unknown (where speakers of English often use "one," "people," or "they"). When the subject (which may precede or follow the verb) is singular, the verb is singular. Similarly, if the subject is plural, so is the verb.

*El español y el guaraní **se hablan** en el Paraguay.*	Spanish and Guarani **are spoken** (**People speak** Spanish and Guarani) in Paraguay.
Se había narrado el partido en vivo.	The match **had been** announced live. (**They had announced** the match live.)

24 En Paraguay

Haz oraciones completas con las indicaciones que se dan, usando la construcción con **se**, para saber algunas costumbres de Paraguay.

MODELO tomar / una bebida fría llamada tereré

Se toma una bebida fría llamada tereré.

1. habla / español y guaraní
2. jugar / al voleibol a menudo
3. tocar / el arpa (*harp*) y la guitarra
4. celebra / los quince años / con una fiesta
5. almorzar / al mediodía
6. comer / sopa paraguaya (*corn bread*)

Tereré, una bebida hecha con yerba mate

25 El campeonato

Las siguientes oraciones describen lo que han hecho los miembros de la familia Aguilar para prepararse para una superfiesta el día del campeonato de fútbol. Cámbialas, usando una construcción con **se** y el presente perfecto.

MODELO Primero, ha lavado las ventanas.

Primero, se han lavado las ventanas.

1. Luego, han arreglado la sala.
2. Han preparado la comida.
3. Más tarde, han barrido el piso de la cocina.
4. Han cubierto la mesa con un mantel.
5. Han peinado al perro y al gato.
6. Han puesto la mesa.
7. Después, han traído los refrescos.
8. Finalmente, han hecho arroz con leche.

Una superfiesta el día del campeonato

Gramática

emcpassport.com

WB 9–11
LA 5
GV 8–10

More on the Passive Voice

- In most sentences, the subject of the sentence performs an action. These sentences are said to be in the active voice.

Messi marcó el gol.	Messi scored the goal.
Diego Latorre narró el partido.	Diego Latorre announced the game.

- However, where the subject is not the doer of an action but instead receives an action, the sentence is said to be in the passive voice. In the passive-voice examples that follow, note the use of a form of the verb **ser** plus a past participle that is treated like an adjective and, therefore, must agree with the subject in gender and number. The word *por* usually follows the past participle, and is used to tell by whom the action was performed.

*El gol **fue marcado** por Messi.*	The goal **was scored by** Messi.
*Los partidos **son narrado** por Diego Latorre.*	The games **are announced by** Diego Latorre.

26 Durante un partido de fútbol

Repite las siguientes oraciones usando la voz pasiva para saber lo que pasa durante un partido.

MODELO   El jugador número diez da muchas oportunidades para marcar un gol.
Muchas oportunidades para marcar un gol son dadas por el jugador número diez.

1. Los comentaristas de la radio narran el partido.
2. Los muchachos venden refrescos.
3. Los periodistas escriben artículos acerca del partido.
4. Los aficionados compran camisetas.
5. La policía cierra las calles cerca del estadio.
6. Los jugadores estrellas marcan los goles.

Muchas oportunidades para marcar un gol son dadas por el jugador número diez.

27 Roberto no tiene la información correcta 🎧

Ayuda a Roberto a corregir lo que sabe, escribiendo otra vez las siguientes oraciones en la voz pasiva y completándolas con la información correcta.

> **MODELO** El jugador Jiménez visitó la luna por primera vez.
>
> No, la luna... **fue visitada por primera vez por Neil Armstrong.**

1. Augusto Roa Bastos escribió los *Versos Sencillos*.
   No, estos versos...

2. El Sur ganó la Guerra (*war*) Civil estadounidense.
   No, la Guerra Civil estadounidense...

3. Cristobal Colón ayudó a cinco países de la América del Sur a conseguir su libertad (*freedom*) de los españoles.
   No, estos cinco países...

4. Shakespeare escribió el libro *El viejo y el mar*.
   No, ese libro...

5. George Washington dijo, "Tengo un sueño..." ("*I have a dream...*")
   No, esto...

6. Australia vendió el estado de Alaska a los Estados Unidos.
   No, este estado...

La luna fue visitada por primera vez por Neil Armstrong.

28 ¿Quién lo hizo? 👥

Trabajando en parejas, alternen en hacer preguntas sobre quiénes hicieron las siguientes cosas durante un partido de fútbol. Contesten usando la voz pasiva y las indicaciones.

> **MODELO** ver el partido (miles de argentinos)
>
> **A: ¿Quién vio el partido?**
>
> **B: El partido fue visto por miles de argentinos.**

1. describir el partido en la televisión (dos comentaristas superfamosos)

2. marcar el gol (el jugador con la camiseta número cinco)

3. cambiar el marcador en el segundo tiempo (el jugador con la camiseta número diez)

4. sacar las fotos para los periódicos (los reporteros de la sección deportiva)

5. llevar en vivo el partido a los hogares (la emisora Radio La Red)

6. dar camisetas a los aficionados (los jugadores del equipo)

El partido fue visto por miles de argentinos.

29 La fiesta de la familia González 🎧

Imagina que fuiste a la fiesta que la familia González había organizado para la final del Mundial de Fútbol. Di quién había hecho cada actividad cuando llegaste, según las indicaciones. Sigue el modelo, y usa el pluscuamperfecto en cada oración.

MODELO   Rosita había limpiado las ventanas.
Las ventanas habían sido limpiadas por Rosita.

1. La mamá había arreglado la sala.
2. Iván había limpiado el piso de la cocina.
3. Los niños habían cepillado al perro y al gato.
4. El papá había preparado la comida.
5. Miguel había puesto la mesa.
6. El papá había hecho unas galletas de perlas de chocolate.
7. Olga y su nuevo esposo habían traído los refrescos.
8. Alberto había comprado las flores.

¡Comunicación!

30 Un partido de fútbol 👥   Presentational/Interpersonal Communication

Trabajando en grupos pequeños, habla del fútbol con tus compañeros/as. Habla de la última vez que fuiste a un partido de fútbol, quién ganó el partido, quién marcó los goles, la posición en que juegan tus jugadores favoritos y la posición que tiene el equipo en el campeonato. Luego, las personas que escuchan deben hacer tres preguntas para conseguir más información.

MODELO   **Mi equipo favorito es... La última vez que lo vi jugar, fue en un estadio en... El último partido de ellos fue ganado por... Los goles fueron marcados por...**

¡Comunicación!

31 Cuando tenía diez años 👥   Presentational Communication

Trabajando en parejas, alternen en decir actividades que cada uno/a de Uds. había hecho cuando tenía diez años. Usen la lista de actividades de abajo como guía, o creen su propia lista.

leer un poema	ir a un concierto
escuchar una canción	ver una película
comer una langosta	escuchar una transmisión de fútbol

MODELO   **Cuando tenía diez años, yo había leído un poema escrito por Pablo Neruda.**

Todo en contexto

¡Comunicación!

32 ¡Muchos acontecimientos! 👥 Presentational/Interpersonal Communication

Tú y un(a) compañero/a estuvieron en Paraguay y vieron muchas cosas. Alternen en informar qué había pasado cuando ocurrieron otras cosas. Usen el pasado perfecto y, si quieren, los sucesos del recuadro. ¡Sean creativos!

conocer a una cantante	cerrar la taquilla	comprar un periódico
escuchar la radio	haber un temblor	ir de compras
lastimarse con la pelota	narrar en vivo	pedir el autógrafo del portero
ser testigo de un robo	tomar un taxi	ver el campeonato

MODELO **Mi amigo y yo habíamos tomado un taxi cuando hubo un temblor.**

¡Comunicación!

33 Comentaristas deportivos 👥 Presentational Communication

Tú y tu compañero/a son comentaristas deportivos de una radio en Paraguay. Están viendo el siguiente partido de fútbol entre Cerro Porteño y Guaraní. Observen la imagen y comenten lo que ocurre en el partido, usando la voz pasiva.

MODELO **La pelota fue parada por el portero de Cerro Porteño.**

Lectura literaria

El viejo goleador
de *José Cantero Verni*

Sobre el autor

José Cantero Verni (Argentina, 1960), es un narrador y poeta que escribió muchos cuentos y poemas sobre el fútbol. Además escribió un programa para desarrollar (*develop*) esos textos en las escuelas. El poema que vas a leer es parte de su libro *Los versos del fútbol*, que fue nombrado de interés educativo y cultural.

José Cantero Verni

---

34 Antes de leer: Vocabulario

Completa las siguientes oraciones con las palabras correctas de la lista. La lista incluye palabras nuevas que vas a leer en el poema, pero vas a poder escogerlas si prestas atención al contexto de la oración.

campo	contrario	descenso	festejar	goleador

1. El delantero del equipo de fútbol hizo tres goles. Es el __ favorito del equipo.

2. El mediocampista es el jugador que está en el centro del __ de fútbol.

3. Si un equipo gana el torneo, va al ascenso, es decir que sube en la tabla de posiciones. Pero si pierde, va al __, o baja.

4. Quiero que gane mi equipo favorito. No quiero que gane el equipo __.

5. Celebrar como en una fiesta, se llama __.

---

35 Antes de leer: Conocimientos previos

1. Cuando vas a un evento deportivo, ¿observas en silencio o te gusta gritar? ¿Por qué?

2. Cuando juegas un deporte, ¿te gusta que el público grite? ¿En qué casos y por qué?

3. ¿Crees que hay una edad límite para practicar un deporte? Explica.

Estrategia

Cultural information

When reading a story or poem, it is important to understand cultural behaviors. In the poem you will read the expression *te silbó hasta el viento*. In the dictionary, find the meaning of the verb *silbar*. In the Spanish-speaking world, when people at a sporting event *silba* or whistle, it means that they do not approve of a player's action.

El viejo goleador 🎧
de *José Cantero Verni*

Cuando entraste al campo
te silbó hasta el viento,
el estadio entero,
te gritaba viejo,

Te decían cosas,
como pobre abuelo,
de quedarte en casa,
a cuidar los nietos.

La tribuna[1] tuya,
y también la de ellos
te ofendían, hermano,
sin tener respeto;

El equipo tuyo,
con un pie al descenso,
el de los contrarios
festejando el sueño[2],

De salir campeones
era casi un hecho[3],
le caía el empate,
como anillo al dedo.

Cuando ya el partido
se moría en un cero
cuando ya un minuto
le quedaba creo.

De la esquina izquierda,
te cayó aquel centro[4],
que saltando al aire
la mató[5] tu pecho.

La peleaste[6] a muerte[7],
le pusiste el cuerpo,
y con toque[8] suave
la mandaste[9] adentro.

La tribuna ciega[10],
no podía creerlo
estalló[11] en delirio
con un grito inmenso.

Cuando te creían
que ya estabas muerto,
desde allá del alma[12]
te brotó[13] el aliento[14].

Con tu gol hermano
se evitó[15] el descenso,
si hasta el mismo viento
se asoció al festejo,

Una tibia[16] lágrima[17]
te corrió en silencio
te abrazaron todos,
goleador sin tiempo.

[1] stand [2] dream [3] fact [4] cross kick (soccer) [5] stopped (fig.) [6] fought [7] to death [8] touch
[9] sent [10] blind [11] exploded [12] soul [13] emerged [14] breath [15] avoided [16] warm [17] tear

36 Comprensión 🎧 Interpretive Communication

1. ¿A quién le habla el narrador?

2. ¿Qué quiere decir el autor con "te silbó hasta el viento"?

3. ¿En qué posición del torneo estaba el equipo del jugador viejo? ¿Arriba o abajo?

4. ¿Qué hizo el jugador viejo? ¿Cuál fue la actitud del público?

5. ¿Qué sintió el jugador viejo?

37 Analiza 🎧

1. ¿Qué tan "viejo" crees que es el futbolista? ¿Crees que tiene mucha experiencia? Explica.

2. ¿Por qué el público les silba y grita a sus ídolos deportivos cuando no juegan bien?

Repaso de la Lección B

A Escuchar: ¡Qué partido! (p. 356)

José Luis fue a ver un partido de fútbol en Asunción, Paraguay. Escucha lo que dice sobre el partido. Luego corrige las siguientes oraciones para que sean ciertas.

1. El partido fue muy aburrido.
2. La pena máxima resultó en un gol.
3. El empate llegó en el primer tiempo.
4. Los aficionados de Guaraní estaban tristes después del empate.
5. Olimpia ganó el partido tres a uno.

B Vocabulario: Secciones del periódico (p. 347)

Conecta el titular con la sección del periódico en que probablemente se encuentre.

1. Entrevista exclusiva con miembros del Congreso
2. Guaraní en primer lugar del campeonato
3. Exhibición de arte abierta al público
4. La tecnología nos hace menos cultos
5. Encuesta revela que los bancos prestan menos dinero

A. Cultura
B. Deportes
C. Economía
D. Editorial
E. Política

C Gramática: Antes del mediodía (p. 350)

Escribe cuatro oraciones diciendo lo que había ocurrido esta mañana antes del mediodía. Usa las indicaciones y el pasado perfecto.

1. nuestro equipo / marcar
2. el defensor / lastimarse
3. comentarista / narrar
4. aficionados / celebrar

D Gramática: ¿Quién? (p. 361)

Cambia las oraciones a la voz pasiva.

MODELO   Humberto Rubín narró el partido.

El partido fue narrado por Humberto Rubín.

1. Gabriela Mistral escribió *Sonetos de la Muerte*.
2. Lucía Sapena cantó la canción "Mundo de sueños".
3. Cándido López pintó el cuadro *Batalla de Tuyutí*.
4. Boca Juniors ganó el Campeonato Femenino de Fútbol.
5. Mi tía hizo la sopa paraguaya.

Contesta las preguntas con la información que aprendiste en esta lección.

1. ¿Qué son *Última Hora*, *Clarín* y *El País*?
2. ¿Qué día de la semana aparece información sobre fútbol en la primera página de los periódicos?
3. ¿Qué es la vuelta olímpica?
4. ¿Cuáles son los dos idiomas oficiales de Paraguay?
5. ¿Qué es Ayvu Marane'ỹ?

Vocabulario

El fútbol
el aficionado, la aficionada
el árbitro, la árbitra
el campeonato
el defensor, la defensora
el delantero, la delantera
el espectador, la espectadora
el gol
el marcador
el mediocampista, la mediocampista
la pelota
la pena (máxima)
el portero, la portera
el tiempo
el tiro

El periódico
el artículo
el aviso
la columna
la cultura
la economía
editorial
la encuesta
la entrevista
internacional
la política
la sección
la tabla
la tira cómica
el titular

La radio
el comentarista, la comentarista
la emisora en vivo
el micrófono
la transmisión

Verbos
empatar
enterar(se) de
escuchar
llevar
marcar
narrar

Expresiones y otras palabras
acerca de
a favor (de)
alrededor de
culto/a
máximo/a
la oportunidad

Gramática

The past perfect

Use the past perfect to talk about an event in the past that happened prior to another past event.

Imperfect tense *haber*		+	Past participle		
había	*habíamos*		-ar verbs	→	**-ado**
había	*habías*		-er verbs	→	**-ido**
habían	*habíais*		-ir verbs	→	**-ido**

*El partido **había terminado** cuando empezó a llover.*
*Ya **me había vestido**.*

The passive voice

Form the passive voice by using **ser** + **past participle** + **por**.

*Los deportes **son narrados** por los comentaristas.*

*El mural **fue pintado por** Joel Riveros Ríos.*

Para concluir

Proyectos

A   ¡Manos a la obra!

En grupos de tres, preparen una presentación sobre tres medios de información populares: uno de Paraguay, uno de Argentina y uno de Uruguay. Investiguen en la internet el nivel de popularidad de esos medios. ¿Están en todo el país? ¿Llegan a otros países? ¿En qué se especializan? ¿Son bilingües? ¿Por qué son populares? Incluyan fotos que representen esos medios de información. También presenten una tabla con el rating de los programas de televisión y radio o el número de ejemplares (*copies*), de periódicos o revistas vendidos o el número de suscripciones por internet.

B   En resumen

Según lo que leíste en esta unidad, hay muchas maneras de estar informados. Copia el diagrama de abajo y completa los recuadros de la columna derecha para indicar qué medio de información es y en qué manera informa al público.

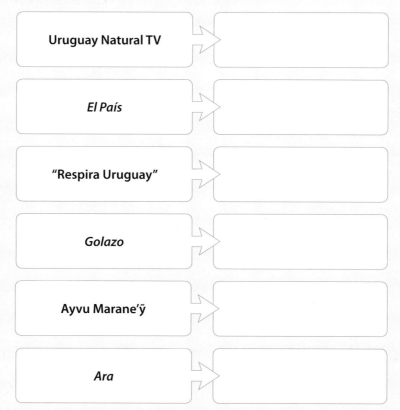

Uruguay Natural TV

El País

"Respira Uruguay"

Golazo

Ayvu Marane'ỹ

Ara

Extensión

AMARC es la Asociación Mundial de Radios Comunitarias. Una de sus sedes (*headquarters*) está en Uruguay. Investiga en la internet sobre esta asociación. ¿Cuál es su misión? ¿Qué tipo de programas ofrece? ¿Hay algo parecido en tu ciudad o región?

C ¡A escribir!

Una emisora de radio hispana en tu comunidad te ha pedido que informes sobre las noticias de tu colegio. Escribe lo que vas a decir en tu reportaje. Puedes hablar sobre los resultados de eventos deportivos, excursiones que los estudiantes han hecho, concursos que han ganado o alguna obra de teatro que han presentado.

Estrategia

Modeling a style of writing

Before beginning to write about a news event, first find a few examples of similar news articles to use as a model. You will notice that a formal style of writing is used and the kind of information that is presented is more formal, too. If you imitate the writing style and include the same kind of information, your article will be perceived by the reader as a factual account of important news about a person, place, or event.

D Los huracanes — Conéctate: las ciencias

¿Qué sabes sobre los huracanes? ¿Cómo ocurren? ¿En qué regiones de los Estados Unidos son comunes? ¿En qué meses hay más huracanes? Investiga en la internet sobre los huracanes. Luego crea un cartel con lo que aprendiste. Incluye diagramas y dibujos para hacer la presentación superinteresante.

E La Copa Mundial de Fútbol — Conéctate: las matemáticas

Busca en la internet estadísticas de la Copa Mundial de Fútbol. Escribe el número de participaciones y el número de partidos ganados para los siguientes países: Argentina, Uruguay, Paraguay y los Estados Unidos. Con esa información, completa la gráfica de barras. Argentina ya está hecha.

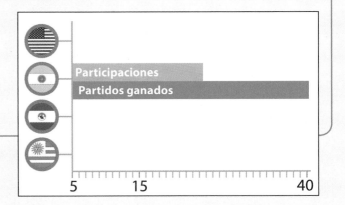

Participaciones
Partidos ganados

5   15   40

F Las noticias — Conéctate: los estudios sociales

Busca en la internet el periódico *USA Today* y mira los titulares. Luego busca en la internet el periódico *El País* de Uruguay del mismo (*same*) día y lee los titulares. ¿Son similares o diferentes? Usa un diagrama de Venn para comparar las noticias del día entre los Estados Unidos y Uruguay.

Las noticias del día

Los Estados Unidos   Uruguay

Vocabulario de la Unidad 7

a favor (de) in favor (of) *7B*
aburrir(se) to get bored *7A*
el accidente accident *7A*
acerca de about *7B*
el acontecimiento event, happening *7A*
la actividad activity *7A*
el actor actor *7A*
la actriz actress *7A*
el aficionado, la aficionada fan *7B*
alrededor de around *7B*
el anuncio (comercial) announcement, advertisement *7A*
el árbitro, la árbitra referee, umpire *7B*

el artículo article *7B*
el autógrafo autograph *7A*
el aviso printed advertisement *7B*
bostezar to yawn *7A*
el campeonato championship *7B*
el canal channel *7A*
el cantante, la cantante singer *7A*
la catástrofe catastrophe *7A*
la celebración celebration *7A*
la columna column *7B*
la comedia comedy *7A*
el comentarista, la comentarista commentator *7B*
el comercial commercial, announcement, advertisement *7A*
el concurso contest, competition *7A*
cubrir to cover *7A*
culto/a cultured, well-read *7B*
la cultura culture *7B*
el defensor, la defensora defender *7B*
el delantero, la delantera forward *7B*

la destrucción destruction *7A*
el dibujo animado cartoon *7A*
la economía economy *7B*
editorial editorial *7B*
la emisora radio station *7B*
empatar to tie (the score of a game) *7B*
en vivo live *7B*
la encuesta survey, poll *7B*
enterar(se) de to find out, to become aware, to learn about *7B*
la entrevista interview *7B*
escuchar to hear, to listen (to) *7B*
el espectador, la espectadora spectator *7B*
estar de acuerdo to agree *7A*
el éxito success *7A*
extranjero/a foreign *7A*
famoso/a famous *7A*
fracasar to fail *7A*
el gol goal *7B*
grabar to record *7A*
haber to have (auxiliary verb) *7A*
la herida wound *7A*
herido/a injured *7A*
el huracán hurricane *7A*

informar to inform *7A*
internacional international *7B*
lastimar(se) to injure (oneself), to hurt (oneself) *7A*
llevar to take, to carry, to wear, to bring *7B*
el marcador score *7B*
marcar to score *7B*
máximo/a maximum *7B*

el mediocampista, la mediocampista midfielder *7B*
el micrófono microphone *7B*
el misterio mystery *7A*
morder (ue) to bite *7A*
morir(se) (ue, u) to die *7A*
morirse de la risa to die laughing *7A*
mostrar (ue) to show *7A*
el musical musical *7A*
nacional national *7A*
narrar to announce, to narrate *7B*
normal normal *7A*
el noticiero news program *7A*
la ocasión occasion *7A*
opinar to give an opinion, to form an opinion *7A*
la oportunidad opportunity *7B*
participar to participate *7A*
la pelota ball *7B*
la pena (máxima) penalty *7B*
el periodista, la periodista journalist *7A*
el personaje character *7A*
la política politics *7B*
el portero, la portera goalkeeper, goalie *7B*
la protesta protest *7A*
el público public, audience *7A*
el reportero, la reportera reporter *7A*
la reunión meeting, reunion *7A*
la risa laugh *7A*
el robo robbery *7A*
romper to break, to tear *7A*
la sección section *7B*
serio/a serious *7A*
el suceso event, happening *7A*
la tabla chart *7B*
el temblor tremor, earthquake *7A*
tener éxito to be successful *7A*
el testigo, la testigo witness *7A*
el tiempo time, weather, verb tense, period *7B*
la tira cómica comic strip *7B*
el tiro kick *7B*
el titular headline *7B*
la transmisión transmission *7B*

¿Sabías que…?

Turistas de todo el mundo realizan a pie el Camino de Santiago en el norte de España. Los peregrinos (viajeros cristianos), caminan 490 millas para visitar la tumba (*tomb*) del apóstol Santiago. ¿Lo harías tú?

Unidad

8

De viaje a España

Escanea el código QR para ver este episodio de *El cuarto misterioso*.

¿Qué hacen José y Conchita para leer el mapa donde está el tesoro?

A. Doblan el mapa de cierta manera.
B. Usan una lámpara especial.
C. Hacen un dibujo.

Pregunta clave

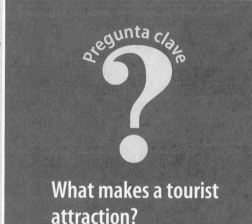

?

What makes a tourist attraction?

Mis metas

Lección A I will be able to:

- talk about some of Spain's traditions
- express emotion
- express probability
- talk about the future
- discuss Spain's most famous festivals
- plan a vacation and make travel arrangements
- discuss how Spain's geography lends itself to many sports

Lección B I will be able to:

- talk about traveling by airplane
- prepare to board a plane
- use the twenty-four-hour clock
- express logical conclusions
- discuss Spanish schedules and pastimes
- describe a hotel
- talk to a hotel receptionist
- follow the adventures of a fictional Spanish boy

España

¿Qué hace este chico en Buñol, España?

Las tradiciones de España 🎧

la corrida de toros

España es un país conocido por sus fiestas y tradiciones populares.

la princesa
la reina
el príncipe
el rey

la familia real

soñar (ue) (con ir a España)

gozar (las vacaciones)

saborear (el postre)

Para decir más

el castillo	castle
el/la matador(a)	principal bullfighter
la monarquía	monarchy
el palacio	palace
la plaza de toros	bull ring
Su Alteza Real	Your Highness
el/la torero/a	bullfighter

Para conversar 🎧

*T*o express emotion:

¡Qué **suerte** poder viajar a España!
What luck to be able to travel to Spain!

¡Qué **dicha** estar de vacaciones!
What happiness (good fortune) to be on vacation!

¡Estoy tan **emocionado/a**!
I am so excited!

Me preocupan **los gastos** del viaje.
I am worried about the expenses for the trip.

*T*o express probability:

¿Vamos a Madrid? **Puede ser**.
Are we going to Madrid? Maybe (It could be).

A lo mejor vemos al rey.
Maybe we will see the king.

Quizás el bebé real vaya a **nacer** esta semana.
Perhaps the royal baby will be born this week.

1 ¿Qué foto? 🎧

Escoge la foto del lugar donde es más probable encontrar lo que oyes en la descripción.

A

B

2 La familia real

Lee las descripciones e indica a quién describe: **la princesa**, **el príncipe**, **la reina** o **el rey**.

1. Este hombre es un líder de una monarquía.
2. Es el hijo de la reina y el rey.
3. Es la hija de la reina y el rey.
4. Esta mujer es una líder de una monarquía.

3 Sinónimos

Conecta los sinónimos (palabras con significados parecidos).

1. gozar
2. nacer
3. soñar
4. dicha
5. a lo mejor

A. fortuna
B. quizás
C. disfrutar
D. imaginar
E. venir al mundo

Diálogo

El sueño de Carlos

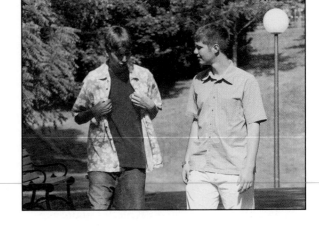

Carlos: Anoche soñé con una corrida de toros.

Juan: Y, ¿qué soñaste? ¿Que tú eras el toro?

Carlos: No, tonto, que yo era el rey de España y que estaba en una corrida.

Juan: Ah, sí. ¡Qué divertido!

Carlos: Sí, pero lo más divertido fue que tú eras el matador.

Juan: Bueno, ¿y qué tal yo como matador?

Carlos: Pues, lo hiciste muy mal. El toro gozó más que tú.

Juan: ¡Qué triste! Entonces en tu próximo sueño voy a ser un príncipe.

Carlos: Seguro que sueño contigo, ¡pero de payaso!

4 ¿Qué recuerdas?

1. ¿Con qué soñó Carlos anoche?
2. ¿Quién era Carlos en su sueño?
3. ¿Qué fue lo más divertido del sueño de Carlos?
4. ¿Qué tal fue Juan como matador en el sueño de Carlos?
5. ¿Qué quiere Juan que sueñe de él Carlos la próxima vez?

5 Algo personal

1. ¿Soñaste anoche? ¿Con qué?
2. ¿Cuál ha sido tu sueño más divertido últimamente?
3. ¿Has visto alguna vez una corrida de toros? ¿Te gustó?
4. ¿Qué piensas de las corridas de toros? Explica.

6 ¿Quién es?

Escoge la foto que corresponde con lo que oyes.

A

B

C

D

The Future Tense with *ir a*

You have already learned to use the present tense of *ir* followed by *a* and an infinitive to say what is going to happen in the near future.

Nosotros **vamos a ver** una corrida de toros el sábado.	We **are going to see** a bullfight on Saturday.
El tren **va a salir** en media hora.	The train **is going to leave** in half an hour.

7 Palma de Mallorca

Hoy estás en el Aeropuerto de Palma de Mallorca, España. Di adónde van a viajar estas personas y a qué hora van a salir, combinando palabras y expresiones de las tres columnas. Añade las palabras que sean necesarias.

MODELO **Doña Viviana va a viajar a Sevilla y va a salir a las nueve y cuarto de la noche.**

I	II	III
tú	Málaga	7:05 AM
doña Viviana	Madrid	8:45 AM
Uds.	Barcelona	9:20 AM
el Sr. Duarte	Alicante	1:05 PM
Gloria y Sofía	Girona	3:45 PM
César y Néstor	Valencia	5:30 AM
los señores Vega	Sevilla	9:15 PM

¡Comunicación!

8 Mis planes   Interpersonal Communication

En parejas, hablen de sus planes para las próximas vacaciones (adónde van a viajar, cuándo van a salir, con quién, qué van a hacer, qué lugares van a visitar, etc.). Usa las expresiones que has aprendido en esta lección.

MODELO
A: **¿Qué vas a hacer en las próximas vacaciones?**

B: **Voy a viajar a Bilbao, España.**

A: **¿Qué lugares vas a visitar?**

B: **Voy a conocer el famoso Museo Guggenheim.**

A: **¿Cuántos días vas a estar en Bilbao?**

B: **Voy a estar allí cinco días.**

El Museo Guggenheim en Bilbao, España

Gramática

The Future Tense

- Much as in English, you can sometimes use the present tense of a verb in conversation in order to refer to the future.

  Vamos a Segovia mañana. **We're going** to Segovia tomorrow.

- You have also learned to talk about the future using the construction *ir + a + infinitive*.

  ¿**Van a viajar** en avión? **Are you going to travel** by plane?

- Spanish also has a true future tense (*el futuro*) that may be used to tell what will happen. It is usually formed by adding the endings *-é*, *-ás*, *-á*, *-emos*, *-éis*, and *-án* to the infinitive form of the verb.

viajar	
viajaré	viajaremos
viajarás	viajaréis
viajará	viajarán

comer	
comeré	comeremos
comerás	comeréis
comerá	comerán

abrir	
abriré	abriremos
abrirás	abriréis
abrirá	abrirán

- Look at these examples:

  Yo **viajaré** a Granada mañana. **I'll travel** to Granada tomorrow.

  Nosotros **iremos** en tren. **We'll go** by train.

  El tren **llegará** a las tres. The train **will arrive** at three o'clock.

- The future tense may also be used in Spanish to express uncertainty in questions and probability in answers that refer to the present. Compare the following:

  ¿A qué hora **llegará**? (**I wonder**) at what time **it will arrive**.

  Él **viajará** en el próximo tren. **He is probably** (**He must be**) **traveling** on the next train.

  Ellos **estarán** en la playa. **They probably are** (**must be**) at the beach.

  Gozarán del mar ahora. (**I imagine**) **they are enjoying** the ocean now.

---

9 Las próximas vacaciones

Tú y unos amigos hablan sobre lo que harán las próximas vacaciones. Completa las siguientes oraciones con la forma del futuro de los verbos entre paréntesis.

MODELO Mauricio (*esquiar*) en los Pirineos.
Mauricio esquiará en los Pirineos.

1. Yo (*comer*) tapas en Madrid.
2. Julio (*ir*) a las corridas de toros en Sevilla.
3. Nosotros (*visitar*) el parque del Retiro.
4. Paloma (*viajar*) a la casa de sus tíos en la Costa Brava.
5. Tú (*conocer*) las islas Canarias.
6. Mi familia y yo (*saborear*) la comida española.
7. Alicia y Carolina (*ver*) a la familia real.

10 Susana hace planes

Completa el párrafo con el futuro de los verbos entre paréntesis para saber los planes que Susana tiene para mañana.

Mañana yo (*1. ir*) a la estación de tren por la mañana y (*2. comprar*) el billete para mi viaje a Sevilla. Luego, (*3. regresar*) a casa y (*4. preparar*) camarones para el almuerzo. Después del almuerzo, mi hermano y yo (*5. conducir*) a una tienda en el centro donde él (*6. mirar*) una maleta que quiere comprar. Por la tarde, mis padres y yo (*7. hablar*) de los gastos de mi viaje. Van a ser muchos, pero por suerte mi padre los (*8. cubrir*) casi todos. Finalmente por la noche, yo (*9. ver*) mi telenovela favorita, "La tempestad", y (*10. comer*) una tortilla antes de ir a dormir.

Susana tiene planes.

11 ¿Qué harán?

Haz oraciones completas según lo que ves en las fotos y poniendo los verbos en el futuro.

MODELO   Sergio / comer
Sergio comerá paella.

1. Carolina / ver

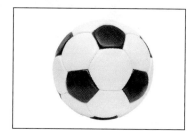

2. tú / jugar

3. nosotros / ir

4. los niños / saborear

5. yo / subir

6. Rubén / preparar

Expresa las siguientes ideas con una pregunta, usando el futuro de probabilidad.

MODELO   Me pregunto qué llevo de ropa para mi viaje.
¿Qué llevaré de ropa para mi viaje?

1. Me pregunto cómo prepara mi tía las tortillas.
2. Me pregunto dónde están los billetes.
3. Me pregunto quién viaja también a España.
4. Me pregunto cuánto cuestan los billetes.
5. Me pregunto cuál es la temperatura en Barcelona.
6. Me pregunto quién cubre nuestra visita a Barcelona para el periódico.

13 ¿Qué es probable?

Di dónde están las siguientes personas según las fotos y qué es probable que hagan.
Usa el futuro de probabilidad.

MODELO   Roberto
Roberto está en una plaza de toros. Verá una corrida.

1. Carlos   2. tú   3. Viviana   4. Hugo y Patricia   5. Raquel

¡Comunicación!

14 Un verano en España 👥   Interpersonal Communication

Imagina que pasas un verano en España para estudiar español. En parejas, alternen en
preguntar y en contestar a qué hora harán las siguientes actividades.

1. acostarte
2. levantarte
3. bañarte
4. desayunar
5. cenar
6. despedirte de nosotros

Iberia es **la compañía aérea** más grande de España.

el billete (de avión)

la visa

(pagar con) cheque

cargar (en la tarjeta)

el pasaporte

Salidas ✈		
VUELO	DESTINO	HORA
MW 1020	MOSCOW	10:30
PS 4038	PARIS	10:40
NK 9189	NEW YORK	11:20
FT 1234	FRANKFURT	11:40
BS 7639	BRUSSELS	12:30
SY 1740	SYDNEY	12:50
LN 1345	LONDON	13:10
AA 9826	ATLANTA	13:40
MD 4523	MADRID	14:20
BS 1845	BUENOS AIRES	14:40

la salida

Llegadas ✈		
VUELO	LLEGANDO DE	HORA
MW 1020	MOSCOW	10:30
PS 4038	PARIS	10:40
NK 9189	NEW YORK	11:20
FT 1234	FRANKFURT	11:40
BS 7639	BRUSSELS	12:30
SY 1740	SYDNEY	12:50
LN 1345	LONDON	13:10
AA 9826	ATLANTA	13:40
MD 4523	MADRID	14:20
BS 1845	BUENOS AIRES	14:40

la llegada

Para conversar 🎧

***T**o plan a vacation:*

Necesito un billete **de ida y vuelta** con **destino** a Madrid.
I need a round-trip ticket (with destination) to Madrid.

El vuelo 207 sale a las cinco de la tarde.
Flight 207 leaves at 5 PM.

Hice **una reservación** en el hotel Barajas.
I made a reservation at Hotel Barajas.

El nombre completo de la agente de viajes es María
Eugenia Pérez Godoy.
The travel agent's full name is María Eugenia Pérez Godoy.

En otros países

el billete	el pasabordo (Colombia)
la reservación	la reserva (España)
la visa	el visado (España)

Para decir más

el asiento	seat
la cancelación	cancellation
la clase económica	coach class
la confirmación	confirmation
el cupo	space available
la primera clase	first class

21 ¿Qué es? 🎧

Escucha las definiciones y determina a qué palabra se refiere.

A. los folletos
C. los itinerarios

B. las guías
D. la visa

22 En la agencia de viajes

Completa el diálogo con las palabras y frases apropiadas del Vocabulario 2.

Agente: ¿En qué le puedo ayudar?

Cliente: Quiero comprar un **(1)** de ida y vuelta con **(2)** a Barcelona, España.

Agente: ¿Para qué fechas lo quiere?

Cliente: Con salida el diecisiete de julio y **(3)** el cinco de agosto.

Agente: Le puedo hacer una **(4)** en el **(5)** 417 de Iberia. ¿Cuál es su nombre **(6)**?

Cliente: José María Nieto Blanco. Y, por favor, **(7)** a mi tarjeta de crédito.

¡Comunicación!

23 Hablando con un(a) agente 👥 Interpersonal Communication

Dramatiza la siguiente situación en una agencia de viajes con un(a) compañero/a de clase.

Say you would like to purchase a round-trip ticket to Madrid. Ask how much the fare is.

Say that the cheapest flight is 500 euros. Ask if he/she would like to make a reservation.

Reply that you will reserve later. Say you would like to see some brochures first. You also want to know if you need a visa.

Tell the client you will give him/her some brochures and a guide. Explain he/she doesn't need a visa, but will need a passport.

Thank the agent and tell him/her you will come back next week.

Diálogo 🎧

Voy a San Sebastián

El agente: Buenas tardes. ¿Cómo puedo ayudarle?

El cliente: Debo ir a San Sebastián la semana que viene y necesitaré reservaciones de vuelo y hotel.

El agente: Muy bien. ¿Necesita un billete de ida y vuelta?

El cliente: Sí, de ida y vuelta, por favor.

El agente: Saldrá en el vuelo 386 el viernes a las tres y quince y llegará a las cinco y media.

El cliente: Perfecto. Me quedaré en el hotel desde el viernes hasta el domingo.

El agente: ¿Quiere cargar el total a su tarjeta o pagará con cheque?

El cliente: Pagaré con cheque, gracias.

El agente: Aquí tiene sus billetes y la información sobre su hotel. ¡Buen viaje!

24 ¿Qué recuerdas? 🎧

1. ¿Adónde necesita viajar el señor?
2. ¿Quiere el señor un billete solo de ida?
3. ¿Necesitará el señor un hotel?
4. ¿En qué vuelo saldrá el señor?
5. ¿Cómo pagará por el viaje?

25 Algo personal 🎧

1. ¿Has viajado alguna vez en avión?
2. ¿Qué hace tu familia cuando necesita billetes de avión? ¿Va a una agencia de viajes?
3. ¿Te gustaría ir a algún hotel de lujo en España? ¿Por qué?
4. ¿Cómo cargas las compras que haces?

¿Comprarías un billete de avión en una agencia de viajes o por la internet?

26 ¿Dónde? ¿Cómo? y ¿Cuándo? 🎧

Di si lo que oyes es **cierto** o **falso**, según el Diálogo. Si es falso, corrige la información.

Gramática

The Future Tense: Irregular Forms

- Some Spanish verbs use a modified form of the infinitive in the future tense. However, their endings remain the same as for regular verbs. The following verbs drop the letter *e* from the infinitive ending:

caber	poder	querer	saber
cabré	podré	querré	sabré
cabrás	podrás	querrás	sabrás
cabrá	podrá	querrá	sabrá
cabremos	podremos	querremos	sabremos
cabréis	podréis	querréis	sabréis
cabrán	podrán	querrán	sabrán

- The vowel of the infinitive endings *-er* and *-ir* changes to *d* in these verbs:

poner	salir	tener	venir
pondré	saldré	tendré	vendré
pondrás	saldrás	tendrás	vendrás
pondrá	saldrá	tendrá	vendrá
pondremos	saldremos	tendremos	vendremos
pondréis	saldréis	tendréis	vendréis
pondrán	saldrán	tendrán	vendrán

- The letters *e* and *c* are dropped from the infinitives *decir* and *hacer* before adding the future-tense endings.

decir	hacer
diré	haré
dirás	harás
dirá	hará
diremos	haremos
diréis	haréis
dirán	harán

Haremos un crucero por Europa. Saldremos de Barcelona.

27 ¿Qué pasará?

Completa estas oraciones con la forma apropiada
del futuro de los verbos entre paréntesis.

MODELO   **Tú harás las reservaciones del hotel mañana. (hacer)**

1. Juan y Carla __ ver todos los itinerarios. (*querer*)
2. El agente no __ si hay vuelos sin mirar en la pantalla. (*saber*)
3. ¿Cuándo __ Uds. su nombre completo y la otra información
   que necesitan a los señores de la agencia? (*decirles*)
4. Nosotros __ que pagar los billetes con cheque. (*tener*)
5. El lunes, a lo mejor Olga __ a las nueve de la mañana. (*salir*)
6. Tanta ropa no __ en una maleta. (*caber*)
7. Yo __ que Uds. me traigan algo de España. (*querer*)
8. Cuando ellos regresen de España, __ en una compañía
   aérea diferente. (*venir*)

¿Qué harán ellos?

28 ¡Pobre Sra. Pacheco!

Cuando la señora Pacheco piensa en voz alta (*aloud*) acerca de lo
que hará durante sus vacaciones, su secretaria entra a su oficina.
Completa lo que dicen con el futuro de los verbos entre paréntesis.

Sra. Pacheco: Mañana es mi primer día de vacaciones. ¡Por
fin, (**1.** *poder*) descansar! (**2.** *levantarse*) al
mediodía. (**3.** *ponerse*) un pantalón y una blusa
requetecómodos, ¡nada de faldas y trajes!, y unos
zapatos deportivos. (**4.** *desayunar*) en el patio.
(**5.** *leer*) ese libro que hace meses está en mi cuarto.
Y, lo mejor de todo, ¡no (**6.** *tener*) que ir a reuniones!
(**7.** *hacer*) exactamente lo que quiera todos los días.

Secretaria: Buenos días, Sra. Pacheco. Su esposo está
al teléfono.

Sra. Pacheco: Gracias. Hola, Arturo. ¿Pasa algo?

Arturo: No, te llamo para decirte que no hagas planes para mañana. A las ocho y media, nosotros
(**8.** *llevar*) a Vanesa al médico. Luego, (**9.** *ir*) al zoológico. Se lo prometí a los niños. A la
una, (**10.** *comer*) en casa. Mi hermana y sus hijos (**11.** *venir*) a ver una película.

Sra. Pacheco: ¿Y mis vacaciones?

*La Sra. Pacheco piensa en lo que hará en
sus vacaciones.*

29 ¡Saldremos mañana!

Viajas mañana a España con tu familia. Habla del viaje, usando el futuro y elementos de cada columna. Puedes inventar la información que quieras.

MODELO   **Mis abuelos harán reservaciones de ida y vuelta.**

I	II	III
yo	hacer	reservaciones de ida y vuelta
el vuelo	poder	un vuelo con destino a Córdoba
mi mamá	poner	de Sevilla en el primer vuelo
mi papá	querer	la hora de salida
mis abuelos	saber	pagar los billetes con cheque
mis hermanos	salir	sus cosas en sus maletas
mis tíos	tener	cargar todo en su tarjeta
todos nosotros	venir	a tiempo

30 ¿Qué dice el adivino?

Fernando fue a ver a un adivino (*fortune teller*) ayer. Haz oraciones completas con las indicaciones que se dan para saber lo que el adivino le dice a Fernando qué pasará. Añade las palabras que sean necesarias.

MODELO   tu hermana / no querer ir / de viaje a última hora.
Tu hermana no querrá ir de viaje a última hora.

1. tú / no tener / reservaciones listas
2. tu madre / poder conseguir / solo un billete de ida / vuelta
3. tu vuelo / salir / muy temprano / jueves
4. Uds. / decir / sus nombres completos cuando lleguen / hotel
5. a tu hermano / no caberle / toda la ropa / una maleta
6. tus padres / tener / mucha paz / sus vacaciones
7. el agente / no saber / tarifas para un viaje / Valencia

Valencia, España

31 ¿Qué fotos podrán en la red social?

Las siguientes personas están de vacaciones en Barcelona y están tomando fotos para ponerlas en una red social. Trabajando en parejas, alterna con tu compañero/a de clase en preguntar y en contestar de qué lugar pondrán fotos, según el mapa y las indicaciones que se dan.

MODELO   Sergio / F

         A: ¿Qué foto pondrá Sergio?

         B: Sergio pondrá una foto de Montjuïc.

1. Pilar y sus abuelos / D
2. tú / A
3. Rubén y Gloria / H
4. Claudia / B
5. yo / G
6. David / I
7. Francisco y yo / C
8. Óscar y su hermano / E

¡Comunicación!

32 Chateando 👥 Interpersonal Communication

Tú y tu compañero/a de clase van a viajar a Barcelona. Imaginen que están comunicándose con mensajes de texto en el celular. Alternen en preguntar y decir lo que harán en su visita.

El Parque Güell, Barcelona

Mensajes

Andrea 9:20
¿Qué es lo primero que haremos en Barcelona?

Mario 9:20
Querremos ir al Parque Güell.

¡Comunicación!

33 Preparación para el viaje 👥 Interpersonal Communication

Pronto harás un viaje por varios países con un(a) amigo/a y ahora están hablando de lo que será importante recordar para el viaje. Trabajando en parejas, hablen del viaje y de lo que tendrán que hacer para prepararse.

> MODELO A: ¿Tienes las guías para España?
> B: No. Tendré que conseguirlas mañana.
> A: Bueno, yo tengo folletos en casa o podemos ver en la internet.
> B: Entonces vendré a tu casa esta noche.

¡Comunicación!

34 Haciendo reservaciones 👥 Interpersonal Communication

Imagina que estás en una agencia de viajes, hablando con el agente para arreglar todos los detalles (reservaciones, vuelos, horarios, compañía aérea, llegada, hotel, etc.) de un viaje que vas a hacer. Trabajando en parejas, alterna con tu compañero/a de clase en hacer preguntas y contestarlas, usando el futuro si es posible.

> MODELO A: ¿Cuál será su destino final?
> B: Mi destino final será Pamplona.

Todo en contexto

¡Comunicación!

35 Nueva fiesta popular 👥 Interpersonal/Presentational Communication

Como proyecto, vas a organizar una fiesta para celebrar un evento importante en la ciudad o lugar donde vives. Debe ser una gran fiesta, para que vengan muchos turistas. Un(a) periodista (tu compañero/a de clase) te hace preguntas sobre tu proyecto. Tú le explicas cómo va a ser la celebración y cómo va a participar la gente. Usen el futuro y la forma **ir + a + infinitivo** en las preguntas y las respuestas. También incluyan las palabras del recuadro. Luego, presenten el diálogo a la clase.

conocer	gozar	soñar	emocionado

MODELO

A: ¿Qué va a celebrar la ciudad?

B: Vamos a celebrar la llegada del verano.

A: ¿Qué hará la gente?

B: La gente va a traer frutas y las vamos a mezclar todas. Tomaremos un jugo muy grande.

A: ¿Estás emocionado/a con la fiesta?

B: Sí, y sueño con tener esta fiesta todos los años. Van a venir muchos turistas.

¡Comunicación!

36 Agencia de turismo 👥 Interpersonal/Presentational Communication

Con un(a) compañero/a de clase, preparen un diálogo entre un(a) agente de turismo y un(a) cliente/a que quiere comprar un paquete turístico para visitar España. Observen el folleto y preparen la conversación. Usen el vocabulario que aprendieron en esta lección, el tiempo futuro y la información de la sección de cultura.

MODELO

A: Buenos días. Necesito viajar a España en dos semanas.

B: Buenos días. ¿Tiene pasaporte?

A: No, pero voy a sacarlo hoy.

B: Muy bien. Le daré algunas ideas.

A: ¿Pagaré tarifas bajas?

B: Sí, claro. Por ejemplo, con este plan viajará a Buñol. Verá La Tomatina y tirará tomates. Luego verá un partido de fútbol. Todo por 500 dólares.

¡Todo tipo de atracciones!

AGENCIA VIVA ESPAÑA

Viajes a todas las regiones de **España**

Lectura informativa

Antes de leer

1. ¿Qué tipo de geografía te gusta más?

2. ¿Qué deportes practicas?

3. ¿Prefieres los deportes de invierno o de verano? ¿En lugares cerrados o al aire libre? ¿Por qué?

Estrategia

Maps, labels, and captions

Maps are a useful tool to visualize what is explained in a text. A map helps readers understand distances between places, and the labels on it indicate specific locations. Captions and insets provide additional information. While reading the selection, make frequent stops to identify the places on the map.

Atracción para deportistas

España tiene muchos tipos de geografía. Sus hermosos paisajes son motivo de atracción para los turistas, especialmente para los deportistas. ¿Te preguntas por qué? Aquí está la respuesta.

En España hay playa, campo[1], montañas, ríos y mar[2]. Cada persona puede escoger el terreno apropiado para practicar su deporte favorito.

El kitesurf es un deporte muy popular, especialmente en el sur de España, como en la ciudad de Tarifa, y en las Islas Canarias. Sus playas son amplias y los vientos son favorables para este deporte.

Los que prefieren estar cerca del suelo[3] pueden participar de la famosa Vuelta a España, una carrera[4] de bicicleta de 2000 millas. La vuelta se realiza por etapas[5] e incluye dos días de descanso. Ideal para conocer el país, ¿verdad?

Si te gusta navegar[6], puedes participar en la Regata Copa del Rey. Es una atracción deportiva internacional que se realiza en Palma de Mallorca, en las azules aguas del mar Mediterráneo, entre las Islas Baleares y la Península Ibérica.

Y como hay posibilidades para todos los gustos, quienes prefieren el frío y la nieve pueden esquiar en las montañas de los Pirineos o en las sierras del centro del país.

¿Ya gozaste de todas las geografías? ¿Qué deporte te gusta? ¡Escoge el lugar y prepara tu equipo!

[1] countryside [2] sea [3] ground [4] race [5] stages [6] to sail [7] seat, headquarter

La Vuelta a España es vista por televisión por más de un millón de espectadores.

En Tarifa se realiza el campeonato mundial de kitesurf. Los españoles Gisela Pulido y Alex Pastor son los campeones mundiales.

La estación de esquí Formigal es la sede[7] del Campeonato de Esquí de Aragón.

Uno de los competidores de la Regata Copa del Rey es el Rey de España.

Búsqueda: vuelta ciclista a españa, regata copa del rey, tarifa kitesurf, formigal

37 Comprensión 🎧 Interpretive Communication

1. ¿Por qué la geografía española es una atracción para los deportistas?

2. ¿Qué deportes se practican en el mar en España?

3. ¿Con qué evento deportivo se puede conocer muchas partes de España?

4. ¿Dónde se puede practicar deportes de invierno en España?

38 Analiza 🎧

1. ¿Por qué la lectura habla de "vientos favorables" cuando se refiere al kitesurf?

2. Observa el mapa. ¿Crees que es mejor practicar esquí en Sierra Nevada o en los Pirineos? Explica.

3. ¿Qué circuito (route) puedes diseñar para la "Vuelta ciclista a Estados Unidos"?

4. ¿Por qué crees que el rey de España participa en la Regata Copa del Rey?

5. En el mapa, lee la leyenda (caption) sobre Tarifa. Si es un campeonato mundial, ¿por qué crees que los campeones son españoles?

Extensión

El río Guadalquivir es el más importante de España. Allí se practican muchos deportes náuticos, como canoa, kayac, remo (rowing), esquí acuático, windsurf y la pesca deportiva.

El río Guadalquivir

✏️ Escritura

39 Geografía española   Presentational Communication

Escribe un artículo sobre la geografía española. Ten en cuenta la información de la lectura. Investiga en la internet qué otro tipo de geografía hay en ese país. Explica qué actividades se hacen en cada una de ellas. Usa la lista de abajo como guía e incluye un mapa indicando cada región. Luego lee tu artículo a la clase y contesta cualquier pregunta de tus compañeros.

- montañas
- playas
- islas
- campo
- ríos
- desierto

Para decir más

En la zona de...	In the area/region of...
Es común...	It is common...
Se practica...	People practice...
En el norte / sur / este / oeste / centro...	In the north / south / east / west / center...
En la costa...	On the coast...

✏️ Escritura

40 Tu país   Presentational Communication

Sigue el formato de la actividad anterior y escribe un artículo sobre las diferentes geografías de los Estados Unidos. Vas a diseñar un plan nacional de deportes para el año que viene. ¿Qué deportes practicará la gente en cada región del país? Escribe tu artículo en el tiempo futuro. Explica por qué la región es apropiada para cada deporte.

A   Escuchar: En una agencia de viajes 🎧 (p. 384)

Escucha la conversación entre el Sr. Córdova y la agente de viajes. Luego di si las siguientes oraciones son **ciertas** o **falsas**.

1. El Sr. Córdova y su esposa quieren viajar a Valencia.

2. La agente de viajes recomienda tomar el tren.

3. El Sr. Córdova compra dos billetes de la compañía aérea Transavía.

4. El Sr. Córdova carga los billetes en su tarjeta de crédito.

B   Vocabulario: ¿Qué es? (pp. 374, 384)

Identifica cada palabra según la definición y el número de letras.

1. un libro con información turística: __ __ __ __

2. la esposa del rey: __ __ __ __ __

3. tarjeta para viajar en un avión: __ __ __ __ __ __ __

4. lugar al que va una persona que viaja: __ __ __ __ __ __ __ __

5. contrario de morir: __ __ __ __ __ __

6. felicidad o fortuna: __ __ __ __ __ __

C   Gramática: Lo que ocurrirá (pp. 378, 388)

Complete el párrafo con el futuro de los verbos entre parentésis.

El vuelo (**1.** *llegar*) a las tres de la tarde. Nosotros (**2.** *tomar*) un taxi al hotel. Papá y mamá (**3.** *dormir*) la siesta pero mis hermanos y yo (**4.** *querer*) conocer la ciudad. Roberto (**5.** *hacer*) una excursión en autobús y yo (**6.** *dar*) un paseo en bote. Más tarde, todos nosotros (**7.** *cenar*) en un restaurante típico. Tú (**8.** *pedir*) fideúa y yo no (**9.** *saber*) lo que es. (**10.** *ser*) las once de la noche cuando regresemos al hotel.

D   Gramática: ¿Qué harán? (p. 378)

Di lo que probablemente estarán haciendo las siguientes personas según las fotos.

1. nosotros   **2.** Elisa   **3.** tú   **4.** Pedro y Tatiana

E Cultura: Fiestas españolas
(pp. 382–383)

¡España tiene muchas fiestas divertidas! Completa la tabla con la información correcta.

Fiesta	La Tomatina	La carrera de camas	San Fermín	Las Fallas
¿Dónde se celebra?				
¿Cuál es la atracción principal?				

Vocabulario

Las vacaciones

aéreo/a
la agencia de viajes
el/la agente
el billete
la compañía
de ida y vuelta
el destino
el folleto
el gasto
la guía
el itinerario
la llegada
el pasaporte
la reservación
la salida
la tarifa
turístico/a
la visa
el vuelo

La familia real

la princesa
el príncipe
la reina
el rey

Verbos

cargar
gozar
nacer
saborear
soñar

Expresiones y otras palabras

a lo mejor
el cheque
completo/a
la corrida
la dicha
emocionado/a
el nombre
puede ser
la suerte

Gramática

The future tense

Use the future tense to talk about what will happen.

hablar		correr		escribir	
*habla**ré***	*hablar**emos***	*corre**ré***	*correr**emos***	*escribi**ré***	*escribir**emos***
*hablar**ás***	*hablar**éis***	*correr**ás***	*correr**éis***	*escribir**ás***	*escribir**éis***
*hablar**á***	*hablar**án***	*correr**á***	*correr**án***	*escribir**á***	*escribir**án***

*¿Cuándo **hablará** el rey?*
*Te **escribiré** un e-mail desde Madrid.*

The future tense: irregular verbs

Remember the following verbs are irregular in the future tense: *caber, decir, hacer, poder, poner, querer, saber, salir, tener,* and *venir.*

En el aeropuerto

Estos **pasajeros** están en el aeropuerto de Málaga, España.

el mostrador

la pasajera

Viajan en **la aerolínea** Spanair.

el equipaje

el maletín

el equipaje de mano

la puerta de embarque

la tripulación

el piloto, la piloto

el auxiliar de vuelo

entregar

dar la bienvenida

abordar

el asiento

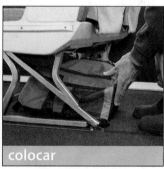
colocar

despegar

aterrizar

En otros países

el/la auxiliar de vuelo	el/la azafato/a (España)
	el/la aeromozo/a (Perú)
	el/la sobrecargo (México)
registrar	facturar (España, México)

Para decir más

abrocharse	to fasten
poner el respaldar del asiento en posición vertical	to put the seat in upright position
la aduana	customs
el ala (f)	wing
el asiento de pasillo	aisle seat
el asiento de ventanilla	window seat
la cola	tail
el control de seguridad	security check
la hora de embarque	boarding time
la pista	runway
el reclamo de equipaje	baggage claim
la salida de emergencia	emergency exit
el retraso	delay
la tarjeta de embarque	boarding pass
la ventanilla	window

Para conversar 🎧

*T*o prepare to board a plane:

Voy a **registrar** dos maletas.
I am going to register (check) two suitcases.

¿Dónde hace **escala** el vuelo 36?
Where is the layover for flight 36?

¿Cuántas **piezas** de equipaje puedo llevar en el viaje?
How many pieces of luggage may I travel with?

¿Dónde está la puerta de embarque?
Where is the boarding gate?

1 ¿Cierto o falso?

Di si lo que oyes es **cierto** o **falso**. Si es falso, di lo que es cierto.

2 De viaje

Completa estas oraciones en forma lógica, usando las palabras de la lista.

auxiliar   maletín   **piezas**   mostrador   embarque

pasajeros   escalas   aterrizar   registrar

1. En el __ de la aerolínea hay una fila muy larga.
2. Tendremos que __ nuestro equipaje antes de subir al avión.
3. Llevamos cinco __ de equipaje.
4. Creo que el vuelo hará dos __ antes de llegar a Bilbao.
5. Su puerta de __ es la veinticuatro.
6. Todos los __ del vuelo 63 entran al avión.
7. La pasajera coloca su __ bajo el asiento.
8. El __ de vuelo nos trae refrescos.
9. Tenemos que ponernos el cinturón de seguridad antes de __.

3 En el aeropuerto

¿En qué orden hacen los pasajeros las siguientes actividades? Indica el orden más lógico; 1 es la primera actividad y 7 la última actividad.

1. ____   **A.** Buscan su asiento y se sientan.
2. ____   **B.** Conducen al aeropuerto.
3. ____   **C.** Abordan el avión.
4. ____   **D.** Van a la puerta de embarque.
5. ____   **E.** Ven por la ventana mientras el avión despega.
6. ____   **F.** Registran el equipaje.
7. ____   **G.** Se ponen el cinturón de seguridad.

¿Y ahora qué hacemos?

Diálogo 🎧

Vamos a preguntar

Alba: ¿Tienes todo tu equipaje?

Rosa: Sí, aquí está todo, pero me gustaría tener solo dos piezas.

Alba: Verdad que sí, es difícil viajar con tanto equipaje de mano.

Rosa: Ahora, ¿cómo podemos ir a la estación de trenes? ¿A pie?

Alba: Preferiría tomar un taxi. Creo que están al lado de un mostrador, en la calle.

Rosa: ¿Qué mostrador, el de la aerolínea? No puede ser.

Alba: No estoy segura. Mejor vamos a preguntar.

Rosa: Sí, porque estoy muy cansada.

Alba: Mira, allí hay un mostrador de información.

4 ¿Qué recuerdas? 🎧

1. ¿Dónde crees que están Rosa y Alba?
2. ¿Con cuántas piezas de equipaje le gustaría viajar a Rosa?
3. ¿Cómo preferiría Alba ir a la estación de trenes?
4. ¿Dónde cree Alba que están los taxis?
5. ¿Qué no puede ser, según Rosa?
6. ¿Qué es mejor, según Alba?

5 Algo personal 🎧

1. ¿Te gusta viajar en avión? ¿Por qué?
2. Cuando viajas, ¿llevas mucho equipaje? ¿Por qué?
3. ¿Hay un aeropuerto en tu ciudad? ¿Cómo se llama?

6 ¿Lógico o ilógico? 🎧

Di si lo que oyes es **lógico** o **ilógico**. Si lo que oyes es ilógico, di lo que es lógico.

¿Te gusta viajar en avión?

Gramática

The Twenty-Four-Hour Clock

- As you travel, you will sometimes encounter schedules for trains, planes, ships, movies, and television programs that are written using a twenty-four-hour clock.

Barcelona → Madrid		
18.00 - 21.10	AVE	3h. 10min. - 117,60€
19.00 - 21.45	AVE	2h. 45min. - 117,60€
20.00 - 23.10	AVE	3h. 10min. - 117,60€

- You can learn to use this system quite easily by subtracting twelve hours from any time past 12:00. It may at first seem unrecognizable or difficult to understand, but the twenty-four-hour clock is quite simple and can be helpful in determining if an event occurs during the daytime or at night. Compare the following times as they would be stated using a twenty-four-hour clock:

  4:10   *Son las cuatro y diez de la mañana.*

  15:30 *Son las tres y media de la tarde.* (15:30 – 12:00 = 3:30)

  20:45 *Son las nueve menos cuarto de la noche.* (20:45 – 12:00 = 8:45)

---

7 En el aeropuerto

Trabajando en parejas, alterna con tu compañero/a de clase en preguntar y en contestar a qué hora ocurrirán las siguientes cosas en el aeropuerto. Usa las pistas que se dan.

MODELO   llegar / el vuelo de Bilbao (15:30)

   A: ¿A qué hora llegará el vuelo de Bilbao?

   B: Llegará a las tres y media de la tarde.

1. llegar / Daniel y Yolanda a Madrid (22:30)
2. servir el desayuno / ellos (6:45)
3. despegar / el vuelo a Barcelona (14:20)
4. salir / el piloto (15:10)
5. aterrizar / tu avión (13:05)
6. recogernos del aeropuerto / Uds. (20:20)

Este avión llegará a las tres y media.

8 Salidas de vuelos

Imagina que trabajas en el mostrador de una aerolínea en el aeropuerto Adolfo Suárez Madrid-Barajas, contestando las preguntas por teléfono sobre salidas de vuelos nacionales. Alterna con tu compañero/a de clase en preguntar la hora de salida de los vuelos y en contestar, diciendo la hora, el destino y la puerta de embarque de donde salen.

MODELO
A: ¿A qué hora sale el vuelo doce para Tenerife?

B: El vuelo doce para Tenerife sale a las cuatro y diez de la tarde por la puerta de embarque número veinte.

1. ¿A qué hora sale el vuelo ciento veintinueve para Oviedo?

2. ¿A qué hora sale el vuelo sesenta y cinco para Málaga?

3. ¿A qué hora sale el vuelo ciento ochenta para Sevilla?

4. ¿A qué hora sale el vuelo doscientos quince para Bilbao?

5. ¿A qué hora sale el vuelo novecientos noventa y siete para Ibiza?

6. ¿A qué hora sale el vuelo seiscientos ocho para Salamanca?

✈ SALIDAS

HORA	DESTINO	VUELO	PUERTA
13:15	MÁLAGA	065	12
14:20	OVIEDO	129	18
16:10	TENERIFE	012	20
18:40	SEVILLA	180	16
20:05	BILBAO	215	32
22:30	IBIZA	997	27
23:20	SALAMANCA	608	22

Un poco más

¿A qué hora?

Remember to ask when something is going to occur (or has already occurred), using the question *¿A qué hora...?* Answer using *a la/las* followed by the time.

¿A qué hora salieron del cine?   Salimos *a las* nueve y media.

¿A qué hora llegarán al parador?   Llegaremos tarde, casi *a las* once.

Comunidades

Airports can be excellent places to practice a world language since many people from different parts of the world travel through them. If you are traveling to or from a Spanish-speaking city or country, it is possible that you will meet people who speak Spanish. Test your skills and chat with someone. When you are checking in at an airport where Spanish is spoken, chances are that the airline agent will speak to you in Spanish, as well.

¡Comunicación!

9   ¿A qué hora salen los trenes?   **Interpersonal Communication**

En parejas, alterna con tu compañero/a de clase en hacer y contestar preguntas para saber a qué hora van a salir los trenes de la estación de Atocha para ir a las ciudades que están en el horario.

MODELO   A: ¿A qué hora salen los trenes con destino a La Coruña?

B: Los trenes con destino a La Coruña salen a las seis y cuarto de la mañana y a las diez menos diez de la noche.

Horario de trenes de **Atocha en Madrid a:**

Ciudad	Horas de salida				
Córdoba	06:05	08:50	11:35	18:50	21:35
Granada	05:55	08:50	11:45	14:40	17:35
La Coruña	06:15	21:50			
Murcia	06:10	22:55			
Salamanca	00:15	04:45	12:30	18:20	
San Sebastián	00:15	02:15	11:00	14:00	17:00
Sevilla	06:05	10:20	12.30	14:40	16:20
Toledo	06:00	08:30	11:00	16:00	21:00
Zaragoza	01:15	04:15	16:15	23:15	

Gramática

The Conditional Tense

- The conditional tense (*el condicional*) tells what would happen or what someone would do (under certain conditions). It is usually formed by adding the endings *-ía*, *-ías*, *-ía*, *-íamos*, *-íais*, and *-ían* to the infinitive form of the verb.

viajar	
viajaría	viajaríamos
viajarías	viajaríais
viajaría	viajarían

comer	
comería	comeríamos
comerías	comeríais
comería	comerían

abrir	
abriría	abriríamos
abrirías	abriríais
abriría	abrirían

- Look at the following examples:

Me **gustaría** ir a La Mancha.	**I would like** to go to La Mancha.
¿**Viajarías** allí pronto?	**Would you travel** there soon?
¡**Sería** fantástico!	**That would be** great!
¿**Irías** en tren o en avión?	**Would you go by** train or by plane?

Me gustaría ir a La Mancha.

10 Si volvieran a nacer...

Usando el condicional, di lo que las siguientes personas harían si volvieran a nacer.

MODELO   mi abuela / ser / piloto
Mi abuela sería piloto.

1. Pablo y Elena / trabajar como agentes de viaje
2. yo / viajar / por todo el mundo
3. nosotros / conocer / a los reyes de España
4. Victoria / vivir / en Galicia
5. Eduardo / ser / un príncipe
6. Diana / nacer / en España
7. tú / escribir / un libro sobre cómo ser feliz

11 Pedro el perezoso

Pedro promete muchas cosas pero nunca las cumple porque es perezoso. Completa el siguiente párrafo con la forma apropiada del condicional para ver lo que no hizo.

Pedro les prometió a sus padres y a su novia que haría muchas cosas durante el verano. Le dijo a su padre que (**1.** *buscar*) un trabajo, (**2.** *cortar*) el césped y (**3.** *lavar*) el coche cada semana. No lo hizo. Le dijo a su madre que (**4.** *levantarse*) temprano y la (**5.** *ayudar*) en el jardín. Tampoco lo hizo. Le prometió a su novia que los dos (**6.** *ir*) a la playa, (**7.** *ver*) buenas películas y (**8.** *jugar*) al tenis. No hicieron ninguna de estas cosas. ¡Ahora, parece que nadie quiere ayudarlo a él! Ayer, le pidió dinero a su padre, y su padre le contestó: "Mañana". Le preguntó a su madre si le (**9.** *comprar*) ropa nueva y ella respondió: "Un día de estos". Cuando le dijo a su novia que le (**10.** *gustar*) invitarla a cenar, ella le contestó: "¡Nunca más!"

Pedro, el perezoso

12 Lo que harían si...

Usando las indicaciones que se dan, di lo que harían las siguientes personas en esas situaciones.

MODELO   Carolina olvidó su equipaje de mano en la casa. (viajar en otro vuelo)
Viajaría en otro vuelo.

1. Lorenzo tiene mucha ropa para llevar. (poner todo en dos maletas)
2. Doña Ana tiene que llevar cinco maletas. (pedir ayuda a alguien)
3. Tienes que abordar en cinco minutos por la puerta de embarque nacional, pero estás en la puerta de embarque internacional. (correr a la puerta de embarque nacional)
4. No llegamos a tiempo al aeropuerto y perdemos nuestro avión a Málaga. (esperar para tomar el siguiente vuelo)
5. Los chicos no pueden registrar todo su equipaje. (dejar una maleta con sus padres)

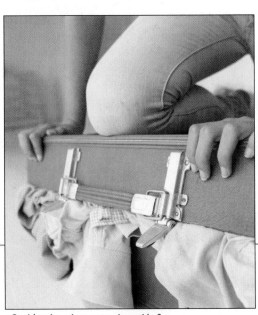

¿Qué harías tú en esta situación?

¡Comunicación!

13 ¿Qué me aconsejas? 👥 Interpersonal Communication

Eres una persona con experiencia en viajar a España y tus amigos te hacen preguntas para pedirte consejos. Alterna con tu compañero/a de clase en hacer preguntas y en contestarlas, usando el condicional y la información que sea apropiada.

MODELO qué ciudades / visitar

A: ¿Qué ciudades visitarías?

B: Visitaría Madrid, Barcelona y Sevilla.

1. en qué aerolínea / volar
2. dónde / comprar los billetes
3. cuántas piezas de equipaje / llevar
4. a qué hora / estar en el aeropuerto
5. adónde / no ir
6. cómo / pagar por el hotel

Visitaría la Plaza de España, en Sevilla.

¡Comunicación!

14 En el avión? 👥 🎧 Interpersonal Communication

Trabajando en parejas, alternen en hacer y contestar las siguientes preguntas personales.

1. ¿Has viajado en avión alguna vez? ¿Cuándo? ¿Volverías allí?
2. ¿Hizo el avión alguna escala? ¿Dónde?
3. ¿Te gustaría ser miembro de la tripulación de un avión? ¿Qué te gustaría ser?
4. ¿Adónde te gustaría ir en el mundo? ¿Por qué?
5. ¿Qué ciudades te interesaría visitar durante un viaje a España?
6. ¿Crees que las medidas de seguridad que se toman en un avión son buenas? Explica. ¿Qué cambiarías?

¡Comunicación!

15 Un millón de dólares 👥 Interpersonal/Presentational Communication

Imagina que tú y tu compañero/a de clase ganaron un millón de dólares. Hablen de lo que harían con el dinero. Hagan una lista de diez cosas que harían usando el condicional. Luego presenten la lista a la clase.

Cultura

Muchos españoles cenan a las 10 de la noche.

El horario de los españoles

¿Qué atrae a un turista? Lugares para conocer y restaurantes para comer. Pero lo que más le gusta a un turista es... ¡el tiempo para gozar de todo eso!

En España hay tiempo para todo porque los horarios son más extendidos que en otros países. Puedes desayunar temprano un café con leche y tostadas[1], y luego ir a pasear por la Ciudad de las Artes y las Ciencias en Valencia. Si al rato tienes hambre, no hay problema, los españoles hacen un "almuerzo" a las diez de la mañana. Un bocadillo[2] te quitará el hambre... hasta las dos de la tarde, la hora de "la comida", cuando todos dejan de trabajar para comer la comida principal del día. Como estás en Valencia, pides paella — un plato de arroz, carne y mariscos muy típico.

Después de comer, puedes tomar el tren a Granada. Es la mejor hora de viajar porque muchas tiendas cierran a la hora de la siesta, entre las dos y las cinco.

En Granada, no te apurarás en cenar a las seis de la tarde. ¿Sabes por qué? Porque los restaurantes no abren hasta las ocho, y la gente cena a las nueve, a las diez... ¡o a las once de la noche! Tienes mucho tiempo para visitar La Alhambra, el espectacular palacio construido por los musulmanes[3] en el siglo[4] trece. Y si tienes hambre, puedes comer unas tapas[5], como por ejemplo, gazpacho—una sopa fría y deliciosa.

Después de la cena, a seguir paseando, a tomar un helado o ir al cine.

Parece que los españoles tienen días más largos. Por eso, el horario español es una gran atracción turística.

[1] toast   [2] baguette with filling; sandwich   [3] Muslims   [4] century   [5] small snack

Búsqueda: horario español, siesta, paella, tapas, ciudad de las artes y las ciencias valencia, la alhambra

Prácticas

La siesta española es la costumbre de descansar entre las dos y las cinco de la tarde. Entre esas horas, muchos negocios (*businesses*) pequeños cierran (la oficina de correos y los centros comerciales no cierran). Luego abren hasta las ocho o nueve de la noche. En las horas de la siesta, no todos duermen; muchos pasan tiempo con la familia o los amigos.

Muchas tiendas cierran de 2 a 5 PM.

16 Comprensión | Interpretive Communication

1. Para los españoles, ¿qué es la comida?
2. ¿Cuándo se hace la siesta? ¿Qué hacen los españoles en la siesta?
3. ¿A qué hora se puede cenar en España?
4. ¿Qué pueden ver los turistas en Granada?

17 Analiza

1. ¿Por qué crees que los españoles tienen energía para salir a pasear después de cenar a las once de la noche?
2. ¿Crees que es mejor tener un período de siesta o trabajar hasta las cinco de la tarde y después irte a casa? ¿Por qué?

Atracción para turistas jóvenes

¿Eres muy joven para ir a una discoteca? ¡No tendrías ese problema en España! En España hay discotecas para menores, que ofrecen un lugar divertido y seguro desde las 5 PM hasta las 10 PM.

Si prefieres bailar al aire libre, la respuesta es… ¡electrodance en la playa! En la costa española, puedes bailar en la playa por la noche. La ciudad de Benidorm es pionera en este tipo de atracción, y le dicen "la capital electrónica". A principios de la primavera se realiza el *electro-weekend*, donde todos

DJ Paez pasa música electrónica en Las Palmas, España.

bailan al ritmo de la música tecno por dos días seguidos[1]. Luego, todas las noches de verano, un DJ profesional pasa[2] música electrónica para bailar en la playa hasta la mañana. Un buen detalle para atraer turistas y no parar de bailar hasta el invierno.

Sin duda alguna a los turistas jóvenes les encanta ir a España. Ellos pueden moverse por todo el país sin restricción de horarios y tienen muchas oportunidades para bailar y divertirse.

[1] in a row   [2] plays

Búsqueda: discotecas para menores, electrodance, benidorm

Productos

El Carné Joven es un documento de identidad que permite a los jóvenes españoles entre los 14 y 30 años gozar de descuentos en muchas tiendas y servicios. Cada comunidad o región de España emite su propio carné, que se puede usar en todo el país. El servicio más popular es el de hostales, que son un tipo de hotel solo para gente joven. Los precios son muy bajos y están en todo el país; solo tienes que mostrar tu Carné Joven.

Carné Joven de Europa

18 Comprensión | Interpretive Communication

1. ¿A qué hora pueden ir a bailar los menores en España?
2. ¿Por qué las playas españolas son atractivas para un turista durante las noches de verano?
3. ¿Qué puedes hacer con el Carné Joven?

Comparaciones

Compara la vida de noche de la costa española con la de tu comunidad. Luego compara el horario español con el horario estadounidense. ¿Cuál te gusta más? ¿Por qué?

19 Analiza

1. ¿Por qué crees que a los turistas jóvenes les encanta ir a España?
2. ¿Cómo describirías la vida de noche de la costa española?
3. ¿Qué ventaja tiene estar en un hostal solo para jóvenes?

Vocabulario 2

En un hotel 🎧

Un **parador** es un hotel en un edificio histórico de España.

el (hotel de) lujo

el recepcionista
la recepcionista
la recepción

firmar

el botones

la habitación doble

la habitación sencilla

el servicio de habitaciones

Para decir más

el ascensor	*elevator*
con vista a (la playa)	*with view to (the beach)*
la clave de internet	*Internet access password*
el conserje	*concierge*
el/la huésped	*guest*
la tarjeta llavero	*key card*

Para conversar

*T*o talk with a hotel receptionist:

Ellos van a **alojarse** aquí por tres noches.
They are going to stay here for three nights.

Tenemos una reservación **bajo el apellido** Gupta.
We have a reservation under the last name Gupta.

Queremos una habitación sin **ruido**.
We want a quiet room (without noise).

El botones les llevará el equipaje **enseguida**.
The bellboy will bring your baggage immediately.

Es un **placer** tenerlos aquí.
It is a pleasure to have you here.

---

20   En un parador nacional

Selecciona la letra de la respuesta que corresponde con cada descripción que oyes.

A. la habitación doble

B. el servicio de habitaciones

C. firmar

D. la recepción

E. el ruido

F. alojarse

---

21   Los hoteles

Escoge la palabra apropiada para completar cada oración de forma lógica.

botones   apellidos   lujo
      placer   parador   servicio

1. Este parador es muy elegante, es de __.

2. Mi nombre es Carlos y mis __ son Allende Pérez.

3. La recepción de este __ es muy grande y bonita.

4. Al recepcionista le da __ que nosotros estemos en el hotel.

5. Cuando estoy en un hotel de lujo, me gusta pedir __ de habitaciones.

6. Me gustaría llamar al __ para que suba el equipaje a mi cuarto.

Diálogo

Soñar no cuesta nada

Rosa: Ay, me gustaría alojarme en un hotel de lujo.

Alba: A mí también. Tendríamos una habitación doble grande y cómoda.

Rosa: Sí, con servicio de habitaciones las veinticuatro horas.

Alba: ¡Ay, sí!, yo pediría refrescos, golosinas y frutas todo el día.

Rosa: Y yo pediría desayunos grandes con jugos frescos todas las mañanas.

Alba: E iríamos a pasear por el centro en limusina.

Rosa: Sí, y al volver, la recepcionista nos saludaría con placer.

Alba: Y el botones nos subiría enseguida las compras a la habitación.

Rosa: Soñar no cuesta nada. Bueno, mejor démonos prisa que vamos a llegar tarde a la estación.

---

22 ¿Qué recuerdas?

1. ¿En qué tipo de hotel les gustaría alojarse a las chicas?
2. ¿Qué tipo de habitación tendrían Alba y Rosa?
3. ¿Qué pediría Alba al servicio de habitaciones?
4. ¿Qué pediría Rosa al servicio de habitaciones?
5. ¿Cómo las saludaría la recepcionista?
6. ¿Qué haría el botones con las compras?

23 Algo personal

1. ¿Adónde has viajado?
2. ¿Adónde te gustaría viajar? ¿Por qué?
3. ¿En qué tipo de hotel prefieres alojarte?
4. ¿Cómo era el último hotel donde estuviste? ¿Dónde estaba?

24 ¿Cierto o falso?

Di si lo que oyes es **cierto** o **falso**. Si es falso, di lo que es cierto.

Parador nacional de Cuenca, España

Gramática

The Conditional Tense of Irregular Verbs

- Verbs that are irregular in the conditional tense have the same irregular stems as irregular future verbs. The endings of irregular verbs remain the same as for regular verbs.

caber → **cabría**	poder → **podría**	querer → **querría**	saber → **sabría**
poner → **pondría**	salir → **saldría**	tener → **tendría**	venir → **vendría**
decir → **diría**	hacer → **haría**		

- Just as the future tense is used in Spanish to express uncertainty or probability in the present, the conditional tense can express what was uncertain or probable in the past.

Servirían la comida a las dos y media.   They **were probably serving** the main meal at two thirty.

Diría que no llegaron a tiempo.   He/She **probably said** they didn't arrive on time.

Se alojarían en un parador.   They **probably stayed** at an inn.

25 Un vuelo largo

Di qué harías en un avión durante un vuelo largo, usando el condicional y añadiendo las palabras que sean necesarias.

MODELO escuchar / música / mi celular
Escucharía música en mi celular.

1. querer / dormir / todo el vuelo
2. decirle / al piloto que me deje volar / avión
3. jugar / ajedrez / mi tableta o celular
4. hablar / con toda / tripulación
5. poder / ver / dos películas
6. tener / un poco de miedo / aterrizar

26 ¿Qué dijeron?

En parejas, alternen en leer cada oración y en cambiarla al condicional. Sigan el modelo.

MODELO A: **Una persona me dijo que el vuelo de mis tías *iba a salir* a tiempo.**
B: **Una persona me dijo que el vuelo de mis tías saldría a tiempo.**

1. El botones dijo que *iba a llevar* todas las maletas a la habitación.
2. Mi papá dijo que *iba a firmar* algún papel en la recepción del hotel.
3. Mis padres me dijeron que *iban a salir* para Madrid a las tres.
4. En el hotel me dijeron que *iban a tener* las habitaciones listas.
5. Mi hermano me dijo que *iba a salir* temprano para el aeropuerto.

27 Sin respuesta 🎧

Manuel llamó a su amiga Cristina al hotel varias veces y ni ella ni su familia contestaban el teléfono en la habitación. Haz oraciones completas, usando las indicaciones que se dan para saber lo que piensa Manuel.

MODELO Cristina no estaba a las 9:00. (desayunar en el restaurante)

Cristina desayunaría en el restaurante.

1. Su hermano no estaba a las 10:00.
   (pasear por el centro)

2. Sus padres no estaban a las 11:00.
   (visitar el museo de arte)

3. Nadie estaba a las 12:00.
   (almorzar en el restaurante)

4. Su hermana no estaba a las 15:00.
   (nadar en la playa)

5. Sus padres no estaban a las 16:45.
   (dar un paseo por el parque)

6. Cristina no estaba a las 21:30.
   (salir a cenar con su familia)

¡Comunicación!

28 Nunca lo haría 👥 Interpersonal Communication

Trabajando en parejas, alternen en decir lo que nunca haría una de las personas de las fotos sin mencionar el nombre. La otra persona tiene que adivinar (*guess*) quién es. Usen el condicional en sus oraciones.

MODELO A: **Nunca dejaría a un pasajero aterrizar el avión por él.**

B: **El piloto nunca lo haría.**

A: **Correcto.**

el piloto

1. el botones

2. mis amigos

3. Enrique Iglesias

4. el rey de España

¡Comunicación!

29 Su hotel 👥 Interpersonal Communication

Imaginen que heredaron (*inherited*) un hotel antiguo en España. Trabajando en grupos, hablen sobre lo que harían con el hotel. ¿Querrían venderlo o no? ¿Qué nombre le pondrían? ¿De qué color lo pintarían? ¿Tendrían Wi-Fi? ¿Quiénes vendrían al hotel?

Todo en contexto

¡Comunicación!

30 Horarios extendidos 👥 Interpersonal Communication

Tú y un(a) compañero/a de clase sueñan con viajar a España el verano que viene. En parejas, hablen sobre todas las cosas que harían en España, y a qué hora harían cada actividad. Usen el reloj de veinticuatros horas y verbos en el condicional.

MODELO A: Yo iría a la playa a las veintitrés horas.

B: ¿Qué harías en la playa a las veintitrés horas?

A: Bailaría electrodance toda la noche.

¡Comunicación!

31 Fiesta de Verano 👥 Interpretive/Interpersonal Communication

Trabajando en grupos, primero lean el siguiente folleto con los eventos de la Fiesta de Verano de una ciudad española. Luego alternen en preguntar y decir lo que harían o lo que preferirían hacer si estuvieran (*if you were*) allí. Usen verbos en el condicional.

MODELO A: ¿Te gustaría participar en el concurso de hula hoop?

B: No, preferiría correr en el maratón. ¿Y Uds.?

MARTES
12 de agosto

FIESTA
DE VERANO

- **11.00** Campeonato de fútbol
- **12.30** Mercado medieval
- **17.00** Exhibición de toros
- **18.00** Concurso de hula hoop
- **19.30** Maratón con salida de la Plaza Mayor
- **22.30** Festival Electrobeach
- **24.00** Gran espectáculo de fuegos artificiales

Lectura literaria

Lazarillo de Tormes 🎧

Anónimo

Sobre el autor

Hay muchas obras literarias que son de autor desconocido (*unknown*). En esos casos, el autor aparece como "Anónimo". Esta palabra viene del griego (*Greek*) y significa "sin nombre". La novela gráfica que vas a leer está basada en una de las novelas más famosas de la literatura española de autor anónimo. Fue publicada en 1554 y cuenta de forma autobiográfica la vida de un niño muy pobre llamado Lázaro de Tormes.

La vida de Lazarillo de Tormes

Antes de leer

32 Vocabulario   **Conéctate: el lenguaje**

Las siguientes palabras son clave para entender la selección que vas a leer. Copia el árbol genealógico de Lázaro y escribe las palabras del recuadro en los espacios correspondientes.

| hermano | madre | padrastro | padre |

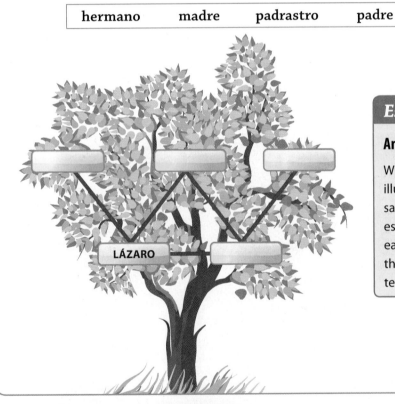

Estrategia

Analyzing images

When reading a story, images and illustrations help visualize what the text says. In a graphic novel, images are an essential part of storytelling. As you read each scene in the following selection, notice the corresponding images, as well as any text that appears in speech bubbles.

33 Conocimientos previos 🎧

1. ¿Conoces a alguien que tiene un padrastro? ¿Cómo se lleva con él?
2. ¿Trabajaste alguna vez ayudando a tus padres o parientes? ¿Qué hiciste?
3. ¿Qué no puede hacer un ciego (*a blind man*)? ¿Cómo puede un niño ayudarlo?

Lazarillo de Tormes
Anónimo

A mí me llaman Lázaro de Tormes. Mi nacimiento[1] fue dentro del río Tormes por la cual causa tomé el sobrenombre[2].

Pues siendo yo niño de ocho años, mi padre fue preso[3]. Fuera de la cárcel[4] perdió la vida.

Mi viuda[5] madre conoció a un hombre moreno. Empecé a quererlo bien porque siempre traía pan.

Mi madre vino a darme un hermano, un negrito muy bonito, con el que yo jugaba.

Mi padrastro se llevaba la mitad[6] de la cebada[7] que le daban para los caballos a casa de mi madre para después venderla.

Mi padrastro fue preso y mi madre se fue a servir a los que vivían en el mesón[8].

Crió[9] a mi hermanito hasta que supo andar y a mí hasta ser buen mozuelo[10] que iba a buscar vino[11] y todo lo demás[12] que me mandaban los que iban al mesón.

Llegó al mesón un viejo, era un ciego[13], el cual pensando que yo sería bueno para guiarlo, le pidió a mi madre que me dejase[14] ir con él.

[1] birth   [2] nickname   [3] prisoner   [4] jail   [5] widow   [6] half   [7] barley   [8] inn   [9] She raised   [10] lad
[11] wine   [12] everything else   [13] blind   [14] let me

Salimos de Salamanca y llegando al puente hay un animal de piedra.

Yo lo hice creyendo que sería así; cuando el ciego me dio tal golpe[2] que el dolor me duró más de tres días.

Y fue así que este, siendo ciego, me alumbró[4] y guió en la carrera[5] de vivir.

[1] Bring close [2] blow [3] devil [4] enlightened [5] road

34 Comprensión 🎧 Interpretive Communication

1. ¿Dónde nació Lázaro?
2. ¿Qué pasó con el padre de Lázaro?
3. ¿A quién conoció la madre de Lázaro?
4. ¿Por qué Lázaro quería al padrastro?
5. ¿Para quién fue a trabajar Lázaro?
6. ¿Qué pasó en el puente?

35 Analiza 🎧

1. ¿Por qué el padrastro de Lázaro se llevaba la cebada que le daban para los caballos?
2. ¿Por qué crees que la madre de Lázaro dejó que se fuera con el ciego?
3. ¿Qué lección quiso el ciego enseñarle a Lázaro en el puente?

Repaso de la Lección B

A Escuchar: ¿Dónde están? (pp. 398–410)

Vas a escuchar seis mini-diálogos. Para cada uno, di si la escena tiene lugar en un aeropuerto o un el hotel.

A. el aeropuerto   **B.** el hotel

B Vocabulario: El viaje de Nuria (pp. 398–410)

Completa el párrafo con las palabras más lógicas del recuadro para saber sobre el último viaje de Nuria.

despegó	embarque	enseguida	equipaje	mostrador
parador	recepcionista	registrarla	sencilla	tripulación

Cuando llegué al aeropuerto, **(1)** fui al **(2)** de la aerolínea. Quería llevar mi maleta como **(3)** de mano pero el agente me dijo que era demasiado grande; tuve que **(4)**. Luego fui a la puerta de **(5)**. Hubo demora en abordar porque la **(6)** no había llegado todavía. Mientras esperaba decidí llamar a un **(7)** nacional. Hablé con la **(8)** y reservé una habitación **(9)** por cinco noches. Finalmente abordamos y el avión **(10)**.

C Gramática: ¿A qué hora llega? (p. 402)

Escribe cinco oraciones indicando a qué hora llega cada vuelo de Iberia. Cambia las horas al reloj de 12 horas.

MODELO   **El vuelo 212 llega a las dos y cinco de la tarde.**

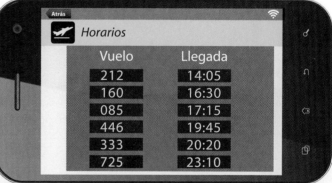

Vuelo	Llegada
212	14:05
160	16:30
085	17:15
446	19:45
333	20:20
725	23:10

D Gramática: ¿Qué harían en España? (pp. 405, 413)

Completa las oraciones con la forma del condicional de los verbos entre paréntesis para saber lo que harían las siguientes personas si fueran (*if they went*) a España.

1. Samantha (*ir*) a Santiago de Compostela.
2. Yo (*visitar*) el Museo del Prado.
3. Uds. (*alojarse*) en el parador de Cuenca.
4. Mis hermanos (*salir*) todas las noches a bailar.
5. Tú (*querer*) probar la paella.
6. Tobías y Arturo (*hacer*) windsurfing.
7. Mis amigos y yo (*divertirse*) muchísimo.

Di si lo siguiente es cierto o falso según la información de la lección.

1. Algunos españoles comen un bocadillo en la mañana.

2. En España la comida principal es entre las seis y las ocho de la noche.

3. Algunas tiendas españolas cierran entre las dos y cinco de la tarde.

4. Es posible cenar a las once de la noche en España.

5. En España un joven de quince años puede ir a una discoteca a las 2 AM.

6. En Benidorm, en las noches de verano, mucha genta baila en la playa.

Vocabulario

En el aeropuerto
la aerolínea
el asiento
el auxiliar de vuelo, la auxiliar de vuelo
el equipaje
el equipaje de mano
la escala
el maletín
el mostrador
la puerta de embarque
el pasajero
el piloto, la piloto
la tripulación

En el hotel
el botones
la habitación
el lujo
el parador
la recepción
el recepcionista, la recepcionista
el servicio de habitaciones

Verbos
abordar
alojar(se)
aterrizar
colocar(se)
despegar
entregar
firmar
registrar

Expresiones y otras palabras
el apellido
bajo
la bienvenida
doble
enseguida
la pieza
el placer
el ruido
sencillo/a
el servicio

Gramática

The conditional tense

Use the conditional to talk about what would happen or what someone would do (under certain conditions).

comprar		beber	
compraría	compraríamos	bebería	beberíamos
comprarías	compraríais	beberías	beberíais
compraría	comprarían	bebería	beberían

The conditional tense: Irregular verbs

Remember the following verbs are irregular in the conditional tense: *caber, decir, hacer, poder, poner, querer, saber, salir, tener,* and *venir.*

Para concluir

Proyectos

A ¡Manos a la obra!

En grupos de tres, preparen una presentación sobre tres atracciones turísticas de España. Investiguen en la internet por qué esos lugares son preferidos por los turistas. ¿Qué ven allí? ¿Qué pueden hacer? ¿Qué es lo más atractivo de ese lugar? Incluyan fotos que muestren esos lugares. También muestren un mapa indicando en qué parte de España están.

B En resumen

Según lo que leíste en esta unidad, hay muchas cosas que atraen a los turistas que van a España. Copia el diagrama de abajo y completa los recuadros de la columna derecha para explicar brevemente qué es cada atracción turística de la columna izquierda.

La Tomatina →

Las Fallas →

Sanfermines →

Vuelta a España →

río Guadalquivir →

Valencia →

La Alhambra →

Discotecas de 5 a 10 PM →

Electro Weekend →

Extensión

Otra atracción turística de España es la ciudad de Toledo, que se conoce como la Ciudad de las Tres Culturas. Allí se puede observar perfectamente la influencia de las culturas cristiana, musulmana y judía en la península. La arquitectura, el arte y las comidas son la atracción de miles de turistas.

C ¡A escribir!

Estuviste de viaje y viste muchas atracciones turísticas. Ahora publicas en tu red social un comentario sobre lo que viste. Puedes hablar de lugares que tú conoces o puedes investigar en la internet sobre atracciones turísticas de otros países. Usa el futuro para decirles a tus amigos lo que verán o harán en cada lugar si viajan allí.

Estrategia

Chronological order

A good way to explain what places you visited is to follow the order in which you visited those places. For example: *Primero, fui a..., Segundo, conocí...,* and so on. You already know the ordinal numbers; use them to organize your comments.

D Itinerario con escalas   Conéctate: las matemáticas

Aprendiste que en una agencia de viajes venden vuelos a otros países. Muchos vuelos hacen varias escalas. Tú vas a tomar un vuelo en la ciudad donde vives (o en el aeropuerto que está más cerca). Quieres llegar a Barcelona, España, pero tu vuelo para en las siguientes ciudades: Toronto (Canadá), Londres (Inglaterra), Zurich (Austria), Bilbao (España) y finalmente Barcelona. Completa la siguiente tabla con la distancia correspondiente entre cada ciudad. Luego calcula la distancia total entre tu ciudad (o aeropuerto internacional que está más cerca) y Barcelona, según el itinerario que compraste en la agencia de turismo.

Aeropuerto de salida (nombre)	Distancia a Toronto	Distancia Toronto-Londres	Distancia Londres-Zurich	Distancia Zurich-Bilbao	Distancia Bilbao-Barcelona	Distancia total de tu viaje a Barcelona

E Un plato típico   Conéctate: la gastronomía

¿Te gusta cocinar? Busca en la internet una receta (*recipe*) de un plato típico de una región de España que te interese. Prepara el plato para tu familia. Luego explica a la clase cómo lo preparaste, si fue difícil y si le gustó a tu familia.

La tortilla española lleva huevos y papas.

F Los aeropuertos   Conéctate: las ciencias sociales

Investiga en la internet sobre cinco aeropuertos internacionales de los Estados Unidos. Prepara un informe breve con datos importantes, como por ejemplo, cuántos aviones despegan por día y cuántos pasajeros pasan por día o por año. ¿Cuál es el país de destino más común en cada aeropuerto? Presenta la información usando gráficas.

Vocabulario de la Unidad 8

a lo mejor maybe *8A*
abordar to board *8B*
aéreo/a pertaining to air *8A*
la aerolínea airline *8B*

la agencia de viajes travel agency *8A*
el agente, la agente agent *8A*
alojar(se) to lodge, to stay *8B*
el apellido last name, surname *8B*
el asiento seat *8B*
aterrizar to land *8B*
el auxiliar de vuelo, la auxiliar de vuelo flight attendant *8B*
bajo under *8B*
la bienvenida welcome *8B*
el billete ticket *8A*
el botones bellhop *8B*
cargar to charge *8A*
el cheque check *8A*
la clase class *8B*
colocar(se) to put, to place *8B*
la compañía company *8A*

completo/a full, complete *8A*
la corrida bullfight *8A*
de ida y vuelta round-trip *8A*
despegar to take off *8B*
el destino destination, destiny, fate *8A*
la dicha happiness *8A*
doble double *8B*
emocionado/a excited *8A*
enseguida immediately *8B*
entregar to hand over *8B*
el equipaje luggage *8B*
el equipaje de mano carry-on luggage *8B*
la escala layover *8B*
firmar to sign *8B*
el folleto brochure *8A*
el gasto expense *8A*
gozar to enjoy *8A*
la guía guidebook *8A*
la habitación bedroom *8B*
el itinerario itinerary *8A*
la llegada arrival *8A*

el lujo luxury *8B*
el maletín briefcase, handbag, overnight bag, small suitcase *8B*
el mostrador counter *8B*
nacer to be born *8A*
el nombre name *8A*
el parador inn *8B*

el pasajero passenger *8B*
el pasaporte passport *8A*
la pieza piece *8B*
el piloto, la piloto pilot *8B*
el placer pleasure *8B*
la princesa princess *8A*
el príncipe prince *8A*
puede ser maybe *8A*
la puerta de embarque boarding gate *8B*
real real, royal *8A*
la recepción reception *8B*
el recepcionista, la recepcionista receptionist *8B*
registrar to register *8B*
la reina queen *8A*
la reservación reservation *8A*
el rey king *8A*
el ruido noise *8B*
saborear to taste, to savor *8A*
la salida departure, exit *8A*
sencillo/a single, one-way *8B*
el servicio service *8B*
el servicio de habitaciones room service *8B*
soñar to dream *8A*
la suerte luck *8A*
la tarifa fare *8A*
la tripulación crew *8B*
turístico/a tourist *8A*
el vuelo flight *8A*

¿Sabías que...?

En muchos países hispanos existe la costumbre de hacer un viaje de egresados (*senior trip*). Los estudiantes del último año hacen un viaje en grupo a un lugar turístico y divertido.

Escanea el código QR para ver este episodio de *El cuarto misterioso.*

Cuando los muchachos van al bosque de noche, ¿qué encuentran?

A. un mapa muy antiguo
B. el carro de Rafael
C. las piezas del museo

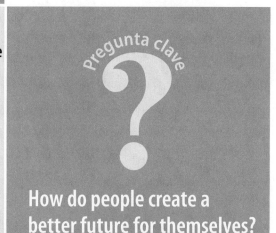

Pregunta clave

?

How do people create a better future for themselves?

El mundo

¿Dónde está esta universidad?

Mis metas

Lección A **I will be able to:**

▶ talk about careers
▶ express wishes and preferences, using the present perfect subjunctive
▶ discuss the accomplishments of several famous Hispanics
▶ talk about hopes and dreams
▶ express doubt, uncertainty, and hope, using the subjunctive
▶ discuss the tradition of senior trips

Lección B **I will be able to:**

▶ discuss vacation plans
▶ tell what happened
▶ react to a story
▶ discuss community service and exchange programs
▶ identify and locate countries
▶ talk about nationalities
▶ discuss the adventures of a Spanish literary character

Las profesiones 🎧

la abogada

¿Qué **profesión** te gustaría tener?

el hombre de negocios

la mujer de negocios

la escritora

el artista

la fotógrafa

el peluquero

el carpintero

el obrero

la ingeniera

el veterinario

la programadora

la bibliotecaria

la gerente

el secretario

la vendedora

el agricultor

el mecánico

la chofer

Para conversar

To talk about careers:

¿Qué **empleo** te gustaría tener en **el futuro**?
What job would you like to have in the future?

Me gustaría trabajar como ingeniera.
I would like to work as (be) an engineer.

Todavía no he decidido qué **carrera** estudiar.
I haven't decided yet what career (major) to study.

Quiero estudiar para ser profesor.
I want to study to become a teacher.

¿Prefieres ser **empleado/a** o tener un **negocio**?
Do you prefer to be an employee or have a business?

el bombero

910

el taxista

Para decir más

el/la **analista de sistemas**	*computer systems analyst*
el/la **corredor(a) de bolsa**	*stockbroker*
el/la **director(a) de mercadeo**	*marketing director*
el/la **diseñador(a) de páginas web**	*Web page designer*
el/la **economista**	*economist*
el/la **fisioterapeuta**	*physical therapist*
el/la **ingeniero/a de programas**	*software engineer*
el/la **sicólogo/a**	*psychologist*

1 ¿Qué son? 🎧

Selecciona la foto que corresponde con lo que oyes.

A

B

C

D

E

F

2 No pertenece 🎧

Di qué palabra no es un empleo en cada uno de los siguientes grupos.

1. carpintero / peluquera / bombero / empleo
2. piloto / artista / carrera / gerente
3. ingeniero / hombre / abogado / programador
4. veterinaria / mecánico / hablado / secretario
5. bibliotecario / carro / recepcionista / escritor
6. futuro / obrero / agricultor / vendedor
7. taxista / agente / comida / fotógrafa

3 Charadas 👥

Trabajando en grupos, jueguen a las charadas (*charades*) con los nombres de profesiones. Un(a) estudiante debe actuar una profesión usando acciones. El/La compañero(a) que adivina (*guesses*) la profesión correctamente será la próxima persona en actuar.

¿Qué profesión estoy actuando?

Diálogo

¿Abogada?

Gloria: ¿Has pensado qué empleo te gustaría tener en el futuro?

Miguel: No, no lo he pensado. ¿Y tú?

Gloria: Pues, yo he pensado trabajar como abogada.

Miguel: ¿Como abogada? Hoy hay muchos abogados.

Gloria: Sí, lo sé, pero todavía no es que yo haya decidido ser abogada.

Miguel: Yo te aconsejo que estudies para ser programadora. Es el futuro.

Gloria: Pero las computadoras a mí no me gustan.

Miguel: Entonces, ¿por qué no estudias para ser profesora? Hoy hacen falta profesores.

Gloria: Sí, es verdad y me gusta mucho enseñar. Voy a pensarlo.

4   ¿Qué recuerdas?

1. ¿Ha pensado Miguel qué empleo tener en el futuro?
2. ¿En qué ha pensado Gloria trabajar?
3. ¿Qué le aconseja Miguel estudiar a Gloria?
4. ¿Qué no le gusta a Gloria?
5. ¿Qué hace falta hoy según Miguel?
6. ¿Qué le gusta mucho a Gloria?

5   Algo personal

1. ¿Has pensado qué empleo te gustaría tener en el futuro? ¿Cuál?
2. ¿Qué es lo que más te gusta hacer?
3. ¿Te ha aconsejado alguien estudiar o trabajar? Explica.

6   ¿Qué empleo tienen?

Di qué empleo tienen las siguientes personas, según lo que oyes.

MODELO   **Conchita es actriz.**

Soy Conchita.

Uses of *haber*

- You can use the verb **haber** in various tenses as an impersonal expression.

*¿**Hay** muchos abogados?*	**Are there** many lawyers?
***Había** empleo para todos.*	**There were** jobs for everybody.
*Leí que **hubo** un temblor ayer.*	I read **there was** an earthquake yesterday.

- Combine the present tense of **haber** with a past participle to form the present perfect tense (*el pretérito perfecto*). The present perfect tense is used to describe something that has happened recently or something that occurred over a period of time, but which continues today.

He pensado ser veterinario.	I have thought about becoming a veterinarian.

- Use the imperfect tense of **haber** with a past participle to form the past perfect tense (*pluscuamperfecto*). The past perfect tense is used to describe an event in the past that happened prior to another event.

*Ya **había hecho** la tarea cuando llegaste.*	I **had** already **done** my homework when you arrived.
*No **habían limpiado** la sala cuando sus padres llegaron.*	They **had** not **cleaned** the living room when their parents arrived.

---

7 Después del colegio

Para saber lo que Rodrigo y sus compañeros piensan hacer después de terminar el colegio, completa el siguiente párrafo del blog de Rodrigo con la forma apropiada del pretérito perfecto de los verbos entre paréntesis.

http://www.rodrigo/e.diario

Mis compañeros y yo (***1.** estar*) en el mismo colegio por cuatro años. Algunos de mis compañeros ya (***2.** decidir*) qué hacer después de terminar el colegio. Yo todavía no (***3.** decidir*) si quiero estudiar o trabajar. La idea de estudiar me parece muy importante. Roberto (***4.** decir*) que quiere ser programador. A él le gustan mucho las computadoras. Vanesa y Patricia (***5.** pensar*) estudiar una carrera, pero no saben cuál. Victoria (***6.** querer*) siempre viajar a Europa antes de seguir estudiando. Ella ya (***7.** ahorrar*) dinero para el viaje, pero todavía no (***8.** conseguir*) un pasaporte. Y tú, ¿(***9.** pensar*) qué hacer después de terminar el colegio? ¿Qué te gustaría hacer en el futuro?

Rodrigo y sus amigos

Repaso rápido

Gramática

Present Perfect Subjunctive

To express what you hope or doubt has happened, use the present perfect subjunctive (***pretérito perfecto del subjuntivo***). Its formation is quite simple: Combine the present subjunctive forms of ***haber*** with the past participle of a verb.

hablar	hacer	vestirse (i, i)
haya hablado	haya hecho	me haya vestido
hayas hablado	hayas hecho	te hayas vestido
haya hablado	haya hecho	se haya vestido
hayamos hablado	hayamos hecho	nos hayamos vestido
hayáis hablado	hayáis hecho	os hayáis vestido
hayan hablado	hayan hecho	se hayan vestido

*No creo que él **haya trabajado** antes.*   I don't believe that he **has worked** before.

8   ¿Has decidido qué estudiar?

Haz oraciones para decir si piensas o no que las siguientes personas han decidido qué estudiar, según las indicaciones.

MODELO   Carlos / sí

Pienso que Carlos ya ha decidido qué estudiar.

Daniela / no

No pienso que Daniela haya decidido todavía qué estudiar.

1. Piedad / no
2. Alfonso / sí
3. ella / sí
4. tú / no
5. Sonia / no
6. Tomás y Pedro / no
7. Diana y María / no
8. Fernando y Marina / sí

9   ¿Indicativo o subjuntivo?

Completa lógicamente las siguientes oraciones, escogiendo la forma apropiada del verbo **haber**.

1. Raquel y Luis (*hayan / han*) decidido trabajar antes de ir a la universidad.
2. No creo que ella (*ha / haya*) ido a la universidad.
3. Claudia cree que su hermana (*había / ha*) sido aceptada en la universidad donde ella quiere estudiar.
4. Yo no (*he / había*) decidido todavía qué carrera quiero estudiar.
5. En esta universidad (*hay / haya*) más de veinte mil estudiantes.
6. Espero que Luis (*ha / haya*) pensado en su futuro.

10 Sara habla del futuro con su papá

Completa el siguiente diálogo con la forma apropiada del pretérito perfecto del subjuntivo de los verbos entre paréntesis.

Papá: Espero que ya (**1.** *pensar*) qué estudiar después del colegio.

Sara: No creo que yo (**2.** *tener*) mucho tiempo para hacerlo.

Papá: Pero, hija, ¿por qué?

Sara: Porque he estado muy ocupada haciendo tarea.

Papá: No creo yo que siempre te (**3.** *ver*) haciendo tarea. Muchos días te he visto perdiendo el tiempo con tus amigos en la internet.

Sara: Ay, papá, no perdemos el tiempo en la internet.

Papá: No creo que Uds. alguna vez (**4.** *buscar*) algo importante en la internet.

Sara: Qué exagerado eres, papá. Es una lástima que tú no (**5.** *ver*) lo que buscamos mis amigos y yo la semana pasada.

Papá: Está bien, pero creo que deben empezar a buscar dónde estudiar. En la internet hay mucha información.

Sara: Sí, papá, creo que empezaré a buscar algo de eso.

Papá: Me alegro de que (**6.** *entender*) lo que te he dicho.

11 ¿Qué es posible?

Di lo que es posible que las siguientes personas hayan estudiado según sus herramientas (*tools*).

MODELO   Néstor

Es posible que él haya estudiado para ser mecánico.

1. Irene y Elena

2. Adolfo

3. tú

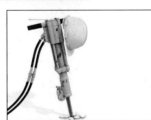

4. Uds.

5. María

6. Juan y yo

7. Carlos

8. Carla y Lupe

12 ¿Qué dicen?

Haz oraciones completas con las indicaciones que se dan. Sigue el modelo.

MODELO   Manuel / nacer para ser abogado (*no pienso*)

No pienso que Manuel haya nacido para ser abogado.

1. tú / decidir seguir estudiando (*es importante*)
2. yo / no preguntarme antes qué hacer en el futuro (*es una lástima*)
3. Uds. / registrarse para tomar la clase de historia (*no creo*)
4. nosotros / pasar el examen de matemáticas (*es importante*)
5. Magdalena / conseguir un empleo (*espero*)
6. Edgar / tener la oportunidad de estudiar una carrera (*dudo*)

¡Comunicación!

13 ¿Qué es probable?   Interpersonal Communication

Trabajando en grupos pequeños, hablen sobre lo que es posible o es probable que hayan hecho las siguientes personas. Sean creativos.

MODELO   nuestro/a profesor(a) de historia

A: **Es probable que nuestra profesora de historia no haya leído nuestros informes.**

B: **Sí, eso es posible que haya pasado.**

C: **Estoy de acuerdo. No creo que ella haya tenido tiempo para hacerlo.**

1. nuestro/a profesor(a) de español
2. mi vecino
3. mis amigos
4. el/la director(a) (*principal*) del colegio
5. nuestros compañeros de clase
6. el presidente (*president*) de los Estados Unidos

¡Comunicación!

14 Hablando sobre el futuro   Interpersonal Communication

Trabajando en parejas, alterna con tu compañero/a en hacer el papel de consejero académico (*school counselor*). El/La consejero/a debe decir lo que espera el/la estudiante haya hecho para pensar en el futuro. El/La estudiante debe expresar sus deseos y dudas sobre su futuro.

MODELO   **Consejero: Espero que hayas pensado en ir a la universidad.**

Estudiante: Es probable que vaya a la universidad pero…

Cultura

Cultura (PRE·AP)

? Pregunta clave

How do people create a better future for themselves?

Premios y honores para hispanos 🎧

¿Cómo logramos[1] un mundo mejor? Mejorando nuestro futuro. Haciendo lo que nos gusta, desarrollando[2] habilidades[3] y transmitiendo conocimientos[4]. Eso es lo que han hecho muchas personalidades hispanohablantes. Crecieron profesionalmente, dieron mensajes al público y fueron galardonados[5] con premios importantes.

En 2010, el escritor peruano Mario Vargas Llosa recibió el Premio Nobel de Literatura. En la década de 1960, fue parte del *boom* literario latinoamericano, y su novela *La ciudad y los perros* tuvo fama mundial. Desde niño quiso ser escritor. La separación de sus padres sirvió de inspiración para sus obras. En sus obras, Vargas Llosa transmite la importancia de la libertad para que todos seamos mejores personas.

Mario Vargas Llosa

Salvador Pérez

El mundo deportivo también tiene hispanos premiados por su carrera. Salvador Pérez es un beisbolista venezolano que juega para los Reales de Kansas City. En 2013 recibió el premio Guante de Oro por su excelente trabajo. Pérez comenzó en las Grandes Ligas en 2011. En 2013 extendió su contrato por 7 millones de dólares. Es el beisbolista más joven en cerrar un contrato por muchos años. Pérez nació en 1990 y es un modelo para todos los jóvenes que deseen esforzarse[6] en tener un futuro mejor. Según Pérez, hay que tomar las "oportunidades de la vida".

[1] achieve [2] developing [3] skills [4] knowledge [5] awarded [6] make an effort

🔍 **Búsqueda:** mario vargas llosa, salvador pérez, premio nobel de literatura, guante de oro

Perspectivas

La indígena guatemalteca Rigoberta Menchú Tum es una activista política y una ganadora del Premio Nobel de la Paz (1992). Dijo: "A nosotros los mayas nos enseñan desde pequeños que nunca hay que tomar más de lo que necesitas para vivir". ¿Crees que si todo el mundo siguiera esta creencia (*belief*) viviríamos en un mundo mejor? Explica.

Rigoberta Menchú

15 Comprensión · Interpretive Communication

1. ¿De qué país es Mario Vargas Llosa y qué premio ganó?
2. ¿Qué mensaje transmite Vargas Llosa en sus obras para que tengamos un mundo mejor?
3. ¿Qué edad tenía Salvador Pérez cuando entró en las Grandes Ligas?
4. ¿Qué recomienda Salvador Pérez para avanzar en la vida?

16 Analiza

1. ¿De qué manera un escritor puede influir en nuestro futuro?
2. ¿Crees que un premio o galardón (*award*) hace valer más el trabajo de las personas? Explica.
3. ¿De qué manera crees que el trabajo de un Premio Nobel de la Paz mejora el futuro de la gente?

Talentos mexicanos

El arte nos hace pensar. Canciones, películas, pinturas y esculturas transmiten mensajes que muchas veces nos hacen ver el mundo de otra manera. Observar trabajos artísticos nos puede hacer cambiar de opinión o tomar decisiones importantes para nuestro futuro.

Alfonso Cuarón es un joven director mexicano de cine. En 2014 ganó el premio Óscar por la dirección de la película *Gravedad*. Este premio lo convierte[1] en el primer latinoamericano ganador en esta categoría. En la entrega de premios, Cuarón agradeció[2] en español especialmente a su madre, quien lo ha apoyado[3] a lo largo de su carrera. Sus palabras de agradecimiento, "Si estoy aquí, es por ti", explican claramente que el apoyo de los padres es fundamental para que una persona se desarrolle profesionalmente y logre un futuro mejor.

Alfonso Cuarón

Lo interesante es que esta película recibió otro premio Óscar por el talento de otro mexicano. Se trata de Emmanuel Lubezki, ganador de la categoría fotografía. Cuando Lubezki era niño, veía películas de cualquier país, pero las veía sin subtítulos pues lo que realmente le gustaba eran las imágenes. Sin duda, este hispano galardonado es un ejemplo de que el trabajo y el estudio pueden hacer realidad los sueños que tenemos de niños.

[1] makes him   [2] thanked   [3] supported

Emmanuel Lubezki

Búsqueda: alfonso cuarón, emmanuel lubezki, premio óscar

Productos

Desde 1989, la cadena de televisión Univisión—la más importante de habla hispana en los Estados Unidos—reconoce el trabajo artístico de los músicos latinos con la entrega anual de premios Lo Nuestro. El dúo de música popular Jesse & Joy, formado por dos hermanos mexicanos, han sido galardonados con este premio varias veces.

Jesse & Joy recibieron el premio Lo Nuestro.

17 Comprensión | Interpretive Communication

1. ¿Qué premio ganó Alfonso Cuarón? ¿Por qué?
2. ¿Qué persona fue fundamental en el éxito del futuro de Cuarón?
3. ¿Qué relación tiene Emmanuel Lubezki con Alfonso Cuarón?
4. ¿Quiénes son Jesse & Joy? ¿Qué relación hay entre ellos?

18 Analiza

1. ¿Crees que el apoyo de la familia es importante para tener éxito en el futuro? Explica.
2. ¿Consideras que el trabajo entre hermanos es mejor que trabajar con extraños (*strangers*)? Da ejemplos.
3. ¿Crees que es importante que haya premios para los artistas? Explica.

Vocabulario 2

Mis aspiraciones 🎧

¿Qué piensas hacer después del colegio?

Yo tengo muchas **aspiraciones** en la vida.

(participar en un concurso de) baile

(trabajar en) una empresa

asistir a la universidad

(tener una familia) unida

(tener buenas) amistades

(tener) una colección (de videojuegos clásicos)

practicar (deportes) acuáticos

la pesca

el buceo

el esquí

Para conversar

*T*o talk about hopes and dreams:

Mi **sueño** es ser una mujer de negocios y viajar por el mundo.
My dream is to become a businesswoman and travel the world.

Mi aspiración es tener una familia **fuerte** y unida.
My greatest aspiration (hope) is to have a strong, united family.

Espero ser **aceptado**/a en una universidad en España.
I hope to get accepted by a university in Spain.

Quiero trabajar para ganar dinero y **experiencia** en la vida **real**.
I want to work to earn money and gain real life experience.

Ojalá que trabaje en una empresa importante.
I hope (If only) I will one day work in an important company.

Deseo estudiar en Argentina aunque si voy, voy a **extrañar** a mi familia.
I wish to study in Argentina although if I go, I will miss my family.

Una de mis aspiraciones es aprender a tocar jazz **suave** en el piano.
One of my aspirations is to learn to play smooth jazz on the piano.

Para decir más

el ascenso	*promotion*
el currículum	*résumé*
la meta	*goal*
despedir (i, i)	*to fire*
lograr	*to achieve*

Selecciona la persona que corresponde con lo que oyes.

MODELO   Paco

1. Arturo

2. Marta

3. Isabel

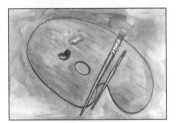

4. Paco

5. Ana

6. Miguel

20   Las aspiraciones de Jacobo

Completa el siguiente párrafo lógicamente, escogiendo las palabras apropiadas
de la lista.

colección   *buceo*   *pesca*   *acuáticos*

fuerte   asistir   *extrañe*   **baile**

Me llamo Jacobo Ortiz, vivo en Río Piedras, Puerto Rico, y soy estudiante del Colegio
San José. Me gustan los deportes **(1)**. Practico el **(2)**, el esquí y la **(3)**. También me gusta
mucho la música y el **(4)**. Tengo una gran **(5)** de música salsa. El próximo año es mi
último año en el colegio. Al terminar quizás lo **(6)** mucho. Todavía no sé lo que voy a
hacer después de terminar el colegio, pero mi sueño es **(7)** a la universidad y tener una
familia, **(8)** y unida. Me gustaría tener dos hijos. Quizás ellos sean como yo y quieran
también estudiar y tener una familia algún día.

Comunidades

Hay muchas carreras en el mercado internacional que requieren gente que sea
bilingüe. Además, hablar una segunda lengua puede aumentar tu sueldo (*salary*) y reducir
el número de candidatos que pueden calificar para la misma posición. Si te interesa una carrera
específica, debes investigar las oportunidades que hay para esa carrera en el mercado
global porque tú podrías ser la persona perfecta para el puesto (*job*).

Diálogo 🎧

¿Qué dices, chico?

Gloria: Mi aspiración para el próximo año es asistir a la universidad. ¿Y la tuya?

Miguel: Pues, mi aspiración es empezar a trabajar y ganar algo de dinero.

Gloria: ¿No piensas seguir estudiando?

Miguel: No creo que estudiar sea importante.

Gloria: ¿Qué dices, chico? Estudiar es lo más importante.

Miguel: Prefiero trabajar para poder comprar una casa grande en un lago.

Gloria: Pues, si estudias, vas a tener mejores oportunidades de trabajo y posiblemente vas a ganar más dinero.

Miguel: Eso me gusta, pero ¿qué carrera puedo estudiar?

Gloria: Bueno, te invito a un refresco y hablamos de eso.

21 ¿Qué recuerdas? 🎧

1. ¿Cuál es la aspiración de Gloria para el próximo año?
2. ¿Cuál es la aspiración de Miguel?
3. ¿Qué cree Miguel acerca de estudiar?
4. ¿Por qué prefiere trabajar Miguel?
5. ¿Qué va a tener Miguel si estudia algo, según Gloria?
6. ¿A qué invita Gloria a Miguel?

22 Algo personal 🎧

1. ¿Cuál es tu aspiración para el próximo año?
2. ¿Piensas que seguir estudiando después del colegio es importante? Explica.
3. ¿Qué prefieres hacer después de terminar el colegio, estudiar o trabajar? Explica.
4. ¿Piensas estudiar alguna carrera? ¿Cuál?

23 Mis sueños 🎧

Selecciona la foto que corresponde con lo que oyes.

A   B   C   D   E   F

Gramática

More on the Subjunctive

As you have seen, the subjunctive mood can be used in many different situations: indirect commands, after verbs of emotion, after certain impersonal expressions, etc. In addition, some words and expressions must be followed by the subjunctive when they suggest an element of doubt, uncertainty, or hope.

como	
Va a hacerlo **como** quiera.	*He/She is going to do it **however he/she wants**.*
cualquier	
Cualquiera que escojas está bien conmigo.	***Whichever one you choose** is okay with me.*
dondequiera	
Dondequiera que vayas, vas a tener que trabajar mucho.	***Wherever you go**, you are going to have to work a lot.*
quienquiera	
Quienquiera que trabaje mucho puede trabajar aquí.	***Whoever works** a lot can work here.*
lo que	
Uds. pueden estudiar **lo que** quiera.	*You can study **whatever you want**.*
ojalá (que)	
¡**Ojalá** (**que**) asistas a la universidad!	***I hope you attend** university!*
quizás (quizá)	
Quizás ellos estudien en la Facultad de Ciencias.	***Perhaps they'll study** at the College of Science.*

Quizás ellos estudien en la Facultad de Ciencias.

24　Amigo por internet

Valeria tiene un amigo por internet en España. Completa su e-mail con la forma apropiada del subjuntivo de los verbos entre paréntesis para saber lo que ella le cuenta.

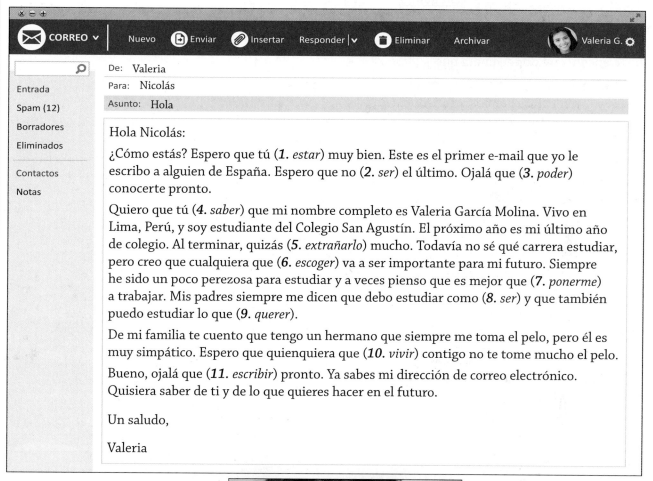

CORREO ∨ | Nuevo　Enviar　Insertar　Responder ∨　Eliminar　Archivar　Valeria G. ⚙

Entrada
Spam (12)
Borradores
Eliminados

Contactos
Notas

De:　Valeria
Para:　Nicolás
Asunto:　Hola

Hola Nicolás:

¿Cómo estás? Espero que tú (**1.** *estar*) muy bien. Este es el primer e-mail que yo le escribo a alguien de España. Espero que no (**2.** *ser*) el último. Ojalá que (**3.** *poder*) conocerte pronto.

Quiero que tú (**4.** *saber*) que mi nombre completo es Valeria García Molina. Vivo en Lima, Perú, y soy estudiante del Colegio San Agustín. El próximo año es mi último año de colegio. Al terminar, quizás (**5.** *extrañarlo*) mucho. Todavía no sé qué carrera estudiar, pero creo que cualquiera que (**6.** *escoger*) va a ser importante para mi futuro. Siempre he sido un poco perezosa para estudiar y a veces pienso que es mejor que (**7.** *ponerme*) a trabajar. Mis padres siempre me dicen que debo estudiar como (**8.** *ser*) y que también puedo estudiar lo que (**9.** *querer*).

De mi familia te cuento que tengo un hermano que siempre me toma el pelo, pero él es muy simpático. Espero que quienquiera que (**10.** *vivir*) contigo no te tome mucho el pelo.

Bueno, ojalá que (**11.** *escribir*) pronto. Ya sabes mi dirección de correo electrónico. Quisiera saber de ti y de lo que quieres hacer en el futuro.

Un saludo,

Valeria

Me llamo Valeria García Molina.

25 Una reunión

Completa las siguientes oraciones con la forma apropiada de los verbos entre paréntesis.

MODELO   Ojalá que nosotros **lleguemos** a tiempo. (*llegar*)

1. Ven a la empresa como tú __. (*preferir*)
2. Te encontraré dondequiera que __. (*estar*)
3. María y Andrés pueden hacer lo que ellos __ mientras estemos asistiendo a la reunión mañana. (*querer*)
4. Quizás (yo) te __ en la reunión. (*ver*)

5. Quizás nosotros no __ que estar allí todo el día. (*tener*)
6. Puedes volver conmigo o quedarte, como te __ mejor. (*convenir*)
7. Quienquiera que __ el empleo está bien conmigo. (*conseguir*)

26 ¿Qué dice tu tía?

Haz oraciones usando las pistas que se dan para saber lo que tu tía dice.

MODELO   ojalá / tú / tener / amistades para toda la vida
Ojalá tú tengas amistades para toda la vida.

1. lo que / tú / hacer / hazlo bien
2. dondequiera / tú / ir / debes de ser siempre el mismo
3. cualquiera / ser / la música que tú / escuchar / debes escucharla bien suave

4. quienquiera / despertarse / primero mañana debe despertarnos a todos
5. cualquiera / saber / dónde es el baile debe decírnoslo ahora
6. quizás / ellas / practicar / el esquí y el buceo
7. ojalá / tú / poder / llamarme pronto

¡Comunicación!

27 En el futuro 👥 Interpersonal Communication

Trabajando en parejas, alternen en completar las siguientes oraciones con información que sea posible para su futuro.

MODELO   Como...
A: **Como sea, asistiré a la universidad.**
B: **Como pueda, me compraré un carro.**

Como sea, asistiré a la universidad.

1. Ojalá que...
2. Es probable que...
3. Quizás mi familia...
4. Cualquiera...

5. Quienquiera que...
6. Dondequiera que yo y mi familia...
7. Espero que...

¡Comunicación!

28 Reflexiones Interpersonal Communication

Hazle las siguientes preguntas a un(a) compañero/a de clase. Luego él/ella
te hará las preguntas.

1. ¿Qué esperas hacer después de terminar el colegio?
2. ¿Te van a permitir tus padres estudiar lo que quieras?
3. ¿Quizás asistas a la universidad o consigas un trabajo inmediatamente?
4. ¿Qué es algo que harás en el futuro como sea?
5. ¿Qué es algo que nunca harías adonde quiera que vayas?

Espero tener una panadería.

¡Comunicación!

29 Sueños y aspiraciones Interpersonal Communication

Trabajando en grupos, hablen de sus sueños o aspiraciones, usando las siguientes
palabras: **como**, **dondequiera**, **lo que**, **ojalá (que)** y **quizás**.

MODELO A: **Ojalá sea un fotógrafo famoso.**
        B: **Yo voy a hacer lo que sea para ser abogada.**
        C: **Quizás asista a una universidad en España.**

Ojalá sea un fotógrafo famoso.

Todo en contexto

¡Comunicación!

30 Un premio nuevo — Interpersonal/Presentational Communication

Tú y un(a) compañero/a crearon un premio nuevo. La persona que gane ese premio tiene que reunir (*fulfill*) ciertas condiciones. Van a presentar el premio nuevo en un programa de televisión y tienen que explicar de qué se trata. Preparen una presentación oral con los elementos en la tabla. Usen el presente prefecto del subjuntivo cuando sea posible. Sigan el modelo.

Nombre del premio	
¿Qué hay que hacer para ganarlo?	
¿Qué condiciones debe tener la persona que gana?	
¿Qué características debe tener el trabajo que hace?	
¿Cuándo entregan el premio?	
¿Dónde entregan el premio?	

MODELO

A: Nuestro premio se llama...

B: Se lo vamos a dar a una persona que haya ayudado a...

A: Es necesario que el ganador tenga...

B: Vamos a entregar el premio en...

¡Comunicación!

31 Un premio nuevo — Presentational Communication

Tu colegio creó el premio "Corazón". Le van a entregar el premio a personas que hacen su trabajo con amor por otras personas. Trabajando con un(a) compañero/a de clase, primero deben escoger a una persona de las fotos e incluirla en la tabla, en la categoría correspondiente. Luego completen la tabla con otras personas que Uds. conozcan y merecen (*deserve*) ganar el premio. Pueden ser hispanas o no. Preparen un artículo donde digan qué hizo cada persona de la tabla y por qué merece el premio. Usen el subjuntivo en su artículo. Estén preparados para presentar su artículo a la clase.

Shakira: cantante colombiana. Su fundación Pies Descalzos ayuda a los niños pobres.

Jimmy Smits: actor puertorriqueño. Organizador de la Fundación Hispana para las Artes.

Isabel Allende: escritora chilena. Dirige la fundación que tiene su nombre para ayudar a las mujeres abusadas.

Lionel Messi: futbolista argentino. Creador de la Fundación Leo Messi, que ayuda a los jóvenes con problemas de salud.

	Nombre	Por qué merece el premio
Escritor		
Deportista		
Cantante/Músico		
Actor		

Lectura informativa

Antes de leer 🎧

1. ¿Has viajado con tu colegio? ¿Adónde?
2. ¿Colectan dinero en tu colegio? ¿Para qué?
3. ¿Qué evento especial tienen los estudiantes del grado 12 de tu escuela?

Estrategia

Maps, labels, and captions

Maps are a useful tool to help readers visualize what is explained in a text. A map helps readers understand distances between places, and the labels on it indicate specific locations. Captions and insets provide additional information. While reading the selection, make sure to consult the maps on pages 445 and 446 to identify each place mentioned.

El viaje de egresados 🎧

¿Sabes cuál es la tradición más divertida entre los estudiantes hispanos? El viaje de egresados[1]. En muchos países, los estudiantes esperan ansiosos el último año de la secundaria[2] para hacer un viaje en grupo. ¡Todos los estudiantes del último año viajan a un lugar especial!

Este viaje es una celebración de los años vividos con los compañeros y el futuro que se acerca. También es una buena oportunidad para conocer un lugar nuevo. ¡Y qué mejor que hacerlo con amigos!

En Argentina, el destino tradicional para el viaje de egresados es Bariloche, una ciudad en la Patagonia, cerca de los Andes. Generalmente el viaje se hace en invierno porque es un lugar ideal para esquiar.

Los estudiantes mexicanos, en cambio, prefieren ir a la playa. Por eso escogen Cancún, la Riviera Maya o Puerto Vallarta.

Por supuesto, hay estudiantes que escogen hacer un viaje a otro país. Por ejemplo, los estudiantes de Uruguay también quieren ir a Bariloche, Argentina o a Camboriú, Brasil.

Los españoles generalmente escogen un país de la Comunidad Europea, como Francia o Inglaterra, pues están muy cerca y pueden ir en autobús.

Lo importante del viaje de egresados es guardar[3] un hermoso recuerdo[4] de los años escolares.

[1] graduates   [2] high school
[3] to keep   [4] memories

En Puerto Vallarta se puede practicar muchos deportes acuáticos.

Las playas de Cancún reciben a miles de turistas de todo el mundo.

La Riviera Maya es el lugar ideal para quienes gustan de la ecología y el turismo de aventura.

MÉXICO

AMÉRICA DEL SUR

Brasil

Argentina

Bariloche es el lugar tradicional para esquiar en Argentina.

El teleférico (cable car) de Camboriú ofrece una vista panorámica de la ciudad y sus playas.

🔍 **Búsqueda:** viaje de egresados, bariloche, cancún

---

32 Comprensión 🎧 Interpretive Communication

1. ¿Por qué se hacen los viajes de egresados?

2. ¿Qué destino es popular en Argentina? ¿Qué se hace allí?

3. ¿Por qué para los españoles es fácil viajar a otros países de la Comunidad Europea?

4. ¿Qué ofrecen las playas de la Riviera Maya?

33 Analiza 🎧

1. ¿Por qué crees que se hace un viaje de egresados y no otra actividad, como un evento deportivo o un concierto?

2. Observa el mapa. ¿Por qué crees que los uruguayos escogen Argentina y Brasil como sus lugares favoritos?

3. ¿Crees que el viaje de egresados sirve para que los estudiantes se conozcan mejor? ¿Podría haber conflictos? Explica.

✏️ Escritura

34 Itinerario de egresados

Escribe un artículo sobre los lugares preferidos por los estudiantes hispanoamericanos para su viaje de egresados. Empieza con un resumen corto de la lectura. Luego escoge un país de América Central y otro de América del Sur. Investiga en la internet qué destinos turísticos de cada país serían atractivos para hacer un viaje de egresados. Explica lo que ofrece cada lugar. Luego lee tu artículo a la clase y contesta cualquier pregunta de tus compañeros.

Para decir más

Los estudiantes de... prefieren	*Students in . . . prefer*
Para los estudiantes de...	*To students in . . . ,*
recomiendo ir a...	*I recommend going to . . .*
En ese lugar, pueden...	*In that place, they can . . .*

Repaso de la Lección A

A Escuchar: ¿Qué profesión tiene? (pp. 426–427)

Vas a escuchar seis oraciones. Para cada una identifica la profesión que se describe.

- **A.** programador(a)
- **B.** abogado/a
- **C.** hombre de negocios
- **D.** ingeniero/a
- **E.** veterinario/a
- **F.** bombero/a

B Vocabulario: Sueños (pp. 436–437)

Conecta cada verbo de la columna I con la palabra o frase más apropiada de la columna II para formar cinco expresiones lógicas.

MODELO **practicar deportes acuáticos**

I	II
practicar	experiencia
asistir	aceptado/a
ganar	deportes acuáticos
tocar	música suave
ser	a la universidad

C Gramática: La fiesta (p. 431)

Completa las oraciones con el presente perfecto del subjuntivo de los verbos entre paréntesis para saber lo que dices sobre la fiesta de graduación.

1. Ojalá que Rosana (*comprar*) refrescos para la fiesta.
2. Espero que Uds. (*recibir*) las invitaciones.
3. Me alegro que tú (*ayudar*) con los planes.
4. Es una lástima que mi mamá y yo no (*hacer*) un pastel.
5. Ojalá que Marcos y Óscar (*traer*) muchos globos.

D Gramática: Situaciones indefinidas (p. 440)

Completa las siguientes oraciones con las expresiones más lógicas del recaudro.

como	cualquiera	dondequiera	ojalá	quienquiera

1. Sí, __ que lleguemos a clase a tiempo.
2. Pues, __ que haya dicho ese comentario no entendió la lección.
3. Te llamaré __ que estés.
4. Va a hacerlo __ prefiera.
5. Compraré __ que escojas.

Completa la siguiente tabla con la información que aprendiste en esta lección.

Nombre	Nacionalidad	Profesión	Premio
Mario Vargas Llosa			
Salvador Pérez			
Rigoberta Menchú			
Alfonso Cuarón			
Emmanuel Lubezki			

Vocabulario

Los empleos

el abogado, la abogada
el agricultor, la agricultora
el artista, la artista
el bibliotecario, la bibliotecaria
el bombero, la bombera
el carpintero, la carpintera
el chofer, la chofer
el empleado, la empleada
el empleo
el escritor, la escritora
el fotógrafo, la fotógrafa
el gerente, la gerente
el hombre de negocios
el ingeniero, la ingeniera
el mecánico, la mecánica
la mujer de negocios
el obrero, la obrera
el peluquero, la peluquera
la profesión
el programador, la programadora
el secretario, la secretaria
el taxista, la taxista
el vendedor, la vendedora
el veterinario, la veterinaria

Verbos

asistir a
extrañar
practicar

Expresiones y otras palabras

aceptado/a
acuático/a
la amistad
la aspiración
el baile
el buceo
la carrera
la colección
dondequiera
la empresa
el esquí
la experiencia
fuerte
el futuro
el negocio
ojalá
la pesca
quienquiera
real
suave
el sueño
unido/a
la universidad

Gramática

The perfect subjunctive

Describe something that someone hopes or doubts that has happened recently.

present subjunctive of *haber*	+	past participle
haya	hayamos	
hayas	hayáis	+ estudiado
haya	hayan	

Yo espero que tú **hayas estudiado** para el examen.

No creo que Uds. **hayan asistido** a la reunión.

More subjunctive

The following words and expressions must be followed by the subjunctive: when they suggest an element of doubt, uncertainty, or hope.

como	lo que
cualquiera	ojalá (que)
dondequiera	quizás (quizá)
quienquiera	

Quizás yo estudie para ser profesor.

Lección

B

Vocabulario 1

El mundo

emcpassport.com

WB 1
LA 1
GV 1–2

¡Llegó el verano! 🎧

¡Llegó el verano! ¿Adónde irás?

(un abrazo de) despedida

la isla

el océano

el mar

la orilla

el río

mantener una actitud (positiva)

Para conversar 🎧

o react to a story:

Es **magnífico/a**.
It is magnificent.

Siempre se sale con la suya.
He/She always gets his/her way.

¡No me digas!
You don't say!

Para decir más	
el fin de curso	*end of school year*
el campo	*countryside*
el cañón	*canyon*

Para conversar 🎧

To tell what happened:

Por fin decidimos adónde pasaremos el verano.
Finally, we decided where we will spend the summer.

A propósito, mi hermano fue aceptado en la Facultad de Ingeniería.
By the way, my brother was admitted to the College of Engineering.

Ayer fue la fiesta de despedida. Habíamos invitado a mucha gente; **sin embargo**, pocos vinieron.
Yesterday was the farewell party. We had invited a lot of people; however, few came.

Fueron de camping **en medio del** desierto.
They went camping in the middle of the desert.

---

1 Las vacaciones 🎧

Selecciona la foto que corresponde con lo que oyes.

A

B

C

D

E

F

---

2 Este verano

Completa las oraciones con las palabras del recuadro.

mantener	isla	mar	magnífica	fin	despedida	orilla

1. Por __ estaremos de vacaciones este fin de semana.
2. ¿Vas a pasar el verano en la playa junto al __?
3. Estaré en la __ del mar tomando el sol.
4. Sueño con viajar a una __ en medio del océano.
5. Las personas optimistas tienen una actitud __.
6. Estoy organizando una fiesta de __ para mi hermano que irá a la universidad.
7. No será difícil __ la fiesta en secreto.

Diálogo 🎧

¿A la universidad?

Marian: Por fin llegó el verano.

Elena: Sí, y yo me voy a la orilla del mar para olvidarme de los libros.

Marian: Bueno, pero no te olvides demasiado porque debemos volver para ir a la universidad.

Elena: ¿A la universidad? Yo a la universidad no pienso asistir.

Marian: ¡No me digas! ¿Entonces qué vas a hacer?

Elena: No sé, chica, pero no pienso estudiar más.

Marian: Bueno, con esa actitud no vas a llegar muy lejos.

Elena: ¿Cómo que no? Claro que puedo. Seré una mujer de negocios de mucho éxito.

Marian: Pues, ¡magnífico! Ojalá que así sea.

Elena: ¿No me crees? Pronto me visitarás en mi casa en el océano.

Marian: Bueno, espero que te salgas con la tuya.

3 ¿Qué recuerdas? 🎧

1. ¿Qué dice Marian que llegó por fin?
2. ¿Adónde se va Elena?
3. ¿De qué no se debe olvidar Elena?
4. ¿Adónde no piensa asistir Elena?
5. ¿Qué no piensa Elena hacer más?
6. ¿Qué piensa Elena que va a ser?
7. ¿Qué espera Marian?

4 Algo personal 🎧

1. ¿Qué vas a hacer este verano?
2. ¿Qué te gustaría hacer cuando termines el colegio?
3. ¿Espera tu familia que vayas a la universidad? ¿Por qué?
4. ¿Piensas que estudiar es importante para tener éxito? Explica.

5 Los planes 🎧

Selecciona la ilustración que corresponde con lo que oyes.

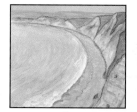

A

B

C

D

E

Gramática

The Subjunctive

The subjunctive may sometimes be used when referring to the future, if a statement is used in one of the following situations:

- as an indirect/implied command

¡Qué lo **haga** Felipe!	Let Felipe **do** it!
¡Quiero que Felipe lo **haga**!	I want Felipe to **do** it!

- after causal verbs if there is a change of subject

Te aconsejo que **asistas** a la universidad.	I advise you **to attend** college.
Prefiero que tu hermana **vaya** contigo.	I prefer that your sister **go** with you.

- after verbs that indicate emotion or doubt

Nos alegra que **estudies** para ser programador.	It pleases us that **you are studying** to become a programmer.
Dudo que ella **sepa** leer chino.	I doubt she **knows** how to read Chinese.

- after impersonal expressions that imply doubt, emotion, or uncertainty

Es posible que (él) **viaje** a Europa.	It's possible that he **will travel** to Europe.
Es probable que (ellos) **pesquen** en el río.	It is likely that **they are fishing** in the river.

- after the expressions **como**, **cualquiera**, **dondequiera**, **quienquiera**, **lo que**, **ojalá (que)**, and **quizá(s)** when they suggest an element of doubt, uncertainty, or hope

Todo lo que (tú) **sueñes** será realidad.	Everything you **dream** will come true.
Ojalá que ella **salga** con la suya.	I hope she **gets** her way.

6 ¿Qué dicen?

Completa las oraciones con el subjuntivo para saber lo que dicen algunos miembros de la familia de Julia.

MODELO el padre: (querer / que ella / estudiar / en la Universidad de Buenos Aires)

el padre: Quiero que ella estudie en la Universidad de Buenos Aires.

1. la hermana: (dudar / que ella / querer / ir tan lejos)
2. el tío: (convenir / que / nosotros / organizarle / una fiesta de despedida)
3. Adrián: (no creer / que ella / tener / nada que hacer allá)
4. la prima: (preferir / que todos nosotros / asistir / a una universidad de aquí)
5. Maricela: (ser / probable / que yo / decidir / estudiar economía)
6. el abuelo: (ojalá / que tú / no cambiar / de opinión)

7 ¿Se necesita el subjuntivo?

Da la forma apropiada del subjuntivo, solamente si se necesita.

1. Lo que ellos quieren (*hacer*) es practicar deportes acuáticos.
2. Por fin, mis sueños van a (*ser*) realidad.
3. Quizás ellos (*salirse*) con la suya.
4. Quiero (*tener*) una casa en una isla.
5. Mis padres me permiten que yo (*ir*) al mar.
6. Es importante que nosotros (*pensar*) en el futuro.

8 En una selva tropical

Completa el siguiente diálogo, usando la forma apropiada del subjuntivo, el indicativo o el infinitivo de los verbos entre paréntesis.

Guía: Aquí comienza el camino que va hasta la montaña. Antes de empezar a caminar, quiero (**1.** *decirles*) algunas cosas. Primero, es posible que (**2.** *llover*) muy pronto. Así que conviene que Uds. (**3.** *ponerse*) las botas y que (**4.** *llevar*) un impermeable en las mochilas. Segundo, no creo que nosotros (**5.** *tardar*) más de dos horas en llegar a la montaña. Allí, podemos hacer lo que (**6.** *querer*): dormir una siesta, tomar fotos de las flores tropicales, etc. Recuerden, es importantísimo que todos (**7.** *quedarse*) con el grupo para no perdernos. ¿Tienen alguna pregunta?

Niño: Señor, ¿hay aquí panteras salvajes que se (**8.** *comer*) a la gente?

Guía: No, no te preocupes. Aquí no hay nada que te (**9.** *poder*) hacer daño.

Niña: ¡Espero ver muchos animales!

Guía: Vamos a ver serpientes, monos y pájaros de muchos colores. Bueno, si no hay más preguntas, ¡adelante! ¡Ojalá que todos Uds. (**10.** *divertirse*)!

¡Espero ver muchos animales!

¡Comunicación!

9 Hablar del futuro 👥 Interpersonal/Presentational Communication

Usa el subjuntivo, el indicativo o el infinitivo, según sea necesario, para completar las oraciones. Luego, en parejas, crean un diálogo usando lo que escribieron.

MODELO
A: ¿Qué esperas del futuro?
B: Espero asistir a la universidad. ¿Y tú?
A: Yo espero que una empresa importante me dé empleo.

1. Espero que...
2. Será importante que...
3. Mi gran sueño es...
4. Ojalá que...
5. No creo que...
6. Quizás...
7. Creo que me gustaría...
8. Estoy seguro/a de que...

? Pregunta clave

How do people create a better future for themselves?

Ayudando a las comunidades 🎧

Una forma de crear un buen futuro es ayudar a quienes lo necesitan. ¿Qué puedes hacer tú para mejorar el futuro de otra gente? Muchísimo.

Colegios de varios países, incluidos los Estados Unidos, tienen programas de ayuda comunitaria. Una de las tareas es colaborar con la gente pobre de Latinoamérica.

Los estudiantes voluntarios viajan para ayudar a colegios, donando útiles[1] escolares. Los voluntarios estadounidenses dan clases de inglés; esto es una buena oportunidad para que ellos también practiquen el español. Entre el trabajo y el tiempo libre, fortalecen[2] sus conocimientos[3] para el futuro.

Algunos estudiantes construyen[4] casas en Guatemala. ¿Tienen que ser profesionales para hacerlo? No, pues los colegios están asociados con compañías constructoras que entrenan[5] a los estudiantes para que ayuden a los obreros. Así, los jóvenes mezclan[6] cemento, levantan muros y pintan.

Otros programas ayudan a la naturaleza. Muchos estudiantes viajan a Ecuador a limpiar sus playas o cuidar de las tortugas. Otros van a Argentina o Chile a limpiar pingüinos contaminados con petróleo. ¡Son trabajos ideales para mejorar el futuro del planeta!

Cuando los estudiantes voluntarios regresan a su país, lo hacen con la satisfacción de haber compartido tiempo con familias amigables y, sobre todo, de haber ayudado a que todos tengamos un futuro mejor.

Trabajo comunitario en Honduras

[1] supplies   [2] reinforce   [3] knowledge   [4] build   [5] train   [6] mix

🔍 **Búsqueda:** trabajo voluntario latinoamérica, bolivia sostenible

Productos 🎧

Bolivia Sostenible es un programa para voluntarios integral que combina muchas actividades para mejorar el futuro de ese país. Es una organización sin fines de lucro (*non-profit organization*), que trabaja en la ciudad de Cochabamba. Los voluntarios pueden hacer tareas para cuidar el medio ambiente (*environment*), dar clases de idiomas, dar servicios relacionados con la salud y cuidar a los niños huérfanos (*orphans*).

Voluntarios de Bolivia Sostenible

10 Comprensión | Interpretive Communication

1. ¿Qué tipo de ayuda dan los estudiantes voluntarios a los colegios de Latinoamérica?
2. ¿Quién entrena a los estudiantes a construir casas?
3. ¿Cómo pueden ayudar al ecosistema los estudiantes voluntarios?
4. ¿Qué aprenden los estudiantes voluntarios para su futuro?

11 Analiza

1. ¿Piensas que trabajar de voluntario en otro país puede mejorar tu futuro? Da ejemplos.
2. ¿Crees que los niños latinoamericanos aprenden más inglés con instructores estadounidenses? Explica.
3. ¿Qué otras cosas podría hacer un estudiante para ayudar al futuro de una comunidad?

Inmersión cultural para mejorar el futuro

¿Qué cosas de otra cultura te interesan? ¿Cómo te sentirías hablando español las 24 horas? ¿Has pensado en vivir un tiempo en otro país? Eso se llama inmersión cultural y puede provocar un gran cambio en tu vida.

Hay programas de intercambio[1] cultural para estudiantes de secundaria que viajan a otro país, viven con otras familias y van a diferentes colegios. ¿Te imaginas pasando dos meses en la gigante Ciudad de México? ¿Te gustaría ir a un colegio de Paraguay donde hablen español y guaraní? ¿Y cómo te ves comiendo asado[2] argentino en familia? Estas experiencias te servirán en tu futuro.

Programa de intercambio cultural

Para participar de los programas de intercambio, puedes contactar agencias. Ellas buscan una familia de otro país que sea compatible contigo. También buscan colegios para que veas cómo aprenden los estudiantes de Latinoamérica. ¡Y quizás tengas que usar el uniforme del colegio!

A veces, el/la hijo/a de la familia que te recibe también hace el intercambio y va a vivir con tu familia a tu país. En poco tiempo, la inmersión cultural te dará nuevos amigos y enseñanzas[3] muy valiosas[4] para tu futuro.

[1] exchange [2] barbecue [3] lessons [4] valuable

Búsqueda: programas de intercambio, inmersión cultural

Productos

Al terminar la escuela secundaria, muchos estudiantes latinoamericanos deciden continuar sus estudios universitarios en Argentina. La Universidad de Buenos Aires es considerada una de las mejores por su excelente nivel académico y por ser una de las pocas universidades gratuitas (*free*) del continente americano.

La Universidad de Buenos Aires

Perspectivas

El cantautor argentino León Gieco explica lo que significa la cultura para un latinoamericano en su canción "La cultura es la sonrisa". Según las siguientes letras (*lyrics*), ¿dónde se pueden encontrar elementos culturales?

La cultura es la sonrisa (smile) *que brilla* (shine) *en todos lados en un libro, en un niño, en un cine o en un teatro.*

Solo tengo que invitarla para que venga a cantar un rato.

Ay, ay, ay, que se va la vida mas (but) *la cultura se queda aquí.*

12 Comprensión | Interpretive Communication

1. ¿Qué es un programa de intercambio cultural?
2. ¿Qué significa inmersión cultural?
3. ¿Cómo puede mejorar tu futuro un programa de intercambio?

13 Analiza

1. ¿Crees que un programa de intercambio debería ser obligatorio (*mandatory*) en todos los colegios de secundaria? ¿Por qué?
2. ¿Qué problemas podría encontrar un estudiante de intercambio al vivir con otra familia?

Vocabulario 2

El mundo 🎧

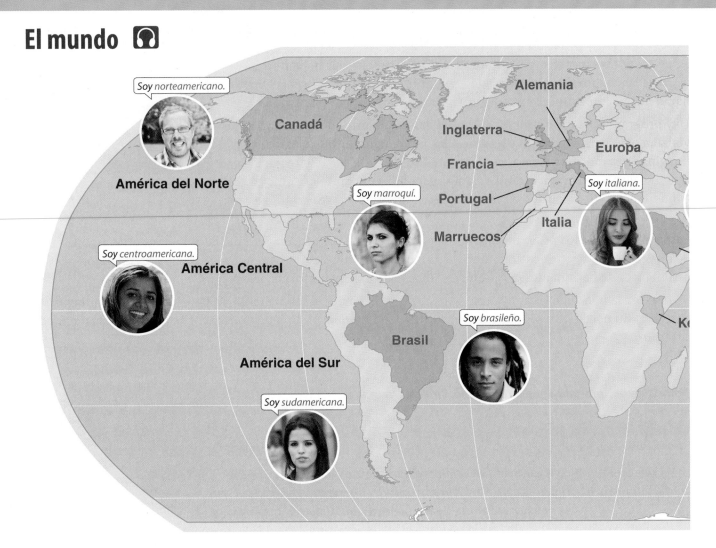

Soy *norteamericano.* — **América del Norte**

Canadá

Alemania

Inglaterra

Francia

Europa

Soy *marroquí.*

Portugal

Soy *italiana.*

Italia

Marruecos

Soy *centroamericana.* — **América Central**

Soy *brasileño.*

Brasil

América del Sur

Soy *sudamericana.*

K

Para conversar 🎧

T*o talk about nationalities:*

¿De qué nacionalidad eres?
What nationality are you?

Yo soy **canadiense**. ¿Y tú?
I am Canadian. And you?

Yo soy **inglés/inglesa**.
I am English.

Soy **alemán/alemana**.
I am German.

Soy **francés/francesa**.
I am French.

Soy **portugués/portugesa**.
I am Portuguese.

Soy **ruso/a**.
I am Russian.

Soy **keniano/a**.
I am Kenyan.

Soy **japonés/japonesa**.
I am Japanese.

Mis abuelos son **asiáticos**.
My grandparents are Asian.

Mis padres son **europeos**.
My parents are European.

Soy china.

Soy saudita.

Rusia

Asia

China   Japón

Arabia
Saudita

Kenia

Soy australiana.

Australia

Para decir más

Afganistán	*Afghanistan*
Corea del Sur	*South Korea*
Egipto	*Egypt*
Escocia	*Scotland*
Iraq	*Iraq*
Irán	*Iran*
Irlanda	*Ireland*
Israel	*Israel*
Libia	*Libya*
Nueva Zelanda	*New Zealand*
Palestina	*Palestine*
Singapur	*Singapore*
Siria	*Syria*
Turquía	*Turkey*
Vietnam	*Vietnam*

14 Ciudadanos del mundo 🎧

Di de qué nacionalidad son las siguientes personas, según el país donde nacieron.

MODELO   Rita / Portugal
Es portuguesa.

1. Jomo / Kenia
2. Dominique y Marie / Francia
3. Benjamin / Inglaterra
4. Iara / Brasil
5. Pierre / Canadá
6. Wolfgang / Alemania
7. Ronaldo / Portugal

8. Jennifer / Australia
9. Mikhail / Rusia
10. Mohamed / Marruecos
11. Abú / Arabia Saudita
12. Marcelo y Mario / Chile
13. Hua / China
14. Hiroshi / Japón

Diálogo 🎧

Los estudiantes internacionales

Enrique: Oye, Diego, querría saber cuántos estudiantes internacionales hay en nuestro colegio. ¿Tú lo sabes?

Diego: No, no lo sé pero sería divertido saberlo. A ver, creo que Pietr es ruso y Mugabe es keniano.

Enrique: Son dos. Marie Claire es canadiense, Jorge es mexicano y Yao es chino.

Diego: Son cinco. Oye, ¿y no hay alguien japonés?

Enrique: ¿No sabes? ¡Akiko es japonesa!

Diego: Sí, claro. Ahora sabemos que hay seis estudiantes, pero sé que hay más.

Enrique: Bueno, mañana preguntaré en las otras clases y tendré la lista final.

Diego: ¡Qué bien! Será muy interesante saber el número de estudiantes internacionales.

15 ¿Qué recuerdas? 🎧

1. ¿Qué querría saber Enrique?
2. ¿De dónde es Mugabe?
3. ¿De dónde es Jorge?
4. ¿Quién es japonesa?
5. ¿Cuántos estudiantes internacionales saben los chicos que hay?
6. ¿Qué hará Enrique mañana?

16 Algo personal 🎧

1. ¿Hay estudiantes internacionales en tu colegio? ¿De dónde son?
2. ¿Conoces a personas que han nacido en países diferentes al tuyo? ¿En qué países?
3. ¿Te gustaría ser de otro país? ¿Por qué?

17 ¿De dónde son? 🎧

Di de qué nacionalidad son las siguientes personas, según lo que oyes.

MODELO Es mexicano.

18 Las nacionalidades 🎧

Escoge la letra del país que corresponde con la nacionalidad que oyes.

A. Alemania   **E.** Colombia

B. Chile   **F.** China

C. Rusia   **G.** Inglaterra

D. Brasil   **H.** Marruecos

Gramática

The Future Tense

- Use the future tense to talk about what will happen. The following endings are attached to the end of the infinitive.

-é	-emos
-ás	-éis
-á	-án

*Él **irá** a una isla en medio del océano.*   He **will go** to an island in the middle of the ocean.

*Yo **practicaré** deportes acuáticos en el verano.*   I **will do** aquatic sports during the summer.

- The future tense can also be used in Spanish to indicate what is probable at the present time.

***Escucharán** música suave ahora.*   **I imagine they are listening** to soft music now.

***Viajarán** en avión.*   **They are probably traveling** by airplane.

- In addition to the helper verb **haber** (future tense stem: **habr-**), the following verbs have irregular stems:

| caber: **cabr-** | poder: **podr-** | querer: **querr-** | saber: **sabr-** | decir: **dir-** |
| poner: **pondr-** | salir: **saldr-** | tener: **tendr-** | venir: **vendr-** | hacer: **har-** |

***Harás** amistades por todo el mundo.*   **You will make** friends all around the world.

---

19 La fiesta de despedida para Paco

Trabajando en parejas, alternen en completar las siguientes oraciones con la forma del futuro de los verbos entre paréntesis.

MODELO   Alicia (*preparar*) la lista de invitados.

          Alicia **preparará** la lista de invitados.

1. Luis (*llamar*) a todos los invitados.
2. Yo (*hacer*) un pastel bien grande.
3. Tú (*encargarse*) de traer los platos y vasos.
4. Hugo y Raúl (*escribir*) en un cartel: ¡Buena suerte!
5. Yo (*tener*) que ir al supermercado para comprar comida.
6. Ana y Alberto (*venir*) el viernes a las nueve para ayudar.
7. Mauricio (*traer*) la música para el baile.
8. Nosotros (*poner*) todos los muebles en su lugar después de la fiesta.

20 ¿Qué pasará?

Completa cada oración seleccionando un verbo lógico y conjugándolo en el futuro.

1. Mi familia y yo __ en un restaurante marroquí el sábado.
2. Paulina __ en la cama grande cuando venga de visita.
3. Rosa se __ su abrigo de invierno cuando vaya a Alaska.
4. ¿Crees que tus amigos __ venir a la fiesta de despedida?
5. ¿__ a tu abuela en el hospital?
6. El tren __ a tiempo de la estación de Atocha.
7. ¿Sabes si Pedro __ a Inglaterra este verano?
8. Si comes todas esas golosinas te __ el estómago.

comer **saber** *poner* `salir` *visitar* **dormir** *doler* *viajar*

21 ¿Qué harás?

Trabajando en parejas, alternen en hacer preguntas y en contestarlas para saber lo que harán en el futuro. Usen el tiempo futuro y la información en las fotos.

MODELO   en qué / trabajar

A: **¿En qué trabajarás?**

B: **Trabajaré en una empresa como gerente.**

1. dónde / vivir

2. cuánto / ganar

3. cómo / ser tu familia

4. dónde / pasar vacaciones

5. qué / mantener siempre

6. qué / extrañar

7. qué / tener en veinte años

22 Las cosas que pasarán 🎧

Usando el tiempo futuro o el subjuntivo, contesta las siguientes preguntas.

1. ¿Qué clase será de más ayuda para ti en el futuro?
2. ¿Irás a una universidad después de terminar tus estudios en el colegio? Explica.
3. ¿Cuándo comprarás tu primera casa?
4. ¿Dónde estarás en cinco años?
5. ¿Qué países visitarás en los próximos diez años?
6. ¿Qué empleo tendrás en diez años?
7. ¿Dónde vivirás en el año 2020?

¿Cuándo comprarás tu primera casa?

¡Comunicación!

23 Gente del pasado 👥 Interpersonal Communication

En grupos pequeños, hablen sobre gente que conocían en el pasado, como por ejemplo, un(a) profesor(a), un(a) compañero/a de clase, un actor, un(a) amigo/a de la infancia (*childhood friend*). Alternen en decir lo que probablemente harán ahora, dónde vivirán, cómo estarán, etc.

MODELO   A: ¿Qué pasará con el Sr. Allen, nuestro antiguo profesor de historia?

B: Vivirá en California con sus nietos.

C: Será menos exigente.

The Conditional Tense

- Remember to use the conditional tense to say what would happen or what someone would do (under certain conditions). The endings are the same for all verbs.

-ía	-íamos
-ías	-íais
-ía	-ían

Me gustaría ir a Guatemala.   **I would like** to go to Guatemala.

¿Vivirías allí por un año?   **Would you live** there for a year?

- Just like the future tense, the helper verb *haber* (conditional tense stem: *habr-*), and the following verbs, all have irregular stems:

caber: **cabr-**	poder: **podr-**	poner: **pondr-**	salir: **saldr-**
querer: **querr-**	tener: **tendr-**	saber: **sabr-**	venir: **vendr-**
decir: **dir-**	hacer: **har-**		

Repaso rápido ♻

24 ¿Qué les gustaría ser?

Di lo que les gustaría ser a las siguientes personas, combinando palabras de las tres columnas. Haz los cambios y añade las palabras que sean necesarias.

MODELO   **A Cristina le gustaría ser programadora.**

¿Te gustaría ser programador(a)?

I	II	III
yo		abogado
Ramón		agricultor
Ud.		artista
Cristina		bombero
Ana y Vanesa	gustar	deportista
tú		escritor
Sandra		fotógrafo
Nicolás y Tobías		ingeniero
Guillermo		profesor
nosotros		programador

25 En tu propia vida 🎧

Contesta las siguientes preguntas en español.

1. ¿Has estado en algún país europeo, africano o asiático? ¿En cuál?
2. ¿Has estado en América Central o en América del Sur? ¿En dónde?
3. ¿Te gustaría estudiar en una universidad de otro país? Explica.
4. ¿Cuáles son los tres países del mundo que más te gustaría visitar?
5. ¿En qué país del mundo diferente del tuyo te gustaría vivir?
6. ¿Tienes amigos o amigas por correspondencia de otros países del mundo? ¿De dónde?

26 Eres rey o reina 👥   Interpersonal/Presentational Communication

Entrevista a tres compañeros/as de clase. Diles que se imaginen que son el rey o la reina de un país. Pregúntales que harían por la gente de su país. Anota las respuestas. Luego escribe un resumen.

Nombre	¿Qué harías por la gente de tu país?
Chantal	Les daría más días de vacaciones.

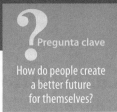

¡Comunicación!

27 Se buscan voluntarios 👥 | Interpersonal/Presentational Communication

Tú y un(a) compañero/a están organizando un programa de ayuda comunitaria en tu colegio. Deben presentar el programa y explicar a qué país van a ir los voluntarios, qué tareas pueden hacer y qué requisitos (*requirements*) deben tener los voluntarios. Usen las palabras del vocabulario para explicar en qué empleo podrían usar lo que aprenden en este programa. Use el tiempo presente, el futuro y el condicional, como sea necesario.

MODELO
A: Haremos un programa de ayuda comunitaria en El Salvador.
B: Queremos que todos los estudiantes participen.
A: Los voluntarios deben hablar un poco de español.
B: En El Salvador ayudaremos a hacer casas.
A: En el futuro podrían tener un empleo de profesor(a) o de ingeniero/a.

¡Comunicación!

28 Un programa, tres países 👥 | Interpersonal/Interpretive Communication

Tú y dos compañeros/as van a participar en el programa de intercambio "Tres Banderas". Lean el folleto con la explicación del programa. Luego hablen para decidir en qué países van a hacer el intercambio y por qué. También decidan qué actividades van a hacer. Estén listos para presentar su decisión a la clase.

Tres Banderas
Programa Internacional de Intercambio Cultural

¿Quieres mejorar tu español?
¿Quieres ser parte de otra cultura?
¿Quieres conocer gente nueva?

CONDICIONES:
Inscripción en grupos de tres estudiantes.
- *Deben elegir tres países. El grupo pasará una semana en cada país.*
- *Vivirán con familias que quieren aprender de otras culturas.*
- *¡24 horas de inmersión cultural!*

Por la mañana: Clases en un colegio
Por la tarde: Ayuda comunitaria
Por la noche: Actividades sociales
Fines de semana: Visita a otra ciudades

Aprender es la mejor inversión (investment) para tu futuro. Y el programa de intercambio "Tres Banderas" te puede ayudar.

Lazarillo de Tormes
Anónimo

29 Antes de leer: Resumen del cuento

Vas a leer la continuación de la novela de la unidad anterior, **Lázarillo de Tormes**.
¿Qué te acuerdas del cuento? Completa el siguiente mapa con la información correcta.

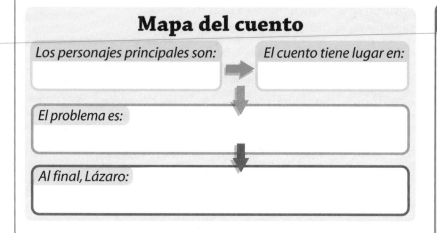

Mapa del cuento

Los personajes principales son:

El cuento tiene lugar en:

El problema es:

Al final, Lázaro:

Estrategia

Summarizing

When you read a long selection, it is a good idea to pause between chapters or sections to summarize what you have read. Summarizing involves restating the main ideas or events, in your own words. Always think about the main characters, the setting, the conflict, and the main events.

30 Antes de leer: Vocabulario

Las siguientes palabras aparecen en la selección. Conecta cada palabra de la primera columna con la imagen que corresponde. Puedes usar el diccionario.

1. demonio

A.

2. longaniza

B.

3. meter

C.

4. nabo

D.

5. pedazo

E.

6. vino

F.

Lazarillo de Tormes (continuación)
Anónimo

Lázaro, tú cogerás[1] una uva y yo otra, pero solo una, hasta que lo acabemos.

A la segunda vez, el ciego empezó a coger de dos en dos. Como vi que él hacía eso, yo comía de tres en tres.

Lázaro, me has engañado[2].

¿Sabes en qué veo que comiste las uvas de tres en tres? En que yo las comía de dos en dos y tú callabas[3].

En el mesón de Escalona me dio un pedazo de longaniza[4] para que se la asase, después me dio dinero y me mandó[5] a buscar vino.

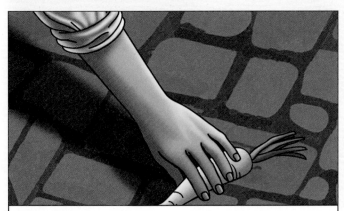

Mas el demonio quiso que cuando salía a buscar el vino viese[6] en el suelo un nabo.

Saqué la longaniza del asador y metí en él el nabo. No tardé en comer la longaniza.

[1] will take   [2] tricked   [3] kept quiet   [4] roast sausage   [5] sent   [6] I would see

¿Qué es esto, Lázaro?

Al morder las rebanadas de pan, pensando morder también la longaniza, se encontró con el nabo frío.

Se levantó, me abrió la boca y metió en ella su larga nariz. La longaniza salió por mi boca.

Fue tal su coraje¹ que si no acudiera² gente al ruido, pienso que hubiera dejado³ yo la vida.

La mesonera⁴ y los demás nos hicieron amigos, y con el vino me lavaron la cara.

El ciego contaba, riendo, cuántas veces me había herido⁵ la cara y me la había curado⁶ con vino.

¹rage   ²hadn't come   ³would have left   ⁴innkeeper   ⁵wounded   ⁶cured

31 Comprensión 🎧 Interpretive Communication

1. ¿Cómo tenían que comer las uvas Lázaro y el ciego?

2. ¿Cómo se dio cuenta el ciego de que Lázaro lo engañaba?

3. ¿Qué encontró Lázaro en el suelo?

4. ¿Cómo engañó Lázaro al ciego con la longaniza?

5. ¿Qué hizo el ciego cuando mordió el pan?

6. ¿Con qué limpiaron la cara de Lázaro?

32 Analiza 🎧

1. ¿Quién crees que es más honesto, Lázaro o el ciego?

2. El ciego dice que muchas veces lastimó a Lázaro. También dice que lo curaba con vino. ¿Qué te dice eso sobre la relación entre ellos?

3. ¿Cómo crees que será la vida de Lázaro en el futuro? Explica.

Repaso de la Lección B

A Escuchar: Nacionalidades   (pp. 456–457)

Los siguientes ocho chicos son de diferentes lugares del mundo. Escucha de dónde es cada uno y di de qué nacionalidad es.

A. Es alemán.

B. Es brasileño.

C. Es francés.

D. Es japonés.

E. Es inglés.

F. Es marroquí.

G. Es portugués.

H. Es ruso.

B Vocabulario: Una conversación (p. 449)

Completa el siguiente diálogo con las palabras más lógicas del recuadro.

a	actitud	digas	isla	por	sale	sin

Javier: ¡**(1)** fin llegó el verano! ¿Vas a ir a la playa?

Lorena: Sí. **(2)** embargo no sé cuándo porque también quiero trabajar.

Javier: **(3)** propósito, hablando de trabajo, Sebastián consiguió empleo: será instructor de buceo en una **(4)** tropical.

Lorena: ¡No me **(5)**! Sebastián siempre se **(6)** con la suya.

Javier: Sí, con su magnífica **(7)** llegará lejos.

C Gramática: Este verano (pp. 452, 459)

Completa las oraciones usando el presente del subjuntivo o el tiempo futuro de los verbos entre paréntesis.

1. Este verano mis amigos y yo (*ir*) de camping a la orilla de un río.
2. Ojalá que tú (*poder*) venir con nosotros.
3. Ali y Sam (*venir*) por solo un día.
4. Dudo que (*llover*) durante nuestro viaje.
5. Yo (*organizar*) el viaje.
6. No creo que mi hermano (*salirse*) con la suya.

D Gramática: ¿Qué harías? (p. 461)

Di lo que harías en estas situaciones usando el condicional.

1. Encuentras cien dólares en la calle.
2. Ganas un viaje a cualquier país del mundo.
3. Estás solo/a en una isla en medio del océano.
4. No tienes que ir al colegio la próxima semana.
5. Naces en la familia real.

Contesta las preguntas con la información que aprendiste en esta lección.

1. ¿Qué trabajos de voluntario puedes hacer en Latinoamérica?
2. ¿Qué es Bolivia Sostenible?
3. ¿Qué es un programa de intercambio cultural?
4. ¿En qué país hispanohablante te gustaría hacer un programa de intercambio cultural? ¿Por qué?

Vocabulario

Países y regiones	Nacionalidades		Verbos	Expresiones y otras palabras
Alemania	alemán, alemana	italiano/a	mantener	la actitud
Arabia Saudita	australiano/a	japonés, japonesa	organizar	a propósito
Asia	asiático/a	keniano/a		la despedida
Australia	brasileño/a	marroquí		en medio
Brasil	canadiense	norteamericano/a		de la facultad
Canadá	centroamericano/a	portugués, portuguesa		la isla
China	chino/a	ruso/a		magnífico/a
Europa	europeo/a	saudita		el mar
Francia	francés, francesa	suramericano/a		el medio
Inglaterra	inglés, inglesa			¡no me digas!
Italia				el océano
Japón				la orilla
Kenia				por fin
Marruecos				el río
Portugal				siempre salirse con la suya
Rusia				sin embargo

Gramática

The future tense

Use the future tense to talk about what will happen.

vivir	
viviré	viviremos
vivirás	viviréis
vivirá	vivirán

*Remember, the following verbs are irregular in the future tense: *caber, decir, hacer, poder, poner, querer, saber, salir, tener,* and *venir.*

The conditional tense

Use the conditional to talk about what would happen or what someone would do (under certain conditions).

viajar	
viajaría	viajaríamos
viajarías	viajaríais
viajaría	viajarían

*Remember, the following verbs are irregular in the conditional tense: *caber, decir, hacer, poder, poner, querer, saber, salir, tener,* and *venir.*

Para concluir

Proyectos

A   ¡Manos a la obra!   👥

En grupos de tres, preparen una presentación sobre varios programas de intercambio cultural para estudiantes. Investiguen en la internet qué tipos de programas hay. ¿Quiénes pueden participar en cada programa? ¿Cuáles son los países más populares para hacer el intercambio cultural? ¿En qué consiste cada programa? ¿De qué manera cada programa mejora el futuro de los participantes? Incluyan fotos de los países que mencionan, para mostrar por qué puede ser interesante hacer el intercambio cultural allí. Consideren la geografía y las actividades culturales y sociales.

B   En resumen

Según lo que leíste en esta unidad, todos podemos hacer algo para mejorar nuestro futuro o el de otras personas. Copia el diagrama de abajo y completa los recuadros de la columna derecha para explicar brevemente qué cambio puede producir en ti lo que aparece a la izquierda.

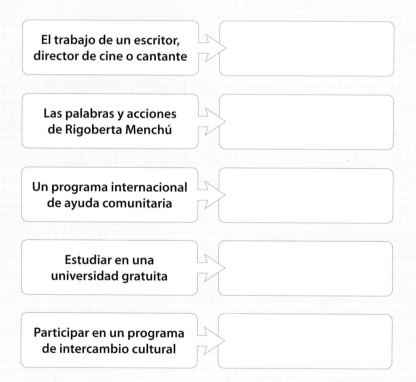

El trabajo de un escritor, director de cine o cantante

Las palabras y acciones de Rigoberta Menchú

Un programa internacional de ayuda comunitaria

Estudiar en una universidad gratuita

Participar en un programa de intercambio cultural

Extensión

El programa *National Student Exchange* es un programa de intercambio para hacer dentro de los Estados Unidos o en sus territorios cercanos. Ofrece la posibilidad de viajar a ciudades de los Estados Unidos, Canadá, Guam, Puerto Rico y las Islas Vírgenes. Se ofrece a los estudiantes universitarios no graduados y es una opción económica para los que no quieran viajar fuera del país.

C ¡A escribir!

Participaste en un programa internacional de intercambio. Ahora regresaste a tu colegio y tienes que presentar un informe (*report*) con tu experiencia. Escribe el informe explicando a qué país fuiste, qué costumbres tenía la familia con quien viviste, qué características tenía el colegio adonde fuiste y qué tipo de lugares conociste. Investiga en la internet sobre las costumbres, colegios y lugares de ese país. Termina con una reflexión sobre cómo puede mejorar tu futuro esta experiencia. Usa el futuro, el subjuntivo y el condicional cuando sea apropiado.

Estrategia

Classify information

To write a good report, it is important to classify the information. Divide the text into categories; for example, 1) culture/customs, 2) languages spoken, 3) academic focus, 4) facilities, 5) geographical features, etc. Having the information well-organized will provide a clearer report for the reader.

D Construyendo casas   Conéctate: las matemáticas

Trabajas en una compañía constructora de Guatemala. Tienes que preparar una mezcla (*mix*) de cemento para levantar un muro. Investiga en la internet qué ingredientes necesitas. Escribe las proporciones de cada ingrediente para hacer la mezcla. Para levantar tu muro, necesitas que cada parte sea proporcionada con 3 galones de material. Calcula cuántos galones de cada material necesitas.

Cemento

E Sueños, aspiraciones y empleos   Conéctate: las ciencias sociales

En esta unidad, aprendiste sobre los empleos que puedes tener en el futuro. Investiga en la internet sobre las carreras más populares de la actualidad. Escribe un breve reporte explicando dónde podrías trabajar si sigues esa carrera. ¿Podrías trabajar en otro país? Explica.

F Mis vacaciones ideales   Conéctate: la geografía

Escoge un país sobre el que has leído en este libro y planea unas vacaciones allí. Investiga en la internet información sobre el país y sus lugares turísticos. Dibuja un mapa indicando los lugares que vas a visitar y dando una breve descripción de cada lugar. Di qué vas a hacer en cada lugar.

Vocabulario de la Unidad 9

a propósito by the way *9B*

el **abogado,** la **abogada** lawyer *9A*

aceptado/a accepted *9A*

la **actitud** attitude *9B*

acuático/a aquatic, pertaining to water *9A*

el **agricultor,** la **agricultora** farmer *9A*

alemán, alemana German *9B*

Alemania Germany *9B*

la **amistad** friendship *9A*

Arabia Saudita Saudi Arabia *9B*

el **artista,** la **artista** artist *9A*

el **Asia** Asia *9B*

asiático/a Asian *9B*

asistir a to attend *9A*

la **aspiración** aspiration, hope *9A*

Australia Australia *9B*

australiano/a Australian *9B*

el **baile** dance, dancing *9A*

el **bibliotecario,** la **bibliotecaria** librarian *9A*

el **bombero,** la **bombera** firefighter *9A*

el **Brasil** Brazil *9B*

brasileño/a Brazilian *9B*

el **buceo** scuba diving *9A*

el **Canadá** Canada *9B*

canadiense Canadian *9B*

el **carpintero,** la **carpintera** carpenter *9A*

la **carrera** career *9A*

centroamericano/a Central American *9B*

la **China** China *9B*

chino/a Chinese *9B*

el **chofer,** la **chofer** chauffeur, driver *9A*

la **colección** collection *9A*

la **despedida** farewell, good-bye *9B*

dondequiera wherever *9A*

el **empleado,** la **empleada** employee *9A*

el **empleo** employment *9A*

la **empresa** business *9A*

en medio de in the middle of *9B*

el **escritor,** la **escritora** writer *9A*

el **esquí** ski *9A*

Europa Europe *9B*

europeo/a European *9B*

la **experiencia** experience *9A*

extrañar to miss *9A*

la **facultad** school (of a university) *9B*

el **fotógrafo,** la **fotógrafa** photographer *9A*

francés, francesa French *9B*

Francia France *9B*

fuerte strong *9A*

el **futuro** future *9A*

el **gerente,** la **gerente** manager *9A*

el **hombre de negocios** businessman *9A*

el **ingeniero,** la **ingeniera** engineer *9A*

Inglaterra England *9B*

inglés, inglesa English *9B*

la **isla** island *9B*

Italia Italy *9B*

italiano/a Italian *9B*

el **Japón** Japan *9B*

japonés, japonesa Japanese *9B*

Kenia Kenya *9B*

keniano/a Kenyan *9B*

magnífico/a magnificent *9B*

mantener to keep, to maintain *9B*

el **mar** sea *9B*

marroquí Moroccan *9B*

Marruecos Morocco *9B*

el **mecánico,** la **mecánica** mechanic *9A*

el **medio** half *9B*

la **mujer de negocios** businesswoman *9A*

el **negocio** business *9A*

¡no me digas! you don't say! *9B*

norteamericano/a North American *9B*

el **obrero,** la **obrera** worker *9A*

el **océano** ocean *9B*

ojalá would that, if only, I hope *9A*

organizar to organize *9B*

la **orilla** shore *9B*

el **peluquero,** la **peluquera** hairstylist *9A*

la **pesca** fishing *9A*

por fin finally *9B*

Portugal Portugal *9B*

portugués, portuguesa Portuguese *9B*

practicar (deportes) to play, to practice, to do *9A*

la **profesión** profession *9A*

el **programador,** la **programadora** programmer *9A*

quienquiera whoever *9A*

real royal, real *9A*

la **realidad** reality *9B*

el **río** river *9B*

Rusia Russia *9B*

ruso/a Russian *9B*

saudita Saudi, Saudi Arabian *9B*

el **secretario,** la **secretaria** secretary *9A*

siempre salirse con la suya to always get one's way *9B*

sin embargo however, nevertheless *9B*

suave soft *9A*

el **sueño** dream, sleep *9A*

suramericano/a South American *9B*

el **taxista,** la **taxista** taxi driver *9A*

unido/a united, connected *9A*

la **universidad** university *9A*

el **vendedor,** la **vendedora** salesperson *9A*

el **veterinario,** la **veterinaria** veterinarian *9A*

¿Sabías que...?

El español es el tercer idioma más usado en la internet. Y con más de 400 millones de hispanohablantes, es el segundo idioma más hablado del mundo. Sin duda alguna, ¡saber español es fundamental en el mundo globalizado!

Un mundo globalizado

Escanea el código QR para ver este episodio de *El cuarto misterioso*.

¿A quién le regala flores José y por qué?

A. a Ana por ser guapa
B. a Conchita por el concierto
C. a la Sra. Montero por organizar la fiesta

Pregunta clave

?

How do people benefit from living in a global society?

Mis metas

Lección A   I will be able to:

▶ talk about past actions and events
▶ talk about technology and globalization
▶ discuss the role of sister cities
▶ conjecture about mysteries of the Spanish-speaking world

Lección B   I will be able to:

▶ talk about the future
▶ state wishes and preferences
▶ discuss the importance of scientific collaboration
▶ talk about prejudice in our multicultural society

¿Qué ciudad es esta y qué tiene en común con Minneapolis?

El mundo

Lección A

Diálogo 🎧
Mis hermanos en Santiago

Laura: ¿Qué estás haciendo?

Daniel: Les escribo un e-mail a mis hermanos en Santiago, Chile.

Laura: Tú no tienes hermanos en Chile. ¡Tus hermanos viven aquí en Minneapolis!

Daniel: ¡Claro que sí tengo!

Laura: No comprendo.

Daniel: Es que Santiago y Minneapolis son ciudades hermanas y este año he estado trabajando por la internet en un proyecto de historia con unos chicos de allá.

Laura: Ah, ya veo. Entonces, ahora ellos son tus hermanos también.

Daniel: Así es. Son hermanos y amigos.

Laura: ¡Qué tonto eres! Me alegra que hayas hecho nuevos amigos.

Daniel: Gracias. Ha sido fantástico trabajar con ellos.

1 ¿Qué recuerdas? 🎧

1. ¿Qué está haciendo Daniel?
2. ¿Dónde viven los hermanos de Daniel?
3. ¿Qué son Santiago y Minneapolis?
4. ¿En qué ha estado trabajando Daniel por internet con sus amigos de Chile?
5. ¿De qué se alegra Laura?
6. ¿Qué ha sido fantástico para Daniel?

2 Algo personal 🎧

1. ¿Tienes amigos en otros países?
2. ¿A quién le escribes e-mails?
3. ¿Sabes cuál es la ciudad hermana del lugar donde vives?
4. ¿Has hecho nuevos amigos este año? ¿Cómo se llaman?

3 Mis hermanos en Santiago 🎧

Di si lo que oyes es cierto o falso, según el **Diálogo**.
Si es falso, corrige la información.

¿A quién le escribes e-mails?

4 Todos han estudiado y aprendido mucho este año 🎧

Di lo que las siguientes personas han aprendido, usando las indicaciones que se dan.

MODELO   Gerardo / muchos proverbios
Gerardo ha aprendido muchos proverbios.

1. Sandra y David / sobre los animales salvajes
2. Clara / mucho sobre los países de habla hispana
3. tú / mucho sobre tecnología
4. Pablo / sobre los problemas del mundo
5. Ud. / a hacer tortillas españolas
6. nosotros / mucho español

¡Comunicación!

5 ¿Qué has hecho este año? 👥 Interpersonal Communication

Trabajando en parejas, alterna con tu compañero/a de clase en preguntarse si han hecho las actividades a continuación este año. Si contestan sí, digan con qué frecuencia lo han hecho.

MODELO   ir de camping

A: **¿Has ido de camping este año?**
B: **Sí, he ido varias veces durante el verano. / No, no he ido de camping este año.**

1. navegar en la internet
2. jugar videojuegos
3. leer poemas
4. ir al cine
5. escribir e-mails
6. dormir hasta el mediodía
7. practicar deportes acuáticos
8. jugar al tenis
9. ver televisión
10. alojarse en un hotel

¡Comunicación!

6 Querido/a amigo/a

Presentational Communication

Imagina que tienes un(a) amigo/a de correspondencia electrónica (*e-pal*), en España. Escríbele un e-mail de dos párrafos contándole algunas de las cosas que hiciste o que han pasado este semestre. ¡Sé creativo/a!

Comunidades

The Internet, especially social media sites, has made it much easier to make friends from all over the world. Friends from different countries can expand your knowledge of other cultures and enrich your perception of the global society we all live in. Furthermore, making and keeping in touch with friends from countries where Spanish is spoken will help improve your abilities to express yourself in Spanish.

7 ¿Qué expresiones usarías?

Conecta lógicamente las situaciones de la columna I con las expresiones de la columna II para saber lo que dirías en cada caso.

I

1. Magdalena compró una falda que le costó muchísimo dinero.

2. Tu mamá te pidió lavar la ropa por la mañana, pero te olvidaste y lo hiciste por la tarde.

3. Después de insistir mucho, Lorena consiguió el empleo que quería.

4. Bromeando, Andrés le dice a María que su casa salió volando por el cielo.

5. Julián le hizo una broma a su amiga, pero a ella no le gustó mucho.

6. Conoces a una persona que habla muchísimo.

7. Tú y tu familia están visitando Arabia Saudita y tus padres te piden que les traduzcas unas señales que están en árabe.

8. Tienes algunos problemas con la computadora y tu amigo te viene a contar lo difícil que son las computadoras para él.

II

A. No lo tome a pecho.

B. Más vale tarde que nunca.

C. ¡Habla hasta por los codos!

D. Eso es chino para mí.

E. Le está tomando el pelo.

F. ¡Si lo sabré yo!

G. Le costó un ojo de la cara.

H. Siempre se sale con la suya.

Estrategia

Using proverbs and sayings

Native Spanish speakers hear proverbs and sayings throughout their life, and use them in everyday speech as a natural outcome of growing up surrounded by Spanish. You have already learned several of these expressions in *¡Qué chévere! 2*. How many of them do you remember? Do you use them? Can you guess the meaning of the expressions that appear below? Using proverbs and expressions when you speak will add character and fluency to your Spanish.

No lo tome a pecho.　　*¡Si lo sabré yo!*

¡Habla hasta por los codos!　*Te está tomando el pelo.*

Más vale tarde que nunca.　*Me costó un ojo de la cara.*

Eso es chino para mí.　　*Siempre se sale con la suya.*

¡Comunicación!

8 La tecnología 　Interpersonal/Presentational Communication

Trabajando en grupos pequeños, hablen sobre los inventos tecnológicos que piensan que han sido indispensables en nuestras vidas. También hablen sobre nuevos inventos tecnológicos que creen que habrá en veinte años. Luego, una persona del grupo debe presentar las conclusiones a la clase.

Pensamos que los celulares han sido el mejor invento tecnológico.

Ciudades hermanas 🎧

¿Cómo ayuda la globalización a la gente? ¿Crees que un mundo globalizado puede "promover[1] la paz con el respeto, comprensión y cooperación mutua"? Esa es la filosofía del programa *Sister Cities International*, creado en 1956 por el Presidente Eisenhower de los Estados Unidos.

Su misión es establecer relaciones entre países, logrando[2] un intercambio cultural, académico, comercial y de ayuda entre ciudades hermanas.

El Festival Internacional de Ballet de Trujillo se realiza en el centro histórico de esta ciudad peruana.

Así lo hicieron Minneapolis, Minnesota, y Santiago, Chile. Los estudiantes de estas ciudades trabajan juntos... ¡separados por miles de millas de distancia! Un acuerdo[3] académico permite, por ejemplo, que estudiantes del Liceo B-98 de Santiago compartan proyectos con escuelas de Minneapolis, comunicándose por la internet. ¡Es una manera moderna de aprender y conocer gente de otra cultura! Como ves, la globalización unió[4] al país más austral[5] del mundo con una de las ciudades más frías del hemisferio norte.

Minneapolis, Minnesota

Salt Lake City, Utah, también tiene una hermana sudamericana: la ciudad de Trujillo, en Perú. Estas promueven el intercambio cultural. ¿Te gusta la danza? El Ballet West es "hermano" de la Compañía de Ballet Trujillo. ¿Te interesa la literatura? Salt Lake Book Festival expone libros de autores estadounidenses y peruanos, ¡igual que el Festival de Libros de Trujillo!

Santiago, Chile

[1] promote   [2] achieving   [3] agreement   [4] united   [5] southern

🔍 **Búsqueda:** ciudades hermanas, globalización, santiago chile, trujillo perú

Prácticas 🎧

La ciudad argentina de Mendoza está hermanada con Nashville, Tennessee. Como práctica del intercambio cultural, la Orquesta de Nashville recibe todos los años a cuatro músicos mendocinos para que toquen con ellos. Es una gran oportunidad para aprender y compartir ideas entre músicos de diferentes culturas.

9 Comprensión   Interpretive Communication

1. ¿Quién creó el programa *Sister Cities International*?
2. ¿Qué objetivo tienen las ciudades hermanas?
3. ¿Entre qué ciudades hermanas hay un acuerdo entre escuelas?
4. ¿Quién se beneficia con este programa global?

10 Analiza

1. Cuando Eisenhower creó este programa, la internet no existía. ¿Qué medios de comunicación crees que ayudaban a la globalización?
2. No todos los estudiantes de los Estados Unidos saben español y no todos los estudiantes de Chile saben inglés. ¿Cómo crees que hacen para comunicarse con su ciudad hermana?
3. ¿Crees que la gente de una ciudad debería tener permiso para vivir y trabajar en su ciudad hermana? Explica.

Hermanas del centro y del norte

¿Conoces a dos hermanas que tengan el mismo nombre? Ese es el caso de las ciudades hermanas San José, California, y San José, Costa Rica. El comité "De San José a San José" se reúne el cuarto viernes de cada mes en la alcaldía[1] de la ciudad californiana. Después de la reunión, hacen una invitación abierta a todos para ir a cenar. El comité también se reúne en Costa Rica. En el año 2011, los dos San José celebraron el 50 aniversario de su hermandad.

El Parque Nacional Tortuguero está a 55 millas de San José, Costa Rica. Es un lugar ideal para que los científicos estudien la biodiversidad del planeta.

¿Qué beneficio obtiene la gente de estos dos países? Gracias a la relación de estas ciudades hermanas, un grupo de jóvenes científicos[2] costarricenses pudo participar de una competición de ciencias en California. Meses después, el comité de California viajó a Costa Rica para continuar con este intercambio científico-cultural.

México y los Estados Unidos tienen muchas ciudades hermanas. Unos de los lazos[3] de hermandad más importante es el comercio, como es el caso de Fort Worth, Texas y Toluca, México. Con el objetivo de establecer un programa de intercambio comercial, se crearon vuelos directos entre ambas ciudades. La globalización ayuda a que los negocios se hagan más rápido, ¡y sin escalas!

[1] city hall   [2] scientists   [3] ties

Q Búsqueda: san josé, toluca, tortuguero, intercambio comercial

Productos 🎧 Conéctate: la historia

Misión San José de Guadalupe

La Misión San José, como las otras veinte misiones franciscanas a lo largo de Alta California, es una obra de arquitectura y un testimonio histórico que atrae (*attracts*) a visitantes de todo el mundo. Estas misiones fueron construidas por los españoles en el siglo dieciocho, durante la época de colonización y evangelización de la región.

Comparaciones

Busca en la internet la ciudad hermana (de un país hispanohablante) de una ciudad de tu estado. Luego haz una comparación entre las dos ciudades. Toma en cuenta la geografía, el clima, la economía y la cultura.

11 Comprensión — Interpretive Communication

1. ¿Qué objetivo tiene la hermandad entre las dos San José?
2. ¿Cómo se facilitó el comercio entre Toluca y Fort Worth?

12 Analiza

1. ¿Por qué Costa Rica es un lugar ideal para los científicos?
2. Observa la arquitectura de la misión de San José, California. ¿Por qué crees que es parecida a la arquitectura de algunos países de Latinoamérica?

Todo en contexto

¡Comunicación!

13 Nuevas hermanas 👥 Presentational Communication

Tú y dos compañeros/as van a proponer (*propose*) dos ciudades hermanas nuevas. Escojan su ciudad o una ciudad de los Estados Unidos que les resulte interesante por sus elementos culturales, artísticos o económicos. Para escoger a la ciudad hermana, investiguen en la internet sobre una ciudad de Latinoamérica o España. Luego hagan una presentación en clase, explicando qué tipo de intercambio pueden hacer estas ciudades. Tengan en cuenta la cultura, la economía, el arte y la educación.

MODELO A: **Pensamos que la ciudad hermana de... debe ser...**

B: **Los elementos culturales de... son...**

C: **Este intercambio cultural sirve para...**

¡Comunicación!

14 Chateando 👥 Interpersonal Communication

Imagina que tú y tu compañero/a son parte de un intercambio académico y que están chateando en la internet. Sigan las siguientes indicaciones para crear un diálogo en español.

Greet your new cyber friend. Then ask what his/her favorite class was this year.

Answer the question and explain why.

Then ask your new friend what he/she does when not studying.

Answer the question and find out if he/she also likes that activity.

Respond and then say you have to go.

Say good-bye.

Lectura informativa

Antes de leer 🎧

1. ¿Has visto alguna cosa misteriosa? ¿Qué era? ¿Dónde lo viste?

2. ¿Has hecho dibujos en la tierra o en la arena? ¿Qué hiciste?

3. ¿Cómo moverías una estatua de piedra en un parque?

Estrategia

Main theme

Many readings are divided into subreadings, which are all related to one main theme. As you read the selection, keep the main title in mind and see if the content of the subreadings match.

Unas esferas de piedra de Costa Rica

Misterios de Norte a Sur 🎧

El mundo está lleno de misterios. En un mundo globalizado, es más fácil intentar resolverlos. La ayuda entre países sirve para que tratemos de comprender los enigmas de antiguas civilizaciones.

Esferas de piedra gigantes

¿Viste la película *Indiana Jones en busca del arca perdida*? ¿Recuerdas las bolas[1] de piedra[2] gigantes? Esas bolas existen. ¿Dónde? En Costa Rica. Allí hay 300 esferas de piedra de 16 toneladas[3]. ¿Cómo llegaron allí? Nadie lo sabe con certeza[4]. Sin embargo, con la colaboración entre científicos de varios países se llegó a la conclusión de que fueron hechas en el año 600 d.C.[5] ¿A qué civilización pertenecieron[6]? Todavía es un misterio.

Líneas perfectas y misteriosas

En Perú hay otro misterio: las líneas de Nazca. En el suelo[7] del desierto hay unos dibujos lineales perfectos creados hace más de dos mil años. Estos generalmente representan animales, pero son tan grandes que solo se pueden ver desde el cielo. ¿Por qué fueron creados? Algunos científicos creen que eran caminos usados en ceremonias rituales; otros creen que era un calendario astronómico. ¿Cuál es tu teoría?

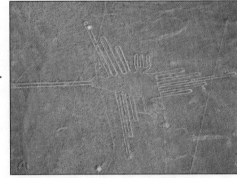
Las líneas de Nazca, Perú

Cabezas enormes

La Isla de Pascua está en el océano Pacífico y pertenece a Chile. Allí hay más de 900 figuras de piedra gigantes, llamadas moais. Fueron hechas por los antiguos habitantes de la isla, pero nadie sabe exactamente cómo transportaron esas pesadas[8] figuras. La colaboración entre las Universidades de Hawái y de Long Beach, junto con un arqueólogo nativo de la isla, concluyeron en que usaron cuerdas[9] y arcos[10]. ¿Será una respuesta final?

Los moais en la Isla de Pascua, Chile

[1] balls [2] rock [3] tons [4] certainty [5] A.D. [6] belonged [7] ground
[8] heavy [9] ropes [10] arcs

🔍 **Búsqueda:** esferas de piedra gigantes, líneas de nazca, moais

15 Comprensión 🎧 Interpretive Communication

1. ¿Cuánto pesan (*weigh*) las esferas de Costa Rica?
2. ¿Qué son las líneas de Nazca?
3. ¿Cómo se llaman las figuras gigantes de la Isla de Pascua?
4. ¿Se resolvieron estos tres misterios?

16 Analiza

1. ¿Para qué crees tú que servían las piedras gigantes de Costa Rica?
2. En tu opinión, ¿con qué objetivo se hicieron las líneas de Nazca para que se vieran desde el cielo?
3. ¿Estás de acuerdo con la conclusión sobre cómo transportaban los moais?
4. ¿Por qué crees que en el mundo globalizado se pueden resolver más misterios?

Extensión

En Argentina descubrieron restos del dinosaurio más grande encontrado hasta ahora. Con frecuencia se encuentran restos de estos animales en Argentina y Chile. Es un misterio que se encuentren comúnmente en Sudamérica y no en Norteamérica.

🔍 **Búsqueda:** dinosaurios en Patagonia

Fósil de un súper dinosaurio en Trelew, Argentina

✏️ Escritura

17 Deducciones

Escribe un artículo para un blog con tu análisis y deducciones sobre los tres misterios de la lectura informativa. Investiga en la internet quiénes eran los pueblos nativos de Costa Rica, Nazca y la Isla de Pascua. ¿Qué actividades hacían? ¿Qué religión tenían? ¿Podría haber una relación entre lo que averiguas y los misterios de cada lugar? Intenta establecer una relación con explicaciones lógicas. Luego lee tu artículo a la clase y contesta cualquier pregunta de tus compañeros.

Para escribir más

En... vivían...	In . . . lived . . .
Ellos creían en...	They believed in . . .
Su forma de vida era...	Their way of life was . . .
Creo que usaban las... para...	I believe they used . . . for . . .

Repaso de la Lección A

A Escuchar: Murcia, ciudad hermana de Miami (pp. 108, 133, 449)

Escucha la descripción de Murcia, ciudad hermana de Miami. Luego contesta las preguntas.

1. ¿Dónde está Murcia?
   A. en el noreste de España
   B. en el sureste de España
   C. en el oeste de España

2. ¿A orillas de qué está Murcia?
   A. a orillas del río Segura
   B. a orillas del océano Atlántico
   C. a orillas del lago de Sanabria

3. ¿Qué tienen en común Murcia y Miami?
   A. monumentos históricos
   B. hermosas playas
   C. inviernos fríos

4. ¿Cuál es una diferencia entre las ciudades hermanas?
   A. El clima de Miami es más agradable.
   B. Miami tiene más playas que Murcia.
   C. Miami no es tan antigua como Murcia.

B Vocabulario/Gramática: El fin de otro año (pp. 160, 171, 270, 326)

Completa el e-mail de Lucía con las palabras más lógicas del recuadro y con el presente perfecto de los verbos entre paréntesis.

| bote | muebles | atracciones | salvajes |

CORREO ∨ | Nuevo Enviar Insertar Responder |∨ Eliminar Archivar Lucía ⚙

De: Lucía

Para: Víctor

Asunto: ¡Hola!

¿Cómo (**1.** *estar*)? ¿Puedes creerlo? Otro año académico casi (**2.** *terminar*). Este año (**3.** *ser*) maravilloso porque mis amigos y yo (**4.** *hacer*) muchas cosas en San Antonio. Por ejemplo, fuimos a los parques de (**5**), dimos un paseo en (**6**) por el río, vimos animales (**7**) en el zoológico. También compré (**8**) nuevos para mi cuarto. ¿Y tú? ¿(**9.** *divertirse*)? Cuéntame sobre tu año.

Saludos,

Lucía

C Cultura: Ciudades hermanas (pp. 477–478)

Conecta cada lugar en la primera columna con su ciudad hermana en la segunda columna.

I	II
1. Toluca, México	A. Minneapolis, Minnesota
2. San José, Costa Rica	B. Fort Worth, Texas
3. Trujillo, Perú	C. Nashville, Tennessee
4. Santiago, Chile	D. Salt Lake City, Utah
5. Mendoza, Argentina	E. San José, California

Lección B

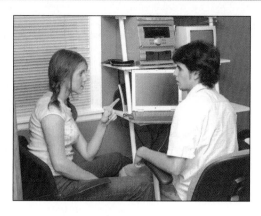

Diálogo

Quisiera estudiar en Chile

Daniel: Quisiera estudiar una carrera en Chile.

Laura: ¡Qué bueno! ¿Ya sabes a qué universidad quieres asistir?

Daniel: No, pero ya sé que puedo alojarme con mis amigos chilenos.

Laura: Pues, más vale que empieces a buscar pronto.

Daniel: Sí, ya escribí a la Universidad Católica de Chile para que me envíen información sobre las carreras que ofrecen.

Laura: Muy bien. También sería bueno que te enteres sobre la cultura y el clima del país.

Daniel: ¡Oh, claro! En mis clases de español he aprendido mucho sobre Chile, pero voy a buscar más información en la internet.

Un poco más

Expresando cortesía

You have learned to use *gustaría* with *me*, *te*, *le*, etc. to politely express a wish or to make a request. The expression *quisiera* can be used similarly, but without adding *me*, *te*, *le*, etc.

Me gustaría estudiar en Chile.
Quisiera estudiar en Chile.

1 ¿Qué recuerdas?

1. ¿Dónde quisiera Daniel estudiar una carrera?
2. ¿Ya sabe Daniel a qué universidad asistir?
3. ¿Con quién puede alojarse Daniel?
4. ¿A qué universidad ya escribió Daniel?
5. ¿De qué sería bueno que se entere Daniel, según Laura?
6. ¿Dónde ha aprendido Daniel mucho sobre Chile?

2 Algo personal

1. ¿En qué país de habla hispana te gustaría estudiar después de terminar el colegio?
2. ¿Piensas que estudiar en otro país es algo bueno para tu futuro? ¿Por qué?
3. ¿Has aprendido mucho sobre los países de habla hispana en tu clase de español?

Comunidades

Has aprendido mucho sobre la cultura, la historia y la vida en los países de habla hispana. También has mejorado tus habilidades para hablar español a través de diferentes medios, como la internet, el e-mail, la televisión internacional, etc. Pero ninguna de estas formas puede igualarse con la oportunidad de estudiar en un país hispanohablante y poder estar inmerso completamente en un ambiente auténtico. Estudiar en un país de habla hispana a través de un programa de intercambio, por ejemplo, te da la oportunidad de seguir estudiando a la vez que puedes experimentar la cultura y la lengua de primera mano.

3 ¿Quién dijo qué?

¿Quién dijo lo siguiente, Laura o Daniel?

Lee el siguiente anuncio sobre un programa de intercambio. Después, contesta las preguntas.

CAMPUS COLIMA MÉXICO

El Programa de Intercambio Internacional es una inversión que puedes hacer durante tu vida de estudiante y que puede llegar a ser un factor importante para abrirte muchas puertas en el aspecto profesional.

Estudiar en otro país es culturalmente enriquecedor y profesionalmente una experiencia de grandes satisfacciones.

¿Quiénes pueden participar?

Pueden participar todos los estudiantes que reúnan los siguientes requisitos:

- Estar en 3º, 4º, 5º, 6º ó 7º semestre de su carrera al momento de entregar la solicitud. Es importante aclarar que la recepción de solicitudes es únicamente al inicio de cada semestre, por lo que se deberá considerar esto al momento de entregar la solicitud.

- Tener un promedio global en la carrera igual o superior a 83 o su equivalente.

- Hablar español, francés o alemán según el país al que se viaje.

1. ¿Para quién es este anuncio: profesores, estudiantes o empleados de Campus Colima México?
2. ¿Cómo se llama el programa?
3. ¿Por qué participar en este programa puede ser importante?
4. ¿Qué es culturalmente enriquecedor (*enriching*), según el anuncio?
5. ¿Cuáles son los requisitos que se deben tener para participar?

¡Comunicación!

5 **Estudiar en otro país**   Interpersonal/Presentational Communication

En grupos de tres o cuatro, hablen sobre las ventajas y desventajas de estudiar en otro país. Escriban las conclusiones y luego, una persona del grupo debe presentar un resumen a la clase.

6 **La universidad ideal**

Haz una lista de las ocho características más importantes que buscarías en una universidad a la que te gustaría asistir. Usa el subjuntivo.

MODELO   **Que tenga un programa de intercambio.**

¡Comunicación!

7 Los planes para el futuro   Interpersonal Communication

En parejas, pregúntale a tu compañero/a de clase la siguiente información para saber sobre sus planes para el futuro. Averigua cualquier otra información que necesites. Después de la entrevista, escribe un párrafo sobre los planes que tu compañero/a tiene para el futuro.

MODELO   si le gustaría estudiar en otro país

A: ¿Te gustaría estudiar en otro país?

B: Sí, me encantaría estudiar en España.

1. lo que piensa estudiar al terminar el colegio
2. lugar donde quiere estudiar
3. trabajo que le gustaría tener
4. lugar donde preferiría tener su trabajo
5. si le gustaría trabajar en otro país

Universidad Pontificia Comillas, España

¡Comunicación!

8 ¿Qué tipo de trabajo buscarás?   Interpersonal/Presentational Communication

En grupos pequeños, hablen de las características más importantes que buscarán en un empleo cuando empiecen a buscar trabajo. Escriban sus conclusiones y luego, compártanlas con otro grupo de estudiantes de la clase.

MODELO   **Queremos un trabajo que nos permita viajar a otros países.**

¡Comunicación!

9 El próximo año   Presentational Communication

Escribe un párrafo sobre tus planes para el próximo año. Describe si piensas seguir estudiando español, si buscarás un trabajo, si aprenderás a conducir o cualquier otro plan que tengas. Usa el tiempo futuro.

¡Comunicación!

10 ¡A cantar!   Presentational Communication
Conéctate: la música

Usando la música de una canción que conozcas, escribe una canción en español sobre algún tema que describa tu futuro. Después, puedes leer o cantar tu canción a la clase.

? Essential Question

How do people benefit from living in a global society?

Una mirada al cielo 🎧

La Universidad Católica de Chile ofrece carreras muy interesantes. Una de ellas es astronomía. ¿Qué tiene que ver con el mundo globalizado? Es que en Chile está el complejo de telescopios más grande del mundo, ALMA, construido[1] gracias a la financiación dada por los Estados Unidos, Japón y Europa.

Allí llegan estudiantes y científicos de todo el mundo. ¿Cómo se pueden beneficiar otros países yendo a Chile a ver el cielo? Pues, ALMA está en el desierto de Atacama, en el norte de Chile. Ese lugar no solamente es el lugar más seco del mundo sino que también está lejos de las zonas de contaminación lumínica[2]. Es decir, las noches son despejadas[3] y se puede ver muy bien las estrellas y constelaciones. Atacama es el lugar ideal para estudiar las galaxias, y desde allí poder ver y descubrir[4] cosas que no se pueden hacer desde otros países.

Telescopio ALMA, Chile

Ahora hay un proyecto con la colaboración de países de Europa para construir otro telescopio más grande, el E-ELT. Para eso van a demoler la cima[5] de una montaña en el desierto chileno y poner allí el telescopio. Esperan muy pronto ver planetas más allá de nuestro sistema solar. Es una forma de que la globalización llegue a otros lugares del universo.

[1] built [2] light [3] clear [4] discover [5] summit

🔍 **Búsqueda:** atacama, alma, e-elt

Productos 🎧 Conéctate: la astronomía

La Universidad de Valparaíso, Chile, en colaboración con ESO (*European Southern Observatory*), tiene un programa de charlas, talleres y observaciones astronómicas para los estudiantes y el público general. El objetivo es promover la astronomía y los estudios científicos desde Chile y hacia todo el mundo. El proyecto incluye también la actualización del blog de astronomía "AstroNosotros".

Estudiantes estudian astronomía

11 Comprensión — Interpretive Communication

1. ¿Dónde está el telescopio más grande del mundo? ¿Por qué es el lugar ideal?
2. ¿Cómo van a hacer para construir otro telescopio aun más grande?

12 Analiza

1. ¿Que beneficio tienen los científicos de otros países cuando van al observatorio de Chile?
2. ¿Qué crees que aprenden los jóvenes en los talleres de la Universidad de Valparaíso?

Investigación en el frío 🎧

Chile ayuda al mundo con sus investigaciones. Lo hace en el norte del país y también en el sur. Tan al sur que muchos de sus centros de investigación llegan a la Antártida[1]. Allí hay bases que funcionan con la supervisión del gobierno chileno y de otros países. La Antártida es un punto del planeta donde la globalización se junta en un solo lugar, y de allí sale información para todo el mundo.

Chile tiene cuatro bases permanentes en la Antártida. En ellas, además de cuarteles[2] militares y centros de investigación, hay escuelas, hospitales y aeropuertos. Tienen modernos sistemas

Base González Videla en la bahía Paraíso, Antártida

de telefonía e internet que les permiten estar comunicados con todo el mundo. ¡En este mundo globalizado la información llega en segundos! Los países que la reciben pueden aplicarla inmediatamente.

La geología y la biología marina son dos temas fundamentales de investigación en las bases chilenas antárticas. Con Chile colaboran los países que tienen bases cercanas[3], como Francia, Polonia y China. Y para hablar de globalización, un dato importante: existe el proyecto de hacer una base en la Antártida donde colaboren 28 países. Una estrategia científica para que desde un punto remoto del Polo Sur, se beneficien todas las naciones.

[1] Antarctica   [2] barracks   [3] nearby

🔍 **Búsqueda:** bases chilenas en antártida

Productos   🎧 **Conéctate: la geografía**

El Parque Nacional Bernardo O'Higgins es el parque nacional más extenso de Chile. Muchos turistas de todas partes del mundo visitan este parque para ver los glaciares. Uno de los más espectaculares es Pío XI, el glaciar más grande de América del Sur.

Glaciar Pío XI, Chile

---

13 Comprensión   Interpretive Communication

1. ¿Cuántas bases permanentes tiene Chile en la Antártida?

2. ¿Qué tipo de investigaciones hace Chile en las bases de la Antártida?

3. ¿Qué países colaboran con la investigación de Chile en la Antártida?

4. ¿Cómo se llama el glaciar más grande de América del Sur?

---

14 Analiza

1. ¿Por qué crees que hay bases en un lugar tan lejos como la Antártida?

2. ¿Crees que desde allí se puede estudiar mejor las ciencias? Explica.

3. Compara la geografía y el clima entre el norte de Chile y el sur de Chile. ¿Cómo atraen (*attract*) a personas de todo el mundo?

15 Latino Profesional — Interpretive Communication

Lee el anuncio de la página web y luego contesta las preguntas.

1. ¿Qué tipo de profesionales pueden estar interesados en esta página web?
2. ¿Se necesita ser miembro para usar los servicios de esta empresa?
3. Si te registras en sus listas de trabajo, ¿qué vas a recibir?
4. ¿En cuántos campos de trabajo ofrecen listas?
5. ¿En cuántos países de habla hispana ofrecen trabajos?

Dirección **Latino Profesional**

Archivo Edición Ver Favoritos Herramientas Ayuda

Latino Profesional es una empresa de membresía que sirve como un intermediario importante entre sus miembros y empresas, y reclutadores en busca de profesionales bilingües (español e inglés).

Esta página tiene información disponible para miembros y no miembros indistintamente. Si usted está en busca de un trabajo en el que requieran de sus idiomas, lo invitamos a que explore nuestros beneficios.

Listas de trabajo
Al registrarse en nuestras listas de trabajo usted va a recibir avisos de trabajo por e-mail todos los meses. Ofrecemos listas de trabajo en cuarenta campos.

Ofrecemos empleos en los siguientes países:

Argentina	Colombia	España	México
Chile	Costa Rica	Guatemala	Puerto Rico

Registrarse

¡Comunicación!

16 Un súper telescopio — Presentational Communication   Conéctate: las ciencias

Imagina que tú y tu compañero/a son astrónomos. Quieren instalar un súper telescopio en un lugar perfecto de Latinoamérica, que no sea Chile. Investiguen en la internet qué lugares tienen un aire seco, cielos claros y menor contaminación lumínica (*light*). Presenten un informe a la clase con los siguientes puntos:

- Características del lugar
  ¿Por qué es ideal para el súper telescopio?
- Objetivo del telescopio
  ¿Qué quieren observar?
- Fotografías para mostrar el lugar que escogieron
- Mapa para indicar dónde estará su telescopio

¿Dónde pondrías un súper telescopio?

Lectura literaria

El negro
de *Rosa Montero*

Sobre la autora

Rosa Montero (España, 1951) es una escritora que también se destaca por su trabajo periodístico. Sus obras tratan de temas cotidianos (*daily*), como la ancianidad (*old age*), las historias de amor y el mundo empresarial (*corporate*). El cuento que vas a leer es un mensaje para la sociedad europea y para todas las personas que discriminan.

Rosa Montero

---

17 Antes de leer: Adverbios

La selección que vas a leer contiene los siguientes adverbios. Conecta cada uno con su significado. Puedes usar un diccionario si es necesario.

1. inequívocamente
2. probablemente
3. amistosamente
4. paritariamente
5. suavemente
6. inmensamente

A. como lo hace un amigo
B. con delicadeza
C. en partes iguales
D. muy
E. quizás
F. sin duda

Estrategia

Understanding adverbs

In Spanish, most of the words ending in *-mente* are modal adverbs. These describe how an action is performed. They also emphasize certain qualities. By identifying and understanding adverbs, you can better understand a character's behavior and appearance.

---

18 Antes de leer: Vocabulario

Las siguientes palabras son importantes en la selección que vas a leer. Indica cuáles están relacionadas con **buenos modales** (*good manners*) y cuáles con **malos modales**.

1. agresión
2. cortesía
3. generosidad

4. sonreír
5. condescendencia

---

19 Antes de leer: Conocimientos previos

1. En la cafetería del colegio, ¿dejas a veces la bandeja (*tray*) y te levantas a buscar algo?

2. ¿Tienes amigos de otras culturas? Si es así, ¿qué comes cuando vas a su casa?

3. ¿Qué haces cuando le dices algo a un(a) amigo/a y luego te das cuenta (*realize*) de que te equivocaste?

El negro
de *Rosa Montero*

Estamos en el comedor estudiantil de una universidad alemana. Una alumna[1] rubia e inequívocamente germana adquiere su bandeja con el menú en el mostrador del autoservicio y luego se sienta en una mesa. Entonces advierte[2] que ha olvidado los cubiertos y vuelve a levantarse para cogerlos[3]. Al regresar, descubre con estupor[4] que un chico negro, probablemente subsahariano por su aspecto, se ha sentado en su lugar y está comiendo de su bandeja. De entrada, la muchacha se siente desconcertada y agredida[5]; pero enseguida corrige[6] su pensamiento y supone que el africano no está acostumbrado al sentido de la propiedad privada y de la intimidad del europeo, o incluso[7] que quizá no disponga[8] de dinero suficiente para pagarse la comida, aun siendo esta barata para el elevado estándar de vida de nuestros ricos países. De modo que la chica decide sentarse frente[9] al tipo[10] y sonreírle amistosamente. A lo cual el africano contesta con otra blanca sonrisa. A continuación, la alemana comienza a comer de la bandeja intentando aparentar[11] la mayor normalidad y compartiéndola con exquisita generosidad y cortesía con el chico negro. Y así, él se toma la ensalada, ella apura la sopa, ambos pinchan[12] paritariamente del mismo plato de estofado[13] hasta acabarlo y uno da cuenta[14] del yogur y la otra de la pieza de fruta. Todo ello trufado[15] de múltiples sonrisas educadas, tímidas[16] por parte del muchacho, suavemente alentadoras[17] y comprensivas[18] por parte de ella. Acabado el almuerzo, la alemana se levanta en busca de un café. Y entonces descubre, en la mesa vecina detrás de ella, su propio abrigo[19] colocado sobre el respaldo de una silla y una bandeja de comida intacta.

Dedico esta historia deliciosa, que además es auténtica, a todos aquellos españoles que, en el fondo, recelan[20] de los inmigrantes y les consideran individuos inferiores. A todas esas personas que, aun bienintencionadas, les observan con condescendencia y paternalismo. Será mejor que nos libremos de los prejuicios o corremos el riesgo[21] de hacer el mismo ridículo que la pobre alemana, que creía ser el colmo[22] de la civilización mientras el africano, él sí inmensamente educado, la dejaba comer de su bandeja y tal vez pensaba: "Pero qué chiflados[23] están los europeos".

[1] student [2] notices [3] take them [4] astonishment [5] attacked [6] corrects [7] even [8] has [9] in front of [10] guy [11] to look
[12] stab [13] stew [14] finish [15] filled [16] shy [17] encouraging [18] understanding [19] coat [20] suspect [21] risk [22] height [23] crazy

20 Comprensión 🎧 Interpretive Communication

1. ¿En qué país ocurre el cuento?
2. ¿De qué continente es el chico negro?
3. ¿Por qué se sorprendió la chica?
4. ¿Cómo reaccionó el chico cuando la chica se sentó con él?
5. ¿Quién se equivocó en esta historia?

21 Analiza

1. ¿Qué crees que habría hecho (*would have done*) la chica si el chico hubiera sido (*had been*) rubio?
2. ¿Por qué piensas que el chico sonrió en vez de enojarse cuando le tocaron su comida?
3. ¿Cuándo crees que la chica se dio cuenta de que se había equivocado?
4. ¿Por qué crees que la autora dedica esta historia a los españoles y no a los alemanes?

Repaso de la Lección B

A Escuchar: Profesiones 🎧 (pp. 198, 322, 334, 426)

Vas a escuchar cinco descripciones. Para cada una, identifica la profesión que tiene la persona.

B Vocabulario: Aspiraciones (pp. 436–437)

¿Qué aspiraciones tiene Leonardo? Escribe cinco oraciones sobre sus aspiraciones según los dibujos. Empieza cada oración con **Le gustaría** o **Quisiera**.

C Gramática: Pensando sobre el futuro (p. 452)

Completa las oraciones con el presente del subjuntivo de los verbos entre paréntesis.

1. ¡Quiero que tú (*ir*) a la universidad!
2. Diego duda que nosotros (*poder*) estudiar en Chile.
3. Ojalá que mis amigos y yo (*ser*) amigos para siempre.
4. Es posible que mi hermano (*estudiar*) para ser profesor.
5. Espero que Uds. siempre (*mantener*) una buena actitud.
6. Me alegra que tú (*hacer*) nuevas amistades.

D Cultura: Chile (pp. 486–487)

Conecta cada nombre en la columna de la izquierda con su significado en la columna de la derecha.

1. ALMA
2. Atacama
3. E-ELT
4. "AstroNosotros"
5. González Videla
6. Pío XI

A. base chilena en la Antártida
B. blog sobre astronomía
C. glaciar más grande de América del Sur
D. desierto en el norte de Chile
E. complejo grande de telescopios
F. futuro telescopio más grande del mundo

Para concluir

Proyectos

A   ¡Manos a la obra!   👥

La globalización ha servido para facilitar la educación, la investigación, el intercambio cultural y el comercio entre países. En grupos de tres, investiguen en la internet sobre dos eventos relevantes que hayan ocurrido en los últimos diez años gracias a la globalización. ¿Qué países participaron y cuáles se beneficiaron? ¿Esos sucesos hubieron ocurrido si el mundo no estuviera globalizado? Presenten su explicación a la clase.

Un mundo globalizado

B   En resumen

Según lo que leíste en esta unidad, la globalización acerca a personas de todo el mundo. También sirve para que mucha gente se beneficie. Copia el diagrama de abajo y completa los recuadros de la columna derecha para explicar brevemente qué tipo de beneficios están relacionados con la información de la izquierda.

Participar en el programa de ciudades hermanas	
Estudiar la biodiversidad del Parque Tortuguero	
Proteger las líneas de Nazca	
Colaborar en la creación de un telescopio gigante	
Crear una base en la Antártida	

C ¡A escribir!

Hoy es muy fácil participar en un mundo globalizado con el uso de la internet. Sin embargo, hace algunos años, la comunicación con otros países era más lenta. Haz una investigación en tu familia o entre amigos adultos. Averigua (*Find out*) cómo se enteraban de los sucesos en el mundo cuando estaban en el colegio. También indica cómo hacían si tenían que comunicarse con personas de otro país. Escribe tres párrafos explicando cómo era la comunicación antes y si esos métodos tenían beneficios o inconvenientes. ¿Usarías tú esos métodos? Trabaja con las siguientes personas:

- tus padres o tutores
- tus abuelos o una persona anciana
- las personas que iban a la escuela en los años 1900 (investiga en la internet)

Estrategia

Compare and contrast

When you find new information, it is useful to compare and contrast it with the information you already know. As you research old means of communication during different time periods, note the pros and cons of them, compared with the means you use now. Include that comparison in your writing.

D Negocios internacionales   Conéctate: las matemáticas

En el mundo globalizado hay muchos negocios internacionales entre distintos países. Pero... cada país tiene su moneda (*currency*). Generalmente, los negocios internacionales se hacen en dólares estadounidenses. Lee los siguientes negocios y calcula cuántos dólares gastó (*spent*) cada país.

1. Argentina invirtió 10.000.000 de pesos en construir escuelas en Venezuela.
   1 peso argentino = 0,12 dólares

2. México puso 10.000.000 de pesos y España puso 1.500.000 euros para comprar un avión de vuelo directo entre estos países. ¿Cuánto fue la inversión total?
   1 peso mexicano = 0,07 dólares
   1 euro = 1,40 dólares

3. Para la nueva base naval de la Antártida, Chile invirtió 450.000.000 de pesos, Inglaterra 20.000.000 de libras, Canadá 50.000.000 de dólares canadienses y Estados Unidos 40.000.000 de dólares. ¿Cuánto fue el total de la inversión?
   1 peso chileno = 0,002 dólares
   1 libra = 1,68 dólares
   1 dólar canadiense = 0,90 dólares

E ¡Una obra de arte!   Conéctate: el arte

Crea una pintura (*painting*) o un dibujo que represente una actividad o un evento que haya sido importante para ti durante el año. Usa la técnica que quieras. Luego presenta —en español— tu obra de arte a la clase.

Sofía pintó la casa de su padrastro.

Appendices

Appendix A

Grammar Review

Definite articles

	Singular	Plural
Masculine	el	los
Feminine	la	las

Indefinite articles

	Singular	Plural
Masculine	un	unos
Feminine	una	unas

Adjective/noun agreement

	Singular	Plural
Masculine	El chico es alto.	Los chicos son altos.
Feminine	La chica es alta.	Las chicas son altas.

Pronouns

Singular	Subject	Direct object	Indirect object	Object of preposition	Reflexive
1st person	yo	me	me	mí	me
2nd person	tú	te	te	ti	te
	Ud.	lo/la	le	Ud.	se
3rd person	él	lo	le	él	se
	ella	la	le	ella	se
Plural					
1st person	nosotros	nos	nos	nosotros	nos
	nosotras	nos	nos	nosotras	nos
2nd person	vosotros	os	os	vosotros	os
	vosotras	os	os	vosotras	os
	Uds.	los/las	les	Uds.	se
3rd person	ellos	los	les	ellos	se
	ellas	las	les	ellas	se

Demonstrative pronouns

Singular		Plural		
Masculine	**Feminine**	**Masculine**	**Feminine**	**Neuter**
este	esta	estos	estas	esto
ese	esa	esos	esas	eso
aquel	aquella	aquellos	aquellas	aquello

Possessive pronouns

Singular	Singular form	Plural form
1st person	el mío la mía	los míos las mías
2nd person	el tuyo la tuya	los tuyos las tuyas
3rd person	el suyo la suya	los suyos las suyas

Plural	Singular form	Plural form
1st person	el nuestro la nuestra	los nuestros las nuestras
2nd person	el vuestro la vuestra	los vuestros las vuestras
3rd person	el suyo la suya	los suyos las suyas

Interrogatives

qué	*what*
cómo	*how*
dónde	*where*
cuándo	*when*
cuánto/a/os/as	*how much, how many*
cuál/cuáles	*which (one)*
quién/quiénes	*who, whom*
por qué	*why*
para qué	*why, what for*

Demonstrative adjectives

Singular		Plural	
Masculine	**Feminine**	**Masculine**	**Feminine**
este	esta	estos	estas
ese	esa	esos	esas
aquel	aquella	aquellos	aquellas

Possessive adjectives: short form

Singular	Singular nouns	Plural nouns
1st person	mi hermano mi hermana	mis hermanos mis hermanas
2nd person	tu hermano tu hermana su hermano su hermana	tus hermanos tus hermanas sus hermanos sus hermanas
3rd person	su hermano su hermana	sus hermanos sus hermanas

Plural	Singular nouns	Plural nouns
1st person	nuestro hermano nuestra hermana	nuestros hermanos nuestras hermanas
2nd person	vuestro hermano vuestra hermana su hermano su hermana	vuestros hermanos vuestras hermanas sus hermanos sus hermanas
3rd person	su hermano su hermana	sus hermanos sus hermanas

Possessive adjectives: long form

Singular	Singular nouns	Plural nouns
1st person	un amigo mío una amiga mía	unos amigos míos unas amigas mías
2nd person	un amigo tuyo una amiga tuya	unos amigos tuyos unas amigas tuyas
3rd person	un amigo suyo una amiga suya	unos amigos suyos unas amigas suyas

Plural	Singular nouns	Plural nouns
1st person	un amigo nuestro una amiga nuestra	unos amigos nuestros unas amigas nuestras
2nd person	un amigo vuestro una amiga vuestra	unos amigos vuestros unas amigas vuestras
3rd person	un amigo suyo una amiga suya	unos amigos suyos unas amigas suyas

Appendix B Verbs

Present tense (indicative)

Regular present tense		
hablar (*to speak*)	hablo hablas habla	hablamos habláis hablan
comer (*to eat*)	como comes come	comemos coméis comen
escribir (*to write*)	escribo escribes escribe	escribimos escribís escriben

Present tense of reflexive verbs (indicative)

lavarse (*to wash oneself*)	me lavo te lavas se lava	nos lavamos os laváis se lavan

Present tense of stem-changing verbs (indicative)

Stem-changing verbs are identified in this book by the presence of vowels in parentheses after the infinitive. If these verbs end in -*ar* or -*er*, they have only one change. If they end in -*ir*, they have two changes. The stem change of -*ar* and -*er* verbs and the first stem change of -*ir* verbs occur in all forms of the present tense, except *nosotros* and *vosotros*.

cerrar (ie) (*to close*)	e → ie	cierro cierras cierra	cerramos cerráis cierran

Verbs like **cerrar**: apretar (*to tighten*), atravesar (*to cross*), calentar (*to heat*), comenzar (*to begin*), despertar (*to wake up*), despertarse (*to awaken*), empezar (*to begin*), encerrar (*to lock up*), negar (*to deny*), nevar (*to snow*), pensar (*to think*), quebrar (*to break*), recomendar (*to recommend*), regar (*to water*), sentarse (*to sit down*), temblar (*to tremble*), tropezar (*to trip*)

contar (ue) (*to tell*)	o → ue	cuento cuentas cuenta	contamos contáis cuentan

Verbs like **contar**: acordar (*to agree*), acordarse (*to remember*), acostar (*to put to bed*), acostarse (*to lie down*), almorzar (*to have lunch*), colgar (*to hang*), costar (*to cost*), demostrar (*to demonstrate*), encontrar (*to find*), mostrar (*to show*), probar (*to taste, to try*), recordar (*to remember*), rogar (*to beg*), soltar (*to loosen*), sonar (*to ring, to sound*), soñar (*to dream*), volar (*to fly*), volcar (*to spill, to turn upside down*)

jugar (ue) (*to play*)	u → ue	juego juegas juega	jugamos jugáis juegan

perder (ie) (to lose)	e → ie	pierdo pierdes pierde	perdemos perdéis pierden

Verbs like **perder**: defender (*to defend*), descender (*to descend, to go down*), encender (*to light, to turn on*), entender (*to understand*), extender (*to extend*), tender (*to spread out*)

volver (ue) (to return)	o → ue	vuelvo vuelves vuelve	volvemos volvéis vuelven

Verbs like **volver**: devolver (*to return something*), doler (*to hurt*), llover (*to rain*), morder (*to bite*), mover (*to move*), resolver (*to resolve*), soler (*to be in the habit of*), torcer (*to twist*)

pedir (i, i) (to ask for)	e → i	pido pides pide	pedimos pedís piden

Verbs like **pedir**: conseguir (*to obtain, to attain, to get*), despedirse (*to say good-bye*), elegir (*to choose, to elect*), medir (*to measure*), perseguir (*to pursue*), repetir (*to repeat*), seguir (*to follow, to continue*), vestirse (*to get dressed*)

sentir (ie, i) (to feel)	e → ie	siento sientes siente	sentimos sentís sienten

Verbs like **sentir**: advertir (*to warn*), arrepentirse (*to regret*), convertir (*to convert*), convertirse (*to become*), divertirse (*to have fun*), herir (*to wound*), invertir (*to invest*), mentir (*to lie*), preferir (*to prefer*), requerir (*to require*), sugerir (*to suggest*)

dormir (ue, u) (to sleep)	o → ue	duermo duermes duerme	dormimos dormís duermen

Present participle of regular verbs

The present participle of regular verbs is formed by replacing the *-ar* of the infinitive with *-ando* and the *-er* or *-ir* with *-iendo*.

Present participle of stem-changing verbs

Stem-changing verbs that end in *-ir* use the second stem change in the present participle.

dormir (ue, u)	durmiendo
seguir (i, i)	siguiendo
sentir (ie, i)	sintiendo

Progressive tenses

The present participle is used with the verbs *estar, continuar, seguir, andar,* and some other motion verbs to produce the progressive tenses. They are reserved for recounting actions that are or were in progress at the time in question.

Regular command forms

	Affirmative		Negative
-ar verbs	habla	(tú)	no hables
	hablad	(vosotros)	no habléis
	hable Ud.	(Ud.)	no hable Ud.
	hablen Uds.	(Uds.)	no hablen Uds.
	hablemos	(nosotros)	no hablemos
-er verbs	come	(tú)	no comas
	comed	(vosotros)	no comáis
	coma Ud.	(Ud.)	no coma Ud.
	coman Uds.	(Uds.)	no coman Uds.
	comamos	(nosotros)	no comamos
-ir verbs	escribe	(tú)	no escribas
	escribid	(vosotros)	no escribáis
	escriba Ud.	(Ud.)	no escriba Ud.
	escriban Uds.	(Uds.)	no escriban Uds.
	escribamos	(nosotros)	no escribamos

Commands of stem-changing verbs (indicative)

The stem change also occurs in *tú*, *Ud.*, and *Uds.* commands, and the second change of *-ir* stem-changing verbs occurs in the *nosotros* command and in the negative *vosotros* command, as well.

cerrar (*to close*)	cierra	(tú)	no cierres
	cerrad	(vosotros)	no cerréis
	cierre Ud.	(Ud.)	no cierre Ud.
	cierren Uds.	(Uds.)	no cierren Uds.
	cerremos	(nosotros)	no cerremos
volver (*to return*)	vuelve	(tú)	no vuelvas
	volved	(vosotros)	no volváis
	vuelva Ud.	(Ud.)	no vuelva Ud.
	vuelvan Uds.	(Uds.)	no vuelvan Uds.
	volvamos	(nosotros)	no volvamos
dormir (*to sleep*)	duerme	(tú)	no duermas
	dormid	(vosotros)	no durmáis
	duerma Ud.	(Ud.)	no duerma Ud.
	duerman Uds.	(Uds.)	no duerman Uds.
	durmamos	(nosotros)	no durmamos

Preterite tense (indicative)

hablar (*to speak*)	hablé	hablamos
	hablaste	hablasteis
	habló	hablaron
comer (*to eat*)	comí	comimos
	comiste	comisteis
	comió	comieron
escribir (*to write*)	escribí	escribimos
	escribiste	escribisteis
	escribió	escribieron

Preterite tense of stem-changing verbs (indicative)

Stem-changing verbs that end in *-ar* and *-er* are regular in the preterite tense. That is, they do not require a spelling change, and they use the regular preterite endings.

pensar (ie)	
pensé	pensamos
pensaste	pensasteis
pensó	pensaron

volver (ue)	
volví	volvimos
volviste	volvisteis
volvió	volvieron

Stem-changing verbs ending in *-ir* change their third-person forms in the preterite tense, but they still require the regular preterite endings.

sentir (ie, i)	
sentí	sentimos
sentiste	sentisteis
sintió	sintieron

dormirse (ue, u)	
me dormí	nos dormimos
te dormiste	os dormisteis
se durmió	se durmieron

Imperfect tense (indicative)

hablar	hablaba	hablábamos
(*to speak*)	hablabas	hablabais
	hablaba	hablaban
comer	comía	comíamos
(*to eat*)	comías	comíais
	comía	comían
escribir	escribía	escribíamos
(*to write*)	escribías	escribíais
	escribía	escribían

Future tense (indicative)

hablar	hablaré	hablaremos
(*to speak*)	hablarás	hablaréis
	hablará	hablarán
comer	comeré	comeremos
(*to eat*)	comerás	comeréis
	comerá	comerán
escribir	escribiré	escribiremos
(*to write*)	escribirás	escribiréis
	escribirá	escribirán

Conditional tense (indicative)

hablar	hablaría	hablaríamos
(*to speak*)	hablarías	hablaríais
	hablaría	hablarían
comer	comería	comeríamos
(*to eat*)	comerías	comeríais
	comería	comerían
escribir	escribiría	escribiríamos
(*to write*)	escribirías	escribiríais
	escribiría	escribirían

Past participle

The past participle is formed by replacing the *-ar* of the infinitive with *-ado* and the *-er* or *-ir* with *-ido*.

hablar	hablado
comer	comido
vivir	vivido

Irregular past participles

abrir	abierto
cubrir	cubierto
decir	dicho
escribir	escrito
hacer	hecho
morir	muerto
poner	puesto
romper	roto
ver	visto
volver	vuelto

Present perfect tense (indicative)

The present perfect tense is formed by combining the present tense of *haber* and the past participle of a verb.

hablar (*to speak*)	he hablado has hablado ha hablado	hemos hablado habéis hablado han hablado
comer (*to eat*)	he comido has comido ha comido	hemos comido habéis comido han comido
vivir (*to live*)	he vivido has vivido ha vivido	hemos vivido habéis vivido han vivido

Past perfect tense (indicative)

hablar (*to speak*)	había hablado habías hablado había hablado	habíamos hablado habíais hablado habían hablado

Future perfect tense (indicative)

hablar (to speak)	habré hablado	habremos hablado
	habrás hablado	habréis hablado
	habrá hablado	habrán hablado

Conditional perfect tense (indicative)

hablar (to speak)	habría hablado	habríamos hablado
	habrías hablado	habríais hablado
	habría hablado	habrían hablado

Present tense (subjunctive)

hablar (to speak)	hable	hablemos
	hables	habléis
	hable	hablen
comer (to eat)	coma	comamos
	comas	comáis
	coma	coman
escribir (to write)	escriba	escribamos
	escribas	escribáis
	escriba	escriban

Imperfect tense (subjunctive)

hablar (to speak)	hablara (hablase)	habláramos (hablásemos)
	hablaras (hablases)	hablarais (hablaseis)
	hablara (hablase)	hablaran (hablasen)
comer (to eat)	comiera (comiese)	comiéramos (comiésemos)
	comieras (comieses)	comierais (comieseis)
	comiera (comiese)	comieran (comiesen)
escribir (to write)	escribiera (escribiese)	escribiéramos (escribiésemos)
	escribieras (escribieses)	escribierais (escribieseis)
	escribiera (escribiese)	escribieran (escribiesen)

Present perfect tense (subjunctive)

hablar (to speak)	haya hablado	hayamos hablado
	hayas hablado	hayáis hablado
	haya hablado	hayan hablado

Past perfect tense (subjunctive)

hablar (to speak)	hubiera (hubiese) hablado	hubiéramos (hubiésemos) hablado
	hubieras (hubieses) hablado	hubierais (hubieseis) hablado
	hubiera (hubiese) hablado	hubieran (hubiesen) hablado

Verbs with irregularities

The following charts provide some frequently used Spanish verbs with irregularities.

abrir *(to open)*	
past participle	abierto
Similar to:	cubrir *(to cover)*

andar *(to walk, to ride)*	
preterite	anduve, anduviste, anduvo, anduvimos, anduvisteis, anduvieron

buscar *(to look for)*	
preterite	busqué, buscaste, buscó, buscamos, buscasteis, buscaron
present subjunctive	busque, busques, busque, busquemos, busquéis, busquen
Similar to:	acercarse *(to get close, to approach)*, arrancar *(to start a motor)*, colocar *(to place)*, criticar *(to criticize)*, chocar *(to crash)*, equivocarse *(to make a mistake)*, explicar *(to explain)*, marcar *(to score a point)*, pescar *(to fish)*, platicar *(to chat)*, practicar *(to practice)*, sacar *(to take out)*, tocar *(to touch, to play an instrument)*

caber *(to fit into, to have room for)*	
present	quepo, cabes, cabe, cabemos, cabéis, caben
preterite	cupe, cupiste, cupo, cupimos, cupisteis, cupieron
future	cabré, cabrás, cabrá, cabremos, cabréis, cabrán
present subjunctive	quepa, quepas, quepa, quepamos, quepáis, quepan

caer *(to fall)*	
present	caigo, caes, cae, caemos, caéis, caen
preterite	caí, caíste, cayó, caímos, caísteis, cayeron
present participle	cayendo
present subjunctive	caiga, caigas, caiga, caigamos, caigáis, caigan
past participle	caído

conducir *(to drive, to conduct)*	
present	conduzco, conduces, conduce, conducimos, conducís, conducen
preterite	conduje, condujiste, condujo, condujimos, condujisteis, condujeron
present subjunctive	conduzca, conduzcas, conduzca, conduzcamos, conduzcáis, conduzcan
Similar to:	traducir *(to translate)*

conocer *(to know)*	
present	conozco, conoces, conoce, conocemos, conocéis, conocen
present subjunctive	conozca, conozcas, conozca, conozcamos, conozcáis, conozcan
Similar to:	complacer *(to please)*, crecer *(to grow, to increase)*, desaparecer *(to disappear)*, nacer *(to be born)*, ofrecer *(to offer)*

construir (to build)

present	construyo, construyes, construye, construimos, construís, construyen
preterite	construí, construiste, construyó, construimos, construisteis, construyeron
present participle	construyendo
present subjunctive	construya, construyas, construya, construyamos, construyáis, construyan

continuar (to continue)

present	continúo, continúas, continúa, continuamos, continuáis, continúan

convencer (to convince)

present	convenzo, convences, convence, convencemos, convencéis, convencen
present subjunctive	convenza, convenzas, convenza, convenzamos, convenzáis, convenzan
Similar to:	vencer (to win, to expire)

cubrir (to cover)

past participle	cubierto
Similar to:	abrir (to open), descubrir (to discover)

dar (to give)

present	doy, das, da, damos, dais, dan
preterite	di, diste, dio, dimos, disteis, dieron
present subjunctive	dé, des, dé, demos, deis, den

decir (to say, to tell)

present	digo, dices, dice, decimos, decís, dicen
preterite	dije, dijiste, dijo, dijimos, dijisteis, dijeron
present participle	diciendo
command	di (tú)
future	diré, dirás, dirá, diremos, diréis, dirán
present subjunctive	diga, digas, diga, digamos, digáis, digan
past participle	dicho

dirigir (to direct)

present	dirijo, diriges, dirige, dirigimos, dirigís, dirigen
present subjunctive	dirija, dirijas, dirija, dirijamos, dirijáis, dirijan

empezar (to begin, to start)

present	empiezo, empiezas, empieza, empezamos, empezáis, empiezan
present subjunctive	empiece, empieces, empiece, empecemos, empecéis, empiecen
Similar to:	almorzar (to eat lunch), aterrizar (to land), comenzar (to begin), gozar (to enjoy), realizar (to attain, to bring about)

enviar (to send)

present	envío, envías, envía, enviamos, enviáis, envían
present subjunctive	envíe, envíes, envíe, enviemos, enviéis, envíen
Similar to:	esquiar (to ski)

escribir *(to write)*

past participle	escrito
Similar to:	describir *(to describe)*

escoger *(to choose)*

present	escojo, escoges, escoge, escogemos, escogéis, escogen
Similar to:	coger *(to pick)*, recoger *(to pick up)*

estar *(to be)*

present	estoy, estás, está, estamos, estáis, están
preterite	estuve, estuviste, estuvo, estuvimos, estuvisteis, estuvieron
present subjunctive	esté, estés, esté, estemos, estéis, estén

haber *(to have)*

present	he, has, ha, hemos, habéis, han
preterite	hube, hubiste, hubo, hubimos, hubisteis, hubieron
future	habré, habrás, habrá, habremos, habréis, habrán
present subjunctive	haya, hayas, haya, hayamos, hayáis, hayan

hacer *(to do, to make)*

present	hago, haces, hace, hacemos, hacéis, hacen
preterite	hice, hiciste, hizo, hicimos, hicisteis, hicieron
command	haz (tú)
future	haré, harás, hará, haremos, haréis, harán
present subjunctive	haga, hagas, haga, hagamos, hagáis, hagan
past participle	hecho
Similar to:	deshacer *(to undo)*

ir *(to go)*

present	voy, vas, va, vamos, vais, van
preterite	fui, fuiste, fue, fuimos, fuisteis, fueron
imperfect	iba, ibas, iba, íbamos, ibais, iban
present participle	yendo
command	ve (tú)
present subjunctive	vaya, vayas, vaya, vayamos, vayáis, vayan

leer *(to read)*

preterite	leí, leíste, leyó, leímos, leísteis, leyeron
present participle	leyendo
past participle	leído
Similar to:	creer *(to believe)*

llegar *(to arrive)*

preterite	llegué, llegaste, llegó, llegamos, llegasteis, llegaron
present subjunctive	llegue, llegues, llegue, lleguemos, lleguéis, lleguen
Similar to:	agregar *(to add)*, apagar *(to turn off)*, colgar *(to hang up)*, despegar *(to take off)*, entregar *(to hand over)*, jugar *(to play)*, pagar *(to pay for)*

morir (to die)

past participle	muerto

oír (to hear, to listen)

present	oigo, oyes, oye, oímos, oís, oyen
preterite	oí, oíste, oyó, oímos, oísteis, oyeron
present participle	oyendo
present subjunctive	oiga, oigas, oiga, oigamos, oigáis, oigan
past participle	oído

poder (to be able)

present	puedo, puedes, puede, podemos, podéis, pueden
preterite	pude, pudiste, pudo, pudimos, pudisteis, pudieron
present participle	pudiendo
future	podré, podrás, podrá, podremos, podréis, podrán
present subjunctive	pueda, puedas, pueda, podamos, podáis, puedan

poner (to put, to place, to set)

present	pongo, pones, pone, ponemos, ponéis, ponen
preterite	puse, pusiste, puso, pusimos, pusisteis, pusieron
command	pon (tú)
future	pondré, pondrás, pondrá, pondremos, pondréis, pondrán
present subjunctive	ponga, pongas, ponga, pongamos, pongáis, pongan
past participle	puesto

proteger (to protect)

present	protejo, proteges, protege, protegemos, protegéis, protegen
present subjunctive	proteja, protejas, proteja, protejamos, protejáis, protejan

querer (to wish, to want, to love)

present	quiero, quieres, quiere, queremos, queréis, quieren
preterite	quise, quisiste, quiso, quisimos, quisisteis, quisieron
future	querré, querrás, querrá, querremos, querréis, querrán
present subjunctive	quiera, quieras, quiera, querramos, querráis, quieran

reír (to laugh)

present	río, ríes, ríe, reímos, reís, ríen
preterite	reí, reíste, rió, reímos, reísteis, rieron
present participle	riendo
present subjunctive	ría, rías, ría, riamos, riáis, rían
Similar to:	freír (to fry), sonreír (to smile)

romper (to break)

past participle	roto

saber (to know, to know how)

present	sé, sabes, sabe, sabemos, sabéis, saben
preterite	supe, supiste, supo, supimos, supisteis, supieron
future	sabré, sabrás, sabrá, sabremos, sabréis, sabrán
present subjunctive	sepa, sepas, sepa, sepamos, sepáis, sepan

salir (to leave)

present	salgo, sales, sale, salimos, salís, salen
command	sal (tú)
future	saldré, saldrás, saldrá, saldremos, saldréis, saldrán
present subjunctive	salga, salgas, salga, salgamos, salgáis, salgan

seguir (to follow, to continue)

present	sigo, sigues, sigue, seguimos, seguís, siguen
present participle	siguiendo
present subjunctive	siga, sigas, siga, sigamos, sigáis, sigan
Similar to:	conseguir (to obtain, to attain, to get)

ser (to be)

present	soy, eres, es, somos, sois, son
preterite	fui, fuiste, fue, fuimos, fuisteis, fueron
imperfect	era, eras, era, éramos, erais, eran
command	sé (tú)
present subjunctive	sea, seas, sea, seamos, seáis, sean

tener (to have)

present	tengo, tienes, tiene, tenemos, tenéis, tienen
preterite	tuve, tuviste, tuvo, tuvimos, tuvisteis, tuvieron
command	ten (tú)
future	tendré, tendrás, tendrá, tendremos, tendréis, tendrán
present subjunctive	tenga, tengas, tenga, tengamos, tengáis, tengan
Similar to:	contener (to contain), detener (to stop), mantener (to maintain), obtener (to obtain)

torcer (to twist)

present	tuerzo, tuerces, tuerce, torcemos, torcéis, tuercen
present subjunctive	tuerza, tuerzas, tuerza, torzamos, torzáis, tuerzan

traer (to bring)

present	traigo, traes, trae, traemos, traéis, traen
preterite	traje, trajiste, trajo, trajimos, trajisteis, trajeron
present participle	trayendo
present subjunctive	traiga, traigas, traiga, traigamos, traigáis, traigan
past participle	traído
Similar to:	atraer (to attract)

valer *(to be worth)*	
present	valgo, vales, vale, valemos, valéis, valen
preterite	valí, valiste, valió, valimos, valisteis, valieron
future	valdré, valdrás, valdrá, valdremos, valdréis, valdrán
present subjunctive	valga, valgas, valga, valgamos, valgáis, valgan

venir *(to come)*	
present	vengo, vienes, viene, venimos, venís, vienen
preterite	vine, viniste, vino, vinimos, vinisteis, vinieron
present participle	viniendo
command	ven (tú)
future	vendré, vendrás, vendrá, vendremos, vendréis, vendrán
present subjunctive	venga, vengas, venga, vengamos, vengáis, vengan
Similar to:	convenir *(to suit, to agree)*

ver *(to see)*	
present	veo, ves, ve, vemos, veis, ven
preterite	vi, viste, vio, vimos, visteis, vieron
imperfect	veía, veías, veía, veíamos, veíais, veían
present subjunctive	vea, veas, vea, veamos, veáis, vean
past participle	visto

volver *(to return)*	
past participle	vuelto
Similar to:	resolver *(to solve)*

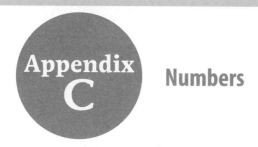

Appendix C

Numbers

Ordinal numbers

1—primero/a (primer)	6—sexto/a
2—segundo/a	7—séptimo/a
3—tercero/a (tercer)	8—octavo/a
4—cuarto/a	9—noveno/a
5—quinto/a	10—décimo/a

Cardinal numbers 0–1.000

0—cero	13—trece	26—veintiséis	90—noventa
1—uno	14—catorce	27—veintisiete	100—cien/ciento
2—dos	15—quince	28—veintiocho	200—doscientos/as
3—tres	16—dieciséis	29—veintinueve	300—trescientos/as
4—cuatro	17—diecisiete	30—treinta	400—cuatrocientos/as
5—cinco	18—dieciocho	31—treinta y uno	500—quinientos/as
6—seis	19—diecinueve	32—treinta y dos	600—seiscientos/as
7—siete	20—veinte	33—treinta y tres, etc.	700—setecientos/as
8—ocho	21—veintiuno	40—cuarenta	800—ochocientos/as
9—nueve	22—veintidós	50—cincuenta	900—novecientos/as
10—diez	23—veintitrés	60—sesenta	1.000—mil
11—once	24—veinticuatro	70—setenta	
12—doce	25—veinticinco	80—ochenta	

Appendix D

Syllabification

Spanish vowels may be weak or strong. The vowels *a*, *e* and *o* are strong, whereas *i* (and sometimes *y*) and *u* are weak. The combination of one weak and one strong vowel or of two weak vowels produces a diphthong, two vowels pronounced as one.

A word in Spanish has as many syllables as it has vowels or diphthongs.

> al-gu-nas
> lue-go
> pa-la-bra

A single consonant (including *ch, ll, rr*) between two vowels accompanies the second vowel and begins a syllable.

> a-mi-ga
> fa-vo-ri-to
> mu-cho

Two consonants are divided, the first going with the previous vowel and the second going with the following vowel.

> an-tes
> quin-ce
> ter-mi-nar

A consonant plus *l* or *r* is inseparable except for *rl, sl* and *sr*.

> ma-dre
> pa-la-bra
> com-ple-tar
> Car-los
> is-la

If three consonants occur together, the last, or any inseparable combination, accompanies the following vowel to begin another syllable.

> es-cri-bir
> som-bre-ro
> trans-por-te

Prefixes should remain intact.

> re-es-cri-bir

Appendix E

Accentuation

Words that end in *a, e, i, o, u, n* or *s* are pronounced with the major stress on the next-to-the-last syllable. No accent mark is needed to show this emphasis.

> octubre
> refresco
> señora

Words that end in any consonant except *n* or *s* are pronounced with the major stress on the last syllable. No accent mark is needed to show this emphasis.

> escribir
> papel
> reloj

Words that are not pronounced according to the above two rules must have a written accent mark.

> lógico
> canción
> después
> lápiz

An accent mark may be necessary to distinguish identical words with different meanings.

> dé/de
> qué/que
> sí/si

An accent mark is often used to divide a diphthong into two separate syllables.

> día
> frío
> Raúl

Vocabulary

Spanish / English

All active words introduced in *¡Qué chévere!* 1 and 2 appear in this end vocabulary. The number and letter following an entry indicate the lesson in which an item is first actively used in *¡Qué chévere!* 2. The vocabulary from *¡Qué chévere!* 1 and additional words and expressions are included for reference and have no number. Obvious cognates and expressions that occur as passive vocabulary for recognition only have been excluded from this end vocabulary.

Abbreviations:

d.o.p.	direct object pronoun
f.	feminine
i.o.p.	indirect object pronoun
m.	masculine
pl.	plural
s.	singular

A

a to, at, in; *a caballo* on horseback; *a causa de* because of, due to; *a crédito* on credit; *a cuadros* plaid, checkered *5B*; *a favor (de)* in favor (of) *7B*; *a fin de que* so that; *a la derecha* to the right *3A*; *a la izquierda* to the left *3A*; *a la(s)...* at... o'clock; *a lo mejor* maybe *8A*; *a pie* on foot; *a propósito* by the way *9B*; *¿a qué hora?* at what time?; *a rayas* striped *5B*; *a tiempo* on time *6B*; *a veces* sometimes, at times; *a ver* let's see

abajo downstairs, down *6A*

abierto/a open; *vocales abiertas* open vowels

el **abogado, la abogada** lawyer *9A*

abordar to board *8B*

abran: see *abrir*

el **abrazo** hug

abre: see *abrir*

el **abrelatas** can opener *6B*

la **abreviatura** abbreviation

el **abrigo** coat

abril April

abrir to open; *abran* (*Uds.* command) open; *abre* (*tú* command) open *2B*

abrochar(se) to fasten

la **abuela** grandmother

el **abuelo** grandfather

aburrido/a bored, boring

aburrir(se) to get bored *7A*

acabar to finish, to complete, to terminate; *acabar de* (+ infinitive) to have just

el **accidente** accident *7A*

el **aceite** oil

la **aceituna** olive

el **acento** accent

la **acentuación** accentuation

aceptado/a accepted *9A*

la **acera** sidewalk *3B*

acerca de about *7B*

aclarar to make clear, to explain

aconsejar to advise, to suggest *5B*

el **acontecimiento** event, happening *7A*

acordar(se) (de) (ue) to remember *5A*

acostar (ue) to put (someone) in bed *2A*; *acostarse* to go to bed, to lie down *2A*

acostumbrar(se) to get used to *2B*

el **acróbata, la acróbata** acrobat *4B*

la **actitud** attitude *9B*

la **actividad** activity *7A*

el **actor** actor (male) *7A*

la **actriz** actor (female), actress *7A*

acuático/a aquatic, pertaining to water *9A*

el **acuerdo** accord; *de acuerdo* agreed, okay; *estar de acuerdo* to agree *7A*

adelante ahead, farther on *3A*

además besides, furthermore *5B*

adentro inside *6A*

el **aderezo** seasoning, flavoring, dressing *5B*

adiós good-bye

adivinar to guess

el **adjetivo** adjective; *adjetivo posesivo* possessive adjective

adonde where (to)

¿adónde? (to) where?

adornar to decorate

la **aduana** customs

el **adverbio** adverb

aéreo/a air, pertaining to air *8A*

los **aeróbicos** aerobics; *hacer aeróbicos* to do aerobics

la **aerolínea** airline *8B*

el **aeropuerto** airport *3A*

afeitar(se) to shave *2A*; *crema de afeitar* shaving cream *2A*

el **aficionado, la aficionada** fan *7B*

el **África** Africa *4A*

africano/a African *4A*

afuera outside *6A*

la **agencia** agency; *agencia de viajes* travel agency *8A*

el **agente, la agente** agent *8A*

agosto August

agradable nice, pleasing, agreeable *5B*

agradar to please *5B*

agregar to add *5B*

el **agricultor, la agricultora** farmer *9A*

el **agua** (*f.*) water; *agua mineral* mineral water

el **aguacate** avocado

ahora now; *ahora mismo* right now

ahorrar to save

el **aire** air *6A; aire acondicionado* air conditioning *6A; al aire libre* outdoors *6A*

el **ajedrez** chess

el **ajo** garlic

al to the; *al aire libre* outdoors *6A; al lado* de next to, beside

la **alarma** alarm *3B; alarma de incendios* fire alarm, smoke alarm *6B*

alegrar (de) to make happy *6B; alegrarse (de)* to be glad *6B*

alegre happy, merry, lively

alemán, alemana German *9B*

Alemania Germany *9B*

el **alfabeto** alphabet

la **alfombra** carpet, rug *6A*

el **álgebra** algebra *1A*

algo something, anything

el **algodón** cotton; *algodón de azúcar* cotton candy *4A*

alguien someone, anyone, somebody, anybody

algún, alguna some, any

alguno/a some, any

allá over there

allí there

el **almacén** department store, grocery store *3A;* warehouse

la **almeja** clam *5A*

almorzar (ue) to have lunch, to eat lunch *2A*

el **almuerzo** lunch

aló hello (telephone greeting)

alojar(se) to lodge *8B; alojarse* to stay *8B*

alquilar to rent

alrededor de around *7B*

alterna (*tú* command) alternate

el **alto** stop sign *3B*

alto/a tall, high

amable kind, nice

amarillo/a yellow

ambiguo/a ambiguous

la **América** America *4A; América Central* Central America *4A; América del Norte* North America *4A; América del Sur* South America *4A*

americano/a American; *fútbol americano* football

el **amigo, la amiga** friend; *amigo/a por correspondencia* pen pal

la **amistad** friendship *9A*

el **amor** love

anaranjado/a orange (color)

andar to walk, to go *5A*

andino/a Andean, of the Andes Mountains

el **anillo** ring

el **animal** animal *4A*

anoche last night *5A*

anochecer to get dark, to turn to dusk *5B*

anteayer the day before yesterday

anterior preceding

antes de before

antiguo/a antique, ancient, old *4A*

el **anuncio** announcement, advertisement *7A; anuncio comercial* commercial announcement, commercial, advertisement *7A*

añade: see *añadir*

añadir to add; *añade* (*tú* command) add

el **año** year; *Año Nuevo* New Year's (Day); *¿Cuántos años tienes?* How old are you?; *cumplir años* to have a birthday; *tener* (+ number) *años* to be (+ number) years old

apagar to turn off

el **aparato** appliance, apparatus *6B*

el **apartamento** apartment *3A*

el **apellido** last name, surname *8B*

la **aplicación** app *1A*

el **apodo** nickname

aprender to learn

apropiado/a appropriate

apunta: see *apuntar*

apuntar to point; *apunta* (*tú* command) point (at); *apunten* (*Uds.* command) point (at)

apunten: see apuntar

apurado/a in a hurry

apurar(se) to hurry up *5B*

aquel, aquella that (far away)

aquel, aquella that (one) *2A*

aquello that *2A*

aquellos, aquellas those (far away)

aquellos, aquellas those (ones) *6A*

aquí here; *Aquí se habla español.* Spanish is spoken here.

árabe Arab

Arabia Saudita Saudi Arabia *9B*

el **árbitro, la árbitro** referee, umpire *7B*

el **árbol** tree *4B; árbol genealógico* family tree

la **arena** sand

el **arete** earring

la **Argentina** Argentina

argentino/a Argentinean *4A*

el **armario** closet, wardrobe *6A;* cupboard

el **arte** art

el **artículo** article *7B*

el **artista, la artista** artist *9A*

arreglar to arrange, to straighten, to fix

arriba upstairs, up, above *6A*

la **arroba** at (the symbol @ used for e-mail addresses)

el **arroz** rice

el **ascensor** elevator

así thus, that way *2A*

el **Asia** Asia *9B*

asiático/a Asian *9B*

la **asignatura** subject *1A*

el **asiento** seat *8B*

asistir a to attend *9A*

la **aspiración** aspiration, hope *9A*

la **aspiradora** vacuum; *pasar la aspiradora* to vacuum

atentamente respectfully, yours truly

aterrizar to land *8B*

el **ático** attic *6A*

el **Atlántico** Atlantic (Ocean)

la **atracción** attraction *4A;* (amusement) ride *4A; parque de atracciones* amusement park

atravesado/a crossed

el **atún** tuna *5A*

los **audífonos** earphones, headphones

el **aumento** increase

aun even

aunque although *6B*

Australia Australia *9B*

australiano/a Australian *9B*

el **autobús** bus; *estación de autobuses* bus station *6A*

el **autógrafo** autograph *7A*

la **ayuda** help; *pedir ayuda* to ask for help

el **auxiliar de vuelo, la auxiliar de vuelo** flight attendant *8B*

el **ave** fowl, bird

la **avenida** avenue

el **avión** airplane

el **aviso** printed advertisement *7B*

¡ay! oh!

ayer yesterday

la **ayuda** help

ayudar to help

el **azafrán** saffron

la **azotea** flat roof

los **aztecas** Aztecs
el **azúcar** sugar
la **azucarera** sugar bowl *5B*
azul blue

B

bailar to dance
el **baile** dance, dancing *9A*
bajar (un programa) to down-load (a software program) *1A*
bajo under *8B*
bajo/a short (not tall), low; *planta baja* ground floor; *zapato bajo* low-heel shoe
balanceado/a balanced
el **baloncesto** basketball
el **banco** bank
la **banda** band *4B*
bañar(se) to bathe *2A*
el **baño** bathroom; *baño de los caballeros* men's restroom; *cuarto de baño* bathroom; *traje de baño* swimsuit
barato/a cheap
el **barco** boat, ship
barrer to sweep
el **barril** barrel
el **barrio** neighborhood *3B*
basado/a based
el **básquetbol** basketball
el **basquetbolista, la basquetbolista** basketball player
bastante quite, rather, fairly, sufficiently; enough, sufficient
la **basura** garbage
el **baúl** trunk *3B*
la **bebida** drink
el **béisbol** baseball
las **bermudas** bermuda shorts *1B*
el **beso** kiss *6A*
la **biblioteca** library
el **bibliotecario, la bibliotecaria** librarian *9A*
la **bicicleta** bicycle, bike
bien well; *quedarle bien a uno* to fit, to be becoming
la **bienvenida** welcome *8B*
bienvenido/a welcome *4A*
el **billete** ticket *8A*
la **billetera** wallet
la **biología** biology
la **bisabuela** great-grandmother *6A*
el **bisabuelo** great-grandfather *6A*
blanco/a white

la **blusa** blouse
la **boca** mouth *2B*
la **boda** wedding
el **boleto** ticket *4B*
el **bolígrafo** pen
Bolivia Bolivia
boliviano/a Bolivian *4A*
la **bolsa** bag *5A*
el **bolso** handbag, purse
el **bombero, la bombera** firefighter *9A*
la **bombilla** light bulb *6A*
bonito/a pretty, good-looking, attractive
borra: see *borrar*
el **borrador** eraser
borrar to erase; *borra* (*tú* command) erase; *borren* (*Uds.* command) erase
borren: see *borrar*
el **bosque** forest *4B*
bostezar to yawn *7A*
la **bota** boot
el **bote** boat *1B*
el **botones** bellhop *8B*
el **Brasil** Brazil *9B*
brasileño/a Brazilian *9B*
el **brazo** arm
la **broma** joke *6A*
broncear(se) to tan *2B*
el **buceo** scuba diving *9A*
buen good (form of *bueno* before a *m., s.* noun); *hace buen tiempo* the weather is nice
bueno well, okay (pause in speech); hello (telephone greeting)
bueno/a good; *buena suerte* good luck; *buenas noches* good night; *buenas tardes* good afternoon; *buenos días* good morning
la **bufanda** scarf
el **burro** burro, donkey *4B*
buscar to look for

C

el **caballero** gentleman *3A; baño de los caballeros* men's restroom
el **caballo** horse; *a caballo* on horseback
caber to fit (into) *5A*
la **cabeza** head
cada each, every
la **cadena** chain

caer(se) to fall (down) *2B*
café brown (color)
el **café** coffee
la **cafetera** coffee pot, coffee maker *6B*
la **cafetería** cafeteria
la **caja** cashier's desk
el **cajero, la cajera** cashier *5B*
el **calcetín** sock
el **calendario** calendar
la **calidad** quality
caliente hot
la **calle** street
calmar(se) to calm down *2A*
el **calor** heat; *hace calor* it is hot; *tener calor* to be hot
calvo/a bald
la **cama** bed
la **cámara** camera *4A*
el **camarero, la camarera** food server *5B*
el **camarón** shrimp *5A*
cambiar to change *6B*
el **cambio** change; *en cambio* on the other hand
el **camello** camel *4A*
caminar to walk
el **camino** road, path
el **camión** truck
la **camisa** shirt
la **camiseta** jersey, polo, T-shirt
el **campeonato** championship *7B*
el **camping** camping *1B*
el **Canadá** Canada *9B*
canadiense Canadian *9B*
el **canal** channel *7A*
la **canción** song
el **cangrejo** crab *5A*
canoso/a white-haired
cansado/a tired
el **cantante, la cantante** singer *7A*
cantar to sing
la **cantidad** quantity
la **capital** capital
el **capitán** captain
el **capítulo** chapter
el **capó** hood *3B*
la **cara** face *2B*
la **característica** characteristic, trait; *características de personalidad* personality traits; *características físicas* physical traits
¡caramba! wow!
cargar to charge *8A*
el **Caribe** Caribbean
cariñoso/a affectionate
el **carnaval** carnival

la **carne** meat; *carne de res* beef *5A*
la **carnicería** meat market, butcher shop *3A*
caro/a expensive
el **carpintero, la carpintera** carpenter *9A*
la **carta** letter; playing card
la **carrera** career *9A*
la **carretera** highway *3A*
el **carro** car; *carros chocones* bumper cars *4A; en carro* by car
el **carrusel** carrousel, merry-go-round *4A*
la **casa** home, house; *en casa* at home
casi almost
la **catarata** waterfall
la **catástrofe** catastrophe *7A*
la **catedral** cathedral *3A*
catorce fourteen
la **cebolla** onion
la **cebra** zebra *4A*
la **celebración** celebration *7A*
celebrar to celebrate
el **celular** cellular phone *1A*
la **cena** dinner, supper *2A*
cenar to have dinner, to have supper *2A*
el **centavo** cent
el **centro** downtown, center; *centro comercial* shopping center, mall
centroamericano/a Central American *9B*
cepillar(se) to brush *2A*
el **cepillo** brush *2A*
la **cerca** fence *6A*
cerca (de) near
el **cerdo** pig *4B;* pork *4B*
el **cereal** cereal *5A*
cero zero
cerrado/a closed; *vocales cerradas* closed vowels
la **cerradura** lock *6B*
cerrar (ie) to close; *cierra (tú* command) close; *cierren (Uds.* command) close
el **césped** lawn, grass *3B; cortadora de césped* lawn mower *6A*
el **cesto de papeles** wastebasket, wastepaper basket
el **champú** shampoo *2A*
chao good-bye
la **chaqueta** jacket
charlando talking, chatting
chatear to chat *1A*
el **cheque** check *8A*
la **chica** girl

el **chico** boy, man, buddy
Chile Chile
chileno/a Chilean *4A*
la **chimenea** chimney, fireplace *6A*
la **China** China *9B*
chino/a Chinese *9B*
el **chisme** gossip *1B*
el **chiste** joke *5A*
chistoso/a funny *4A*
el **chocolate** chocolate
el **chofer, la chofer** chauffeur, driver *9A*
el **chorizo** sausage (seasoned with red peppers)
el **cielo** sky *4B*
cien one hundred
la **ciencia** science
ciento one hundred (when followed by another number)
cierra: see cerrar
cierren: see cerrar
el **cigarrillo** cigarette
cinco five
cincuenta fifty
el **cine** movie theater
el **cinturón** belt; *cinturón de seguridad* seat belt, safety belt *3B*
el **circo** circus *4B*
la **ciruela** plum *5A*
la **cita** appointment, date *2B*
la **ciudad** city
la **civilización** civilization
claro/a clear *6B*
¡claro! of course!
la **clase** class
clasificar to classify
el **claxon** horn *3B*
el **clima** climate
el **club** club *6B*
el **coche** car *3B; en coche* by car
la **cocina** kitchen
cocinar to cook
el **cocinero, la cocinera** cook *5B*
el **codo** elbow *2B*
el **cognado** cognate
la **colección** collection *9A*
el **colegio** school
colgar (ue) to hang
la **colina** hill
el **collar** necklace
colocar(se) to put, to place *8B*
Colombia Colombia
colombiano/a Colombian *4A*
la **colonia** colony
el **color** color
la **columna** column *7B*

combinar to combine
la **comedia** comedy, play *7A*
el **comedor** dining room
el **comentarista, la comentarista** commentator *7B*
comenzar (ie) to begin, to start *6B*
comer to eat; *dar de comer* to feed
comercial commercial *7A; anuncio comercial* commercial announcement, commercial, advertisement *7A; centro comercial* shopping center, mall
comerse to eat up, to eat completely *2B*
cómico/a comical, funny
la **comida** food; lunch (Spain) *2A*
la **comida rápida** fast food *2B*
como like, since; such as *4A*
¿cómo? how?, what?; *¿Cómo?* What (did you say)?; *¿Cómo está (Ud.)?* How are you (formal)?; *¿Cómo están (Uds.)?* How are you (pl.)?; *¿Cómo estás (tú)?* How are you (informal)?; *¡Cómo no!* Of course!; *¿Cómo se dice...?* How do you say...?; *¿Cómo se escribe...?* How do you write (spell)...?; *¿Cómo se llama (Ud./ él/ella)?* What is (your/his/her) name?; *¿Cómo te llamas?* What is your name?
cómodo/a comfortable
el **compañero, la compañera** classmate, partner
la **compañía** company *8A*
comparando comparing
el **compartimiento** compartment
compartir to share
la **competencia** competition
complacer to please *6B*
completa: see completar
completar to complete; *completa (tú* command) complete
completo/a full, complete *8A*
la **compra** purchase; *ir de compras* to go shopping
comprar to buy
comprender to understand; *comprendo* I understand
comprendo: see comprender
la **computadora** computer (machine)
la **computación** computer science
la **comunicación** communication *1A*

con with; *con (mucho) gusto* I would be (very) glad to; *con permiso* excuse me (with your permission), may I; *siempre salirse con la suya* to always get one's way *9B*

el **concierto** concert

el **concurso** contest, competition *7A; programa de concurso* game show

conducir to drive, to conduct, to direct *3B*

conectado/a connected *1A*

el **conejo** rabbit *4B*

la **conjunción** conjunction

conmigo with me

conocer to know, to be acquainted with, to be familiar with *3B;* to meet

conocido/a known, famous

conseguir (i, i) to obtain, to attain, to get *1A*

el **consejo** advice *5B*

la **consola de juegos** game console/system

el **consultorio** doctor's office

la **contaminación** contamination, pollution *1A; contaminación ambiental* environmental pollution *1A*

contar (ue) to tell (a story); *cuenta (tú* command) tell; *cuenten (Uds.* command) tell

contener to contain

contento/a happy, glad; *estar contento/a (con)* to be satisfied (with)

contesta: see *contestar*

contestar to answer; *contesta (tú* command) answer; *contesten (Uds.* command) answer

contesten: see *contestar*

el **contexto** context

contigo with you *(tú)*

continúa: see *continuar*

continuar to continue; *continúa (tú* command) continue; *continúen (Uds.* command) continue

continúen: see *continuar*

la **contracción** contraction

el **control remoto** remote control

convenir to be fitting, to agree *6B*

copiar to copy

el **corazón** heart *2B;* honey (term of endearment)

la **corbata** tie

la **cortadora de césped** lawn mower *6A*

cortar to cut, to mow *6A*

la **cortesía** courtesy

la **cortina** curtain *6A*

corto/a short (not long)

correcto/a right, correct

el **corredor** corridor, hallway

el **corredor, la corredora runner**

el **correo** mail; *correo electrónico* electronic mail; *oficina de correos* post office *6A*

correr to run

la **correspondencia** correspondence

la **corrida** bullfight *8A*

la **cosa** thing

la **costa** coast

Costa Rica Costa Rica

costar (ue) to cost

costarricense Costa Rican *4A*

la **costilla** rib *5A*

la **costura** sewing

crear to create

crecer to grow

el **crédito** credit; *a crédito* on credit; *tarjeta de crédito* credit card

creer to believe *1B*

la **crema** cream *5A; crema de afeitar* shaving cream *2A*

el **crucero** cruise *1B*

cruzar to cross

el **cuaderno** notebook

la **cuadra** city block *3A*

el **cuadro** square *5B;* picture, painting *6A; a cuadros* plaid, checkered *5B*

¿cuál? which?, what?, which one?; *(pl. ¿cuáles?)* which ones?

la **cualidad** quality

cualquier, cualquiera any *5B*

cualquiera any at all *6B*

cuando when

¿cuándo? when?

¿cuánto/a? how much?; *(pl. ¿cuántos/as?)* how many?; *¿Cuánto (+ time expression) hace que (+ present tense of verb)...?* How long...?; *¿Cuántos años tienes?* How old are you?

cuarenta forty

el **cuarto** quarter; room, bedroom; *cuarto de baño* bathroom; *cuarto de charla* chat room *1A; menos cuarto* a quarter to, a quarter before; *y cuarto* a quarter after, a quarter past

cuarto/a fourth

cuatro four

cuatrocientos/as four hundred

Cuba Cuba

cubano/a Cuban *4A*

los **cubiertos** silverware

cubrir to cover *7A*

la **cuchara** tablespoon

la **cucharita** teaspoon

el **cuchillo** knife

el **cuello** neck *2B*

la **cuenta** bill, check *5B*

cuenta: see *contar*

el **cuerno** horn *4B*

el **cuero** leather

el **cuerpo** body

el **cuidado** care *6A; tener cuidado* to be careful *6A*

cuidar(se) to take care of *2B*

culto/a cultured, well-read *7B*

la **cultura** culture, knowledge *7B*

el **cumpleaños** birthday; *¡Feliz cumpleaños!* Happy birthday!

cumplir to become, to become (+ number) years old, to reach; *cumplir años* to have a birthday

la **curva** curve *3B*

cuyo/a of which, whose

D

la **dama** lady *3A*

las **damas** checkers; *baño de las damas* women's restroom *3A*

dar to give; *dar de comer* to feed; *dar un paseo* to take a walk; *dé (Ud.* command) give

de from, of; *de acuerdo* agreed, okay; *de cerca* close up, from a short distance *3B; ¿de dónde?* from where?; *¿De dónde eres?* Where are you from?; *¿De dónde es (Ud./él/ella)?* Where are you (formal) from?, Where is (he/she/it) from?; *de habla hispana* Spanish-speaking; *de ida y vuelta* round-trip *8A; de la mañana* in the morning, a.m.; *de la noche* at night, p.m.; *de la tarde* in the afternoon, p.m.; *de nada* you are welcome, not at all; *de todos los días* everyday; *¿de veras?* really?; *¿Eres (tú) de...?* Are you from...?

dé: see *dar*

deber should, must, ought (expressing a moral duty)

decidir to decide *5B*

décimo/a tenth

decir to tell, to say; ¿Cómo se dice...? How do you say...?; di (tú command) tell, say 2B; díganme (Uds. command) tell me; dime (tú command) tell me; ¡no me digas! you don't say! 9B; ¿Qué quiere decir...? What is the meaning (of)...?; querer decir to mean; quiere decir it means; se dice one says

el **dedo** finger, toe

el **defensor, la defensora** defender 7B

dejar (de) to leave; to stop, to quit 2B; to let, to allow 6A

del of the, from the

el **delantero, la delantera** forward 7B

delgado/a thin

delicioso/a delicious 5B

demasiado/a too (much)

demasiados/as too many

la **democracia** democracy

la **demora** delay 3B

el **dentista, la dentista** dentist

el **departamento** department

el **dependiente, la dependienta** clerk

el **deporte** sport

el **deportista, la deportista** athlete

deportivo/a sporty 3B

la **derecha** right 3A; a la derecha to the right 3A

derecho straight ahead 3A

derecho/a right 2B

desaparecido/a missing

el **desastre** disaster

desayunar to have breakfast 2A

el **desayuno** breakfast 2A

descansar to rest, to relax 2B

describe: see describir

describir to describe; describe (tú command) describe

desde since, from; desde luego of course 2A

desear to wish

el **deseo** wish

el **desfile** parade 4A

el **desierto** desert

el **desodorante** deodorant 2A

la **despedida** farewell, good-bye 9B

despedir(se) (i, i) to say good-bye 2B

despegar to take off 8B

el **despertador** alarm clock 6A

despertar(se) (ie) to wake up 2A

después afterwards, later, then; después de after

destacar(se) to stand out

desteñido/a faded 5B

el **destino** destination 8A; destiny, fate

la **destreza** skill, expertise 4B

la **destrucción** destruction 7A

desvestir(se) to undress

detrás de behind, after 4B

di: see decir

el **día** day; buenos días good morning; de todos los días everyday; todos los días every day

el **diálogo** dialogue

diario/a daily

dibuja: see dibujar

dibujar to draw, to sketch; dibuja (tú command) draw; dibujen (Uds. command) draw

dibujen: see dibujar

el **dibujo** drawing, sketch; dibujo animado cartoon 7A

la **dicha** happiness 8A

diciembre December

el **dictado** dictation

diecinueve nineteen

dieciocho eighteen

dieciséis sixteen

diecisiete seventeen

el **diente** tooth 2B

diez ten

la **diferencia** difference

diferente different 5B

difícil difficult, hard; ser difícil que to be unlikely that 6B

diga hello (telephone greeting)

dígame tell me, hello (telephone greeting)

díganme: see decir

dime: see decir

el **dinero** money

la **dirección** instruction, guidance 3A; address 3B; direction 3B

el **director, la directora** director, principal

dirigir to direct

el **disco** record, disc; disco compacto compact disc, CD-ROM

discutir to argue, to discuss 6B

diseñar to design

divertido/a fun

divertir (ie, i) to amuse 2B; divertirse to have fun 2B

doblar to turn (a corner) 3B

doble double 8B

doce twelve

el **doctor, la doctora** doctor (abbreviation: Dr., Dra.) 2B

el **dólar** dollar

doler (ue) to hurt 2B

domingo Sunday; el domingo on Sunday

dominicano/a Dominican 4A

don title of respect used before a man's first name

donde where

¿dónde? where?; ¿de dónde? from where?; ¿Dónde está...? Where are you (formal)...?, Where is...?

dondequiera wherever 9A

doña title of respect used before a woman's first name

dormir (ue, u) to sleep; dormirse to fall asleep 2B

dos two

doscientos/as two hundred

Dr. abbreviation for doctor

Dra. abbreviation for doctora

la **ducha** shower 2A

duchar(se) to shower 2A

dudar to doubt 6B

dudoso/a doubtful 6B

dulce sweet

el **dulce** candy 3A

la **dulcería** candy store 3A

durante during 4B

el **durazno** peach 5A

E

e and (used before a word beginning with i or hi)

la **ecología** ecology 1A

la **economía** economy 7B

el **Ecuador** Ecuador

ecuatoriano/a Ecuadorian 4A

la **edad** age

el **edificio** building

el **editorial** editorial 7B

la **educación física** physical education

el **efectivo** cash; en efectivo in cash

egoísta selfish

el **ejemplo** example; por ejemplo for example

el **ejercicio** exercise 2B

el the (m., s.)

él he; him (after a preposition); Él se llama... His name is...

El Salvador El Salvador

eléctrico/a electric

el **elefante** elephant *4A*

elegante elegant *5B*

ella she; her (after a preposition); *Ella se llama...* Her name is...

ello it, that (neuter form)

ellos/as they; them (after a preposition)

el **e-mail** e-mail *1A*

la **emigración** emigration

la **emisora** radio station *7B*

emocionado/a excited *8A*

emocionante exciting *4B*

empatados: see *empate*

empatar to tie (the score of a game) *7B*

el **empate** tie; *partidos empatados* tie games

empezar (ie) to begin, to start

el **empleado, la empleada** employee *9A*

el **empleo** job *9A*

la **empresa** business *9A*

en in, on, at; *en* (+ vehicle) by (+ vehicle); *en cambio* on the other hand; *en carro* by car; *en casa* at home; *en coche* by car; *en cuanto* as soon as *6B*; *en efectivo* in cash; *en medio de* in the middle of, in the center of *9B*; *en resumen* in short; *en seguida* immediately *8B*; *en vivo* live *7B*

encantado/a delighted, the pleasure is mine

encantar to enchant, to delight *6B*

encargar (de) to make responsible (for), to put in charge (of) *6A*; *encargarse (de)* to take care of, to take charge (of) *6A*

encender (ie) to light, to turn on (a light)

la **enchilada** enchilada *3A*

encima de above, over, on top of *4B*

encontrar (ue) to find *1A*

la **encuesta** survey, poll *7B*

enero January

el **énfasis** emphasis

el **enfermero, la enfermera** nurse *2B*

enfermo/a sick

engordar to make fat *5B*; to get fat *5B*

el **enlace** link

la **ensalada** salad

enseñar to teach, to show

enterar(se) de to find out, to become aware, to learn about *7B*

entonces then

entrar to go in, to come in

entre between, among

entregar to hand over *8B*

la **entrevista** interview *7B*

enviar to send

el **equipaje** luggage *8B; equipaje de mano* carry-on luggage *8B*

el **equipo** team

equivocar(se) to be mistaken *2B*

eres: see *ser*

es: see *ser*

la **escala** stopover *8B*

la **escalera** stairway, stairs; *escalera mecánica* escalator

escapar(se) to escape *4B*

la **escena** scene

la **escoba** broom *6A*

escoger to choose; *escogiendo* choosing

escogiendo: see *escoger*

escriban: see *escribir*

escribe: see *escribir*

escribir to write; *¿Cómo se escribe...?* How do you write (spell)...?; *escriban* (*Uds.* command) write; *escribe* (*tú* command) write; *se escribe* it is written

el **escritor, la escritora** writer *9A*

el **escritorio** desk

escucha: see *escuchar*

escuchar to hear, to listen (to) *7B; escucha* (*tú* command) listen; *escuchen* (*Uds.* command) listen

escuchen: see *escuchar*

la **escuela** school

ese, esa that

ese, esa that (one) *2A*

eso that (neuter form) *2A*

esos, esas those (ones) *2A*

el **espacio** space

la **espalda** back *2B*

España Spain

el **español** Spanish (language); *Aquí se habla español.* Spanish is spoken here.; *Se habla español.* Spanish is spoken.

español, española Spanish *4A*

especial special

especializado/a specialized

el **espectáculo** show

el **espectador, la espectadora** spectator *7B*

el **espejo** mirror *2A*

esperar to wait (for) *2A;* to hope *6B*

la **esposa** wife, spouse

el **esposo** husband, spouse

el **esquí** skiing *9A*

el **esquiador, la esquiadora** skier

esquiar to ski

la **esquina** corner *3A*

está: see *estar*

el **establo** stable *4B*

la **estación** season; station *3A; estación de autobuses* bus station *3A; estación del metro* subway station *3A; estación del tren* train station *3A*

el **estadio** stadium

el **Estado Libre Asociado** Commonwealth

los **Estados Unidos (EE.UU.)** United States of America (U.S.A.)

estadounidense something or someone from the United States *4A*

están: see *estar*

estar to be; *¿Cómo está (Ud.)?* How are you (formal)?; *¿Cómo están (Uds.)?* How are you (pl.)?; *¿Cómo estás (tú)?* How are you (informal)?; *¿Dónde está...?* Where are you (formal)...?, Where is...?; *está* you (formal) are, he/she/it is; *está nublado/a* it is cloudy; *está soleado/a* it is sunny; *están* they are; *estar contento/a (con)* to be satisfied (with); *estar de acuerdo* to agree *7A; estar en oferta* to be on sale; *estar listo/a* to be ready; *estás* you (informal) are; *estoy* I am

estás: see *estar*

este well, so (pause in speech)

el **este** east *3B*

este, esta this; *esta noche* tonight, this (one) *2A*

el **estéreo** sound system

estimado/a dear

esto this *2A*

el **estómago** stomach *2B*

estos, estas these

estos, estas these (ones) *2A*

estoy: see *estar*

estrecho/a narrow

la **estrella** star *4B*
la **estructura** structure
estudia: see *estudiar*
el **estudiante, la estudiante**
  student
estudiar to study; *estudia (tú*
  command) study; *estudien (Uds.*
  command) study
estudien: see *estudiar*
el **estudio** study
la **estufa** stove
estupendo/a wonderful,
  marvelous
Europa Europe *9B*
europeo/a European *9B*
evidente evident *6B*
exagerar to exaggerate *6A*
el **examen** exam, test
excelente excellent
la **exhibición** exhibition *3B*
exigente demanding *3B*
el **éxito** success *7A; tener éxito*
  to be successful, to be a
  success *7A*
la **experiencia** experience *9A*
explica: see *explicar*
la **explicación** explanation, reason
explicar to explain; *explica*
  (tú command) explain
el **explorador, la exploradora**
  explorer
la **exportación** exportation
el **exportador, la exportadora**
  exporter
expresar to express
la **expresión** expression
la **extensión** extension
extranjero/a foreign *7A*
extrañar to miss *9A*

F

fácil easy; *ser fácil que* to be
  likely that *6B*
la **facultad** school (of a university)
  9B
la **falda** skirt
falso/a false
la **familia** family
famoso/a famous *7A*
fantástico/a fantastic, great
el **faro** headlight *3B;* lighthouse
fascinante fascinating *4A*
fascinar to fascinate *6B*
el **favor** favor; *por favor* please
favorito/a favorite
el **fax** fax *1A*

febrero February
la **fecha** date
felicitaciones congratulations
feliz happy *(pl. felices); ¡Feliz*
  cumpleaños! Happy birthday!
femenino/a feminine
feo/a ugly
feroz fierce, ferocious
  (pl. feroces) 4A
el **ferrocarril** railway, railroad
la **fiesta** party
la **fila** line, row *4B*
el **filete** fillet, boneless cut of beef
  or fish *5A*
filmar to film
la **filosofía** philosophy
el **fin** end; *a fin de que* so that *6B;*
  fin de semana weekend; *por fin*
  finally *9B*
la **finca** ranch, farm *4B*
firmar to sign *8B*
la **física** physics
el **flamenco** flamingo *4A;* type
  of dance
el **flan** custard *5A*
la **flauta** flute
la **flor** flower
la **florcita** small flower
la **florería** flower shop *3A*
el **folleto** brochure *8A*
la **forma** form
la **foto(grafía)** photo
el **fotógrafo, la fotógrafa**
  photographer *9A*
fracasar to fail *7A*
francés, francesa French *9B*
Francia France *9B*
la **frase** phrase, sentence
el **fregadero** sink
freír (i, i) to fry *5A*
el **freno** brake *3B*
la **fresa** strawberry
el **fresco** cool; *hace fresco* it is cool
fresco/a fresh, chilly
el **frío** cold; *hace frío* it is cold; *tener*
  frío to be cold
frío/a cold
la **fruta** fruit
la **frutería** fruit store *3A*
fue: see *ser*
el **fuego** fire; *fuegos artificiales*
  fireworks *4A*
fueron: see *ser*
fuerte strong *9A*
fumar to smoke *2B*
fundar to found
el **fútbol** soccer; *fútbol americano*
  football

el **futbolista, la futbolista**
  soccer *player*
el **futuro** future *9A*

G

las **gafas de sol** sunglasses *1B*
la **galleta** cookie, biscuit
la **gallina** hen *4B*
el **gallo** rooster *4B*
la **gana** desire; *tener ganas de* to
  feel like
ganados: see *ganar*
ganar to win, to earn *6A; los*
  partidos ganados games won
el **garaje** garage
la **garganta** throat *2B*
el **gasto** expense *8A*
el **gato, la gata** cat
el **género** gender
generoso/a generous
la **gente** people
la **geografía** geography
la **geometría** geometry
el **gerente, la**
  gerente manager *9A*
el **gerundio** present participle
el **gesto** gesture
el **gimnasio** gym
el **globo** balloon *4A;* globe *4A*
el **gobernador, la gobernadora**
  governor
el **gobierno** government
el **gol** goal *7B*
la **golosina** sweets *4A*
gordo/a fat
el **gorila** gorilla *4A*
la **gorra** cap *1B*
gozar to enjoy *8A*
grabar to record *7A*
gracias thanks; *muchas gracias*
  thank you very much
el **grado** degree
gran big (form of *grande* before
  a *m., s.* noun); great *4B*
grande big
el **grifo** faucet *2A*
la **gripe** flu *2B*
gris gray
gritar to shout *4A*
el **grupo** group; *grupo musical*
  musical group
el **guante** glove
guapo/a good-looking,
  attractive, handsome, pretty
Guatemala Guatemala

guatemalteco/a Guatemalan *4A*

la **guía** guidebook *8A*

el **guía, la guía** guide *4A*

el **guisante** pea

la **guitarra** guitar

gustar to like, to be pleasing to; *me/te/le/nos/os/les gustaría...* I/you/he/she/it/we/they would like...

gustaría: see *gustar*

el **gusto** pleasure; *con (mucho) gusto* I would be (very) glad to; *el gusto es mío* the pleasure is mine; *¡Mucho gusto!* Glad to meet you!; *Tanto gusto.* So glad to meet you.

H

haber to have (auxiliary verb) *7A*

había there was, there were *4A*

la **habichuela** green bean

la **habitación** room *8B;* bedroom

el **habitante, la habitante** inhabitant

habla: see *hablar*

el **habla** (f.) speech, speaking; *de habla hispana* Spanish-speaking

hablar to speak; *Aquí se habla español.* Spanish is spoken here.; *habla (tú command)* speak; *hablen (Uds. command)* speak; *Se habla español.* Spanish is spoken.

hablen: see *hablar*

hace: see *hacer*

hacer to do, to make; *¿Cuánto (+ time expression) hace que (+ present tense of verb)...?* How long...?; *hace buen (mal) tiempo* the weather is nice (bad); *hace fresco* it is cool; *hace frío (calor)* it is cold (hot); *hace (+ time expression) que hago;* *hace sol* it is sunny; *hace viento* it is windy; *hacer aeróbicos* to do aerobics; *hacer falta* to be necessary, to be lacking; *hacer una pregunta* to ask a question; *hagan (Uds.command)* do, make; *haz (tú command)* do, make; *haz el papel* play the part; *hecha* made; *La práctica hace al maestro.* Practice makes perfect.; *¿Qué temperatura hace?* What is the temperature?; *¿Qué tiempo hace?* How is the weather?

hacia toward *3A*

hagan: see *hacer*

el **hambre** (f.) hunger; *tener hambre* to be hungry

hasta until, up to, down to; *hasta la vista* so long, see you later; *hasta luego* so long, see you later; *hasta mañana* see you tomorrow; *hasta pronto* see you soon

hay there is, there are; *hay neblina* it is misty; *hay sol* it is sunny

haz: see *hacer*

hecha: see *hacer*

la **heladería** ice cream parlor *3A*

el **helado** ice cream

la **herencia** heritage; inheritance

la **herida** wound *7A*

herido/a injured *7A*

la **hermana** sister

la **hermanastra** stepsister *6A*

el **hermanastro** stepbrother *6A*

el **hermano** brother

el **hielo** ice; *patinar sobre hielo* to ice-skate

la **hija** daughter

el **hijo** son

el **hipopótamo** hippopotamus *4A*

hispano/a Hispanic; *de habla hispana* Spanish-speaking

la **historia** history

el **hogar** home *6A*

la **hoja** sheet; *hoja de papel* sheet of paper

hola hi, hello

el **hombre** man; *hombre de negocios* businessman *9A*

el **hombro** shoulder *2B*

Honduras Honduras

hondureño/a Honduran *4A*

la **hora** hour; *¿a qué hora?* at what time?; *¿Qué hora es?* What time is it?

el **horario** schedule

el **horno** oven *6B; horno microondas* microwave oven

horrible horrible

el **hotel** hotel *8B*

hoy today

hubo there was, there were *5A*

el **huevo** egg

el **huracán** hurricane *7A*

I

la **idea** idea

ideal ideal

la **iglesia** church *3A*

ignorar to not know

la **iguana** iguana *4A*

imagina: see *imaginar(se)*

la **imaginación** imagination

imaginar(se) to imagine *4A; imagina (tú command)* imagine

el **imperio** empire

el **impermeable** raincoat

implicar to imply

importante important

importar to be important, to matter

imposible impossible *6B*

la **impresora láser** laser printer

los **incas** Incas

el **incendio** fire *6B; alarma de incendios* fire alarm, smoke alarm *6B*

indefinido/a indefinite

la **independencia** independence

indica: see *indicar*

la **indicación** cue

indicado/a indicated

indicar to indicate; *indica (tú command)* indicate

indígena native

la **información** information *1A*

informar to inform *7A*

el **informe** report

el **ingeniero, la ingeniera** engineer *9A*

Inglaterra England *9B*

el **inglés** English (language)

inglés, inglesa English *9B*

el **ingrediente** ingredient

inicial initial

el **inodoro** toilet *2A*

inmenso/a immense

insistir (en) to insist (on) *6A*

la **inspiración** inspiration

instalar to install *1B*

inteligente intelligent

interesante interesting

interesar to interest *6B*

internacional international *7B*

la **internet** Internet *1A*

interrogativo/a interrogative

el **invierno** winter

la **invitación** invitation

invitar to invite *6A*

ir to go; *ir a (+ infinitive)* to be going to (do something); *ir a*

parar to end up *4B; ir de compras* to go shopping; *irse* to leave, to go away *2B; irse de viaje* to go away on a trip *2B; ¡vamos!* let's go!; *¡vamos a* (+ infinitive)! let's (+ infinitive)!; *vayan (Uds.* command) go; *ve (tú* command) go

la **isla** island *9B*

Italia Italy *9B*

italiano/a Italian *9B*

el **itinerario** itinerary *8A*

la **izquierda** left *3A; a la izquierda* to the left *3A*

izquierdo/a left *2B*

J

el **jabón** soap *2A*

el **jamón** ham

el **Japón** Japan *9B*

japonés, japonesa Japanese *9B*

el **jardín** garden; *jardín zoológico* zoo, zoological garden

la **jaula** cage *4B*

los **jeans** blue jeans

la **jirafa** giraffe *4A*

joven young

la **joya** jewel

la **joyería** jewelry store *5B*

el **juego** game

jueves Thursday; *el jueves* on Thursday

el **jugador, la jugadora** player

jugar (ue) to play; *jugar a* (+ sport/game) to play (+ sport/game)

el **jugo** juice

julio July

junio June

juntos/as together

K

Kenia Kenya *9B*

keniano/a Kenyan *9B*

el **kilo(gramo)** kilo(gram)

L

la the *(f., s.);* her, it, you *(d.o.p.); a la una* at one o'clock

el **lado** side; *al lado de* next to, beside; *por todos lados* everywhere

ladrar to bark *4B*

el **ladrillo** brick *6A*

el **lago** lake *2B*

la **lámpara** lamp

la **lana** wool

la **langosta** lobster

el **lápiz** pencil *(pl. lápices)*

largo/a long

las the *(f., pl.);* them, you *(d.o.p.); a las...* at...o'clock

la **lástima** shame, pity *6B; ¡Qué lástima!* What a shame!, Too bad!

lastimar(se) to injure, to hurt *7A*

la **lata** can

el **lavabo** bathroom sink *2A*

el **lavadero** laundry room *6A*

la **lavadora** washer *6A*

el **lavaplatos eléctrico** dishwasher (machine)

lavar(se) to wash *2A*

le (to, for) him, (to, for) her, (to, for) it, (to, for) you (formal) *(i.o.p.)*

lean: see *leer*

la **lección** lesson

la **lectura** reading

la **leche** milk

la **lechería** milk store, dairy (store)

la **lechuga** lettuce

lee: see *leer*

leer to read; *lean (Uds.* command) read; *lee (tú* command) read

lejos (de) far (from)

la **lengua** tongue *2B;* language

lento/a slow

el **león** lion *4A*

les (to, for) them, (to, for) you *(i.o.p.)*

la **letra** letter

levantar to raise, to lift *2A; levantarse* to get up *2A; levántate (tú* command) get up; *levántense (Uds.* command) get up

levántate: see *levantar*

levántense: see *levantar*

la **libertad** liberty, freedom

la **libra** pound

libre free; *al aire libre* outdoors *6A*

la **librería** bookstore

el **libro** book

la **licuadora** blender *6B*

el **líder** leader

limitar to limit

el **limpiaparabrisas** windshield wiper *3B*

limpiar to clean

limpio/a clean

lindo/a pretty

la **lista** list

listo/a ready; smart; *estar listo/a* to be ready; *ser listo/a* to be smart

la **literatura** literature

llama: see *llamar*

llamar to call, to telephone; *¿Cómo se llama (Ud./él/ella)?* What is (your/his/her) name?; *¿Cómo te llamas?* What is your name?; *llamaron* they called (preterite of *llamar); llamarse* to be called *2A; me llamo* my name is; *se llaman* their names are; *te llamas* your name is; *(Ud./ El/Ella) se llama...* (Your [formal]/ His/Her) name is...

llamaron: see *llamar*

llamas: see *llamar*

llamo: see *llamar*

la **llanta** tire *3B*

la **llave** key *6B*

la **llegada** arrival *8A*

llegar to arrive; *llegó* arrived (preterite of *llegar)*

llegó: see *llegar*

lleno/a full *5B*

llevar to take, to carry; to wear; to bring *7B; llevarse* to take away, to get along *2B*

llover (ue) to rain

la **lluvia** rain

lo him, it, you *(d.o.p.); a lo mejor* maybe *8A; lo* (+ adjective/ adverb) how (+ adjective/ adverb) *4B; lo más* (+ adverb) *posible* as (+ adverb) as possible; *lo menos* (+ adverb) *posible* as (+ adverb) as possible; *lo que* what, that which; *lo siento* I am sorry; *lo siguiente* the following; *por lo menos* at least

loco/a crazy

lógicamente logically

lógico/a logical

los the *(m., pl.);* them, you *(d.o.p.)*

luego then, later, soon; *desde luego* of course *6A; hasta luego* so long, see you later; *luego que* as soon as *6B*

el **lugar** place
el **lujo** luxury *8B*
la **luna** moon *4B*
   lunes Monday; *el lunes* on Monday
la **luz** light *(pl. luces)*

M

la **madera** wood *6A*
la **madrastra** stepmother *6A*
la **madre** mother
   maduro/a ripe
el **maestro, la maestra** teacher, master; *La práctica hace al maestro.* Practice makes perfect.
   magnífico/a magnificent *9B*
el **maíz** corn
   mal badly; bad; *hace mal tiempo* the weather is bad
el **malabarista, la malabarista** juggler *4B*
la **maleta** suitcase
el **maletín** overnight bag, handbag, small suitcase, briefcase *8B*
   malo/a bad
la **mamá** mother, mom *6A*
   mandar to order
   manejar to drive *3B*
la **manera** manner, way
la **mano** hand; *equipaje de mano* carry-on luggage *8B*
el **mantel** tablecloth
   mantener to keep, to maintain *9B*
la **mantequilla** butter; *mantequilla de maní* peanut butter *5A*
la **manzana** apple
   mañana tomorrow; *hasta mañana* see you tomorrow; *pasado mañana* the day after tomorrow
la **mañana** morning; *de la mañana,* in the morning; *por la mañana* in the morning
el **mapa** map
el **maquillaje** makeup *2A*
   maquillar to put makeup on (someone) *2A; maquillarse* to put on makeup *2A*
la **maquinita** little machine, video game
el **mar** sea *9B*
   maravilloso/a marvellous, fantastic *4A*

el **marcador** marker; score *7B*
   marcar to score *7B*
   mariachi mariachi, popular Mexican music and orchestra
el **marido** husband
el **marisco** seafood *5A*
   marroquí Moroccan *9B*
   Marruecos Morocco *9B*
   martes Tuesday; *el martes* on Tuesday
   marzo March
   más more, else; *el/la/los/las (+ noun) más (+ adjective)* the most (+ adjective); *lo más (+ adverb) posible* as (+ adverb) as possible; *más de* more than *4A; más (+ noun/adjective/adverb) que* more (+ noun/adjective/ adverb) than; *más vale que* it is better that *6B*
   masculino/a masculine
las **matemáticas** mathematics
el **material** material
   máximo/a maximum *7B; pena máxima* penalty *7B*
   maya Mayan
los **mayas** Mayans
   mayo May
la **mayonesa** mayonnaise *5B*
   mayor older, oldest; greater, greatest
la **mayoría** majority
la **mayúscula** capital letter
   me (to, for) me *(i.o.p.);* me *(d.o.p.); me llaman* they call me; *me llamo* my name is
el **mecánico, la mecánica** mechanic *9A*
la **medianoche** midnight; *Es medianoche.* It is midnight.
la **medicina** medicine *2B*
el **médico, la médica** doctor
el **medio** means; middle, center *9B; en medio de* in the middle of, in the center of *9B*
   medio/a half; *y media* half past
el **mediocampista, la mediocampista** midfielder *7B*
el **mediodía** noon; *Es mediodía.* It is noon.
   mejor better; *a lo mejor* maybe *8A; el/la/los/las mejor/ mejores (+ noun)* the best (+ noun)
   mejorar to improve
el **melón** melon, cantaloupe *5A*

   menor younger, youngest; lesser, least
   menos minus, until, before, to (to express time); less; *el/la/los/ las (+ noun) menos (+ adjective)* the least (+ adjective + noun); *lo menos (+ adverb) posible* as (+ adverb) as possible; *menos (+ noun/adjective/adverb) que* less (+ noun/adjective/ adverb) than; *menos cuarto* a quarter to, a quarter before; *por lo menos* at least
   mentir (ie, i) to lie
la **mentira** lie
el **menú** menu
el **mercado** market
el **merengue** merengue (dance music)
el **mes** month
la **mesa** table; *mesa de planchar* ironing board *6B; poner la mesa* to set the table; *recoger la mesa* to clear the table
el **mesero, la mesera** food server
la **mesita** tray table
el **metro** subway; *estación del metro* subway station
   mexicano/a Mexican *3A*
   México Mexico
   mi my; *(pl. mis)* my
   mí me (after a preposition)
el **micrófono** microphone *7B*
el **miedo** fear; *tener miedo de* to be afraid of
el **miembro** member *6A*
   mientras (que) while *3B*
   miércoles Wednesday; *el miércoles* on Wednesday
   mil thousand
   mínimo/a minimum
la **minúscula** lowercase
el **minuto** minute
   mío/a my, (of) mine *4B; el gusto es mío* the pleasure is mine
   mira: see *mirar*
   mirar to look (at); *mira (tú command)* look; *mira* hey, look (pause in speech); *miren (Uds. command)* look; *miren* hey, look (pause in speech)
   miren: see *mirar*
   mismo right (in the very moment, place, etc.); *ahora mismo* right now
   mismo/a same
el **misterio** mystery *7A*
la **moda** fashion

el **modelo** model
moderno/a modern *3B*
molestar to bother *4A*
la **moneda** coin, money
el **mono** monkey *4A*
la **montaña** mountain *4A;*
montaña rusa roller coaster *4A*
montar to ride; *montar en patineta* to skateboard
el **monumento** monument *3A*
morder (ue) to bite *7A*
moreno/a brunet, brunette, dark-haired, dark-skinned
morir(se) (ue, u) to die *7A;*
morirse de la risa to die laughing *7A*
la **mostaza** mustard *5B*
el **mostrador** counter *8B*
mostrar (ue) to show *7A*
la **moto(cicleta)** motorcycle
el **motor** motor, engine *3B; motor de búsqueda* search engine *1A*
la **muchacha** girl, young woman
el **muchacho** boy, guy, young man
muchísimo very much, a lot
mucho much, a lot, very, very much
mucho/a much, a lot of, very; *(pl. muchos/as)* many; *con (mucho) gusto* I would be (very) glad to; *muchas gracias* thank you very much; *¡Mucho gusto!* Glad to meet you!
mudar(se) to move
el **mueble** piece of furniture *6A*
el **muelle** concourse, pier
la **mujer** woman; wife; *mujer de negocios* businesswoman *9A*
el **mundo** world *1A; todo el mundo* everyone, everybody *1B*
la **muralla** wall
el **muro** (exterior) wall *6A*
el **museo** museum
la **música** music
el **musical** musical *7A*
muy very

N

nacer to be born *8A*
la **nación** nation
nacional national *7A*
nada nothing; *de nada* you are welcome, not at all
nadar to swim
nadie nobody
la **naranja** orange
la **nariz** nose *(pl. narices) 2B*
narrar to announce, to narrate *7B*
navegar to surf *1A*
la **Navidad** Christmas
la **neblina** mist; *hay neblina* it is misty
necesario/a necessary *5A*
necesitar to need
negativo/a negative
los **negocios** business *9A; hombre de negocios* businessman *9A; mujer de negocios* businesswoman *9A*
negro/a black
nervioso/a nervous
nevar (ie) to snow
ni not even; *ni...ni* neither...nor
Nicaragua Nicaragua
nicaragüense Nicaraguan *4A*
la **nieta** granddaughter
el **nieto** grandson
la **nieve** snow
ningún, ninguna none, not any
ninguno/a none, not any
el **niño, la niña** child *2B*
el **nivel** level
no no; *¡Cómo no!* Of course!; *No lo/la veo.* I do not see him (it)/her (it).; *¡no me digas!* you don't say! *9B; No sé.* I do not know.
la **noche** night; *buenas noches* good night; *de la noche* p.m., at night; *esta noche* tonight; *por la noche* at night
el **nombre** name *8A*
el **noreste** northeast *3B*
la **noria** Ferris wheel
normal normal *7A*
el **noroeste** northwest *3B*
el **norte** north *3B; América del Norte* North America *6A*
norteamericano/a North American *9B*
nos (to, for) us *(i.o.p.)*; us *(d.o.p.)*
nosotros/as we; us (after a preposition)

la **noticia** news *1B*
el **noticiero** news program *7A*
novecientos/as nine hundred
noveno/a ninth
noventa ninety
la **novia** girlfriend *1B*
noviembre November
el **novio** boyfriend *1B*
nublado/a cloudy; *está nublado* it is cloudy
nuestro/a our, (of) ours *4B*
nueve nine
nuevo/a new; *Año Nuevo* New Year's (Day)
el **número** number; *número de teléfono* telephone number
nunca never

O

o or; *o...o* either...or
la **obra** work, play
el **obrero, la obrera** worker *9A*
obvio/a obvious *6B*
la **ocasión** occasion *7A*
el **océano** ocean *9B*
ochenta eighty
ocho eight
ochocientos/as eight hundred
octavo/a eighth
octubre October
ocupado/a busy, occupied
ocupar to occupy
ocurrir to occur *4B*
la **odisea** odyssey
el **oeste** west *3B*
la **oferta** sale; *estar en oferta* to be on sale
oficial official
la **oficina** office; *oficina de correos* post office *3A*
ofrecer to offer *3B*
el **oído** (inner) ear *2B;* sense of hearing
oigan hey, listen (pause in speech)
oigo hello (telephone greeting)
oír to hear, to listen (to); *oigan* hey, listen (pause in speech); *oigo* hello (telephone greeting); *oye* hey, listen (pause in speech)
ojalá would that, if only, I hope *9A*
el **ojo** eye *2B*
olé bravo
la **olla** pot, saucepan

olvidar(se) to forget *2B*

la **omisión** omission

once eleven

opinar to give an opinion *7A;* to form an opinion *7A*

la **oportunidad** opportunity *7B*

el **opuesto** opposite

la **oración** sentence

el **orden** order

ordenar to give an order

la **oreja** (outer) ear *2B*

la **organización** organization

organizar to organize *9B*

el **órgano** organ

la **orilla** shore *9B*

el **oro** gold

os (to, for) you (Spain, informal, *pl., i.o.p.*), you (Spain, informal, *pl., d.o.p.*)

el **oso** bear *4B; oso de peluche* teddy bear *4B*

el **otoño** autumn

otro/a other, another (*pl. otros/as*); *otra vez* again, another time

la **oveja** sheep *4B*

oye hey, listen (pause in speech)

P

el **Pacífico** Pacific Ocean

el **padrastro** stepfather *6A*

el **padre** father; *(pl. padres)* parents

la **paella** paella (traditional Spanish dish with rice, meat, seafood and vegetables)

pagar to pay

la **página** page

el **país** country

el **paisaje** landscape, scenery

el **pájaro** bird *4B*

la **palabra** word; *palabra interrogativa* question word; *palabras antónimas* antonyms, opposite words

las **palomitas de maíz** popcorn *4A*

el **pan** bread

la **panadería** bakery *3A*

Panamá Panama

panameño/a Panamanian *4A*

el **pantalón** pants

la **pantalla** screen

la **pantera** panther *4A*

las **pantimedias** pantyhose, nylons

la **pantufla** slipper

el **pañuelo** handkerchief, hanky

la **papa** potato

el **papá** father, dad *6A*

los **papás** parents

la **papaya** papaya *5A*

el **papel** paper; role; *haz el papel* play the role; *hoja de papel* sheet of paper

la **papelería** stationery store *3A*

para for, to, in order to; *para que* so that, in order that

el **parabrisas** windshield *3B*

el **parachoques** fender *3B*

el **parador** inn *8B*

el **paraguas** umbrella

el **Paraguay** Paraguay

paraguayo/a Paraguayan *4A*

parar to stop *3A; ir a parar* to end up *5B*

parecer to seem; *¿Qué (te/le/les) parece?* What do/does you/he/she/they think? *5B*

la **pared** wall

la **pareja** pair, couple

el **pariente, la parienta** relative

el **parque** park; *parque de atracciones* amusement park

el **párrafo** paragraph

la **parte** place, part *5A*

participar to participate *7A*

el **partido** game, match; *partidos empatados* tied games; *partidos ganados* games won; *partidos perdidos* games lost

pasado/a past, last; *pasado mañana* the day after tomorrow

el **pasaje** ticket

el **pasajero** passenger *8B*

pásame: see *pasar*

el **pasaporte** passport *8A*

pasar to pass, to spend (time); to happen, to occur; *pásame* pass me; *pasar la aspiradora* to vacuum; *¿Qué te pasa?* What is wrong with you?

el **pasatiempo** pastime, leisure activity

la **Pascua** Easter

el **paseo** walk, ride, trip; *dar un paseo* to take a walk

el **pastel** cake, pastry *6B*

la **pata** paw, leg (for an animal) *4B*

el **patinador, la patinadora** skater

patinar to skate; *patinar sobre hielo* to ice-skate

la **patineta** skateboard

el **patio** courtyard, patio, yard

el **pato** duck *4B*

el **pavo** turkey *4B*

el **payaso** clown *4B*

la **paz** peace

el **pecho** chest *2B*

pedir (i, i) to ask for, to order, to request; *pedir ayuda* to ask for help; *pedir perdón* to say you are sorry; *pedir permiso* (para) to ask for permission (to do something); *pedir prestado/a* to borrow

peinar(se) to comb *2A*

el **peine** comb *2A*

la **película** movie, film

peligroso/a dangerous *4B*

pelirrojo/a red-haired

el **pelo** hair *2A; tomar el pelo* to pull someone's leg *5B*

la **pelota** ball *7B*

el **peluquero, la peluquera** hairstylist *9A*

la **pena** punishment, pain, trouble; *pena máxima* penalty *7B*

pensar (ie) to think, to intend, to plan; *pensar de* to think about (i.e., to have an opinion); *pensar en* to think about (i.e., to focus one's thoughts on); *pensar en* (+ infinitive) to think about (doing something)

peor worse; *el/la/los/las peor/peores* (+ noun) the worst (+ noun)

pequeño/a small

la **pera** pear *5A*

perder (ie) to lose; *partidos perdidos* games lost

perdidos: see *perder*

perdón excuse me, pardon me; *pedir perdón* to say you are sorry

perezoso/a lazy

perfecto/a perfect

el **perfume** perfume

el **periódico** newspaper

el **periodista, la periodista** journalist *7A*

el **período** period

la **perla** pearl

el **permiso** permission; *con permiso* excuse me (with your permission), may I; *pedir permiso* (para) to ask for permission (to do something)

permitir to permit

pero but

la **persona** person

el **personaje** character *7A*

personal personal; *pronombre personal* subject pronoun

el **Perú** Peru

peruano/a Peruvian *4A*

el **perro, la perra** dog

la **pesca** fishing *9A*

el **pescado** fish (fish that has been caught and will be served/eaten/used)

pescar to fish *2B; pescar (un resfriado)* to catch (a cold) *2B*

el **petróleo** oil

el **pez (peces)** fish *2B*

el **piano** piano

el **picnic** picnic *1B*

el **pie** foot; *a pie* on foot

la **pierna** leg

la **pieza** piece *8B*

el **pijama** pajamas

el **piloto, la piloto** pilot *8B*

el **pimentero** pepper shaker *5B*

la **pimienta** pepper (seasoning)

el **pimiento** bell pepper

pintar to paint *1B*

la **pintura** painting

la **piña** pineapple *5A*

la **pirámide** pyramid

la **piscina** swimming pool

el **piso** floor; *primer piso* first floor

la **pista** clue

la **pizarra** blackboard

la **placa** license plate *3B*

el **placer** pleasure *8B*

el **plan** plan *6B*

la **plancha** iron *6B*

planchar to iron *6B; mesa de planchar* ironing board *6B*

la **planta** plant; *planta baja* ground floor

el **plástico** plastic

la **plata** silver

el **plátano** banana

el **plato** dish, plate

la **playa** beach

la **plaza** plaza, public square

la **pluma** feather *4B;* pen

la **población** population

pobre poor *4B*

poco/a not very, little; *un poco* a little (bit)

poder (ue) to be able

el **policía, la policía** police (officer) *3A*

la **política** politics *7B*

políticamente politically

el **pollo** chicken

el **polvo** dust *1B*

poner to put, to place, to turn on (an appliance); *poner la mesa* to set the table; *poner(se)* to put on *2A*

popular popular

un **poquito** a very little (bit)

por for; through, by; in; along; *por ejemplo* for example; *por favor* please; *por fin* finally *9B; por la mañana* in the morning; *por la noche* at night; *por la tarde* in the afternoon; *por teléfono* by telephone, on the telephone; *por todos lados* everywhere

¿por qué? why?

porque because

el **portero, la portera** goalkeeper, goalie *7B*

el **Portugal** Portugal *9B*

portugués, portuguesa Portuguese *9B*

la **posibilidad** possibility

posible possible *5B; lo más* (+ adverb) *posible* as (+ adverb) as possible; *lo menos* (+ adverb) *posible* as (+ adverb) as possible

la **posición** position

el **postre** dessert

potable drinkable

la **práctica** practice; *La práctica hace al maestro.* Practice makes perfect.

practicar to practice, to do *9A*

el **precio** price

preciso/a necessary *6B*

preferir (ie, i) to prefer

la **pregunta** question; *hacer una pregunta* to ask a question

preguntar to ask; *preguntarse* to wonder, to ask oneself *2B*

el **premio** prize *6A*

la **prenda** garment *5B*

preocupar(se) to worry *2A*

preparar to prepare

el **preparativo** preparation

la **presentación** introduction

presentar to introduce, to present; *le presento a* let me introduce you (formal, *s.*) to; *les presento a* let me introduce you *(pl.)* to; *te presento a* let me introduce you (informal, *s.*) to

presente present

presento: see *presentar*

prestado/a on loan; *pedir prestado/a* to borrow

prestar to lend

la **primavera** spring

primer first (form of *primero* before *a m., s.* noun); *primer piso* first floor

primero first (adverb)

primero/a first

el **primo, la prima** cousin

la **princesa** princess *8A*

principal principal, main *5B*

el **príncipe** prince *8A*

la **prisa** rush, hurry, haste; *tener prisa* to be in a hurry

probable probable *5A*

probar(se) (ue) to try (on) *5B;* to test, to prove

el **problema** problem

produce produces

el **producto** product

el **profe** teacher

la **profesión** profession *9A*

el **profesor, la profesora** teacher

el **programa** program, show *1A; bajar un programa* to down-load a program *1A; programa de concurso* game show

el **programador, la programadora** computer programmer *9A*

prohibido/a not permitted, prohibited *3B*

prometer to promise

el **pronombre** pronoun; *pronombre personal* subject pronoun

el **pronóstico** forecast

pronto soon, quickly; *hasta pronto* see you soon

la **pronunciación** pronunciation

la **propina** tip *5B*

el **propósito** aim, purpose; *a propósito* by the way *9B*

la **protesta** protest *7A*

próximo/a next *3A*

la **publicidad** publicity

el **público** audience *7A*

público/a public

puede ser maybe *8A*

el **puente** bridge *3A*

el **puerco** pig; pork

la **puerta** door

la **puerta de embarque** boarding gate *8B*

el **puerto** port

Puerto Rico Puerto Rico

puertorriqueño/a Puerto Rican *4A*

pues thus, well, so, then (pause in speech)

el **pulpo** octopus *5A*

la **pulsera** bracelet

el **punto** dot, point

la **puntuación** punctuation

el **pupitre** desk

puro/a pure, fresh *6A*

Q

que that, which; *lo que* what, that which; *más* (+ noun/adjective/adverb) *que* more (+ noun/adjective/adverb) than; *que viene* upcoming, next

¿qué? what?; *¿a qué hora?* at what time?; *¿Qué comprendiste?* What did you understand?; *¿Qué hora es?* What time is it?; *¿Qué quiere decir...?* What is the meaning (of)...?; *¿Qué tal?* How are you?; *¿Qué (te/le/les) parece?* What do/does you/he/she /they think? *5B*; *¿Qué quiere decir...?* What is the meaning (of)...?; *¿Qué te pasa?* What is wrong with you?; *¿Qué temperatura hace?* What is the temperature?; *¿Qué (+ tener)?* What is wrong with (someone)?; *¿Qué tiempo hace?* How is the weather?

¡qué (+ adjective)! *how* (+ adjective)!

¡qué (+ noun)! *what* a (+ noun)!; *¡Qué lástima!* What a shame!, Too bad!; *¡Qué* (+ noun) *tan* (+ adjective)!* What (a) (+ adjective) (+ noun)!

quedar(se) to remain, to stay *2A*; *quedarle (algo a alguien)* to have (something) left; *quedarle bien a uno* to fit, to be becoming

el **quehacer** chore

quemar to burn *2A*; *quemarse* to get burned *2A*

querer (ie) to love, to want, to like; *¿Qué quiere decir...?* What is the meaning (of)...?; *querer decir* to mean; *quiere decir* it means; *quiero* I love; I want

querido/a dear

el **queso** cheese

quien who, whom

¿quién? who?; *(pl. ¿quiénes?)* who?

quienquiera whoever *9A*

quiere: see *querer*

quiero: see *querer*

la **química** chemistry

quince fifteen

quinientos/as five hundred

quinto/a fifth

quisiera would like *1B*

quitar(se) to take off *2A*

quizás perhaps

R

el **rabo** tail *4B*

el **radio** radio (apparatus)

la **radio** radio (broadcast)

rápidamente rapidly

rápido/a rapid, fast

el **rascacielos** skyscraper

el **ratón** mouse *4B*

la **raya** stripe *5B*; *a rayas* striped *5B*

la **razón** reason *5B*; *tener razón* to be right *5B*

real royal; real *9A*

la **realidad** reality *9B*

realizar to attain, to bring about

la **recepción** reception desk *8B*

el **recepcionista, la recepcionista** receptionist *8B*

la **receta** recipe

recibir to receive

el **recibo** receipt

recoger to pick up; *recoger la mesa* to clear the table

recordar (ue) to remember

el **recuadro** box

la **Red** World Wide Web *1A*

redondo/a roun

el **refrán** saying, proverb

el **refresco** soft drink, refreshment

el **refrigerador** refrigerator

el **regalo** gift

regañar to scold

regatear to bargain, to haggle

registrar to check in *8B*

la **regla** ruler; rule *6B*

regresar to return, to go back, to come back *6B*

regular average, okay, so-so, regular

la **reina** queen *8A*

reír(se) (i, i) to laugh *5A*

la **reja** wroughtiron window grill *6A*; wroughtiron fence *6A*

relacionado/a related

el **reloj** clock, watch

remoto/a remote

repasar to reexamine, to review

el **repaso** review

repetir (i, i) to repeat; *repitan* (*Uds.* command) repeat; *repite* (*tú* command) repeat

repitan: see *repetir*

repite: see *repetir*

reportando reporting

el **reportero, la reportera** reporter *7A*

el **reproductor de CDs** CD player

la **República Dominicana** Dominican Republic

resbaloso/a slippery

la **reservación** reservation *8A*

el **resfriado** cold *2B*; *pescar un resfriado* to catch a cold

resolver (ue) to resolve, to solve

el **respaldar** seat back

responder to answer

la **respuesta** answer

el **restaurante** restaurant

el **resumen** summary; *en resumen* in short

la **reunión** meeting, reunion *7A*

reunir(se) to get together *2B*

revisar to check

la **revista** magazine

el **rey** king *8A*

rico/a rich, delicious *5B*

el **riel** rail

el **río** river *9B*

la **risa** laugh *7A*; *morirse de la risa* to die laughing *7A*

el **ritmo** rhythm

el **robo** robbery *7A*

la **rodilla** knee *2B*

rojo/a red

romper to break, to tear *7A*

la **ropa** clothing; *ropa interior* underwear

rosado/a pink

el **rubí** ruby *5B*

rubio/a blond, blonde

la **rueda** wheel *3B*; *rueda de Chicago* Ferris wheel *4A*

el **rugido** roar

rugir to roar

el **ruido** noise *8B*

Rusia Russia *9B*

ruso/a Russian *9B*; *montaña rusa* roller coaster *6A*

la **rutina** routine

S

sábado Saturday; *el sábado* on Saturday

saber to know; *No sé.* I do not know.; *sabes* you know; *sé* I know

sabes: see *saber*

el **sabor** flavor *5B*

saborear to taste, to savor *8A*

saca: see *sacar*

el **sacapuntas** pencil sharpener

sacar to take out; *saca (tú command)* stick out *2B*

la **sal** salt

la **sala** living room

la **salchicha** hot dog, bratwurst *5A*

el **salero** salt shaker *5B*

la **salida** departure, exit *8A*

salir to go out; *siempre salirse con la suya* to always get one's way *9B*

la **salsa** salsa (dance music); sauce *5B; salsa de tomate* ketchup *5B*

saltar to jump *4B*

la **salud** health *2A*

saludar to greet, to say hello

el **saludo** greeting

salvadoreño/a Salvadoran *4A*

salvaje wild *4A*

las **sandalias** sandals *1B*

la **sandía** watermelon *5A*

el **sándwich** sandwich *5A*

la **sangre** blood

el **santo** saint's day; *El Día de todos los Santos* All Saints' Day

saudita Saudi, Saudi Arabian *9B*

el **saxofón** saxophone

se *¿Cómo se dice...?* How do you say...?; *¿Cómo se escribe...?* How do you write (spell)...?; *¿Cómo se llama (Ud./él/ella)?* What is (your/his/her) name?; *se considera* it is considered; *se dice* one says; *se escribe* it is written; *Se habla español.* Spanish is spoken.; *se llaman* their names are; *(Ud./Él/Ella) se llama...* (Your [formal]/His/ Her) name is...

la **secadora** dryer *6A*

la **sección** section *7B*

el **secretario, la secretaria** secretary *9A*

el **secreto** secret *5B*

la **sed** thirst; *tener sed* to be thirsty

la **seda** silk

seguir (i, i) to follow, to continue, to keep, to go on, to pursue *1A; sigan (Uds. command)* follow; *sigue (tú command)* follow

según according to

el **segundo** second

segundo/a second

la **seguridad** safety *3B; cinturón de seguridad* seat belt, safety belt *3B*

seguro/a sure *6B*

seis six

seiscientos/as six hundred

selecciona *(tú command)* select

la **selva** jungle *4A; selva tropical* tropical rain forest

la **semana** week; *fin de semana* weekend; *Semana Santa* Holy Week

sentar (ie) to seat (someone) *2A; sentarse* to sit down *2A; siéntate (tú command)* sit down *2B; siéntense (Uds. command)* sit down

sentir (ie, i) to be sorry, to feel sorry, to regret; *lo siento* I am sorry; *sentir(se)* to feel *2B*

la **señal** sign *3B*

señalar to point to, to point at, to point out; *señalen (Uds. command)* point to

señalen: see *señalar*

sencillo/a one-way, single *8B*

el **señor** gentleman, sir, Mr.

la **señora** lady, madame, Mrs.

la **señorita** young lady, Miss

septiembre September

séptimo/a seventh

ser to be; *eres* you are; *¿Eres (tú) de...?* Are you from...?; *es* you (formal) are, he/she/it is; *es la una* it is one o'clock; *Es medianoche.* It is midnight.; *Es mediodía.* It is noon.; *fue* you (formal) were, he/she/it was (preterite of *ser*); *fueron* you (pl.) were, they were (preterite of *ser*); *puede ser* maybe *8A; ¿Qué hora es?* What time is it?; *sea* it is; *ser difícil que* to be unlikely that *6B; ser fácil que* to be likely that *6B; ser listo/a* to be smart; *son* they are; *son las (+ number)* it is (+ number) o'clock; *soy* I am

serio/a serious *7A*

la **serpiente** snake *4A*

el **servicio** service *8B; servicio de habitaciones* room service *8B*

la **servilleta** napkin

servir (i, i) to serve *5B*

sesenta sixty

setecientos/as seven hundred

setenta seventy

sexto/a sixth

los **shorts** shorts *1B*

si if

sí yes

siempre always; *siempre salirse con la suya* to always get one's way *9B*

siéntate: see *sentar*

siéntense: see *sentar*

siento: see *sentir*

siete seven

sigan: see *seguir*

el **siglo** century

los **signos de puntuación** punctuation marks

sigue: see *seguir*

siguiente following; *lo siguiente* the following

la **silabificación** syllabification

el **silencio** silence

la **silla** chair

el **sillón** armchair, easy chair *6A*

el **símbolo** symbol

similar alike, similar

simpático/a nice, pleasant

sin without; *sin embargo* however, nevertheless *9B*

sino but (on the contrary), although, even though *3B*

sintético/a synthetic

la **situación** situation

sobre on, over; about

la **sobrina** niece

el **sobrino** nephew

el **sol** sun; *hace sol* it is sunny; *hay sol* it is sunny

solamente only

soleado/a sunny; *está soleado* it is sunny

soler (ue) to be accustomed to, to be used to *5B*

solo/a alone *1B*

sólo only, just

la **sombrerería** hat store

el **sombrero** hat

son: see *ser*

el **sondeo** poll

el **sonido** sound

sonreír(se) (i, i) to smile *6B*

soñar to dream *8A*

la **sopa** soup; *plato de sopa* soup bowl

la **sorpresa** surprise

el **sótano** basement *6A*

soy: see *ser*

Sr. abbreviation for *señor*

Sra. abbreviation for *señora*

Srta. abbreviation for *señorita*

su, sus his, her, its, your *(Ud./ Uds.),* their

suave smooth, soft *9A*

el **subdesarrollo** underdevelopment

subir to climb, to go up, to go upstairs, to take up, to bring up, to carry up; to get in *3B*

el **suceso** event, happening *7A*

sucio/a dirty

el **sueño** sleep; dream *9A; tener sueño* to be sleepy

la **suerte** luck *8A; buena suerte* good luck

el **suéter** sweater

el **supermercado** supermarket

el **sur** south *3B; América del Sur* South America *6A*

suramericano/a South American *9B*

el **sureste** southeast *3B*

surfear to surf

el **suroeste** southwest *3B*

el **surtido** assortment, supply, selection *5B*

el **sustantivo** noun

suyo/a his, (of) his, her, (of) hers, its, your, (of) yours, their, (of) theirs *4B; siempre salirse con la suya* to always get one's way *9B*

T

la **tabla** chart *7B*

la **tableta** tablet *1A*

el **taco** taco *3A*

tal such, as, so; *¿Qué tal?* How are you?

el **tamal** tamale

el **tamaño** size

también also, too

el **tambor** drum

tampoco either, neither

tan so; *¡Qué (+ noun) tan (+ adjective)!* What (a) (+ adjective) (+ noun)! *5B; tan (+ adjective/adverb) como (+ person/item)* as (+ adjective/adverb) as (+ person/item)

tanto/a so much; *tanto/a (+ noun) como (+ person/ item)* as much/many (+ noun) as (+ person/item); *tanto como* as much as; *Tanto gusto.* So glad to meet you.

la **tapa** tidbit, appetizer

la **taquería** taco stand

la **taquilla** box office, ticket office *4B*

tardar to delay *3B; tardar en (+ infinitive)* to be long, to take a long time *3B*

tarde late *2A*

la **tarde** afternoon; *buenas tardes* good afternoon; *de la tarde*, in the afternoon; *por la tarde* in the afternoon

la **tarea** homework

la **tarifa** fare *8A*

la **tarjeta** card; *tarjeta de crédito* credit card

el **taxista, la taxista** taxi driver *9A*

la **taza** cup

te (to, for) you *(i.o.p.)*; you *(d.o.p.); ¿Cómo te llamas?* What is your name?; *te llamas* your name is

el **té** tea *5A*

el **teatro** theater

el **techo** roof *6A*

la **tecnología** technology *1A*

la **tela** fabric, cloth *5B*

el **teléfono** telephone; *número de teléfono* telephone number; *por teléfono* by telephone, on the telephone; *teléfono público* public telephone

la **telenovela** soap opera

la **televisión** television; *ver (la) televisión* to watch television

el **televisor** television set

el **tema** theme, topic

el **temblor** tremor, earthquake *7A*

temer to fear *6B*

la **temperatura** temperature; *¿Qué temperatura hace?* What is the temperature?

temprano early

el **tenedor** fork

tener to have; *¿Cuántos años tienes?* How old are you?; *¿Qué (+ tener)?* What is wrong with (person)?; *tener calor* to be hot; *tener cuidado* to be careful *6A; tener éxito* to be successful, to be a success *7A; tener frío* to be cold; *tener ganas de* to feel like; *tener hambre* to be hungry; *tener miedo de* to be afraid of; *tener (+ number) años* to be (+ number) years old; *tener prisa* to be in a hurry; *tener que* to have to; *tener razón* to be right *5B; tener sed* to be thirsty; *tener sueño* to be sleepy; *tengo* I have; *tengo (+ number) años* I am (+ number) years old; *tiene* it has; *tienes* you have

tengo: see *tener*

el **tenis** tennis

los **tenis** tennis shoes, sneakers *1B*

el **tenista, la tenista** tennis player

tercer third (form of *tercero* before a *m., s.* noun)

tercero/a third

terminar to end, to finish

la **ternera** veal *5A*

el **testigo, la testigo** witness *7A*

ti you (after a preposition)

la **tía** aunt

el **tiempo** time; weather; verb tense; period, half *7B; a tiempo* on time *6B; hace buen (mal) tiempo* the weather is nice (bad); *¿Qué tiempo hace?* How is the weather?

la **tienda** store

tiene: see *tener*

tienes: see *tener*

la **tierra** land, earth

el **tigre** tiger *4A*

la **tina** bathtub *2A*

el **tío** uncle

típico/a typical

el **tipo** type, kind *5B*

la **tira cómica** comic strip *7B*

tirar to throw away *3B*

el **tiro** shot, kick *7B*

el **titular** headline *7B*

la **tiza** chalk

la **toalla** towel *2A*

toca: see *tocar*

tocar to play (a musical instrument); to touch; *toca (tú command)* touch *2B; toquen (Uds. command)* touch

el **tocino** bacon *5A*

todavía yet; still

todo everything *6A*

todo/a all, every, whole, entire; *de todos los días* everyday; *por todos lados* everywhere; *todo el mundo* everyone, everybody; *todos los días* every day

todos/as everyone, everybody

tolerante tolerant

tomar to drink, to have; to take; *tomar el pelo* to pull someone's leg *5B*

el **tomate** tomato; *salsa de tomate* ketchup *5B*

tonto/a silly

el **tópico** theme

toquen: see *tocar*

el **toro** bull *4B*

la **toronja** grapefruit *5A*

la **torre** tower *3A*

la **tortilla** cornmeal pancake (Mexico) *3A;* omelet (Spain) *3A*

la **tortuga** turtle *4A*

la **tostadora** toaster *6B*

trabajar to work; *trabajando en parejas* working in pairs

el **trabajo** work

traducir to translate *5A*

traer to bring

el **tráfico** traffic *3B*

el **traje** suit; *traje de baño* swimsuit

la **transmisión** transmission, broadcast *7B*

el **transporte** transportation

el **trapecista, la trapecista** trapeze artist *4B*

tratar (de) to try (to do something)

trece thirteen

treinta thirty

treinta y uno thirty-one

el **tren** train; *estación del tren* train station *6A*

tres three

trescientos/as three hundred

la **tripulación** crew *8B*

triste sad

el **trombón** trombone

la **trompeta** trumpet

tu your (informal); *(pl. tus)* your (informal)

tú you (informal)

la **tumba** tomb

el **turismo** tourism

el **turista, la turista** tourist

turístico/a tourist *8A*

tuyo/a your, (of) yours *4B*

U

u or (used before a word that starts with *o* or *ho*)

ubicado/a located

Ud. you (abbreviation of *usted*); you (after a preposition); *Ud. se llama...* Your name is...

Uds. you (abbreviation of *ustedes*); you (after a preposition)

último/a last *1B*

un, una a, an, one; *a la una* at one o'clock

único/a only, unique

unido/a united, connected *9A*

la **universidad** university *9A*

uno one; *quedarle bien a uno* to fit, to be becoming

unos, unas some, any, a few

urgente urgent *6B*

el **Uruguay** Uruguay

uruguayo/a Uruguayan *4A*

usar to use

usted you (formal, *s.*); you (after a preposition)

ustedes you *(pl.)*; you (after a preposition)

V

la **uva** grape

la **vaca** cow *4B*

las **vacaciones** vacation

la **vainilla** vanilla

valer to be worth *6B*; *más vale que* it is better that *6B*

¡vamos! let's go!; *¡vamos a (+ infinitive)!* let's (+ infinitive)!

la **variedad** variety *5B*

varios/as several

el **vaso** glass

vayan: see *ir*

ve: see *ir*

el **vecino, la vecina** neighbor *3B*

veinte twenty

veinticinco twenty-five

veinticuatro twenty-four

veintidós twenty-two

veintinueve twenty-nine

veintiocho twenty-eight

veintiséis twenty-six

veintisiete twenty-seven

veintitrés twenty-three

veintiuno twenty-one

vencer to expire

el **vendedor, la vendedora** salesperson *9A*

vender to sell

venezolano/a Venezuelan *4A*

Venezuela Venezuela

vengan: see venir

venir to come; *vengan (Uds.* command) come

la **ventana** window

el **ventilador** fan *6A*

veo: see *ver*

ver to see, to watch; *a ver* let's see, hello (telephone greeting); *No lo/la veo.* I do not see him (it)/her (it).; *veo* I see; *ver (la) televisión* to watch television; *ves* you see

el **verano** summer

el **verbo** verb

verdad true

¿verdad? right?

la **verdad** truth

verde green

la **verdura** greens, vegetables

vertical vertical

ves: see *ver*

el **vestido** dress

el **vestidor** fitting room *5B*

vestir (i, i) to dress (someone) *2A; vestirse* to get dressed *2A*

el **veterinario, la veterinaria** veterinarian *9A*

la **vez** time *(pl. veces); a veces* sometimes, at times; (number +) *vez/veces al/a la* (+ time expression) (number +) time(s) per (+ time expression); *otra vez* again, another time

viajar to travel

el **viaje** trip; *agencia de viajes* travel agency *8A; irse de viaje* to go away on a trip *5B*

la **vida** life

el **videojuego** video game

viejo/a old

el **viento** wind; *hace viento* it is windy

viernes Friday; *el viernes* on Friday

el **vinagre** vinegar

el **vínculo** link *1A*

la **visa** visa *8A*

la **visita** visit *4A*

visitar to visit *1B*

la **vista** view; *hasta la vista* so long, see you later

la **vitrina** store window *3A*; glass showcase *3A*

vivir to live

el **vocabulario** vocabulary

la **vocal** vowel; *vocales abiertas* open vowels; *vocales cerradas* closed vowels

el **volante** steering wheel *3B*

volar (ue) to fly *4B*

el **voleibol** volleyball

volver (ue) to return, to go back, to come back

vosotros/as you (Spain, informal, *pl.*); you (after a preposition)

la **voz** voice *(pl. voces)*

el **vuelo** flight *8A; auxiliar de vuelo* flight attendant *8B*

vuestro/a,-os/as your (Spain, informal, *pl.*)

W

la **web** (World Wide) Web *1A*

Y

y and; *y cuarto* a quarter past, a
quarter after; *y media* half past
ya already; now
yo I

Z

la **zanahoria** carrot
la **zapatería** shoe store *3A*
el **zapato** shoe; *zapato bajo* low-
heel shoe; *zapato de tacón* high-
heel shoe
el **zoológico** zoo *4A; jardín
zoológico* zoological garden

Vocabulary

A

a un, una; *a few* unos, unas; *a little (bit)* un poco; *a lot (of)* mucho, muchísimo; *a very little (bit)* un poquito

about sobre; acerca de *7B*

above encima de *4B*, arriba *6A*

accent el acento

accepted aceptado/a *9A*

accident el accidente *7A*

according to según

acrobat el acróbata, la acróbata *4B*

activity la actividad *7A*

actor el actor, la actriz *7A*

actress la actriz *7A*

to **add** añadir; agregar *5B*

address la dirección *3A*

advertisement el anuncio (comercial) *7A; printed advertisement* el aviso *7B*

advice el consejo *5B*

to **advise** aconsejar *5B*

aerobics los aeróbicos; *to do aerobics* hacer aeróbicos

affectionate cariñoso/a

afraid asustado/a; *to be afraid of* tener miedo de

Africa el África *4A*

African africano/a *4A*

after después de; detrás de *4B; a quarter after* y cuarto; *the day after tomorrow* pasado mañana

afternoon la tarde; *good afternoon* buenas tardes; *in the afternoon* de la tarde, por la tarde

afterwards después

again otra vez

age la edad

agency la agencia; *travel agency* la agencia de viajes *8A*

agent el agente, la agente *8A*

ago hace *(+ time expression)* que

to **agree** convenir *6B,* estar de acuerdo *7A*

agreeable agradable *5B*

agreed de acuerdo

ahead adelante *3A; straight ahead* derecho *3A*

air aéreo/a *8A*

air el aire *6A; air conditioning* el aire acondicionado *6A; pertaining to air* aéreo/a *8A*

airline la aerolínea *8B*

airplane el avión; *by airplane* en avión

airport el aeropuerto *3A*

alarm la alarma *3B; fire alarm* la alarma de incendios *6B; alarm clock* el despertador *6A; smoke alarm* la alarma de incendios *6B*

algebra el álgebra

all todo/a; *any at all* cualquiera *6B*

to **allow** dejar *6A*

almost casi

alone solo/a *1B*

along por; *to get along* llevarse *2B*

already ya

also también

although sino *3B,* aunque *6B*

always siempre; *to always get one's way* siempre salirse con la suya *9B*

America la América *4A; Central America* la América Central *4A; North America* la América del Norte *3A; South America* la América del Sur *3A; United States of America* los Estados Unidos

American americano/a; *Central American* centroamericano/a *9B; North American* norteamericano/a *9B; South American* suramericano/a *9B*

to **amuse** divertir (ie, i) *2B*

amusement la atracción; *amusement park* el parque de atracciones; *(amusement) ride* la atracción *4A*

an un, una

ancient antiguo/a *4A*

and y; *(used before a word beginning with i or hi)* e

animal el animal *4A*

to **announce** narrar *7B*

announcement el anuncio *7A; commercial announcement* el anuncio comercial *7A*

another otro/a; *another time* otra vez

answer la respuesta

to **answer** contestar

antique antiguo/a *4A*

any unos, unas; alguno/a, algún, alguna; cualquier, cualquiera *4B; any at all* cualquiera *5B; not any* ninguno/a, ningún, ninguna

anybody alguien

anyone alguien

anything algo

apartment el apartamento *3A*

app la aplicación *1A*

apparatus el aparato *6B*

apple la manzana

appliance el aparato *6B; to turn on (an appliance)* poner

appointment la cita *2B*

April abril

aquatic acuático/a *9A*

Arab árabe

Argentina la Argentina

Argentinean argentino/a *4A*

to **argue** discutir *6B*

arm el brazo

armchair el sillón *6A*

around alrededor de *7B*

to **arrange** arreglar

arrival la llegada *8A*

to **arrive** llegar

art el arte

article el artículo *7B*

artist el artista, la artista *9A*

as tal, como; *as (+ adverb) as possible* lo más/menos *(+ adverb)* posible; *as (+ adjective/adverb) as (+ person/item)* tan *(+ adjective/adverb)* como *(+ person/item); as much as* tanto como; *as much/ many (+ noun) as (+ person/ item)* tanto/a *(+ noun)* como *(+ person/item); as soon as* en cuanto *6B,* luego que *6B*

Asia el Asia *9B*

Asian asiático/a *9B*

to **ask** preguntar; *to ask a question* hacer una pregunta; *to ask for* pedir (i, i); *to ask for help* pedir ayuda; *to ask for permission (to do something)* pedir permiso (para); *to ask oneself* preguntarse *2B*

aspiration la aspiración *9A*

assortment el surtido *5B*

at en; *at (the symbol @ used for e-mail addresses)* arroba; *at home* en casa; *at night* de la noche, por la noche; *at... o'clock* a la(s)...; *at times a veces; at what time?* ¿a qué hora?

athlete el deportista, la deportista

to **attain** conseguir (i, i); realizar

to **attend** asistir a 9A

attic el ático 6A

attitude la actitud 9B

attraction la atracción 4A

attractive bonito/a, guapo/a

audience el público 7A

August agosto

aunt la tía

Australia Australia 9B

Australian australiano/a 9B

autograph el autógrafo 7A

automatic automático/a

autumn el otoño

avenue la avenida

average regular

avocado el aguacate

B

back la espalda 2B

bacon el tocino 5A

bad malo/a; *Too bad!* ¡Qué lástima!

bag bolsa 5A

bakery la panadería 3A

bald calvo/a

ball la pelota 7B

balloon el globo 4A

banana el plátano

band la banda 4B

bank el banco

to **bargain** regatear

to **bark** ladrar 4B

baseball el béisbol

basement el sótano 6A

basketball el básquetbol, el baloncesto; *basketball player* el basquetbolista, la basquetbolista

to **bathe** bañar(se) 2A

bathroom el baño, el cuarto de baño; *bathroom sink* el lavabo 2A

bathtub la tina 2A

to **be** ser; *to be a success* tener éxito 7A; *to be able to* poder (ue); *to be accustomed to* soler (ue) 5B; *to be acquainted with* conocer 3B; *to be afraid of* tener miedo de; *to be born* nacer 8A; *to be called* llamarse 2A; *to be careful* tener cuidado 6A; *to be cold* tener frío; *to be familiar with* conocer 3B; *to be fitting* convenir 6B; *to be*

glad alegrarse (de) 6B; *to be going to (do something)* ir a (+ infinitive); *to be hot* tener calor; *to be hungry* tener hambre; *to be important* importar; *to be in a hurry* tener prisa; *to be lacking* hacer falta; *to be likely that* ser fácil que 6B; *to be long* tardar en (+ infinitive) 3B; *to be mistaken* equivocar(se) 2B; *to be necessary* hacer falta; *to be (+ number) years old* tener (+ number) años; *to be on sale* estar en oferta; *to be pleasing to* gustar; *to be ready* estar listo/a; *to be right* tener razón 5B; *to be satisfied (with)* estar contento/a (con); *to be sleepy* tener sueño; *to be smart* ser listo/a; *to be sorry* sentir (ie, i); *to be successful* tener éxito 7A; *to be thirsty* tener sed; *to be unlikely that* ser difícil que 6B; *to be used to* soler (ue) 5B; *to be worth* valer 6B

beach la playa

bear el oso 4B; *teddy bear* el oso de peluche 4B

beautiful hermoso/a 9A

because porque; *because of* a causa de

to **become** cumplir; *to become aware* enterar(se) de 7B; *to become (+ number) years old* cumplir

bed la cama; *to go to bed* acostarse (ue) 2A; *to put (someone) in bed* acostar (ue) 2A

bedroom el cuarto, la habitación

beef la carne de res 5A; *boneless cut of beef* el filete 5A

before antes de; *a quarter before* menos cuarto; *the day before yesterday* anteayer

to **begin** empezar (ie); comenzar (ie) 6B

behind detrás de 4B

to **believe** creer 1B

bellhop el botones 8B

belt el cinturón; *safety belt* el cinturón de seguridad 3B; *seat belt* el cinturón de seguridad 3B

bermuda shorts las bermudas 1B

beside al lado (de)

besides además 5B

best mejor; *the best (+ noun)*

el/la/los/las mejor/mejores (+ noun)

better mejor; *it is better that* más vale que 6B

between entre

bicycle la bicicleta

big grande; *(form of* grande *before a m., s. noun)* gran

bike la bicicleta

bill la cuenta 5B

biology la biología

bird el pájaro 4B

birthday el cumpleaños; *Happy birthday!* ¡Feliz cumpleaños!; *to have a birthday* cumplir años

biscuit la galleta

to **bite** morder (ue) 7A

black negro/a

blackboard la pizarra

blender la licuadora 6B

blond, blonde rubio/a

blouse la blusa

blue azul

to **board** abordar 8B

boat el barco, el bote 1B

body el cuerpo

Bolivia Bolivia

Bolivian boliviano/a 4A

boneless cut of beef or fish el filete 5A

book el libro

bookstore la librería

boot la bota

to **get bored** aburrirse 7A

bored aburrido/a

boring aburrido/a

to **borrow** pedir prestado/a

to **bother** molestar 4A

box el recuadro 2B

box office la taquilla 4B

boy el chico, el muchacho

boyfriend el novio 1B

bracelet la pulsera

brake el freno 3B

bravo olé

Brazil el Brasil 9B

Brazilian brasileño/a 9B

bread el pan

to **break** romper 7A

breakfast el desayuno 2A; *to have breakfast* desayunar 2A

brick el ladrillo 6A

bridge el puente 3A

briefcase el maletín 8B

to **bring** traer; llevar 7B; *to bring about* realizar; *to bring up* subir

broadcast la transmisión 7B

brochure el folleto *8A*
broom la escoba *6A*
brother el hermano
brown *(color)* café
brunet, brunette moreno/a
brush el cepillo *2A*
to **brush** cepillar(se) *2A*
building el edificio
bull el toro *4B*
bullfight la corrida *8A*
to **burn** quemar *2A*
burro el burro *4B*
bus el autobús; *bus station* la estación de autobuses *3A*
business la empresa, los negocios *9A*
business man el hombre de negocios *9A*
business woman la mujer de negocios *9A*
busy ocupado/a
but pero; *but (on the contrary)* sino *3B*
butcher shop la carnicería *3A*
butter la mantequilla
to **buy** comprar
by por; *by airplane* en avión; *by car* en carro, en coche; *by (+ vehicle)* en *(+ vehicle)*; *by telephone* por teléfono; *by the way* a propósito *9B*

C

cafeteria la cafetería
cage la jaula *4B*
cake el pastel *6B*
calendar el calendario
to **call** llamar
to **calm down** calmar(se) *2A*
camel el camello *4A*
camera la cámara *4A*
camping el camping *1B*
can la lata
can opener el abrelatas *6B*
Canada el Canadá *9B*
Canadian canadiense *9B*
candy el dulce *3A*; *candy store* la dulcería *3A*
cantaloupe el melón *5A*
cap la gorra *1B*
capital la capital; *capital letter* la mayúscula
car el carro; el coche *3B*; carros chocones *bumper cars* *4A*; *by car* en carro, en coche

card la tarjeta; *credit card* la tarjeta de crédito; *playing card* la carta
care el cuidado *6A*; *to take care of* cuidar(se) *2B*, encargarse (de) *6A*
career la carrera *9A*
Caribbean el Caribe
carpenter el carpintero, la carpintera *9A*
carpet la alfombra *6A*
carrot la zanahoria
carrousel el carrusel *4A*
to **carry** llevar; *to carry up* subir
carry-on luggage el equipaje de mano *8B*
cartoon el dibujo animado *7A*
cash el efectivo; *in cash* en efectivo
cashier el cajero, la cajera *5B*; *cashier's desk* la caja
cat el gato, la gata
catastrophe la catástrofe *7A*
to **catch** coger; *to catch (a cold)* pescar (un resfriado) *2B*
cathedral la catedral *3A*
CD-ROM disco compacto
to **celebrate** celebrar
celebration la celebración *7A*
cellular phone el celular *1A*
center el centro; el medio *9B*; *in the center of* en medio de *9B*; *shopping center* el centro comercial
Central America la América Central *4A*
Central American centroamericano/a *9B*
century el siglo
cereal el cereal *5A*
chain la cadena
chair la silla; *easy chair* el sillón *6A*
chalk la tiza
championship el campeonato *7B*
change el cambio
to **change** cambiar *6B*
channel el canal *7A*
character el personaje *7A*
to **charge** cargar *8A*
chart la tabla *7B*
chat charla; *chat room* cuarto de charla; *to chat* chatear *1A*
chauffeur el chofer, la chofer *9A*
cheap barato/a

check la cuenta *5B*, el cheque *8A*
to **check** revisar; *to check in* registrar *8B*
checkered a cuadros *5B*
checkers las damas *3A*
cheese el queso
chemistry la química
chess el ajedrez
chest el pecho *2B*
chicken el pollo
child el niño, la niña *2B*
Chile Chile
Chilean chileno/a *4A*
chilly fresco/a
chimney la chimenea *6A*
China la China *9B*
Chinese chino/a *9B*
chocolate el chocolate
to **choose** escoger
chore el quehacer
Christmas la Navidad
church la iglesia *3A*
cigarette el cigarrillo
circus el circo *4B*
city la ciudad; *city block* la cuadra *3A*
clam la almeja *5A*
class la clase
to **classify** clasificar
classmate el compañero, la compañera
clean limpio/a
to **clean** limpiar
clear claro/a *6B*
to **clear** limpiar; *to clear the table* recoger la mesa
clerk el dependiente, la dependienta
to **climb** subir
clock el reloj; *alarm clock* despertador *6A*
to **close** cerrar (ie)
close up de cerca *3B*
closed cerrado/a
closet el armario *6A*
cloth la tela *5B*
clothing la ropa
cloudy nublado/a; *it is cloudy* está nublado
clown el payaso *4B*
club el club *6B*
coat el abrigo
coffee el café; *coffee maker* la cafetera *6B*; *coffee pot* la cafetera *6B*
coin la moneda
cold frío/a

cold el frío; el resfriado *2B; it is cold* hace frío; *to be cold* tener frío; *to catch (a cold)* pescar (un resfriado) *2B*

collection la colección *9A*

Colombia Colombia

Colombian colombiano/a *4A*

color el color

column la columna *7B*

comb el peine *2A*

to **comb** peinar(se) *2A*

to **combine** combinar

to **come** venir; *to come back* regresar *6B*, volver (ue); *to come in* entrar

comedy la comedia *7A*

comfortable cómodo/a

comic strip la tira cómica *7B*

comical cómico/a

commentator el comentarista, la comentarista *7B*

commercial el anuncio comercial *7A*

communication la comunicación *1A*

compact disc el disco compacto; *compact disc player* el reproductor de CDs

company la compañía *8A*

compartment el compartimiento

competition la competencia; el concurso *7A*

complete completo/a *8A*

to **complete** completar, acabar

computer la computadora; *computer programmer* el programador, la programadora *9A*

concert el concierto

concourse el muelle

to **conduct** conducir *3B*

congratulations felicitaciones

to **connect** conectar(se)

connected conectado/a *1A;* unido/a *9A*

contest el concurso *7A*

to **continue** continuar, seguir (i, i) *1A*

cook el cocinero, la cocinera *5B*

to **cook** cocinar

cookie la galleta

cool el fresco; *it is cool* hace fresco

to **copy** copiar

corn el maíz

corner la esquina *3A; to turn (a corner)* doblar *3B*

cornmeal pancake (Mexico) la tortilla *3A*

correct correcto/a

correspondence la correspondencia

corridor el corredor

to **cost** costar (ue)

Costa Rica Costa Rica

Costa Rican costarricense *4A*

cotton el algodón; *cotton candy* algodón de azúcar *4A*

counter el mostrador *8B*

country el país

couple la pareja

courtyard el patio

cousin el primo, la prima

to **cover** cubrir *7A*

cow la vaca *4B*

crab el cangrejo *5A*

crazy loco/a

cream la crema *5A; ice cream* el helado; *ice cream parlor* la heladería *3A; shaving cream* la crema de afeitar *2A*

to **create** crear

credit el crédito; *credit card* la tarjeta de crédito; *on credit* a crédito

crew la tripulación *8B*

to **cross** cruzar

crossed atravesado/a

cruise el crucero *1B*

Cuba Cuba

Cuban cubano/a *4A*

culture la cultura *7B*

cultured culto/a *7B*

cup la taza

cupboard el armario

curtain la cortina *6A*

curve la curva *3B*

custard el flan *5A*

customs la aduana

to **cut** cortar *6A*

D

dad el padre, el papá *6A*

dairy (store) la lechería

dance el baile *9A*

to **dance** bailar

dancing el baile *9A*

dangerous peligroso/a *4B*

dark oscuro/a; *to get dark* anochecer *5B*

dark-haired moreno/a

dark-skinned moreno/a

date la fecha; la cita *2B*

daughter la hija

day el día; *All Saints' Day* Todos los Santos; *every day* todos los días; *New Year's Day* el Año Nuevo; *saint's day* el santo; *the day after tomorrow* pasado mañana; *the day before yesterday* anteayer

dear querido/a; estimado/a

December diciembre

to **decide** decidir *5B*

to **decorate** adornar

defender el defensor, la defensora *7B*

degree el grado

delay la demora *3B*

to **delay** tardar *3B*

delicious delicioso/a; rico/a *5B*

to **delight** encantar *6B*

delighted encantado/a

demanding exigente *3B*

dentist el dentista, la dentista

deodorant el desodorante *2A*

department el departamento; *department store* el almacén *3A*

departure la salida *8A*

to **describe** describir

desert el desierto

to **design** diseñar

desire la gana

desk el escritorio, el pupitre; *cashier's desk* la caja; *reception desk* la recepción *8B*

dessert el postre

destination el destino *8A*

destiny el destino

destruction la destrucción *7A*

to **die** morir(se) (ue, u) *7A; to die laughing* morirse de la risa *7A*

different diferente *5B*

difficult difícil

dining room el comedor

dinner la comida *2A*, la cena *2A; to have dinner* cenar *2A*

to **direct** dirigir; conducir *3B*

direction la dirección *3B*

director el director, la directora

dirty sucio/a

disaster el desastre

to **discuss** discutir *6B*

dish el plato

dishwasher el lavaplatos eléctrico

to **do** hacer; practicar *9A; to do aerobics* hacer aeróbicos

doctor el médico, la médica; el doctor, la doctora (*abbreviation:* Dr., Dra.) *2B; doctor's office* el consultorio
dog el perro, la perra
dollar el dólar
Dominican dominicano/a *4A; Dominican Republic* la República Dominicana
donkey el burro *4B*
door la puerta
dot el punto
double doble *8B*
to **doubt** dudar *6B*
doubtful dudoso/a *6B*
down abajo *6A*
to **download** a *(software) program* bajar un programa *1A*
downstairs abajo *6A*
downtown el centro
to **draw** dibujar
drawing el dibujo; *cartoon* el dibujo animado *7A*
dream el sueño *9A*
to **dream** soñar *8A*
dress el vestido
to **dress (someone)** vestir (i, i) *2A*
dressing el aderezo *5B*
drink el refresco, la bebida; *soft drink* el refresco
to **drink** tomar
drinkable potable *8B*
to **drive** conducir *3B,* manejar *3B*
driver el chofer, la chofer *9A; taxi driver* el taxista, la taxista *9A*
drum el tambor
dryer la secadora *6A*
duck el pato *4B*
due to a causa de
during durante *4B*
dust el polvo *1B*

E

each cada
ear *(inner)* el oído *2B; (outer)* la oreja *2B*
early temprano
to **earn** ganar *6A*
earphones los audífonos
earring el arete
earth la tierra
east el este *3B*
Easter la Pascua
easy fácil; *easy chair* el sillón *6A*

to **eat** comer; *to eat completely* comerse *2B; to eat lunch* almorzar (ue) *2A; to eat up* comerse *2B*
ecology la ecología *1A*
economy la economía *7B*
Ecuador el Ecuador
Ecuadorian ecuatoriano/a *4A*
editorial el editorial *7B*
egg el huevo
eight ocho; *eight hundred* ochocientos/as
eighteen dieciocho
eighth octavo/a
eighty ochenta
either tampoco; *either...or* o...o
El Salvador El Salvador
elbow el codo *2B*
electric eléctrico/a
electronic mail el correo electrónico *1A*
elegant elegante *5B*
elephant el elefante *4A*
elevator el ascensor
eleven once
else más
e-mail el e-mail *1A,* correo electrónico
emigration emigración
empire el imperio
employee el empleado, la empleada *9A*
to **enchant** encantar *6B*
enchilada la enchilada *3A*
end el fin
to **end** terminar; *to end up* ir a parar *4B*
engine el motor; *search engine* el motor de búsqueda *1A*
engineer el ingeniero, la ingeniera *9A*
England Inglaterra *9B*
English inglés, inglesa *9B*
English el inglés *(language)*
to **enjoy** gozar *8A*
enough bastante
to **erase** borrar
eraser el borrador
escalator la escalera mecánica
to **escape** escapar(se) *4B*
Europe Europa *9B*
European europeo/a *9B*
even aun; *even though* sino *3B; not even* ni
event el acontecimiento *7A,* el suceso *7A*
every todo/a, cada; *every day* todos los días

everybody todo el mundo, todos/as
everyday de todos los días
everyone todo el mundo, todos/as
everything todo *5A*
everywhere por todos lados
evident evidente *6B*
to **exaggerate** exagerar *6A*
exam el examen
example el ejemplo; *for example* por ejemplo
excellent excelente
excited emocionado/a *8A*
exciting emocionante *4B*
excuse me perdón, con permiso
exercise el ejercicio *2B*
exhibition la exhibición *3B*
exit la salida *8A*
expense el gasto *8A*
expensive caro/a
experience la experiencia *9A*
expertise la destreza *4B*
to **expire** vencer, caducar
to **explain** explicar, aclarar
explanation la explicación
(exterior) wall el muro *6A*
exporter el exportador, la exportadora
eye el ojo *2B*

F

fabric la tela *5B*
face la cara *2B*
faded desteñido/a *5B*
to **fail** fracasar *7A*
fairly bastante
to **fall (down)** caer(se) *2B; to fall asleep* dormirse (ue, u) *2B*
family la familia; *family tree* el árbol genealógico
famous conocido/a; famoso/a *7A*
fan el aficionado, la aficionada *7B;* el ventilador *6A*
fantastic fantástico/a; maravilloso/a *4A*
far (from) lejos (de)
fare la tarifa *8A*
farewell la despedida *9B*
farm la finca *4B*
farmer el agricultor, la agricultora *9A*
farther on adelante *3A*
to **fascinate** fascinar *6B*

fascinating fascinante *4A*
fashion moda
fast rápido/a
fast food la comida rápida *2B*
to **fasten** abrochar(se)
fat gordo/a
fate el destino
father el padre; el papá *6A*
faucet el grifo *2A*
favorite favorito/a
fax el fax *1A*
fear el miedo
to **fear** temer *6B*
feather la pluma *4B*
February febrero
to **feed** dar de comer
to **feel** sentir(se) (ie, i) *2B; to feel like* tener ganas de; *to feel sorry* sentir (ie, i)
fence la cerca *6A; wrought iron fence* la reja *6A*
fender el parachoques *3B*
ferocious feroz (*pl.* feroces) *4A*
fierce feroz (*pl.* feroces) *4A*
fifteen quince
fifth quinto/a
fifty cincuenta
fillet el filete *5A*
film la película
to **film** filmar *9B*
finally por fin *9B*
to **find** encontrar (ue) *1A; to find out* enterar(se) de *7B*
finger el dedo
to **finish** terminar, acabar
fire el fuego; el incendio *6B; fire alarm* la alarma de incendios *6B*
fire fighter el bombero, la bombera *9A*
fireplace la chimenea *6A*
fireworks fuegos artificiales *4A*
first primero/a; primero; *(form of primero before a m., s. noun)* primer; *first floor* el primer piso
fish el pescado; *boneless cut of fish* el filete *5A*, el pez *(when alive, before being caught)*
to **fish** pescar *2B*
fishing la pesca *9A*
to **fit** quedarle bien a uno; *to fit (into)* caber *5A*
fitting room el vestidor *5B*
five cinco; *five hundred* quinientos/as
to **fix** arreglar
flamingo el flamenco *4A*
flat roof la azotea
flavor el sabor *5B*

flavoring el aderezo *5B*
flight el vuelo *8A; flight attendant* el auxiliar de vuelo, la auxiliar de vuelo *8B*
floor el piso; *first floor* el primer piso; *ground floor* la planta baja
flower la flor; *flower shop* la florería *3A*
flu la gripe *2B*
flute la flauta
to **fly** volar (ue) *4B*
to **follow** seguir (i, i) *1A*
following siguiente
food la comida; *food server* el camarero, la camarera *5B*, el mesero, la mesera; *little food item* la golosina *4A; fast food* la comida rápida *2B*
foot el pie; *on foot* a pie
football el fútbol americano
for por, para; *for example* por ejemplo
foreign extranjero/a *7A*
forest el bosque *4B*
to **forget** olvidar(se) *2B*
fork el tenedor
to **form** formar; *to form an opinion* opinar *7A*
forty cuarenta
forward el delantero, la delantera *7B*
to **found** fundar
four cuatro; *four hundred* cuatrocientos/as
fourteen catorce
fourth cuarto/a
fowl el ave
France Francia *9B*
free libre
French francés, francesa *9B*
fresh fresco/a; puro/a *6A*
Friday viernes; *on Friday* el viernes
friend el amigo, la amiga
friendship la amistad *9A*
from de, desde; *from a short distance* de cerca *3B; from the* de la/del (de + el); *from where?* ¿de dónde?
fruit la fruta; *fruit store* la frutería *3A*
to **fry** freír (i, i) *5A*
full lleno/a *5B*
fun divertido/a; *to have fun* divertirse *2B*
funny cómico/a; chistoso/a *4A*
furthermore además *5B*
future el futuro *9A*

G

game el partido, el juego; *game console/system* la consola de juegos; *game show* el programa de concurso; *games won* los partidos ganados; *to play (a game)* jugar a; *video game* el videojuego
garage el garaje
garbage la basura
garden el jardín; *zoological garden* el jardín zoológico
garlic el ajo
garment la prenda *5B*
generous generoso/a
gentleman el caballero *3A*
geography la geografía
geometry la geometría
German alemán, alemana *9B*
Germany Alemania *9B*
to **get** conseguir (i, i) *1A; to always get one's way* siempre salirse con la suya *9B; to get along* llevarse *2B; to get bored* aburrir(se) *7A; to get burned* quemarse *2A; to get connected* conectarse *1A; to get dark* anochecer *5B; to get dressed* vestirse *2A; to get in* subir *3B; to get together* reunir(se) *2B; to get up* levantarse *2A; to get used to* acostumbrar(se) *2B*
gift el regalo
giraffe la jirafa *4A*
girl la chica, la muchacha
girlfriend la novia *1B*
to **give** dar; *to give an opinion* opinar *7A*
glad contento/a; *Glad to meet you!* ¡Mucho gusto!; *I would be (very) glad to* con (mucho) gusto; *So glad to meet you.* Tanto gusto.; *to be glad* alegrarse (de) *6B*
glass el vaso; *glass showcase* la vitrina *3A*
globe el globo *4A*
glove el guante
to **go** ir; andar *5A; to go away* irse *2B; to go away on a trip* irse de viaje *2B; to go back* regresar *6B*, volver (ue); *to go in* entrar; *to go on* seguir (i, i) *1A; to go out* salir; *to go shopping* ir de compras; *to go to bed* acostarse (ue) *2A; to go up* subir; *to go upstairs* subir

goal el gol *7B*
goalie el portero, la portera *7B*
goalkeeper el portero, la portera *7B*
gold el oro
good bueno/a, *(form of* bueno *before a m., s. noun)* buen; *good afternoon* buenas tardes; *good luck* buena suerte; *good morning* buenos días; *good night* buenas noches
good-bye adiós; *to say good-bye* despedir(se) (i, i)
good-bye la despedida *9B*
good-looking guapo/a, bonito/a
gorilla el gorila *4A*
gossip el chisme *1B*
government el gobierno
granddaughter la nieta
grandfather el abuelo
grandmother la abuela
grandson el nieto
grape la uva
grapefruit la toronja *5A*
grass el césped *3B*
gray gris
great fantástico/a; gran *4B*
great-grandfather el bisabuelo *6A*
great-grandmother la bisabuela *6A*
greater mayor
greatest mayor
green verde; *green bean* la habichuela
greens la verdura
to **greet** saludar
grocery store el almacén *3A*
group el grupo; *musical group* el grupo musical
to **grow** crecer
Guatemala Guatemala
Guatemalan guatemalteco/a *4A*
to **guess** adivinar
guidance la dirección *3A*
guide el guía, la guía *4A*
guidebook la guía *8A*
guitar la guitarra
guy el muchacho
gym el gimnasio

H

hair el pelo *2A*
hairstylist el peluquero, la peluquera *9A*
half medio/a; *half past* y media
hallway el corredor
ham el jamón
hand la mano; *on the other hand* en cambio
to **hand over** entregar *8B*
handbag el bolso; el maletín *8B*
handkerchief el pañuelo
handsome guapo/a
to **hang** colgar (ue)
to **happen** pasar
happening el acontecimiento *7A*, el suceso *7A*
happiness la dicha *8A*
happy contento/a, feliz *(pl.* felices), alegre; *Happy birthday!* ¡Feliz cumpleaños!; *to make happy* alegrar (de) *6B*
hard difícil
hat el sombrero; *hat store* la sombrerería
to **have** tomar, tener; *(auxiliary verb)* haber *7A*; *to have a birthday* cumplir años; *to have breakfast* desayunar *2A*; *to have dinner* cenar *2A*; *to have fun* divertirse *2B*; *to have just* acabar de *(+ infinitive)*; *to have (something) left* quedarle *(algo a alguien)*; *to have lunch* almorzar (ue) *2A*; *to have supper* cenar *2A*; *to have to* deber, tener que
he él
head la cabeza
headlight el faro *3B*
headline el titular *7B*
headphones los audífonos
health la salud *2A*
to **hear** oír; escuchar *7B*
heart el corazón *2B*
heat el calor
hello hola; *(telephone greeting)* aló, diga, oigo; *to say hello* saludar
help la ayuda
to **help** ayudar; *ask for help* pedir ayuda
hen la gallina *4B*
her su, sus; *(d.o.p.)* la; *(i.o.p.)* le; *(after a preposition)* ella; suyo/a *4B*; *(of) hers* suyo/a *4B*

here aquí
heritage la herencia
hey mira, miren, oye, oigan
hi hola
high-heel shoe el zapato de tacón
highway la carretera *3A*
hill la colina
him *(d.o.p.)* lo; *(i.o.p.)* le; *(after a preposition)* él
hippopotamus el hipopótamo *4A*
his su, sus; suyo/a *4B*; *(of) his* suyo/a *4B*
Hispanic hispano/a
history la historia
hockey el hockey
home la casa; el hogar *6A*; *at home* en casa
homework la tarea
Honduran hondureño/a *4A*
Honduras Honduras
honey miel; *(term of endearment)* corazón *2B*
hood el capó *3B*
hope la aspiración *9A*
to **hope** esperar *6B*
horn el claxon *3B*; el cuerno *4B*
horrible horrible
horse el caballo; *on horseback* a caballo
hot caliente; *it is hot* hace calor; *to be hot* tener calor
hot dog la salchicha *5A*
hotel el hotel *8B*
hour la hora
house la casa
how (+ adjective)! ¡qué *(+ adjective)!*
how (+ adjective/adverb) lo *(+ adjective/adverb)*
how? ¿cómo?; *How are you?* ¿Qué tal?; *How are you (formal)?* ¿Cómo está (Ud.)?; *How are you (informal)?* ¿Cómo estás (tú)?; *How are you (pl.)?* ¿Cómo están (Uds.)?; *How do you say...?* ¿Cómo se dice...?; *How do you write (spell)...?* ¿Cómo se escribe...?; *How is the weather?* ¿Qué tiempo hace?; *How long...?* ¿Cuánto (+ time expression) hace que (+ present tense of verb)...?; *how many?* ¿cuántos/as?; *how much?* ¿cuánto/a?; *How old are you?* ¿Cuántos años tienes?
however sin embargo *9B*
hug el abrazo

hunger el hambre *(f.)*
hurricane el huracán *7A*
hurry la prisa; *in a hurry*
apurado/a; *to be in a hurry* tener
prisa
to **hurry up** apurar(se) *5B*
to **hurt** doler (ue) *2B;*
lastimar(se) *7A*
husband el esposo; el marido

I

I yo; *I am sorry* lo siento; *I do not
know.* No sé.; *I hope* ojalá *9A*
ice el hielo; *ice cream* el helado;
ice cream parlor la heladería *3A*
to **ice-skate** patinar sobre hielo
idea la idea
ideal ideal
if si; *if only* ojalá *9A*
iguana la iguana *4A*
to **imagine** imaginar(se) *4A*
immediately en seguida *8B*
to **imply** implicar
important importante; *to be
important* importar
impossible imposible *6B*
to **improve** mejorar
in en, por; *in a hurry* apurado/a;
in cash en efectivo; *in favor* (of)
a favor (de) *7B; in order to* para;
in order that para que; *in short*
en resumen; *in the afternoon*
de la tarde, por la tarde; *in the
center of* en medio de *9B; in the
middle of* en medio de *9B; in the
morning* de la mañana, por la
mañana
increase el aumento
to **inform** informar *7A*
information la información *1A*
ingredient el ingrediente
inhabitant el habitante,
la habitante
to **injure** lastimar(se) *7A*
injured herido/a *7A*
inn el parador *8B*
(inner) ear el oído *2B*
inside adentro *6A*
to **insist (on)** insistir (en) *6A*
to **install** instalar *1B*
instruction la dirección *3A*
intelligent inteligente
to **intend** pensar (ie)
to **interest** interesar *6B*
interesting interesante

international internacional *7B*
Internet la internet *1A*
interview la entrevista *7B*
to **introduce** presentar
invitation la invitación
to **invite** invitar *6A*
iron la plancha *6B*
to **iron** planchar *6B*
ironing board la mesa de
planchar *6B*
island la isla *9B*
it *(d.o.p.)* la, *(d.o.p.)* lo; *(neuter
form)* ello; *it is better that* más
vale que *6B; it is cloudy* está
nublado; *it is cold* hace frío;
it is cool hace fresco; *it is hot*
hace calor; *It is midnight.* Es
medianoche.; *it means* quiere
decir; *It is noon.* Es mediodía;
it is (+ number) o'clock son las
(+ number); it is one o'clock es
la una; *it is sunny* está soleado,
hay sol, hace sol; *it is windy* hace
viento; *it is written* se escribe
Italian italiano/a *9B*
Italy Italia *9B*
itinerary el itinerario *8A*
its su, sus; suyo/a *4B*

J

jacket la chaqueta
January enero
Japan el Japón *9B*
Japanese japonés, japonesa *9B*
jeans los jeans, blue jeans
jersey la camiseta
jewel la joya
jewelry store la joyería *5B*
job el empleo *9A*
joke el chiste *5A,* la broma *6A*
journalist el periodista, la
periodista *7A*
juice el jugo
July julio
to **jump** saltar *4B*
June junio
jungle la selva *4A*
juggler el malabarista, la
malabarista *4B*
just sólo

K

to **keep** seguir (i,i) *1A;*
mantener *9B*
Kenya Kenia *9B*
Kenyan keniano/a *9B*
ketchup la salsa de tomate *5B*
key la llave *6B*
kick el tiro *7B*
kilo(gram) el kilo(gramo)
kind amable
kind el tipo *5B*
king el rey *8A*
kiss el beso *6A*
kitchen la cocina
knee la rodilla *2B*
knife el cuchillo
to **know** saber; conocer *3B; I do
not know.* No sé.
knowledge la cultura *7B*
known conocido/a

L

lady la señora, Sra., la dama *3A;
young lady* la señorita
lake el lago *2B*
lamp la lámpara
land la tierra
to **land** aterrizar *8B*
landscape el paisaje
language la lengua, el idioma
laser printer impresora láser
last pasado/a, último/a *1B; last
name* el apellido *8B; last night*
anoche *5A*
late tarde *2A*
later luego, después; *see you
later* hasta luego, hasta la vista
laugh la risa *7A*
to **laugh** reír(se) (i, i) *5A*
laundry room el lavadero *6A*
lawn el césped *3B; lawn mower*
la cortadora de césped *6A*
lawyer el abogado, la
abogada *9A*
lazy perezoso/a
to **learn** aprender; *to learn about*
enterar(se) de *7B*
**least: the least (+ adjective +
noun)** el/la/los/las *(+ noun)*
menos *(+ adjective)*
leather el cuero
to **leave** dejar; irse *2B*
left izquierdo/a *2B*

left la izquierda *3A; to the left* a la izquierda *3A*
leg la pierna; pata *(for an animal)* *4B; to pull someone's leg* tomar el pelo *5B*
to lend prestar
less menos; *less (+ noun/ adjective/adverb) than* menos (+ noun/adjective/adverb) que
to let dejar (de) *6A; let me introduce you to (formal, s.)* le presento a, *(informal, s.)* te presento a, *(pl.)* les presento a
letter la carta, la letra; *capital letter* la mayúscula; *lowercase letter* la minúscula
lettuce la lechuga
let's (+ infinitive)! ¡vamos a (+ infinitive)!; *let's go!* ¡vamos!; *let's see* a ver
level el nivel
librarian el bibliotecario, la bibliotecaria *9A*
library la biblioteca
license plate la placa *3B*
lie la mentira
to lie mentir (ie, i)
to lie down acostarse *2A*
life la vida
to lift levantar *2A*
light la luz *(pl.* luces); *light bulb* la bombilla *6A*
to light encender (ie)
lighthouse el faro
like como *4A*
to like gustar; querer; *I/you/he/ she/it/we/they would like...* me/ te/le/nos/os/les gustaría...
lime el limón *5A*
line la fila *4B*
lion el león *4A*
link el vínculo *1A, el* enlace
list la lista
to listen to oír; escuchar *7B*
little poco/a; *a little (bit)* un poco; *a very little (bit)* un poquito; *little food item* la golosina *4A; little machine* la maquinita
live en vivo *7B*
to live vivir
living room la sala
lobster la langosta
located ubicado/a
lock la cerradura *6B*
to lodge alojar(se) *8B*
long largo/a
to look (at) mirar; *to look for* buscar

to lose perder (ie)
love el amor
to love querer
lowercase letter la minúscula
low-heel shoe el zapato bajo
luck la suerte *8A; good luck* buena suerte
luggage el equipaje *8B; carry-on luggage* el equipaje de mano *8B*
lunch el almuerzo; *to eat lunch* almorzar (ue) *2A; to have lunch* almorzar (ue) *2A*
luxury el lujo *8B*

M

machine la máquina; *little machine* la maquinita
magazine la revista
magnificent magnífico/a *9B*
mail el correo; *electronic mail* correo electrónico *1A*
main principal *5B*
to maintain mantener *9B*
majority la mayoría
to make hacer; *to make happy* alegrar (de) *6B; to make responsible* (for) encargar (de) *6A*
makeup el maquillaje *2A; to put makeup on (someone)* maquillar *2A; to put on makeup* maquillarse *2A*
mall el centro comercial
man el hombre
manager el gerente, la gerente *9A*
many muchos/as; *how many?* ¿cuántos/as?; demasiados/ as *5A*
map el mapa
March marzo
marker marcador
market el mercado; *meat market* la carnicería *3A*
marvelous maravilloso/a *4A*
match el partido
material el material
mathematics las matemáticas
to matter importar
maximum máximo/a *7B*
May mayo
maybe a lo mejor *8A,* puede ser *8A*
mayonnaise la mayonesa *5B*

me *(i.o.p.)* me; *(d.o.p.)* me; *(after a preposition)* mí; *they call me* me llaman
to mean querer decir; *it means* quiere decir; *What is the meaning (of)...?* ¿Qué quiere decir...?
meat la carne; *meat market* la carnicería *3A*
mechanic el mecánico, la mecánica *9A*
medicine la medicina *2B*
to meet conocer; *Glad to meet you!* ¡Mucho gusto!
meeting la reunión *7A*
melon el melón *5A*
member el miembro *6A*
men's restroom el baño de los caballeros
menu el menú
merry-go-round el carrusel *4A*
Mexican mexicano/a *3A*
Mexico México
microphone el micrófono *7B*
microwave oven el horno microondas
middle el medio *9B; in the middle of* en medio de *9B*
midfielder el mediocampista, la mediocampista *7B*
midnight la medianoche; *It is midnight.* Es medianoche.
milk la leche; *milk store* la lechería
mine mío/a; *(of) mine* mío/a *4B; the pleasure is mine* el gusto es mío
mineral water el agua mineral *(f.)*
minimum mínimo/a
minus menos
minute el minuto
mirror el espejo *2A*
to miss extrañar *9A*
Miss la señorita, Srta.
mist la neblina
modern moderno/a *3B*
mom la madre, la mamá *6A*
Monday lunes; *on Monday* el lunes
money el dinero; la moneda *3A*
monkey el mono *4A*
month el mes
monument el monumento *3A*
moon la luna *4B*
more más; *more (+ noun/ adjective/adverb) than* más (+ noun/adjective/adverb) que; *more than* más de *4A*

morning la mañana; *good morning* buenos días; *in the morning* de la mañana, por la mañana

Moroccan marroquí *9B*

Morocco Marruecos *9B*

most: the most (+ adjective + noun) el/la/los/las (+ *noun*) más (+ *adjective*)

mother la madre; la mamá *6A*

motor el motor *3B*

motorcycle la moto(cicleta)

mountain la montaña *4A*

mouse el ratón *4B*

mouth la boca *2B*

to move mudar(se) *8A*

movie la película; *movie theater* el cine

to mow cortar *6A*

mower la cortadora de césped *6A*

Mr. el señor, Sr.

Mrs. la señora, Sra.

much mucho/a; mucho; *as much as* tanto como; *as much (+ noun) as (+ person/item)* tanto/a (+ *noun*) como (+ *person/item*); *how much?* ¿cuánto/a?; *too much* demasiado/a; *very much* muchísimo

museum el museo

music la música

musical el musical *7A; musical group* el grupo musical

must deber

mustard la mostaza *5B*

my mi, *(pl.)* mis; mío/a *4B; my name is* me llamo

mystery el misterio *7A*

N

name el nombre *8A; last name* el apellido; *my name is* me llamo; *their names are* se llaman; *What is your name?* ¿Cómo te llamas?; *What is (your/his/her) name?* ¿Cómo se llama (Ud./él/ella)?; *(Your [formal]/His/Her) name is....* (Ud./Él/Ella) se llama....; *your name is* te llamas

napkin la servilleta

to narrate narrar *7B*

narrow estrecho/a

national nacional *7A*

native indígena

near cerca (de)

necessary necesario/a *5A*, preciso/a *6B; to be necessary* hacer falta

neck el cuello *2B*

necklace el collar

to need necesitar

neighbor el vecino, la vecina *2B*

neighborhood el barrio *2B*

neither tampoco; *neither...nor* ni...ni

nephew el sobrino

nervous nervioso/a

never nunca

nevertheless sin embargo *9B*

new nuevo/a; *New Year's (Day)* el Año Nuevo

news la noticia

newspaper el periódico

news program el noticiero *7A*

next próximo/a *3A*, que viene; *next to* al lado (de)

Nicaragua Nicaragua

Nicaraguan nicaragüense *4A*

nice simpático/a, amable; agradable *5B; the weather is nice* hace buen tiempo

nickname el apodo

niece la sobrina

night la noche; *at night* de la noche, por la noche; *good night* buenas noches; *last night* anoche *5A*

nine nueve; *nine hundred* novecientos/as

nineteen diecinueve

ninety noventa

ninth noveno/a

no no

nobody nadie

noise el ruido *8B*

none ninguno/a, ningún, ninguna

noon el mediodía; *It is noon.* Es mediodía.

normal normal *7A*

north el norte *3B; North America* la América del Norte *4A; North American* norteamericano/a *9B*

northeast el noreste *3B*

northwest el noroeste *3B*

nose la nariz (*pl.* narices) *2B*

not any ninguno/a, ningún, ninguna

not even ni

not very poco/a

notebook el cuaderno

nothing nada

November noviembre

now ahora; ya; *right now* ahora mismo

number el número; *telephone number* el número de teléfono

nurse el enfermero, la enfermera *2B*

O

to obtain conseguir (i, i) *1A*

obvious obvio/a *6B*

occasion la ocasión *7A*

occupied ocupado/a

to occur pasar; ocurrir *4B*

ocean el océano *9B*

o'clock a la(s)...; *it is (+ number) o'clock* son las (+ *number*); *it is one o'clock* es la una

October octubre

octopus el pulpo *5A*

of de; *of the* de la/del (de + el); *of course* desde luego *2A; of course!* ¡claro!, ¡Cómo no!; *(of) hers* suyo/a *4B; (of) his* suyo/a *4B; (of) mine* mío/a *4B; (of) ours* nuestro/a *4B; of which* cuyo/a; *(of) yours* tuyo/a *4B*

to offer ofrecer *3B*

office la oficina; *box office* la taquilla *4B; post office* la oficina de correos *3A; ticket office* la taquilla *4B; doctor's office* el consultorio

official oficial

oh! ¡ay!

oil el aceite, el petróleo

okay de acuerdo, regular; *(pause in speech)* bueno

old viejo/a; antiguo/a *4A; How old are you?* ¿Cuántos años tienes? *to be (+ number) years old* tener (+ *number*) años; *to become (+ number) years old* cumplir

older mayor

oldest el/la mayor

on en, sobre; *on credit* a crédito; *on foot* a pie; *on Friday* el viernes; *on horseback* a caballo; *on loan* prestado/a; *on Monday* el lunes; *on Saturday* el sábado; *on Sunday* el domingo; *on the other hand* en cambio; *on the telephone* por teléfono; *on*

Thursday el jueves; *on time* a
tiempo *6B; on top of* encima
de *4B; on Tuesday* el martes; *on
Wednesday* el miércoles
one un, una, uno; *one hundred*
cien, *(when followed by another
number)* ciento
one-way sencillo/a *8A*
onion la cebolla
only único/a, sólo, solamente; *if
only* ojalá *9A*
open abierto/a
to **open** abrir; *open (command)*
abre *2B*
opportunity la oportunidad *7B*
or o, *(used before a word that
starts with o or ho)* u; *either...or*
o...o
orange *(color)* anaranjado/a
orange la naranja
to **order** pedir (i, i); mandar;
ordenar
organ el órgano
to **organize** organizar *9B*
other otro/a
ought deber
our nuestro/a *4B*
outdoors al aire libre *6A*
(outer) ear la oreja *2B*
outside afuera *6A*
oven el horno *6B; microwave
oven* el horno microondas
over sobre; encima de *4B; over
there* allá
overnight bag el maletín *8B*

P

paella la paella
page la página
pain la pena
to **paint** pintar *1B*
painting el cuadro *6A,* la
pintura
pair la pareja
pajamas el pijama
Panama Panamá
Panamanian panameño/a *4A*
panther la pantera *4A*
pants el pantalón
pantyhose las pantimedias
papaya la papaya *5A*
paper el papel; *sheet of paper* la
hoja de papel
parade el desfile *4A*
Paraguay el Paraguay
Paraguayan paraguayo/a *4A*

pardon me perdón
parents los padres, los papás
park el parque; *amusement park*
el parque de atracciones
part la parte *5A*
to **participate** participar *7A*
partner el compañero, la
compañera
party la fiesta
to **pass** pasar; *pass me* pásame
passenger el pasajero *8B*
passport el pasaporte *8A*
past pasado/a; *a quarter past* y
cuarto; *half past* y media
pastime el pasatiempo
pastry el pastel *6B*
path el camino
patio el patio
paw la pata *4B*
to **pay** pagar
pea el guisante
peace la paz
peach el durazno *5A*
peanut butter la mantequilla de
maní *5A*
pear la pera *5A*
pearl la perla
pen el bolígrafo, la pluma
penalty la pena máxima *7B*
pencil el lápiz (*pl.* lápices); *pencil
sharpener* el sacapuntas
people la gente
pepper la pimienta *(seasoning)*;
bell pepper el pimiento; *pepper
shaker* el pimentero *5B*
perfect perfecto/a
perfume el perfume
perhaps quizás
period el tiempo *7B*
permission el permiso; *to ask
for permission (to do something)*
pedir permiso (para)
permit el permiso
to **permit** permitir
person la persona
personal personal
pertaining to air aéreo/a *8A*
pertaining to water
acuático/a *9A*
Peru el Perú
Peruvian peruano/a *4A*
philosophy la filosofía
photo la foto(grafía)
photographer el fotógrafo,
la fotógrafa *9A*
physics la física
piano el piano
to **pick up** recoger

picnic el picnic *1B*
picture el cuadro *6A*
piece la pieza *8B; piece of
furniture* el mueble *6A*
pier el muelle *8B*
pig el cerdo *4B;* el puerco
pilot el piloto, la piloto *8B*
pineapple la piña *5A*
pink rosado/a
pity la lástima *6B*
place el lugar, la posición;
la parte *5A*
to **place** colocar(se) *8B,* poner
plaid a cuadros *5B*
plan el plan *6B*
plant la planta
plastic el plástico
plate el plato; *license plate*
la placa *3B*
play la comedia *7A*
to **play** jugar (ue); *(a musical
instrument)* tocar;
(a sport/game) jugar a
player el jugador, la
jugadora; *basketball
player* el basquetbolista, la
basquetbolista; *record player*
el tocadiscos; *soccer player* el
futbolista, la futbolista; *tennis
player* el tenista, la tenista
playing card la carta
plaza la plaza
pleasant simpático/a
please por favor
to **please** agradar *5B,*
complacer *6B*
pleasing agradable *5B; to be
pleasing to* gustar
pleasure el gusto; el
placer *8B; the pleasure is mine*
encantado/a, el gusto es mío
plum la ciruela *5A*
plural el plural
point el punto
to **point** apuntar; *to point to
(at, out)* señalar
police (officer) el policía,
la policía *3A*
politically políticamente
politics la política *7B*
poll la encuesta *7B*
pollution (environmental) la
contaminación (ambiental) *1A*
poor pobre *4B*
popcorn las palomitas de
maíz *4A*
popular popular
population la población

pork el cerdo *4B;* el puerco
port el puerto
Portugal el Portugal *9B*
Portuguese portugués, portuguesa *9B*
position la posición *8B*
possible posible *5B; as (+ adverb) as possible* lo más/menos *(+ adverb)* posible
post office la oficina de correos *3A*
pot la olla; *coffee pot* la cafetera *6B*
potato la papa
pound la libra
practice la práctica
to **practice** practicar *9A*
to **prefer** preferir (ie, i)
to **prepare** preparar
pretty bonito/a, lindo/a
price el precio
prince el príncipe *8A*
princess la princesa *8A*
principal principal *5B*
printed advertisement el aviso *7B*
prize el premio *6A*
probable probable *5A*
problem el problema
profession la profesión *9A*
program el programa *1A, to download a program* bajar un programa *1A*
prohibited prohibido/a *3B*
to **promise** prometer
protest la protesta *7A*
to **prove** probar (ue)
public público/a; *public square* la plaza; *public telephone* el teléfono público
Puerto Rican puertorriqueño/a *4A*
Puerto Rico Puerto Rico
to **pull someone's leg** tomar el pelo *5B*
punishment la pena
purchase la compra
pure puro/a *6A*
purpose el propósito
purse el bolso
to **pursue** seguir (i, i) *1A*
to **put** poner(se); colocar(se) *8B; to put (someone) in bed* acostar (ue) *2A; to put in charge (of)* encargar (de) *6A; to put makeup on (someone)* maquillar *2A; to put on* poner(se) *2A; to put on makeup* maquillarse *1A*

Q

quality la calidad
quarter el cuarto; *a quarter after, a quarter past* y cuarto; *a quarter to, a quarter before* menos cuarto
queen la reina *8A*
question la pregunta; *to ask a question* hacer una pregunta
quickly pronto
to **quit** dejar (de) *2B*
quite bastante

R

rabbit el conejo *4B*
radio *(apparatus)* el radio; *(broadcast)* la radio; *radio station* la emisora *7B*
rain la lluvia
to **rain** llover (ue)
raincoat el impermeable
to **raise** levantar *2A*
ranch la finca *4B*
rapid rápido
rapidly rápidamente
rather bastante
to **reach** cumplir
to **read** leer
reading la lectura
ready listo/a; *to be ready* estar listo/a
real real *9A*
reality la realidad *9B*
really? ¿de veras?
reason la razón *5B*
receipt el recibo
to **receive** recibir
reception desk la recepción *8B*
receptionist el recepcionista, la recepcionista *8B*
recipe la receta
record el disco; *record player* el tocadiscos
to **record** grabar *7A*
red rojo/a
red-haired pelirrojo/a
to **refer** referir(se) (ie, i) *6A*
referee el árbitro, la árbitro *7B*
refreshment el refresco
refrigerator el refrigerador
to **regret** sentir (ie,i)
regular regular
relative el pariente, la parienta
to **relax** descansar *2B*

to **remain** quedar(se) *2A*
to **remember** recordar (ue); acordar(se) (de) (ue) *5A*
remote remoto/a; *remote control* el control remoto
to **rent** alquilar
to **repeat** repetir (i, i)
report el informe
reporter el periodista, la periodista; el reportero, la reportera *7A*
to **request** pedir (i,i)
reservation la reservación *8A*
to **resolve** resolver (ue)
respectfully atentamente
to **rest** descansar *2B*
restaurant el restaurante
to **return** volver (ue); regresar *6B*
reunion la reunión *7A*
to **review** repasar
rib la costilla *5A*
rice el arroz
rich rico/a *5B*
ride el paseo; *(amusement) ride* la atracción *4A*
to **ride** montar
right correcto/a; derecho/a *2B; right?* ¿verdad?; *right now* ahora mismo; *to be right* tener razón *5B*
right la derecha *3A; to the right* a la derecha *3A*
ring el anillo
ripe maduro/a
river el río *9B*
road el camino
roar el rugido
to **roar** rugir
robbery el robo *7A*
roller coaster la montaña rusa *4A*
roof el techo *6A; flat roof* la azotea
room el cuarto; la habitación *8B; chat room* cuarto de charla; *dining room* el comedor; *laundry room* el lavadero *5A; living room* la sala; *room service* servicio de habitaciones *8B*
rooster el gallo *4B*
round-trip de ida y vuelta *8A*
routine la rutina
row la fila *4B*
ruby el rubí *5B*
rug la alfombra *6A*
rule la regla *6B*
ruler la regla
to **run** correr

runner el corredor, la corredora
rush la prisa
Russia Rusia *9B*
Russian ruso/a *9B*

S

sad triste
safety la seguridad *3B; safety belt* el cinturón de seguridad *3B*
saint's day el santo; *All Saints' Day* Día de todos los Santos
salad la ensalada
sale la oferta; *to be on sale* estar en oferta
salesperson el vendedor, la vendedora *9A*
salt la sal; *salt shaker* el salero *5B*
Salvadoran salvadoreño/a *4A*
same mismo/a
sand la arena
sandals las sandalias *1B*
sandwich el sándwich *5A*
Saturday sábado; *on Saturday* el sábado
sauce la salsa *5B*
saucepan la olla
Saudi saudita *9B; Saudi Arabia* Arabia Saudita *9B; Saudi Arabian* saudita *9B*
sausage *(seasoned with red peppers)* el chorizo *5A*
to **save** ahorrar
to **savor** saborear *8A*
saxophone el saxofón
to **say** decir; *How do you say...?* ¿Cómo se dice...?; *one says* se dice; *say (command)* di *2B; to say good-bye* despedir(se) (i, i) *2B; to say hello* saludar; *to say you are sorry* pedir perdón
scarf la bufanda
scenery el paisaje
schedule el horario
school el colegio, la escuela; *(of a university)* la facultad *9B*
science la ciencia
to **scold** regañar
score el marcador *7B*
to **score** marcar *7B*
screen la pantalla
scuba diving el buceo *9A*
sea el mar *9B*
seafood el marisco *5A*

search la búsqueda; *search engine* el motor de búsqueda *1A*
season la estación
seasoning el aderezo *5B*
seat el asiento *8B*
to **seat (someone)** sentar (ie) *2A*
seat back el respaldar
seat belt el cinturón de seguridad *3B*
second el segundo; segundo/a
secret el secreto *5B*
secretary el secretario, la secretaria *9A*
section la sección *7B*
to **see** ver; *let's see* a ver; *see you later* hasta luego, hasta la vista; *see you soon* hasta pronto
to **seem** parecer
selection el surtido *5B*
selfish egoísta
to **sell** vender
to **send** enviar
sense of hearing el oído
sentence la oración, la frase
September septiembre
serious serio/a *7A*
to **serve** servir (i, i) *5B*
service el servicio *8B; room service* servicio de habitaciones *8B*
to **set** poner; *to set the table* poner la mesa
seven siete; *seven hundred* setecientos/as
seventeen diecisiete
seventh séptimo/a
seventy setenta
several varios/as
sewing la costura
shame la lástima *6B*
shampoo el champú *2A*
to **share** compartir
to **shave** afeitar(se) *2A*
shaving cream la crema de afeitar *2A*
she ella
sheep la oveja *4B*
sheet la hoja; *sheet of paper* la hoja de papel
ship el barco
shirt la camisa; *polo shirt* la camiseta
shoe el zapato; *high-heel shoe* el zapato de tacón; *low-heel shoe* el zapato bajo; *shoe store* la zapatería *3A*
shopping center el centro comercial

shore la orilla *9B*
short *(not tall)* bajo/a, *(not long)* corto/a; *from a short distance* de cerca *3B; in short* en resumen
shorts los shorts *1B; bermuda shorts* las bermudas *1B*
shot el tiro *7B*
should deber
shoulder el hombro *2B*
to **shout** gritar *4A*
show el programa; *game show* el programa de concurso
to **show** enseñar; mostrar (ue) *7A*
shower la ducha *2A*
to **shower** duchar(se) *2A*
shrimp el camarón *5A*
sick enfermo/a
side el lado
sidewalk la acera *3B*
sign la señal *3B*
to **sign** firmar *8B*
silk la seda
silly tonto/a
silver la plata
silverware los cubiertos
since desde, como
to **sing** cantar
singer el cantante, la cantante *7A*
single sencillo/a *8B*
sink el fregadero; *bathroom sink* el lavabo *2A*
sir el señor, Sr.
sister la hermana
to **sit down** sentarse *2A; sit down (command)* siéntate *2B*
six seis; *six hundred* seiscientos/as
sixteen dieciséis
sixth sexto/a
sixty sesenta
size el tamaño
to **skate** patinar; *to ice skate* patinar sobre hielo; *to in-line skate* patinar sobre ruedas
skateboard la patineta
to **skateboard** montar en patineta
skater el patinador, la patinadora
sketch el dibujo
to **sketch** dibujar
to **ski** esquiar
skier el esquiador, la esquiadora
skiing el esquí *9A*
skill la destreza *4B*
skirt la falda
sky el cielo *4B*
skyscraper el rascacielos

sleep el sueño
to sleep dormir (ue, u)
slipper la pantufla
slippery resbaloso/a
slow lento/a
small pequeño/a; *small suitcase* el maletín *8B*
smart listo/a; *to be smart* ser listo/a
to smile sonreír(se) (i, i) *6B*
to smoke fumar *2B*
smoke alarm la alarma de incendios *6B*
smooth suave *9A*
snake la serpiente *4A*
snow la nieve
to snow nevar (ie)
so tal, tan; *So glad to meet you.* Tanto gusto.; *so long* hasta luego; *so that* a fin de que, para que
soap el jabón *2A*
soap opera la telenovela
soccer el fútbol; *soccer player* el futbolista, la futbolista
sock el calcetín
soft suave *9A*; *soft drink* el refresco
to solve resolver (ue)
some unos, unas; alguno/a, algún, alguna
somebody alguien
someone alguien; *someone from the United States* estadounidense *4A*
something algo; *something from the United States* estadounidense *4A*
sometimes a veces
son el hijo
song la canción
soon luego, pronto; *as soon as* en cuanto *6B*; luego que *6B*; *see you soon* hasta pronto
so-so regular
sound system estéreo
soup la sopa
south el sur *3B*; *South America* la América del Sur *4A*; *South American* suramericano/a *9B*
southeast el sureste *3B*
southwest el suroeste *3B*
Spain España
Spanish el español *(language)*
Spanish español, española *4A*
Spanish-speaking de habla hispana
to speak hablar
speaking el habla *(f.)*

special especial
spectator el espectador, la espectadora *7B*
speech el habla *(f.)*
to spend (time) pasar (tiempo)
sport el deporte; *to play (a sport)* jugar a
sporty deportivo/a *3B*
spring la primavera
square el cuadro *5B*; *public square* la plaza
stable el establo *4B*
stadium el estadio
stairway la escalera
to stand out destacar(se)
star la estrella *4B*
to start empezar (ie); comenzar (ie) *6B*
station la estación *3A*; *bus station* la estación de autobuses *3A*; *radio station* la emisora *7B*; *subway station* la estación del metro *3A*; *train station* la estación del tren *3A*
stationery store la papelería *3A*
to stay alojarse *7B*, quedar(se) *2A*
steering wheel el volante *3B*
stepbrother el hermanastro *6A*
stepfather el padrastro *6A*
stepmother la madrastra *6A*
stepsister la hermanastra *6A*
stick out *(command)* saca *2B*
still todavía
stomach el estómago *2B*
stop sign el alto *3B*
to stop dejar (de) *2B*; parar *3A*
stopover la escala *8B*
store la tienda; *candy store* la dulcería *3A*; *dairy (store)* la lechería; *department store* el almacén *3A*; *fruit store* la frutería *3A*; *hat store* la sombrerería; *jewelry store* la joyería *3A*; *milk store* la lechería; *shoe store* la zapatería *3A*; *stationery store* la papelería *3A*; *store window* la vitrina *3A*
stove la estufa
straight ahead derecho *3A*
to straighten arreglar
strawberry la fresa
street la calle
stripe la raya *5B*
striped a rayas *5B*
strong fuerte *9A*
student el estudiante, la estudiante
study el estudio

to study estudiar
subject la asignatura *1A*
subway el metro; *subway station* la estación del metro *3A*
success el éxito *7A*; *to be a success* tener éxito *7A*
such tal; *such as* como *4A*
sufficient bastante
sufficiently bastante
sugar el azúcar; *sugar bowl* la azucarera *5B*
to suggest aconsejar *5B*
suit el traje
suitcase la maleta
summer el verano
sun el sol
Sunday domingo; *on Sunday* el domingo
sunglasses las gafas de sol *1B*
sunny soleado/a; *it is sunny* está soleado, hay sol, hace sol
supermarket el supermercado
supper la cena *2A*; *to have supper* cenar *2A*
supply el surtido *5B*
sure seguro/a *6B*
to surf navegar *1A*
surname el apellido *8B*
surprise la sorpresa
survey la encuesta *7B*
sweater el suéter
to sweep barrer
sweet dulce, golosina *4A*
to swim nadar
swimming pool la piscina
swimsuit el traje de baño
synthetic sintético/a

T

table la mesa; *to clear the table* recoger la mesa; *to set the table* poner la mesa; *tray table* la mesita
tablecloth el mantel
tablespoon la cuchara
tablet la tableta *1A*
taco el taco *3A*; *taco stand* la taquería
tail el rabo *4B*
to take tomar, llevar; *to take a long time* tardar en (+ infinitive) *3B*; *to take a walk* dar un paseo; *to take away* llevarse *2B*; *to take care of*

cuidar(se) *2B*; *to take charge (of)* encargarse (de) *6A*; *to take off* despegar *7B*, quitar(se) *2A*; *to take out* sacar; *to take up* subir

tall alto/a

to **tan** broncear(se) *2B*

tape recorder la grabadora

to **taste** saborear *8A*

taxi driver el taxista, la taxista *9A*

tea el té *5A*

to **teach** enseñar

teacher el profesor, la profesora

team el equipo

to **tear** romper *7A*

teaspoon la cucharita

technology la tecnología *1A*

teddy bear el oso de peluche *4B*

telephone el teléfono; *by telephone* por teléfono; *on the telephone* por teléfono; *public telephone* el teléfono público; *telephone number* el número de teléfono

to **telephone** llamar

television la televisión; *television set* el televisor; *to watch television* ver (la) televisión

to **tell** decir; *(a story)* contar (ue); *tell (command)* di *2B*; *tell me (Ud. command)* dígame

temperature la temperatura; *What is the temperature?* ¿Qué temperatura hace?

ten diez

tennis el tenis; *tennis player* el tenista, la tenista

tennis shoes los tenis *1B*

tenth décimo/a

to **terminate** acabar

test el examen

to **test** probar(se) (ue)

thank you very much muchas gracias

thanks gracias

that que, ese, esa, *(far away)* aquel, aquella; aquello *2A*; *(neuter form)* eso, ello *2A*; *that (one)* aquel, aquella *2A*, ese, esa *2A*; *that way* así *2A*; *that which* lo que

the *(m., s.)* el, *(f., s.)* la, *(f., pl.)* las, *(m., pl.)* los; *to the* al

theater el teatro; *movie theater* el cine

their su, sus; suyo/a *4B*; *(of) theirs* suyo/a *4B*

them *(i.o.p.)* les; *(d.o.p.)* los/las; *(after a preposition)* ellos/as

theme el tema, el tópico

then luego, después, entonces; *(pause in speech)* pues

there allí; *over there* allá; *there is* hay; *there are* hay; *there was* había *4A*, hubo *5A*; *there were* había *4A*, hubo *5A*

these estos, estas; *these (ones)* éstos, éstas *2A*

they ellos/as; *they are* son; *they were* fueron

thin delgado/a

thing la cosa

to **think** pensar (ie); *to think about (i.e., to have an opinion)* pensar de; *to think about (i.e., to focus one's thoughts)* pensar en; *to think about (doing something)* pensar en (+ infinitive)

third tercero/a; *(form of* tercero *before a m., s. noun)* tercer

thirst la sed

thirteen trece

thirty treinta

thirty-one treinta y uno

this *(m., s.)* este, *(f., s.)* esta; esto *2A*; *this (one)* este, esta *2A*

those esos, esas, *(far away)* aquellos, aquellas; *those (ones)* aquellos, aquellas, esos, esas *2A*

thousand mil

three tres; *three hundred* trescientos/as

throat la garganta *2B*

through por

to **throw away** tirar

Thursday jueves; *on Thursday* el jueves

thus pues; así *2A*

ticket el boleto *4B*; el billete *8A*; el pasaje; *ticket office* la taquilla *4B*

tidbit la golosina *4A*

tie la corbata

to **tie (the score of a game)** empatar *7B*

tiger el tigre *4A*

time el tiempo, la vez *(pl.* veces); *another time* otra vez; *at times* a veces; *at what time?* ¿a qué hora?; *(number +) time(s) per (+ time expression)* (number +) vez/veces al/a la (+ time expression); *on time* a tiempo *6B*; *to spend (time)* pasar; *to take a long time* tardar

en *(+ infinitive)* *3B*; *What time is it?* ¿Qué hora es?

tip la propina *5B*

tire la llanta *3B*

tired cansado/a

to a; *to the left* a la izquierda *3A*; *to the right* a la derecha *3A*

toaster la tostadora *6B*

today hoy

toe el dedo del pie

together junto/a; *to get together* reunir(se) *2B*

toilet el inodoro *2A*

tomato el tomate

tomorrow mañana; *see you tomorrow* hasta mañana; *the day after tomorrow* pasado mañana

tongue la lengua *2B*

tonight esta noche

too también; *Too bad!* ¡Qué lástima!; *too many* demasiados/as; *too much* demasiado/a

tooth el diente *2B*

to **touch** tocar; *touch (command)* toca *2B*

tourism el turismo

tourist el turista *8A*

toward hacia *3A*

towel la toalla *2A*

tower la torre *3A*

traffic el tráfico *3B*

train el tren; *train station* la estación del tren *3A*

to **translate** traducir *5A*

transmission la transmisión *7B*

transportation el transporte

trapeze artist el trapecista, la trapecista *4B*

to **travel** viajar

travel agency la agencia de viajes *8A*

tray table la mesita *8B*

tree el árbol *4B*; *family tree* el árbol genealógico

tremor el temblor *7A*

trip el paseo, el viaje; *to go away on a trip* irse de viaje *2B*

trombone el trombón

trouble la pena

truck el camión

trumpet la trompeta

trunk el baúl *3B*

truth la verdad

to **try (on)** probar(se) (ue) *5B*; *to try (to do something)* tratar (de)

Tuesday martes; *on Tuesday* el martes

tuna atún *5A*
turkey el pavo *4B*
to **turn (a corner)** doblar *3B;*
to turn off apagar; *to turn on*
encender (ie); *to turn on (an*
appliance) poner; *to turn to dusk*
anochecer *5B*
turtle la tortuga *4A*
twelve doce
twenty veinte
twenty-eight veintiocho
twenty-five veinticinco
twenty-four veinticuatro
twenty-nine veintinueve
twenty-one veintiuno
twenty-seven veintisiete
twenty-six veintiséis
twenty-three veintitrés
twenty-two veintidós
two dos; *two hundred*
doscientos/as
type el tipo *5B*

U

ugly feo/a
umbrella el paraguas
umpire el árbitro, la árbitro *7B*
uncle el tío
under bajo *8B*
undershirt la camiseta
to **understand** comprender
underwear la ropa interior
to **undress** desvestir(se)
unique único/a
united unido/a *9A; someone or*
something from the United States
estadounidense *4A; United*
States of America (U.S.A.) los
Estados Unidos (EE.UU)
university la universidad *9A;*
school (of a university) la
facultad *9B*
until hasta, *(to express time)*
up arriba *6A*
upcoming que viene
upstairs arriba *6A; to go upstairs*
subir
urgent urgente *6B*
Uruguay el Uruguay
Uruguayan uruguayo/a *4A*
us *(i.o.)* nos; *(d.o.p.)* nos; *(after a*
preposition) nosotros
to **use** usar

V

vacation las vacaciones
vacuum la aspiradora
to **vacuum** pasar la aspiradora
vanilla la vainilla
variety la variedad *5B*
veal la ternera *5A*
vegetable la verdura
Venezuela Venezuela
Venezuelan venezolano/a *4A*
verb el verbo
vertical vertical
very muy, mucho/a; *not very*
poco/a; *very much* muchísimo
veterinarian el veterinario, la
veterinaria *9A*
video game el videojuego
vinegar el vinagre
visa la visa *8A*
visit la visita *4A*
to **visit** visitar *1B*
voice la voz *(pl. voces)*
volleyball el voleibol

W

to **wait (for)** esperar *2A*
to **wake up** despertar(se) (ie) *2A*
walk el paseo
to **walk** caminar; andar *5A; to take*
a walk dar un paseo
wall la pared, la muralla;
(exterior) wall el muro *6A*
wallet la billetera
to **want** querer
wardrobe el armario *6A*
warehouse el almacén
to **wash** lavar(se) *2A*
washer la lavadora *6A*
wastebasket el cesto de
papeles
wastepaper basket el cesto de
papeles
watch el reloj
to **watch** ver; *to watch television* ver
(la) televisión
water el agua *(f.); mineral water*
el agua mineral *(f.); pertaining to*
water acuático/a *9A*
waterfall la catarata
watermelon la sandía *5A*
way la manera; *to always get*
one's way siempre salirse
con la suya *9B; by the way* a
propósito *9B*

we nosotros/as
to **wear** llevar
weather el tiempo; *How is the*
weather? ¿Qué tiempo hace?;
the weather is nice (bad) hace
buen (mal) tiempo
Web la web *1A*
Wednesday miércoles; *on*
Wednesday el miércoles
week la semana
weekend el fin de semana
welcome bienvenido/a *4A; you*
are welcome de nada
welcome la bienvenida *8B*
well bien; *(pause in speech)*
bueno, este, pues
well-read culto/a *7B*
west el oeste *3B*
what? ¿qué?, ¿cuál?; *at what*
time? ¿a qué hora?; *What do/*
does you/he/she/they think?
¿Qué (te, le, les) parece? *5B;*
What is the meaning (of)…?
¿Qué quiere decir…?; *What is the*
temperature? ¿Qué temperatura
hace?; *What is wrong with*
(someone)? ¿Qué (+ tener)?;
What is wrong with you? ¿Qué
te pasa?; *What is your name?*
¿Cómo te llamas?; *What is (your/*
his/her) name? ¿Cómo se llama
(Ud./él/ella)?; *What time is it?*
¿Qué hora es?
what! ¡qué!; *What (a)*
(+ adjective) (+ noun)! ¡Qué
(+ noun) tan (+ adjective)! *3B;*
what a (+ noun)! ¡qué (+ noun)!;
What a shame! ¡Qué lástima!
wheel la rueda *3B; steering*
wheel el volante *3B; Ferris Wheel*
rueda de Chicago *4A*
when cuando
when? ¿cuándo?
where donde; adonde
where? ¿dónde?; *from where?*
¿de dónde?; *(to) where?*
¿adónde?; *Where are you from?*
¿De dónde eres?; *Where are you*
(formal) from?, Where is (he/she/
it) from? ¿De dónde es
(Ud./él/ella)?
wherever dondequiera *9A*
which que; *of which* cuyo/a; *that*
which lo que
which? ¿cuál?; *which one?*
¿cuál?; *which ones?* ¿cuáles?
while mientras (que) *3B*
white blanco/a

white-haired canoso/a

who quien

who? ¿quién?, *(pl.)* ¿quiénes?

whoever quienquiera *9A*

whom quien

whose cuyo/a

why? ¿por qué?

wife la esposa; la mujer

wild salvaje *4A*

to **win** ganar *6A; games won* los partidos ganados

wind el viento; *it is windy* hace viento

window la ventana; *store window* la vitrina *3A*

windshield el parabrisas *3B*

windshield wiper el limpiaparabrisas *3B*

winter el invierno

to **wish** desear

with con; *with me* conmigo; *with you* (tú) contigo

without sin

witness el testigo, la testigo *7A*

woman la mujer; *young woman* la muchacha

women's restroom el baño de damas *3A*

to **wonder** preguntarse *2B*

wonderful estupendo/a

wood la madera *6A*

wool la lana

word la palabra

work el trabajo, la obra

to **work** trabajar

worker el obrero, la obrera *9A*

world el mundo *1A; World Wide Web* la Red *1A*

to **worry** preocupar(se) *2A*

worse peor

worst: the worst (+ noun) el/la/los/las peor/peores (+ noun)

would like quisiera *1B*

would that ojalá *9A*

wound la herida *7A*

wow! ¡caramba!

to **write** escribir; *How do you write...?* ¿Cómo se escribe...?; *it is written* se escribe

writer el escritor, la escritora *9A*

wrought *iron fence* la reja *6A*

wrought *iron window grill* la reja *6A*

Y

yard el patio

to **yawn** bostezar *7A*

year el año; *New Year's (Day)* el Año Nuevo; *to be (+ number) years* old tener (+ number) años

yellow amarillo/a

yes sí

yesterday ayer; *the day before yesterday* anteayer

yet todavía

you *(informal)* tú; *(formal, s.)* usted (Ud.); *(pl.),* ustedes (Uds.); *(Spain, informal, pl.)* vosotros/as; *(after a preposition)* ti, usted (Ud.), ustedes (Uds.), vosotros/as; *(d.o.p.)* la, lo, las, los, te; *(Spain, informal, pl., d.o.p.)* os; *(formal, i.o.p.)* le; *(pl., i.o.p.)* les; *(Spain, informal, pl., i.o.p.)* os; *(i.o.p.)* te; *Are you from...?* ¿Eres (tú) de...?; *you are* eres; *you (formal) are* es; *you don't say!* ¡no me digas! *9B; you (pl.) were* fueron

young joven; *young lady* la señorita; *young woman* la muchacha; *young man* el muchacho

younger menor

youngest el/la menor

your *(informal)* tu; *(informal, pl.)* tus; su, sus (Ud./Uds.), *(Spain, informal, pl.)* vuestro/a/os/as; suyo/a *4B;* tuyo/a *4B; (of) yours* suyo/a *4B*

yours truly atentamente

Z

zebra la cebra *4A*

zero cero

zoo el zoológico *4A*

zoological garden el jardín zoológico

Index

Credits

Acknowledgments

The authors wish to thank the many people of the Caribbean Islands, Central America, South America, Spain, and the United States who assisted in the photography used in the textbook and videos. Also helpful in providing photos and materials were the National Tourist Offices of Argentina, Chile, Costa Rica, Colombia, Ecuador, Guatemala, the Dominican Republic, Honduras, Mexico, Nicaragua, Panamá, Perú, Puerto Rico, Spain, and Venezuela.

Literary Credits

The Publisher would like to thank the following people and/or institutions for the right to reproduce their content:

100 Revista Axxón and José Miguel Sánchez Gómez (Yoss): "Apolvenusina" from the edition of 8/1/2005. Revista Axxón, issue number 153, http://axxon.com.ar/rev/153/c-153cuento3.htm; **262** Perseus Books Group, Random House, and Esmeralda Santiago: "Cuando era puertorriqueña" from the 1994 edition of *Cuando era puertorriqueña*. Da Capo Press, a member of Perseus Books Group: (Boston, MA). All rights reserved. Vintage Español, an imprint of the Knopf Doubleday Publishing Group, a division of Random House LLC (New York, NY). All rights reserved; **314** Editorial Norma, S.A., Garbriel García Márquez, and his heirs: "Vivir para contarla" from the 2002 edition of *Vivir para contarla*. Editorial Norma, S.A., Apartado 53550 (Bogotá, Colombia); **366** José Cantero Verni: "El viejo goleador" from http://www.bibliotecasvirtuales.com/biblioteca/elfutbolenlaliteratura/JoseCantero/losversosdelfutbol.asp; **490** *El País* and Rosa Montero: "El negro" from the edition of 5/17/2005. El País, http://elpais.com/diario/2005/05/17/ultima/1116280802_850215.html. *Ediciones El País*, S.L., Gran Vía, 32, 4ª Planta (Madrid, Spain 28013).

Photo Credits

Cover photo TommyImages.com; **0** IPGGutenbergUKLtd (moodboard)/iStock; **1** (b) alejandrophotography/iStock; (c) maxkabakov/iStock; **2** (t) violetkaipa (Creatimage)/iStock; (cr) Amorphis/iStock; (cl) pressureUA (Anatoliy)/iStock; (cc) Prykhodov/iStock; **3** ("el mundo") UmbertoPantalone/iStock; ("la red") cogal/iStock; act. 1: (A) Photodisc Blue/Getty Images; (B) DenKuvaiev (Denys Kuvaiev)/iStock; (C, D) Corbis Royalty-Free; **4** act. 3: (mod.) LdF/iStock; (#1)scanrail/iStock; (#2) Digital Stock; (#4) scanrail/iStock; (#5) Simson, David; (#6) Yuri_Arcurs/iStock; **5** Francisco, Timothy; **6** Chagin/iStock; **7** GRADY REESE Photography/iStock; **8** Kali Nine LLC/iStock; **9** evgenyatamanenko/iStock; **10** act. 12: (mod.) alejandrophotography/iStock; (#1) Factoria Singular/iStock; (#2) monkeybusinessimages/iStock; (#3) barsik/iStock; (#4) Nyul/iStock; (#5) Ozgurdonmaz/iStockphoto; (#6) CREATISTA/iStock; **11** act. 14: (r) maxkabakov/iStock; (l) Simson, David; **12** (tl) maxkabakov/iStock; (br) comunicacion-cultural.com/Adicciones digitales **13** alejandrophotography/iStock; **14** (tl) monkeybusinessimages/iStock; (tr) maxkabakov/iStock; ("chat2") FineCollection/iStock; ("chat1") ipag/iStock; ("el motor de búsqueda") wwwebmeister/Shutterstock; ("la aplicación") UmbertoPantalone/iStock; ("el programa") Kraska/iStock; ("bajar") Pashalgnatov/iStock; ("la

contaminación ambiental") n_prause/iStock;" ("la web") cogal/iStock; **15** (b) daboost/iStock; ("Germán") ("Rafael") ("Sofía") Andresr/Shutterstock; **19** Ridofranz/iStock; **20** act. 30: DragonImages/iStock; **21** ferlistockphoto/iStock; **22** (tl) Al Grillo ASSOCIATED PRESS/AP; (bl) OHCHR Oficina de América Central; **23** Eraldo Peres/AP; **25** act. E: (t) daboost/iStock; (tc) Andresr/Shutterstock; **26** (tl) fallbrook/iStock; (tc) mariusz_prusaczyk/iStock; (tr) nyiragongo-(Nyiragongo Kft)/iStock; (cl) sborisov/iStock; (cr) vwalakte-(Frederic Prochasson)/iStock; (cc) JeremyRichards/iStock; ("el camping") goldenKB/iStock; ("el picnic") iofoto/iStock; ("el crucero") jgroup - (James Group Studios)/iStock; ("el bote") Nr1- (zscsaba)/iStock; **27** ("el chisme") michaeljung/iStock; (bl) andresrimaging/iStock; **28** act. 1: (A) Corbis Royalty-Free; (E) Diego Cervo/iStock; **29** Francisco, Timothy; **30** Dougall Photography/iStock; **31** Powers, Glenda/iStock; **32** act. 10: (#1) James Group Studios/iStock; (#2) MaszaS/iStock; (#4) Image Grafx/iStock; (#5) Pixhook/iStock; (#6) Skynesher/iStock; **33** LUNAMARINA/iStock; **34** Feverpitched/iStock; **35** jlmatt/iStock; **36** (tl) De Visu/Shutterstock; (cr) Tarr3n at wts wikivoyage/Wikimedia; **37** (tr) nycshooter/iStock; (cl) Jeff Greenberg/Alamy; **38** (t) Deklofenak/iStock; ("las bermudas") Prill Mediendesign & Fotografi)/iStock; ("la gorra") Coprid/iStock; ("los tenis") AlexKalina/iStock; ("las sandalias") adisa/iStock; ("los shorts") turtix/iStock; ("las gafas de sol") Westmacott Photography/iStock; **39** ("el novio / la novia") Deklofenak/iStock; ("instalar") Crisma/iStock; ("pintar") NadyaPhoto/iStock; ("limpiar el polvo") B Scott Photography/iStock; **41** (t, c) Francisco, Timothy; **43** (mod.) bbostjan/iStock; (#1) herreid/iStock; (#2) Gemena Communication/iStock; (#3) moniaphoto/iStock; (#4) Bokach, Natallia/iStock; (#5) Sandison, Yie/iStock; (#6) Cooke, John/iStock; **44** Sportstock/iStock; **45** maxkabakov/iStock; **46** I.D. RJ. (Flickr: MEDELLIN - ANTIOQUIA)/Wikimedia; **47** Claudio Elias/Wikimedia: **48** ("el zorro") Scott-Cartwright/iStock; ("la abeja") hkratky - (PhotoKratky.com)/iStock; ("el osos")Scoobers/iStock; ("el cuervo") nomis_g/iStock; **52** act. D: maxkabakov/iStock; act. E: Cmacauley/Wikimedia; **53** (r) Deklofenak/iStock; (c) De Visu/Shutterstock; (l) goldenKB/iStock; **54** apomares/iStock; **55** (c) maxkabakov/iStock; (b) Matc13/iStock; **56** (tl) Artazum and Iriana Shiyan/Shutterstock; ("la tina") terex/iStock; ("la ducha") varela/iStock; ("el espejo") Firmafotografen/iStock; ("el inodoro") gbphotostock/iStock; ("el lavabo") Elenathewise/iStock; ("la toalla") valdore(Natthawat Wongrat)/iStock; ("el cepillo") sale123/iStock; ("el grifo") m-1975/iStock; ("el peine") EduardSV/iStock; ("el champú") Karimala/iStock; ("la crema de afeitar") antmagn/iStock; ("el desodorante") Anykeen/iStock; ("el jabón") Garsya/iStock; ("el

Abbreviations:

(t)	top
(b)	bottom
(r)	right
(l)	left
(c)	center
(mod.)	modelo
act.	actividad

maquillaje") Creativestock/iStock; 57 ("despertar") alvarez/iStock; ("levantar") AndreyPopov/iStock; ("bañar") khilagan/iStock; ("duchar") CentrallTAlliance/iStock; ("cepillar los dientes") mocker_bat/iStock; ("lavar las manos") g215/iStock; ("afeitar") karens4/iStock; ("peinar") szefei/iStock; ("maquillar") ottokalman/iStock; ("ponerse los zapatos") IPGGutenbergUKLtd/iStock; ("quitarse los zapatos") IPGGutenbergUKLtd/iStock; 58 act. 1: (B) Bocina, Matjaz/iStock; (C) Elias, David/iStock; (D) Wongrat, Natthawat/iStock; act. 2: (mod.) Szilagyi, Annamaria/iStock; (#2) Teitell, Glen/iStock; (#3) Trifunovic, Dragan/iStock; (#4) clark_fang/iStock; 59 Francisco, Timothy; 61 act. 8: (#1) Sinnawin/Fotolia; (#2) Kharichkina, Elena/Fotolia; (#3) McVay, Ryan/Thinkstock; (#4) Domenico Gelermo/iStock; 63 realitybytes/iStock; 64 (t) Feverpitched/iStock; act. 15: monkeybusinessimages/iStock; 66 (tl) ZUMA Press, Inc.; (br) felixmiozioznikov/iStock; 67 (tr) Featureflash/Shutterstock; (cr) Chrisa Hickey/Wikimedia; (cl) EdStock/iStock; 68 (tl) Ridofranz/iStock; ("desayunar") monkeybusinessimages/iStock; ("reloj") 7430820/iStock; ("almorzar") Tetra Images/Alamy; ("cenar") Radius Images/Alamy; ("llamar") hjalmeida/iStock; ("esperar") oddrose/iStock; ("sentar") hartcreations/iStock; ("quemar") jabiru/iStock; ("quedar en la cama") mammuth/iStock; ("acostar") Renata Osinska ("preocupar") drbimages ("calmar") flisk/iStock; 69 act. 22: (A, B, C, D, F) Corbis Royalty-Free; (E) Kasprzycka, Teresa/iStock; 70 (t) Francisco/Timothy; act. 27: iStock; 72 icyimage/iStock; 73 Rovagnati, Julián/iStock; 74 (mod.) Elias, David/iStock; act. 33: (mod.) (#1) Wongrat, Natthawat/iStock; (#5) Balderas, Christine/iStock; (#6) Smith, Todd/iStock; (#7) Bocina, Matjaz/iStock; 75 act. 35: Catalin Petolea/Shutterstock; act. 36: Aflo Co. Ltd./Alamy; 76 (tr, cr)Tribune Content Agency LLC/Alamy; "78 act. A: (A) mauhorng/iStock; " (B) Akhilesh/iStock; "(C) MidoSemsem/iStock; " (D) StockPhotosArt/iStock; (E) EuToch/iStock; (F) Anterovium/iStock; (G) a_savin/iStock; (H) Ingalvanova(Inga Ivanova)/iStock; 80 (tl) asiseeit/iStock; ("la cara") DomenColja/iStock; ("el cuerpo") Visiofutura/iStock; ("la garganta") Spectral-Design/iStock; ("el corazón") janulla/iStock; ("el estómago") janulla/iStock; ("preguntarse") shvili/iStock; ("tomar la medicina") LoriCaryn/iStock; 81 ("descansar") CharlesKnox/iStock; ("hacer ejercicio") andresrimaging/iStock; ("dormir") KatarzynaBialasiewicz/iStock; ("no fumar") milan2099/iStock; ("no broncear") apomares/iStock; ("no comer comida rápida") tazytaz/iStock; 82 Glade, Christine/iStock; 83 Francisco/Timothy; 84 ATIC12/iStock; 85 act. 8: (mod.) xalanx/iStock; (#1) kaarsten/iStock; (#2) Maridav/iStock; (#3) Philhillphotography/iStock; (#4) Magickarl/iStock; (#5) KyKyPy3HuK/iStock; (#6) xalanx/iStock; (#7) Magickarl/iStock; act. 9: edgardr/iStock; 86 act. 10: KyKyPy3HuK/iStock; (bl) Ridofranz/iStock; 88 (tl) Pears2295/iStock; (cl) Matc13/iStock; 89 (tr) monkeybusinessimages/iStock; (cr) hadynyah/iStock; 90 (tl) trotsche/iStock; ("el pez") crisod/iStock; ("los peces") Coast-to-Coast/iStock; ("pescar un resfriado") pepifoto/iStock; ("divertir") Dean Mitchell/iStock; ("despedirse") 101PHOTO/iStock; ("pescar") Antrey/iStock; ("ir de viaje") kzenon/iStock; ("tocar la guitarra") karelnoppe/iStock; ("la mano izquierda…") Kisialiou Yury/iStock; 92 Francisco/Timothy; 93 (tr) Fried, Robert; (br) Fried, Robert; 95 act. 26: monkeybusinessimages/iStock; act. 28: Gewitterkind/iStock; 96 McIninch/iStock; 97 act. 30: ChristopherBernard/iStock; act. 33: RyFlip/Shutterstock; 98 PJPhoto69/iStock; 99 Dilma e Shakira/Wikimedia;

100 Pictac/iStock; 103 stockstudioX/iStock; 104 Tom/Wikimedia; 105 (l) mocker_bat/iStock; (r) janulla/iStock; 106 Greg Vaughn/Alamy; 107 (c) maxkabakov/iStock; (b) Nachtwächter/iStock; 108 (tl) AlbertoLoyo/iStock; ("la catedral") Ogphoto/iStock; ("el aeropuerto") justasc/Shutterstock; ("la estación del tren") World Pictures/Alamy; ("la estación del metro") Wendy Connett/Alamy; ("la estación de autobuses") soleg/iStock; ("la carretera") holgs/iStock; ("el apartamento") InStock/iStock; ("la iglesia") temis/iStock; ("el monumento") Robert_Ford/iStock; ("el puente") abalcazar/iStock; 109 ("la oficina de correos") Andrew Woodley/Alamy; ("la torre") JPSchrage/iStock; ("la cuadra") ntzolov/iStock; ("la esquina") sdphotography/iStock; ("el policía...") abalcazar/iStock; ("direcciones") DragonImages/iStock; ("parar") Lathuric/iStock; 110 atc. 1: (A) Goldberg, Beryl; (B) Krist, Bob/CORBIS; (C) Fried, Robert; (D, E) Rangel, Francisco; (F) Anderson, Jennifer J.; 111 (t) Béjar Latonda, Mónica; 112 william87/iStock; 113 act. 7: simcoemedia/iStock; 114 act. 11: Corbis Royalty-Free; 115 act. 12: kate_sept2004/iStock; act. 13: maxkabakov/iStock; 116 (tr) Marioli925/Wikimedia; (br) imageBROKER/Alamy; 117 (tl) Wolfgang Sauber/Wikimedia; (cr) Danita Delimont/Alamy; 118 (tl) wwing/iStock; ("la zapatería") DarDespot/iStock; ("la florería") 7000/iStock; ("la papelería") AlbanyPictures/iStock; ("la heladería") gchutka/iStock; ("la frutería") Alija/iStock; ("la panadería") gerripix/iStock; ("la carnicería") Kim Karpeles/Alamy; ("la dulcería") 1Photodiva/iStock; 119 (tl) Felipex/iStock; act. 20: (#1) Cline, Kelly/iStock; (#4) Seymour, Richard/iStock; (#6) Gomez, Carole/iStock; 120 (t) Béjar Latonda, Mónica; act. 23: (A, C, F) Fried, Robert (B, D) Simson, David; 122 act. 24: (t)Palto/iStock; (c) RENGraphic/iStock; (b) RENGraphic/iStock; act. 25: Kenrou II/ Wikimedia; 123 kzenon/iStock; 124 act. 29: Peterson, Chip and Rosa María de la Cueva; act. 31: princigalli/iStock; 125 Simson, David; 126 act. 32: (mod.) Coast-to-Coast/iStock; (#1, #2, #4) Fried, Robert; (#3) Rangel, Francisco; (#5) Irina.Marmi/iStock; (#6) lunanaranja/iStock; 127 mikeledray/Shutterstock; 128 act. 37: Chivista/Wikimedia; act. 38: Coast-to-Coast/iStock; 129 Sergey Goruppa/Shutterstock; 130 CharlesKnox/iStock; 133 (tl) Michele Falzone/Alamy; (tr) filo/iStock; ("la acera") xraybravo/iStock; ("el césped") outlook/iStock; ("la señal de alto") zysman/iStock; ("tirar la basura") mageBROKER/Alamy; ("conducir") Imageegaml/iStock; ("la exhibición de arte") Freezingtime/iStock; 134 act. 1: (A, D) Corbis Royalty-Free; (B) AlbertoLoyo/iStock; (E) eurobanks/iStock; (F) Simson, David; 135 (t, c) Béjar Latonda, Mónica; 137 act. 8: ProtoplasmaKid/Wikimedia; act. 9: Roberto Robles/Wikimedia; 138 act. 10: Ridofranz/iStock; act. 11: snem/iStock; 139 ZUMA Press/Alamy; 140 (tl) dbimages/Alamy; (br) rramirez125/iStock; (cr) Gira/iStock; 141 (tr) Nachtwächter/Wikimedia; (br) DOUGBERRY/iStock; 142 (tl) Mikhail/iStock; (tr) IS_ImageSource/iStock; (cl) Roger Cracknell/Alamy; (cr) Chris_Elwell/iStock; (bl) alex-mit/iStock; (br) sophie4/iStock; 144 (t, c) Béjar Latonda, Mónica; act. 22: joel-t/iStock; 145 Kraft, Wolf; 147 act. 28: BestPhoto1/Shutterstock; 148 act. 31: kali9 (Kali Nine LLC)/iStock; 150 act. 34: warrengoldswain/iStock; act. 35: skynesher/iStock; 151 urosr/iStock; 155 act. B: ("los aztecas") FR86/iStock; ("los españoles") Grafissimo/iStock; ("Frida Khalo") Carl Van Vechten/Wikimedia; ("Diego Rivera") Carl Van Vechten/Wikimedia; 157 (l) IS_ImageSource/iStock; (r) JPSchrage/iStock; (c) Alija/iStock; 158 Sigarru/iStock; 159 (c) maxkabakov/iStock; (b) elsalvador.com; 160 (cr) Julzee71/iStock; (cl) Juriah Mosin (cc) JuNel/iStock; (t)

MJTH/Shutterstock; (bl) miriristic/iStock; (bc) xavdlp/iStock; (br) NTCo/iStock; **161** ("el algodón de azúcar") eli_asenova/iStock; ("las golosinas") zinchik/iStock; ("las palomitas de maíz") firina/iStock; ("el desfile") ermess/Shutterstock ("el coche antiguo") OndagoArts/iStock; ("el globo") PIKSEL/iStock; ("los fuegos artificiales") PapaBear/iStock; **162** act. 2: (c) Phartisan/Dreamstime; (t) ronstik /iStock; **163** Francisco, Timothy; act. 6: beatronix/iStock; **165** Rangel, Francisco; **166** act. 9: onfilm/iStock; act. 10: zooooma/iStock; **168** (tl) elsalvador.com; (cr) David Stanley/Wikimedia; **169** (tr) elsalvador.com; **170** (tl) Kairos69/iStock; ("el tigre") estima/iStock; ("la jirafa") Insomnia6/iStock; ("la cebra") double-P/iStock; ("el elefante") rhardholt/iStock; ("el león") EcoPic/iStock; ("el gorila") ElliotHurwitt/iStock; ("el hipopótamo") PJBMADE/iStock; ("el camello") Yoga-c/iStock; ("el flamenco") gimbat/iStock; ("la iguana") chickenandjazz/iStock; ("la pantera") Byrdyak/iStock; ("el mono") DamianPEvans/iStock; **171** ("la serpiente") alkir/iStock; ("la tortuga") trinamaree/iStock; act. 19: VicZA/iStock; **172** Francisco, Timothy; act. 22: (mod.) (#1 – #6) Corbis Royalty-Free; **173** (l) kwanisik/iStock; (r) John_Carvalho/iStock; **174** act. 24: (tr) Robert_Ford/iStock; (br)edfuentesg/iStock; **175** act. 25: (mod.) Mefodey/iStock; (#1, #2, #3, #6) Corbis Royalty-Free; (#4) Brakefield, Tom/CORBIS; (#5) olgaza/iStock; (#7) ImageVault; (#8) Anderson, Jennifer J.; act. 26: pjmalsbury/iStock; **176** (c) Corbis Royalty-Free; (b) prill/iStock; **177** (l) andresrimaging/iStock; (r) bilge/iStock; **178** edfuentesg/iStock; **179** pananba/Shutterstock; **180** dndavis/iStock; **182** act. 36: (mod.) EMPPhotography/iStock; (#1) sweetdreamsnov/iStock; (#2) jmhite/iStock; (#3) Irantzu_Arbaizagoitia/iStock; (#4) GlobalP/iStock; (#5) PeterBetts/iStock; (#6) guenterguni/iStock; **184** GlobalP/iStock; **187** (t) robwilson39/iStock; ("la fila") yula/iStock; ("la taquilla") jdwfoto/iStock; ("el boleto") totono/iStock; ("la banda") National Geographic Image Collection/Alamy; ("trapecista") mdmilliman/iStock; ("malabarista") Razvan/iStock; ("el payaso") lisafx/iStock; ("acróbata") chaoss/iStock; ("la jaula") Man vyi/Wikimedia; **188** ("el oso") GlobalP/iStock; ("el oso de peluche") horiyan/iStock; act. 1: (A) Jose Santiago Caamañ/Fotolia; (B) elsar77/iStock; (C) LuminaStock/iStock; (D) StevieS/iStock; (E) Raywoo/iStock; **189** (t, c) Francisco, Timothy; **190** (br) Stockbyte; (bl) ncraft/iStock; **191** (tr) gkuchera/iStock; act. 6: Peterson, Chip and Rosa María de la Cueva; **192** (t) maxkabakov/iStock; (tr) Andresr/Shutterstock; **194** uptonpark/iStock; **196** (tl) claudiobelli/iStock; (cr) curtis/Shutterstock; **197** (tr) polslona/iStock; (cr) Halamka/iStock; **198** (tl) Devon Stephens/Alamy; ("el bosque") prill/iStock; ("el cielo") klagyivik/iStock; ("el establo") andhal/iStock; ("el pavo") GlobalP/iStock; ("el toro") DaddyBit/iStock; ("la vaca") GlobalP/iStock; ("el ratón") alptraum/iStock; ("el cerdo") Tsekhmister/iStock; ("el gallo") NatalyaAksenova/iStock; ("la gallina") GlobalP/iStock; ("el conejo") GlobalP/iStock; ("la oveja") GlobalP/iStock; ("el pato") Ornitolog82/iStock; ("el pájaro") SteveByland/iStock; **199** Franck-Boston/iStock; **200** (t) Francisco, Timothy; act. 25: (mod.) Simson, David; (A, C, D, E, F) Corbis Royalty-Free; (B) PhotoDisc; **201** Enjoylife2/iStock; **202** joanek/iStock; **203** ArtMarie/iStock; **204** act. 31: (mod.) (#1, #2, #5, #7, #8) Corbis Royalty-Free; (#3) PhotoDisc; (#4) kiankhoon/iStock; (#6) PhotoPaq; **205** bradleyhebdon/iStock; **206** act. 37: (tl) ErikdeGraaf/iStock; (tc) xyno/iStock; (tr) stephenmeese/iStock; (bl) frenc/iStock; (bc) Gravicapa/iStock; (br) ktphotog/iStock; **207** Joaquín Sorolla/Wikimedia; **209** act. B: (mod.) ziggy_mars/iStock; (#1) GlobalP/iStock;

(#2) Panda_ /iStock; (#3) ABV/iStock; (#4) reborn55/iStock; (#5) maximili/iStock; **214** ArtMarie/iStock; **215** (c) maxkabakov/iStock; (b) Bob Krist/CORBIS; **216** (t) andresrimaging/iStock; (cl) Viktar/iStock; (cc) Viktar/iStock; (cr) ariwasabi/iStock; (bl) aanzolamphoto/iStock; (bc) primo-piano/iStock; (br) Rocter/iStock; **217** (tl) CGissemann/iStock; (tc) ValentynVolkov/iStock; (tr) artproem/iStock; (cl) Kuzmik_A/iStock; (cc) paulprescott72/iStock; **218** act. 1: (A) ValentynVolkov/iStock; (B) oscarcalero/iStock; (C) Kung_Mangkorn/iStock; (D) aLce/iStock; (E) volgariver/iStock; (F) SergeyZavalnyuk/iStock; (G) allisonmead/iStock; act. 2: daboost/iStock; **219** (t) Glumack, Ben; **220** nyul/iStock; **221** act. 7: rgbspace/iStock; act. 8: jrroman/iStock; **223** act. 10: maxkabakov/iStock; act. 11: Gvictoria/Shutterstock; **224** act. 12: MattoMatteo/iStock; act. 13: subman/iStock; **225** act. 14: kupicoo/iStock; act. 16: vanillastring/iStock; **226** (tl) jrroman/iStock; (cr) THEPALMER/iStock; **227** (tr) spooh/iStock; **228** (tl) Ingolf Pompe 7/Alamy; ("los mariscos") AlexRaths/iStock; ("el cangrejo") billyfoto/iStock; ("la almeja") og-vision/iStock; ("el camarón") Maria_Lapin/iStock; ("el pulpo") lsantilli/iStock; ("el atún") gregsi/iStock; ("el tocino") Westhoff/iStock; ("la salchicha") MSPhotographic/iStock; ("la carne de res") vikif/iStock; ("la ternera") Juanmonino/iStock; ("la costilla") Fudio/iStock; ("la crema de camarones") alexkladoff/iStock; ("el sándwich de mantequilla") HandmadePictures/iStock; ("el flan") Infografick/iStock; ("freír") starush/iStock; ("reír ") goldenKB/iStock; **229** act. 22: (mod.) VladyslavDanilin/iStock; (#1, #5) Corbis Royalty-Free; (#2) Stockbyte; (#3) Szakaly/iStock; (#4) PhotoAlto/eStock Photography; (#6) nito100/iStock; **230** (t) Glumack, Ben; act. 25: (A, E) iStock; (C) Rjabow, Nicholas/iStock; (D) Berger, Andi / iStock; **231** act. 27: (mod.) (#1, #2, #4, #6) Corbis Royalty-Free; (#3) Stockbyte; (#5) Karnow, Catherine/CORBIS; **232** photobac/iStock; **233** act. 29: (mod.) Tzolov, Nick/iStock; (#1) 66North/iStock; (#2) gbh007/iStock; (#4) Digital Planet Design/iStock; (#5) stevegeer/iStock; (#6) Jane and Aaron Photography/iStock; (#7) stocknshares/iStock; (#8) JPR/iStock; **234** AlexRaths/iStock; **235** act. 33: Dannemiller, Keith/CORBIS SABA; **236** act. 35: (t) TrotzOlga/iStock; (c) smpics/iStock; **237** (t) George Oze/Alamy; **239** act. B: (#1) CCat82/iStock; (#2) Lichtdimension/iStock; (#3) Woldee/iStock; (#4) JoeGough/iStock; **241** (tl) W1zzard/iStock; ("la joyería") Iakov Filimonov/Shutterstock; ("el rubí") xSHD/iStock; ("las telas") ManicBlu/iStock; ("a rayas") bernardo69/iStock; ("a cuadros") amateurphotog/iStock; ("los jeans desteñidos") whitelook/iStock; ("las prendas") hxdbzxy/Shutterstock; ("el vestidor") erreti/iStock; ("el cajero") Andrey_Popov/Shutterstock; ("la cajera") AndreyPopov/iStock; ("probarse") wavebreakmedia/Shutterstock; ("apurarse") Maridav/iStock; ("anochecer") Ig0rZh/iStock; **242** act. 1: (A) gchutka/iStock; (B, D) Corbis Royalty-Free; (C) stocksnapper/iStock; (E) AndreyPopov/iStock; (F) Freeman, Michael/CORBIS; **243** Glumack, Ben; **244** AlexanderNovikov/iStock; **245** act. 6: londoneye/iStock; act. 7: Antonio_Diaz/iStock; **246** ktaylorg/iStock; **247** act. 11: (mod.) SergiyN/iStock; (#1) NiseriN/iStock; (#2) AVAVA/iStock; (#3) Nicolaas Weber/Shutterstock; (#4) aldomurillo/iStock; (#5) foodandwinephotography/iStock; act. 13: Boogich/iStock; **248** Kalulu/iStock; **249** JamieWilson/iStock; **250** (tl) Chris Hammond/Alamy; (cr) THEPALMER/iStock; **251** (tr) Bob Krist/CORBIS; (cr) Danny Alvarez/Shutterstock; **252** (t) holgs/iStock; ("cocinero/a") kemalbas/iStock; ("camarero/a") Deklofenak/iStock; ("servir") gpointstudio/iStock; ("el

plato principal") graytown/iStock; ("el pimentero") fotozotti/iStock; ("el salero") rimglow/iStock; ("la azucarera") esolla/iStock; ("la azucarera") JackJack1965/iStock; 253 ("la salsa") aanzolamphoto/iStock; ("la propina") olegmit/iStock; ("la propina 2") FuzzMartin/iStock; ("el secreto") AndreyPopov/iStock; (tr) olgakr/iStock; ("la cuenta") Nleachproffer/iStock; 254 act. 23: (A, B) Vargas Bonilla, Alejandro; (C, - F) Corbis Royalty-Free; 255 (t) Glumack, Ben; (b) Fried, Robert; 256 Juanmonino/iStock; 257 poligonchik/iStock; 258 artpipi/iStock; 259 MaestroBooks/iStock; 260 act. 36: ("jugo") karandaev/iStock; ("plato fuerte") gbh007/iStock; ("postre") Moncherie/iStock; ("servicio") Minerva Studio/iStock; 261 (tr) Larry D. Moore/Wikimedia; act. 37: ("Cuadro") Fox625/Wikimedia; ("Güiro") jrroman/iStock; ("Flauta") McIninch/iStock; ("Piano") jgroup/iStock; ("Oboe") nacroba/iStock; ("Guitarra") timothycutter/iStock; ("Violín") Devonyu/iStock; ("Maracas") clovercity/iStock; 262 (tr) onebluelight/iStock; (cl) veesvision/iStock; 266 act. E: ("blusa blanca") hydrangea100/iStock; ("camiseta") windujedi/iStock; ("pantalon blanco") bonetta/iStock; ("camisa a cuadros") RuslanOmega/iStock; ("camisa") SednevaAnna/iStock; ("falda") craftvision/iStock; ("chaqueta") zoom-zoom/iStock; ("sombrero") Punkle/iStock; 267 (r) andresrimaging/iStock; (c) kemalbas/iStock; 268 Keith Dannemiller/CORBIS; 269 (c) maxkabakov/iStock; (b) Michel Cramer/Shutterstock; 270 (tl) Dirima/iStock; (tr) jcamilobernal/iStock; (cr) diane39/iStock; (tc) gerenme/iStock; (cl) smartstock/iStock; (bl) MileA/iStock; (bc) Maksud_kr/iStock; (br) JerryB7/iStock; 271 (t) Blend Images/Shutterstock; (tr) Spotmatik/iStock; ("el bisabuelo") diego_cervo/iStock; ("el papá") monkeybusinessimages/iStock; (tc) frentusha/iStock; 272 chuvipro/iStock; 273 Béjar Latonda, Mónica; 274 AdrianDavies/iStock; 276 (bl) HughStonelan/iStock; (tr) karammiri/iStock; (br) scibak/iStock; (tl) schulzie/iStock; 277 bttoro/iStock; 278 act. 13: (t) leungchopan/iStock; (c) ronstik/iStock; act. 14: (b) IndigoBetta/iStock; 280 (t) kszymek/iStock; (c) Michel Cramer/Shutterstock; 281 Edyta Pawlowska/Shutterstock; 282 (tl) photoBlueIce/iStock; (tr) andresrimaging/iStock; ("la cerca") Sparky2000/iStock; ("el muro") andresrimaging/iStock; ("el ladrillo") Devonyu/iStock; ("la reja") Nickos/iStock; ("el beso") monkeybusinessimages/iStock; ("la broma") Rommel Canlas/Shutterstock; ("cortar el césped") AigarsR/iStock; (bl) coramueller/iStock; (bc) SerrNovik/iStock 284 (t, c) Glumack, Ben 285 jacus/iStock; 286 act. 26: (mod.) Vlad Galenko/Shutterstock; (#1) Rozanski, Michal/iStock; (#2) Hafemann, Alexander/iStock; (#3) Edwards, Jeremy/iStock; (#4) iStock; (#5) Schultz, Reuben/iStock; (#6) lisamolson/iStock; 287 Gordon's Life Photo/iStock; 288 erierika/iStock; 289 act. 34: (mod.) vilax/Shutterstock; (tl) tuulijumala/iStock; (tc) terekhov igor/Shutterstock; (tr) rmirro/iStock; (bl) kirstypargeter/iStock; (bc) Elixirpix/iStock; (br) rawisoot/iStock; 290 Ricardo Rodríguez Q./Wikimedia; 292 act. A: (A) Fried, Robert; (B, E) Corbis Royalty-Free; (C, D) Corel Stock Photo; 294 cmcderm1/iStock; (tl) RogiervdE/iStock; (tc) nyul/iStock; (tr) stuartmiles99/iStock; (bl) meshaphoto/iStock; (bc) epicurean/iStock; 295 (t) fallbrook/iStock; act. 2: Sjoerd van der Wal Fotografie/iStock; 296 (t) Glumack, Ben; act. 3: lisafx/iStock; 298 act. 6: manley099/iStock; act. 7: JackF/iStock; 299 act. 8: Alex Vargas; act. 9: fullvalue/iStock; 300 monkeybusinessimages/iStock; 301 (tr) sourabhj/iStock; (cl) De Visu/Shutterstock; 302 (tr) Cyntia Motta/Wikimedia; (cr) Noked/Wikimedia; 303 (t) LifesizeImages/iStock; ("licuadora") trekandshoot/

iStock; ("la tostadora") trekandshoot/iStock; ("la cafetera") kcrep/iStock; ("el abrelatas") terex/iStock; (bl) MileA/iStock; (bc) petesaloutos/iStock; 304 (tl) boumenjapet/iStock; (tc) Elenathewise/iStock; (cc) Sannie32/iStock; (cr) icyimage/iStock; (tr) PaulFleet/iStock; (bl) CREATISTA/iStock; (bc) barsik/iStock; (br) VladimirFLoyd/iStock; 305 act. 17: (A) klikk/iStock; (B) Life in Focus Photography/iStock; (C) Corbis Royalty-Free (D) kzck/iStock; (E) Corbis Royalty-Free; (F) Koçaslan, Sinan/iStock; 306 (t) Glumack, Ben; act. 21: piovesempre/iStock; 307 (br) ftwitty/iStock; (bl) dolgachov/iStock; 308 act. 23: pablo_rodriguez1/iStock; act. 24: jarenwicklund/iStock; 309 act. 25: (mod.) asiseeit/iStock; (#1) shorrocks/iStock; (#2) klenger/iStock; (#3) 2ndLook Graphic Design/iStock; (#4) ktaylorg/iStock; (#5) Cady, Steve/iStock; (#6) PTB/iStock; 311 wdstock/iStock; 313 Festival Internacional de Cine en Guadalajara/Wikimedia; 314 Tim Buendia/Wikimedia; 319 (l) AigarsR/iStock; (r) jcamilobernal/iStock; 320 uruguaynatural.tv; (c) arakonyunus/iStock; 321 (c) maxkabakov/iStock; (b) David Litschel/Alamy; 322 republica.com.uy; ("el huracán") Harvepino/iStock; (tl) shironosov/iStock; (tc) ericcrama/iStock; (tr) Rawpixel/iStock; (bl) haveseen/iStock; (bc) fotostory/Shutterstock; (br) JCPJR/iStock; 323 (tl) Alexey Stiop/Shutterstock; (tc) wellphoto/Shutterstock; (tr) MargoJH/iStock; (bl) fotostok_pdv/iStock; (bc) Chalabala/iStock; (br) saintho/iStock; 324 act. 1: Prashant ZI/iStock; act. 2: ronstik/iStock; 325 (t) Francisco, Timothy; act. 5: Minerva Studio/iStock; 327 (t) edfuentesg/iStock; (c) fstop123/iStock; (b) lilu13/iStock; 328 Iakov Filimonov/Shutterstock; 329 photomorgana/iStock; 330 act. 12: Béjar Latonda, Mónica; act.14: andresrimaging/iStock; 331 samaro/iStock; 332 (t) rook76/Shutterstock; (c) Alfab1998/Wikimedia; 333 Centre for Medical Humanities; 334 (tl) Andrey_Popov/Shutterstock; (tr) Studio-Annika/iStock; ("los dibulos animados") carlacastagno/iStock; (bl) ollyy/Shutterstock; (cl) ASSOCIATED PRESS/AP; (cc) RichLegg/iStock; (cr) GDA/AP (bc) generacionx/iStock; (br) Choreograph/iStock; 335 (tl) DeshaCAM/iStock; (tc) ariwasabi/iStock; (tr) Tomwang112/iStock; 336 Francisco, Timothy; 337 Ammentorp Photography/Shutterstock; 338 act. 27: (t) kalavati/iStock; (c) andresrimaging/iStock; (b) deyangeorgiev/iStock; 339 surely/iStock; 340 monkeybusinessimages/iStock; 341 JoseGirarte/iStock; 342 id-work/iStock; 343 puntocero.me; 344 lucop/iStock; 345 act. A: (A) Oinegue/iStock; (B) 2StockMedia/iStock; (C) mabe123/iStock; (D) ChiehCheng/iStock; (E) sengulmurat/iStock; (F) NejroN/iStock; 347 (tl) Iain Masterton/Alamy; (tr) Frontpage/Shutterstock; ("el aviso") alexmillos/Shutterstock; ("la tira cómica") Vhrsti/Shutterstock; ("la columna") muuraa/iStock; (bl) Sergey Nivens/Shutterstock; (bc) jannoon028/iStock; (br) Akabei/iStock; 349 (t, c) Francisco, Timothy; 350 anouchka/iStock; 352 act. 10: (mod.) (#1) iStock; (#2) petrenkod/iStock; (#3) Gutiérrez, José Luis/iStock; (#4) Locke, Sean/iStock; (#5) Mackenzie, Robyn/iStock; (#6) stevecoleimages/iStock; (#7) mocker_bat/iStock; (#8) KateLeigh/iStock; 354 (t) david alayo/Shutterstock; (c) jikatu/Wikimedia; 355 (t) David Litschel/Alamy; (c) Mario R. Bogado V.; (b) Julio Etchart/Alamy; 356 (t) Maxisport/Shutterstock; (cl) Natursports/Shutterstock; (cc) Natursports/Shutterstock; (cr) ollyy/Shutterstock; (b) Archv/Shutterstock; 357 ("el marcador") Krivosheev Vitaly/Shutterstock; ("el tiro") Fotokostic/Shutterstock; ("el gol") mikkelwilliam/iStock; ("el/la aficionado/a") World Cup Portal/Wikimedia; ("el comentarista") Natursports/

Shutterstock; ("el micrófono") kzenon/iStock;
358 Natursports/iStock; **359** (t, c) Francisco, Timothy;
act. 22: Christian Bertrand/Shutterstock; **360** act. 24:
cokada/iStock; act. 25: Andresr/Shutterstock;
361 mooinblack/Shutterstock; **362** act. 27: Solodov
Alexey/Shutterstock; act. 28: Natursports/Shutterstock;
365 José Cantero; **367** act. C: (#1) anek_s/iStock; (#2)
AlexKalina/iStock; (#3) Tsidvintsev/iStock; (#4) Alija/iStock;
371 (t) Harvepino/iStock; (c) Natursports/Shutterstock;
372 Danegeld/iStock; **373** (c) maxkabakovi/Stock; (b)
Migel/Shutterstock; **374** (tl) javarman/Shutterstock; (tr)
Natursports/Shutterstock; (cl) FineArt/Alamy; (cr)
Intellistudies/iStock; (bl) bo1982/iStock; (bc) Juanmonino/
iStock; **375** act. 1: (A) Corbis Royalty-Free; (B) Kraft, Wolf;
376 (t) Francisco, Timothy; act. 6: (A) Mr Pics/
Shutterstock; (B) AVAVA/iStock; (Bt) nito100/iStock; (C)
Otografias/iStock; (D) Shelly Wall/Shutterstock;
377 JoseIgnacioSoto/iStock; **379** act. 10: Simson, David;
act. 11: (mod.) monkeybusinessimages/iStock; (#1)
Slobodkin, Alex/iStock; (#2) luminis/iStock; (#3)
Korenbaum, Elena/iStock; (#4) Hobson, Richard/iStock;
(#5) erlucho/iStock; (#6) Senic, Branislav/iStock;
380 act. 13: (mod.) Rosier, Famelie/iStock; (#1) Simson,
David (#2) Fried, Robert; (#3) Tempura/iStock; (#4) Holmes,
Robert/CORBIS; (#5) balono/iStock; **381** act. 15: Litteken,
Charisse; act. 16: vwalakte/iStock; **382** (t) Migel/
Shutterstock; (c) Nuria; **383** (t) Migel/Shutterstock; (c)
Pecold/Shutterstock; **384** (t) dem10/iStock; (cl) David R.
Frazier Photolibrary, Inc./Alamy; (cc) Csondy/iStock; (cr)
Goodluz/Shutterstock; (bl) Robert Fried/Alamy; **385** (tl)
Boarding1Now/iStock; (tr) Vinicius Tupinamba/
Shutterstock; (cl) Neustockimages/iStock; (cc)
oleksagrzegorz/iStock; (cr) Elenathewise/iStock; (bl)
andresrimaging/iStock; (bc) alexmillos/Shutterstock; (br)
alexmillos/Shutterstock; **387** (t) Francisco, Timothy;
act. 25: Yuri_Arcurs/iStock; **388** traumschoen/iStock;
389 act. 27: Fried, Robert; act. 28: Elenathewise/iStock;
390 amoklv/iStock; **391** raiwa/iStock; **392** act. 32: (tr)
iStock (c) Edyta Pawlowska/Shutterstock; (tl) MasterLu/
iStock; **393** (tr) flydime /Wikimedia; (bl) fjoselitofp/
Wikimedia; (tl) mmeee/iStock; (br) Alejandro Ramos/
Wikimedia; **394** (bl) intst/iStock; (tr) SOMATUSCANI/
iStock; (tl) Action Plus Sports Images/Alamy (br) Geoff
Williamson Prime/Alamy **395** Arena Photo UK/
Shutterstock; **396** act. D: (#1) VDV/Shutterstock; (#2)
IPGGutenbergUKLtd/iStock; (#3) holgs/iStock; (#4)
Vladimir Sazonov/Shutterstock; **398** (t) Tupungato/
Shutterstock; (cl) lelepado/iStock; (cr) quavondo/iStock;
(bl) monticelllo/iStock; (bc) stocknroll/iStock; (br) Cebas/
Shutterstock; **399** ("la tripulación") andresrimaging/
iStock; ("el piloto, la piloto") william87/iStock; ("el auxiliar
de vuelo") Shmeliova Natalia/Shutterstock; ("entregar")
michaeljung/iStock; ("dar la bienvenida") bikeriderlondon/
Shutterstock; ("abordar") Gizmo/iStock; ("el asiento")
daboost/iStock; ("colocar") gchutka/iStock; (bl)
ssuaphoto/iStock; (br) eric8669/iStock; **400** Noctiluxx/
iStock; **401** (t) Francisco, Timothy; act. 6: CaronB/iStock;
402 (t) maxkabakov/iStock; act. 7: Tupungato/
Shutterstock.com; **404** pedrosala/Shutterstock;
405 Simson, David; **406** act. 11: PIKSEL/iStock; act. 12:
monkeybusinessimages/iStock; **407** Picture Finders Ltd./
iStock; **408** (t) Alex Segre/Alamy; (b) eFesenko/
Shutterstock; **409** (t) criben/Shutterstock; (c) Eyca/
Wikimedia; **410** (t) Oscar Garriga Estrada/Shutterstock;
(cl) slava296/iStock; (cr) multifocus/iStock; (cc) kzenon/
iStock; (bl) age fotostock/Alamy; (bc) carlosegg/iStock;
(br) imageBROKER/Alamy **411** Cultura RM/Alamy; **412** (t)

Francisco, Timothy; act. 24: mmero/iStock; **413** kevinruss/
iStock; **414** act. 28: (mod.) andresrimaging/iStock; (#1)
andresrimaging/iStock; (#2) Corbis Royalty-Free; (#3) AFP/
CORBIS; (#4) Ricardo Patiño/Wikimedia; **415** bogdan_
ionita/iStock; **416** Mateo & Francisco del Canto/
Wikimedia; **419** maxkabakov/iStock; **422** MLBJ/iStock;
423 (l) David R. Frazier Photolibrary, Inc./Alamy; (r)
Boarding1Now/iStock; (c) Oscar Garriga Estrada/
Shutterstock; **424** ozgurdonmaz/iStock; **425** (c)
maxkabakovi/Stock; (b) panchof/iStock; **426** (tl)
Rawpixel/iStock; (tr) ImagesbyTrista/iStock; ("el hombre
de negocios") OtmarW/iStock; ("la mujer de negocios")
Ingalvanova/iStock; ("la escritora") contrastaddict/iStock;
("el artista") catshiles/iStock; ("la fotógrafa") izanoza/
iStock; ("el peluquero") CandyBoxImages/iStock;
("el carpintero") gpointstudio/iStock; ("el obrero") stask/
iStock; ("la ingeniera") Peterclose/iStock; ("el veterinario")
humonia/iStock; ("la programadora") nullplus/iStock;
("la bibliotecaria") lisafx/iStock; **427** (tl) SergeyVButorin/
iStock; (tc) sunara/iStock; (tr) monkeybusinessimages/
iStock; ("el bombero") Bumann/iStock; (bl) ZoxMedia/
iStock; (bc) leaf/iStock; (br) monkeybusinessimages/
iStock; ("el taxista") anouchka/iStock; **428** act. 1: (A)
Stewart, Tom/CORBIS; (B, C) Stockbyte; (E) Szepy/iStock;
(D) SnowWhiteimages/iStock; act. 3: Shots Studio/
Shutterstock; (F) Peterson, Chip and Rosa María de la
Cueva; **429** (t) Francisco, Timothy; (b) Schulz, Sören;
430 Antonio_Diaz/iStock; **432** act. 10: (mod.)
dreamnikon/iStock; (#1) EvrenKalinbacak/iStock; (#2)
alenkadr/iStock; (#3) ollikainen/iStock; (#4)
EduardHarkonen/iStock; (#5) andresrimaging/iStock; (#6)
sestovic/iStock; (#7) SarapulSar38/iStock; (#8)
patrickheagney/iStock; **433** Factoria Singular/iStock;
434 (tr) epa european pressphoto agency b.v./Alamy; (cl)
Keith Allison from Owings Mills/Wikimedia; (br) Surizar,
cropped by Jen/Wikimedia; **435** (tr) Allstar Picture
Library/Alamy; (cl) Elizabeth Goodenough/Everett
Collection; (br) Proimages derivative work/Wikimedia;
436 (t) andresrimaging/iStock; (cl) andresrimaging/
iStock; (bc) dehooks/iStock; (bl) monkeybusinessimages/
iStock; (cr) RichLegg/iStock; (br) monkeybusinessimages/
iStock; **437** (tl) Wavebreak/iStock; (tc) pagadesign/iStock;
(tr) topten22photo/iStock; (bc) luckyraccoon/iStock; (bc)
Rostislavv/iStock; (br) Daniel76/iStock; **439** (t) Francisco,
Timothy; act. 23: (A) Corel Stock; (B) Alysta/iStock; (C, D, E)
Corbis Royalty-Free; (F) Anderson, Jennifer J.; **440**
MichaelDeLeon/iStock; **441** (b) billnoll/iStock;
442 jc_design/iStock; **443** act. 28: Ljupco/iStock; act. 29:
SumanBhaumik/iStock; **444** (tl) Andres.Arranz /
Wikimedia; (tr) Thomas Attila Lewis at /Wikimedia; (bl)
paal / Paal Leveraas/Wikimedia; (br) Fanny Schertzer/
Wikimedia; **445** (tr) rebelml/iStock; (c) gaspr13/iStock;
(tl) oneclearvision/iStock; **446** (tl) amriphoto/iStock;
(tr) paulo-lopes/iStock; **449** (tl) CEFutcher/iStock;
(tr) Regien Paassen/Shutterstock; (tc) shalamov/iStock;
(bl) santirf/iStock; (bc) EvelynArt/iStock; (br)
m-imagephotography/iStock; **450** act. 1: (A) PhotoPaq;
(B) Fried, Robert; (C) PhotoPaq; (D) Hagel, David; (E) Corbis
Royalty-Free; (F) Stockbyte; **451** Francisco, Timothy;
453 l27/iStock; **454** (tr) Journalist Seaman Charles A.
Ordoqui/Wikimedia; (cr) FrontierEnviro/Wikimedia;
455 (tr) B9D344/Alamy; (cr) panchof/iStock; **456** ("soy
norteamericano") knape/iStock; ("soy centroamericana")
eyecrave/iStock; ("soy sudamericana") Juanmonino/
iStock; ("soy marroquí") 1001nights/iStock; ("soy italiana")
mammuth/iStock; ("soy brasileño") Alina555/iStock;
457 ("soy australiana") lovleah/iStock; ("soy china")